令和7年度春期
【2025年】

ITパスポート 過去問題集

たん合格

間久保 恭子 著

インプレス

ITパスポート
CBT対策講座

ITパスポート試験は，筆記試験ではなくパソコンを使ったCBT（Computer Based Testing）という試験方式です。CBT方式では，受験者1人ひとりがパソコンを使って，画面に表示された問題を確認しながら，マウスやキーボードを使って，選択肢から選んで解答します。自信がない問題や苦手な問題を飛ばして後回しにしたり，見直しをして選択肢を選び直したりすることもできます。

ここでは，CBT方式の試験画面を紹介しています。実際の試験で，操作方法に戸惑って落ち着いて解答できなかった，試験時間が不足してしまった，ということのないよう，事前に確認しておきましょう。また，IPAでは，実際の試験を疑似体験できるソフトウェアを提供しています。これまでの過去問題（平成24年度春以降）を体験することができるので，ダウンロードして操作しておくことをおすすめします（本書では，ダウンロード方法を8ページで紹介しています）。

試験画面はこんな感じ！

試験画面は次のような画面で，選択肢をクリックして選択するようになっています。

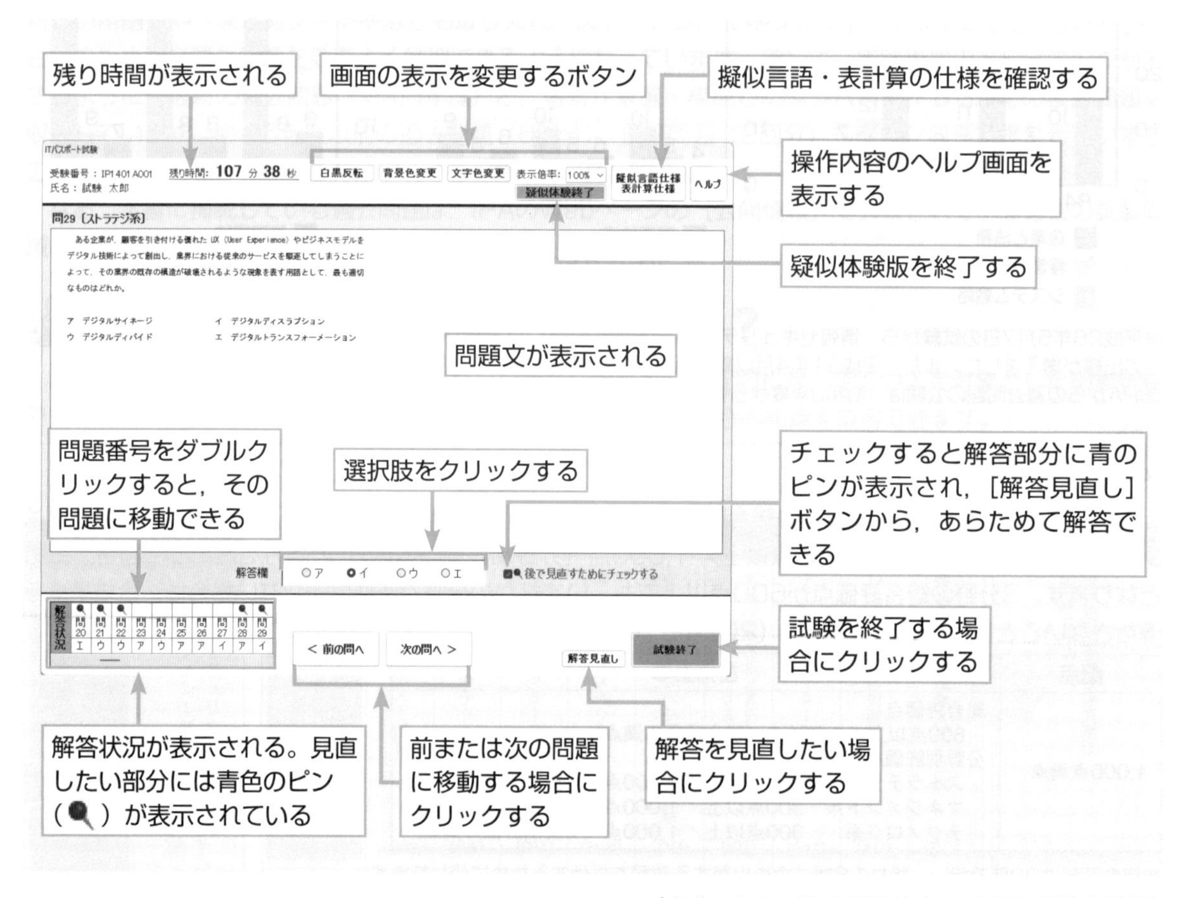

（出典：IPA　独立行政法人　情報処理推進機構）

解答を見直したい場合は…

自信のない問題でも，とりあえずいずれかの選択肢を選んでおきましょう。［後で見直すためにチェックする］ボタンをチェックしておけば，解答を見直すことができます。

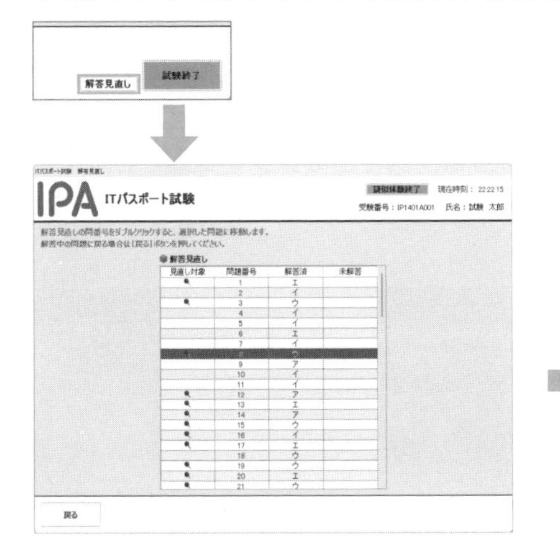

試験画面の［解答見直し］ボタンをクリックすると，問題見直しの画面が表示されます。青色のピン（🔍）が表示されている部分をダブルクリックすると，該当する問題に戻って，解答を選択し直すことができます。

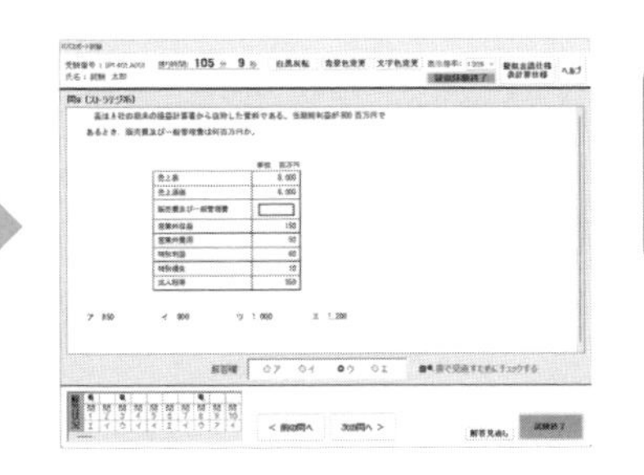

試験会場ではメモ用紙が用意されているので，計算問題などはそれを使うと便利だよ。

画面が見にくい場合は…

試験開始前に画面の状態を確認しておきましょう。文字が見づらい場合は文字を拡大したり，画面表示自体を変更して，自分にとって操作しやすい画面状況を確認してから，試験をスタートさせると安心して操作できます。

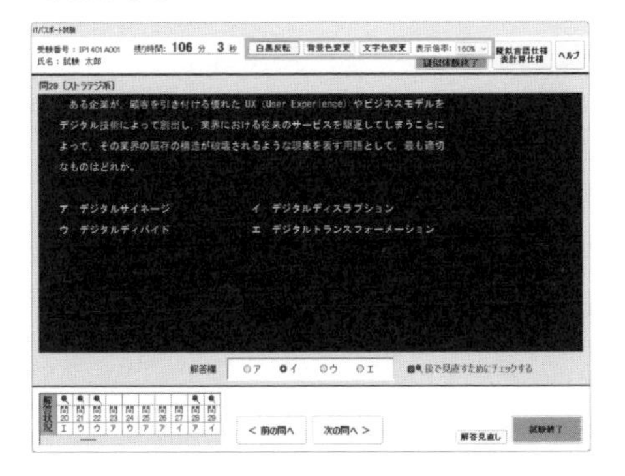

白黒表示にして，表示倍率を「160%」に変更した

画面上にある各ボタンで，画面の表示を変更できます。

［白黒反転］：左画面のように文字を白色に背景を黒に変更できます。ディスプレイに光などが反射して見にくい場合は試してみましょう。

［背景色変更］：背景色を黒以外の色に変更できます。

［文字色変更］：文字の色を変更できます。

［表示倍率］：クリックすると，10%刻みで表示の倍率を変更できる一覧が表示されます。

試験が終了したら，すぐに結果がわかる

試験が終了すると，自動的に採点が行われ試験結果の画面が表示されます。疑似体験版では実際の正答数が表示されます（左画面）。実際の試験では，IRTという方式によって採点され，評価点が表示されます（右画面）。

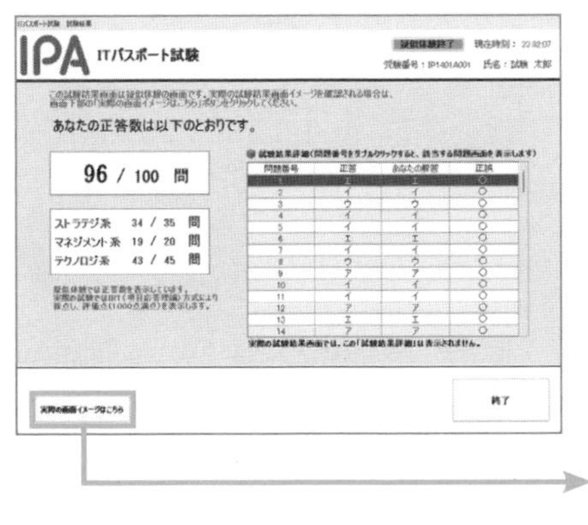

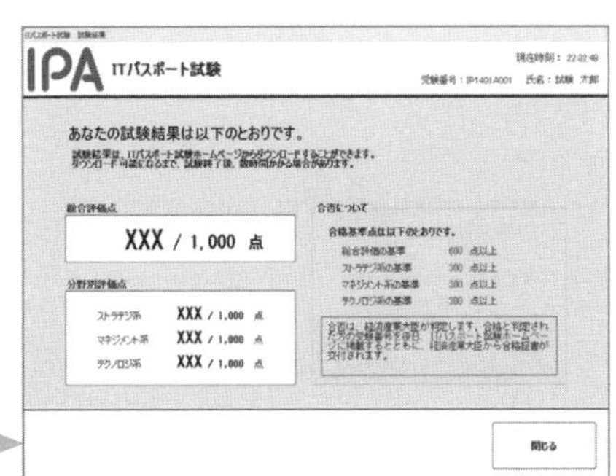

実際の試験結果画面のイメージ

CBT疑似体験用ソフトウェアを使ってみよう

CBT疑似体験用ソフトウェアは，IPAのWebページ（https://www3.jitec.ipa.go.jp/JitesCbt/index.html）の［受験案内］→［CBT疑似体験ソフトウェア］で提供されています（Windows版のみ）。過去問題の公開時期ごとに分かれており，時期を選んでボタンをクリックすると疑似体験用ソフトウェア（ZIP形式の圧縮ファイル）をダウンロードできます。ZIP形式の圧縮ファイルを解凍すると「ExamApp_xxxx」というフォルダが作成され，フォルダの中の「ExamApp_xxxx.exe」をダブルクリックすると疑似体験用ソフトウェアが実行されます（xxxxの部分は公開時期によって異なります）。PCにソフトウェアをインストールしたり，体験後にソフトウェアをアンインストールしたりする必要はなく，手軽にCBT試験を疑似体験することができます。

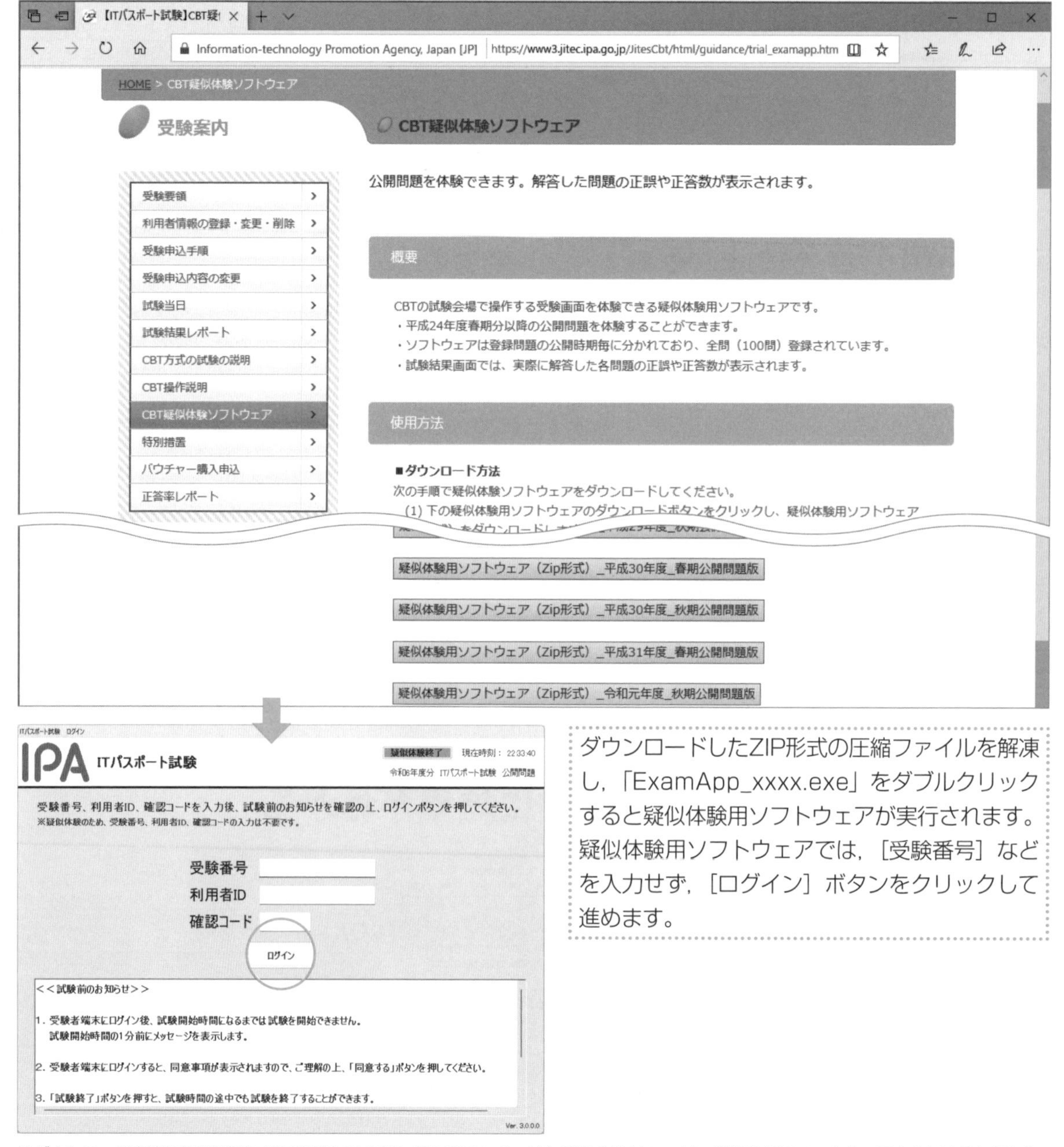

ダウンロードしたZIP形式の圧縮ファイルを解凍し，「ExamApp_xxxx.exe」をダブルクリックすると疑似体験用ソフトウェアが実行されます。疑似体験用ソフトウェアでは，［受験番号］などを入力せず，［ログイン］ボタンをクリックして進めます。

※ダウンロード方法や動作環境などの詳細については，IPAのWebページをご覧ください。また，疑似体験用ソフトウェアを使用するに当たり，「ITパスポート試験疑似体験用ソフトウェア」利用許諾条件合意書への同意が必要です。
※掲載の画面は2024年10月現在のもので，画面内容や操作手順は変更される場合があります。

ITパスポート
受験概要

ITパスポート試験は，筆記試験ではなくパソコンを使ったCBT試験方式です。随時，試験会場でCBT試験が実施されており，おおむね3か月後の受験日より申し込むことができます。

受験の申し込みは，IPAのWebページ（https://www3.jitec.ipa.go.jp/JitesCbt/index.html）の［HOME］→［受験申込み］から行います。内容は，2024年10月時点の情報です。

受験までの大まかな流れは，次の通りです。

利用者IDを登録する

初めて受験する場合は，**利用者IDとパスワードの登録**が必要です。受信可能なメールアドレスを用意し，公式サイトの「初めて受験する方はこちら」と表記されている箇所から登録しましょう。

受験を申し込む

①「受験申込み」ページから利用者IDとパスワードを入力してログインします。

②受験関連メニューの「受験申込」から，地域，試験会場，試験日，試験時間，受験手数料支払い方法などを選択し，申し込みます。**受験手数料は，「7,500円（税込）」**です。

※支払い方法や受験申込時の時間帯により，予約可能な試験日が異なります。

※支払い方法は，クレジットカード，コンビニ支払い，バウチャー（ITパスポート試験のための電子的な前売りチケット）での支払いが選択できます。

※選択した会場の3か月後（会場により異なる）までの試験日がカレンダーで表示されるので，希望日を選択します。

③**支払いと申込み完了後，登録されたメールアドレス宛てに確認票の発行のお知らせ**が届きます。
これで申込み手続は終了です。

確認票を印刷する

確認票発行のお知らせが届いたら，**「確認票」をダウンロードして印刷しましょう。確認票には，受験時のログインに必要な「受験番号」「利用者ID」「確認コード」や試験日時，会場，注意事項などが記載されています。試験会場に必ず持参してください。**

※確認票は送付されないため，忘れずに受験日までに余裕をもってダウンロードしましょう。

※印刷ができない場合は，**受験番号，利用者ID，確認コードの3つを控えて試験会場に持参**してください。

受験する

①**確認票，顔写真付き本人確認書類を忘れずに持参**しましょう。

②案内にしたがって，受験番号，利用者ID，確認コードを入力してログインします。

③画面の指示にしたがって受験します。

※CBT試験に慣れておくために，CBT疑似体験ソフトウェアを活用しましょう（6～8ページ）。

合格発表

受験月の翌月中旬頃，公式サイトで発表されます。

合格証書は，受験月の翌々月中旬頃に発送されます。

合格目指して頑張りましょう！

ITパスポート

シラバスVer.6.3への対策

2024年10月の試験から「シラバスVer.6.3」が適用になりました。土台になっているのはシラバスVer.6.0で，高等学校の共通必修科目「情報Ⅰ」に基づいて，プログラミング的思考力，情報デザイン，データ利活用など，多くの新しい項目·用語が追加されました。そして，シラバスVer.6.2では，生成AIの仕組み，活用例，留意事項などに関する項目・用語例が追加されました。

こうした内容をシラバスVer.6.3は全て継承し，さらに生成AIに関することを中心に約100の新しい用語例が追加されています。出題範囲が広がり，多くの項目・用語が増えているので，次ページの対策方法を読んで，得点アップを図りましょう。なお，シラバスVer.6.1はマネジメント系の一部表記が変更されただけで，シラバスVer.6.0とほぼ同じ内容です。

IPA（独立行政法人 情報処理推進機構）から発表された見直しの内容は，次の通りです。

●シラバスVer.6.2の見直しの内容

デジタルトランスフォーメーション（DX）の取組が各組織において進められている中，AI・IoT・ビッグデータなどのDXの推進に重要となるデジタル技術は日々大きな進化を見せています。特に，AI分野において，「人間と対話しているかのような自然な文章」や「高クオリティな画像」を生成する「生成AI」の登場が，国民生活や企業活動に大きなインパクトを与えています。

生成AIには，デジタル技術の活用を加速させ，我が国全体の生産性向上のみならず，様々な社会課題の解決に資する可能性があると言われています。生成AIによる恩恵を享受してデジタル社会の実現を加速するためには，生成AIを効果的かつ安全に活用することが期待されます。

こうした状況を踏まえ，ITを利活用するために必要な共通的知識を問うITパスポート試験において，知識の細目であるシラバスを変更します。具体的な変更内容は，以下のとおりです。

1.「ITパスポート試験 シラバス」に，生成AIの仕組み，活用例，留意事項等に関する項目・用語例を追加
2. その他，近年の動向等を踏まえた用語例などの整理

●シラバスVer.6.3の見直しの内容

・DXを推進するために必要となる知識（ビジネス変革，デザイン，データ利活用，AI（生成AIを含む）利活用 など）を評価するための対応
・「数理・データサイエンス・AI（応用基礎レベル）モデルカリキュラム」(注釈)のキーワード等の取込み
・情報セキュリティ管理分野における，JISの改正を踏まえた用語などの表記の変更
・その他，既に出題している用語の取込み，近年の技術動向や環境変化等を踏まえた用語例などの整理

（注釈）数理・データサイエンス・AI教育強化拠点コンソーシアム「数理・データサイエンス・AI（応用基礎レベル）モデルカリキュラム」（令和3年3月31日公開）
http://www.mi.u-tokyo.ac.jp/consortium/pdf/model_ouyoukiso.pdf

※IPA「情報処理技術者試験及び情報処理安全確保支援士試験における出題範囲・シラバスの一部改訂について（近年の技術動向・環境変化などを踏まえた改訂）」より引用

シラバスは，出題範囲を整理してまとめたものだよ。分野ごとに項目や用語例などが詳細に記載され，どんな知識が合格に必要かわかるんだ。ITパスポート試験の公式サイトで確認することができるよ。

シラバスVer.6.3への対策方法

ITパスポート試験の出題範囲は広く，幅広く知識を学ぶ必要があります。擬似言語を用いた出題もあり，合格ラインをクリアするには，これまでより一層の試験対策が必要です。ぜひ，次の対策方法を参考にしてください。

対策　その1：新しい用語をチェックし，予想問題に挑戦しよう！

「シラバスVer.6.3 新しい用語」（12～22ページ）や「覚えておきたい！ 新しい用語」（26～57ページ）には，ここ数年で追加された新しい用語や重要な用語を紹介しています。ぜひ，学習に役立ててください。特にデータ利活用やAIに関することは，しっかり確認しておきましょう。スマホで学べる単語帳アプリも提供していますので，こちらも活用してください。そして，「得点アップにつなげる！予想問題」（84～101ページ）には，シラバスVer.6.0以降の新しい項目・用語に関する問題を掲載しています。新しい用語を確認したら，ぜひ挑戦してみてください。

また，IPAからは，シラバスVer.6.3に対応した過去問題は，まだ公開されていません。そこで，本書では「シラバスVer.6.3対応 模擬問題」（393～479ページ）を用意しました。本番の試験を想定して解いてみてください。

対策　その2：新しい技術に関する用語を覚えよう！

この数年，シラバスの改訂が続いており，その都度，多くの新しい項目・用語が追加されています。その中で，特に重要なのがAIやIoTなどの新しい技術に関連するものです。これらの用語は，シラバスVer.4.0（2018年8月発表）において出題割合を高めるアナウンスがあり，今後も高い割合での出題が予測されるため，しっかり学習しておく必要があります。ぜひ，「覚えておきたい！ 新しい用語」（26～57ページ）や単語帳アプリを活用してください。

また，「新技術・重要用語の過去問題 集中トレーニング」（66～83ページ）には，AIやIoTなどの新しい技術に関する問題をまとめて掲載しているので，こちらも挑戦してみてください。

[新しい技術に関する項目・用語例]

AI（ニューラルネットワーク，ディープラーニング，機械学習ほか），フィンテック（FinTech），暗号資産（仮想通貨），ドローン，コネクテッドカー，RPA（Robotic Process Automation），シェアリングエコノミー，データサイエンス，アジャイル，XP（エクストリームプログラミング），DevOps，チャットボット，IoTデバイス（センサー，アクチュエーターほか），5G，IoTネットワーク,LPWA（Low Power Wide Area），エッジコンピューティングなど

対策　その3：情報セキュリティ分野をおさえよう！

もともと情報セキュリティ分野からの出題割合は高いため，重点的に学習する必要があります。できるだけ多くの用語を覚えるように，情報セキュリティ分野全体にしっかり取り組んでください。特に「個人情報保護法」「攻撃手法」「リスクマネジメント」「情報セキュリティの要素」「技術的セキュリティ対策」「暗号技術」「生体認証」は必ず確認しておきましょう。

対策　その4：プログラム（擬似言語）問題を攻略しよう！

シラバスVer.6.0からプログラミング的思考力を問う「擬似言語」の問題が出題されます。本書の「プログラム（擬似言語）問題への対策」（106～112ページ）では，擬似言語の読み方や，サンプル問題の解答・解説を行っています。初心者向けにていねいに説明しているので，プログラミングは未経験という方も，ぜひ，取り組んでみてください。

用語対策！

シラバスVer.6.3 新しい用語

ここでは，「シラバスVer.6.3」で追加された新しい用語を紹介しています。また，生成AIの仕組み，活用例，留意事項などに関する項目・用語例が追加された「シラバスVer.6.2」の新しい用語も合わせて記載しています。最新の出題傾向への対策として確認しておきましょう。

■ストラテジ系

□MVV（ミッション，ビジョン，バリュー）

MVVは「Mission（ミッション）」「Vision（ビジョン）」「Value（バリュー）」の略称で，企業経営の中核となる方向性を示すものです。ミッションは企業が果たすべき使命や役割，ビジョンは企業が目指す理想像，バリューにはミッションやビジョンを実現するための具体的な行動指針や行動基準を定義します。

ミッション Mission	果たすべき使命や役割
ビジョン Vision	目指す理想像
バリュー Value	行動指針や行動基準

□パーパス経営

パーパス（purpose）は「目的」や「意図」という意味ですが，ビジネスでは「企業の存在意義」を示す言葉として使われています。パーパス経営は，自社が「社会的に何のために存在するのか」「どのような社会貢献の役割を担うか」といったことを定義し，それに基づいた経営を行うことです。

□人的資本経営

人材がもつ知識や能力などを，投資して価値を高めることができる「資本」として捉えることを人的資本といいます。人的資本経営は，人的資本の価値を最大限に引き出し，企業の価値向上につなげる経営のあり方です。

□カーボンフットプリント

カーボンフットプリントは，商品・サービスのライフサイクル（原材料調達，生産，流通・販売，使用・維持管理，廃棄・リサイクル）で排出された温室効果ガスの総量をCO_2量に換算し，商品などに表示することです。

□リスキリング

リスキリングは，新しい職業に就くためや，今の職業で必要とされるスキルの大幅な変化に適応するために，新しいスキルを習得することです。単なる学び直しではなく，技術革新やDX推進などの時代の変化にともない，新たに必要とされるスキルの獲得を目的としています。

□DE&I（Diversity，Equity & Inclusion）

DE&IはDiversity（多様性），Equity（公平性），Inclusion（包括性）の用語を合わせたもので，「ダイバーシティ，エクイティ＆インクルージョン」といいます。多様な人々の誰もが公平な機会を得られ，能力を発揮できる環境を実現するという考えです。

□コンティンジェンシー理論

コンティンジェンシー理論は，全ての状況に適応できる唯一最適なリーダーシップのスタイルは存在せず，環境や状況によって望ましいリーダーシップのスタイルは異なるというリーダーシップ論です。

□シェアードリーダーシップ，サーバントリーダーシップ

シェアードリーダーシップは，特定の1人がリーダーになるのではなく，チームのメンバー全員がリーダーとしての役割を担い，リーダーシップを発揮します。

サーバントリーダーシップは，リーダーは「まず相手に奉仕し，その後相手を導く」というものです。リーダーはメンバーの話をよく聞き，成長を支援します。

□ワーケーション

ワーケーションは，Work（仕事）とVacation（休暇）を組み合わせた造語で，観光地やリゾート地，帰省先などで休暇をとりながら，テレワークを利用して仕事をする働き方のことです。

□グリーントランスフォーメーション（GX）

グリーントランスフォーメーション（GX：Green Transformation）は，化石燃料をできるだけ使わず，太陽光や風力，水素などのクリーンなエネルギーを活用していくための変革や，その実現に向けた活動のことです。

□カーボンニュートラル

カーボンニュートラルは，温室効果ガスの排出量を，森林の吸収量や技術によって除去した量を差し引き，全体としてゼロになっている状態のことです。カーボン（carbon）は「炭素」，ニュートラル（neutral）は「中立的」という意味があります。GXにおける取組みの1つです。

□精度と偏り

統計分野において，値のばらつきの程度を精度，真の値からの誤差を偏りといいます。値のばらつきが小さい場合，精度は高いといいます。また，真の値から離れている場合，偏りは大きいことになります。

□統計的バイアス（選択バイアス，情報バイアスなど）

母集団から標本を抽出した際，偶然ではなく，標本に偏り（バイアス）が発生することがあります。このような統計的バイアスとして，次のようなものがあります。

選択バイアス：標本を選ぶ段階で生じる偏りで，集めた標本が正しく母集団を表現していません。
（例）市民の読書環境に関する調査で，図書館の利用者だけを選んだ。
情報バイアス：情報を得るときに生じる偏りで，正しい情報を入手できていません。
（例）回答者が偽った身長と体重を伝える。

□認知バイアス

認知バイアスは，自分の経験や思い込みによって，合理性や一貫性に欠けた判断をしてしまうことです。

□適格請求書等保存方式（インボイス制度）

事業者が消費税を納めるとき，売上で受け取った消費税から仕入れにかかった消費税を差し引きます。これを消費税の仕入税額控除といいます。適格請求書等保存方式は消費税の仕入税額控除の方式を定めたもので，インボイス制度と呼ばれています。売り手は買い手に消費税額などを伝えるために，一定の事項を記載した**適格請求書**（**インボイス**）を発行し，双方が保存することで仕入税額控除が適用されるようになります。

□忘れられる権利（消去権）

忘れられる権利は，一定の要件の下，インターネット上に残っている個人に関する情報を削除することや，検索結果に表示されなくすることを求める権利です。消去権ともいいます。

□労働安全衛生法

労働安全衛生法は，職場における労働者の安全と健康を確保するとともに，快適な職場環境の形成を促進することを目的とする法律です。安全衛生管理体制の確立，労働災害防止のための具体的な措置，安全衛生教育の実施，健康診断・ストレスチェックの実施など，様々なルールが定められています。

□労働施策総合推進法（パワハラ防止法）

労働施策総合推進法は，労働者が能力を有効に発揮できるようにし，職業の安定と経済的・社会的地位の向上を図ることを目的とする法律です。労働者の多様な事情に応じて，安定的な雇用や職業生活の充実，生産性の向上を図るための施策を定めています。パワーハラスメントの防止に関する規定が設けられていることからパワハラ防止法とも呼ばれています。

□36協定

労働条件などについて，使用者と労働者の間で交わす取り決めを**労使協定**といいます。労働者に法定労働時間（1日に8時間，1週間に40時間）を超えて，時間外労働をさせる場合，労働基準法36条に基づき労使協定を締結し，所轄の労働基準監督署長に届出する必要があります。36（さぶろく）協定は，このとき結ぶ労使協定のことです。

□景品表示法

景品表示法は，消費者の利益を守るため，不当な表示の禁止，景品類の制限・禁止を定めた法律です。消費者に誤認される表示を規制し，過大な景品類の提供を防ぐために景品類の最高額を制限しています。

□エコーチェンバー

エコーチェンバーは，SNSで自分と似た興味関心をもつユーザーとつながることで，自分と同意見の情報だけが増幅して行き交っている状況のことです。「そうだね」と同意し合っているうちに，全般的なことが見えなくなり，誤った情報さえ正しいと思い込んでしまう危険性があるといわれます。

□フィルターバブル

フィルターバブルは，利用者の個人情報や検索履歴などによって，利用者にとって興味関心がありそうな情報ばかりが表示され，それ以外の情報に接する機会が失われている状況のことです。泡（バブル）に包まれて，見たい情報しか見えなくなることから，価値観や思考が狭まったり偏ったりする危険性があるといわれます。

□デジタルタトゥー

デジタルタトゥーは，SNSやブログなどから公開された情報（文字や画像，動画など）が，一度拡散してしまうと完全に消すことが困難で，インターネット上に残り続けてしまうことです。「Digital」（デジタル）と「Tattoo」（刺青，タトゥー）を組み合わせた造語です。

□廃棄物処理法

廃棄物処理法は，廃棄物の排出の抑制や処理について定めた法律です。廃棄物の適正な分別，保管，収集，運搬，再生，処分等に関するルールや罰則が規定されています。

□GX推進法

GX推進法は，GXの実現に向けた取組みや方針などを示した法律です。具体的な取組みとして，GX推進戦略の策定·実行，GX経済移行債の発行，成長志向型カーボンプライシングの導入，GX推進機構の設立などが規定されています。**カーボンプライシング**は，企業などの排出する二酸化炭素に価格をつけ，金銭的な負担を課すことです。

□デジュレスタンダード

多数の人が利用することで，事実上の世界標準とみなされるようになった規格や製品を**デファクトスタンダード**といいます。それに対して，国際機関や標準化団体によって制定されたものをデジュレスタンダードといいます。

□ISO 30414（内部及び外部人的資本報告の指針）

ISO 30414（内部及び外部人的資本報告の指針）は，人的資本の情報開示に関する国際規格です。社内外のステークホルダに向けて人的資本への取組みを情報開示するためのガイドラインで，情報開示するときの具体的な項目や指標が示されています。

□JIS Q 31000（リスクマネジメント）

リスクを組織的に管理し，リスクの発生による損害の回避や低減を図る取組みをリスクマネジメントといいます。JIS Q 31000はリスクマネジメントに関するJIS規格で，あらゆる業態・規模の組織においてリスクに対する最適な対応を行うための指針を示すものです。

□CX（Customer Experience：顧客体験）

CX（Customer Experience：カスタマーエクスペリエンス）は，顧客が商品やサービスを知って興味をもった段階から，購入，利用，アフターフォローまでの全てを通じて得る体験のことです。顧客体験ともいいます。

□カスタマージャーニーマップ

カスタマージャーニー（customer journey）は直訳すると「顧客の旅」という意味で，顧客が商品·サービスを知ってから購入，使用に至る道筋のことです。これを図で表現し，可視化したものをカスタマージャーニーマップといいます。ペルソナ（人物像）を設定し，時系列に「認知」「検討」「購入」「利用」などのプロセスを定めて，それぞれ行動や心理を書き込みます。顧客が何を考えて，どのような行動を経て購入に至るのかを把握するのに役立てます。

□ロケーションベースマーケティング

ロケーションベースマーケティングは，スマートフォンなどの位置情報を活用して行われるマーケティング手法です。たとえば，ユーザーの現在位置に基づいて，店舗やイベントなどの適切な情報を提供します。

□目標設定フレームワーク，GROWモデル，SMART，KPIツリー

目標設定フレームワークは，目標達成に向けて必要な要素を整理し，目標を設定・管理する手法のことです。GROWモデルやSMARTなどの様々な種類があり，状況や目的に応じて使い分けることで，効果的な目標を設定できます。

GROWモデル：Goal（目標の設定），Reality（現状の把握）／Resource（資源の発見），Options（選択肢の創出），Will（意志の確認）の要素で構成された，コーチングでよく用いられている手法です。各要素について目標と現状との違いを明確にし，目標達成へ導いていきます。

SMART：Specific（具体的な），Measurable（測定可能な），Achievable（達成可能な），Relevant（関連性のある），Time bound（期限のある）という5つの要素に沿って，目標を立てる手法です。「具体的な目標であるか」「達成できる目標であるか」などを確認しながら，適切で明確な目標を設定します。

KPIツリー：KGIを頂点として，KGIの達成に必要な要因（KPI）を細分化してツリー構造で表現したものです。目標達成までの道筋や指標が可視化されて，わかりやすくなります。

□SECI（Socialization（共同化），Externalization（表出化），Combination（連結化），Internalization（内面化））モデル

言語や図表で表現された知識を「形式知」といい，それに対して知識やノウハウなどの形式化されていない知識を「暗黙知」といいます。SECIモデル（セキモデル）は個人が持つ経験やスキルなどの暗黙知を形式知に変換するフレームワークで，ナレッジマネジメントの基礎となる理論です。**共同化**（Socialization），**表出化**（Externalization），**連結化**（Combination），**内面化**（Internalization）の4つのプロセスがあり，これらのプロセスを繰り返すことにより，暗黙知が形式知に変換され，組織の新しい知識を創造していくことができます。

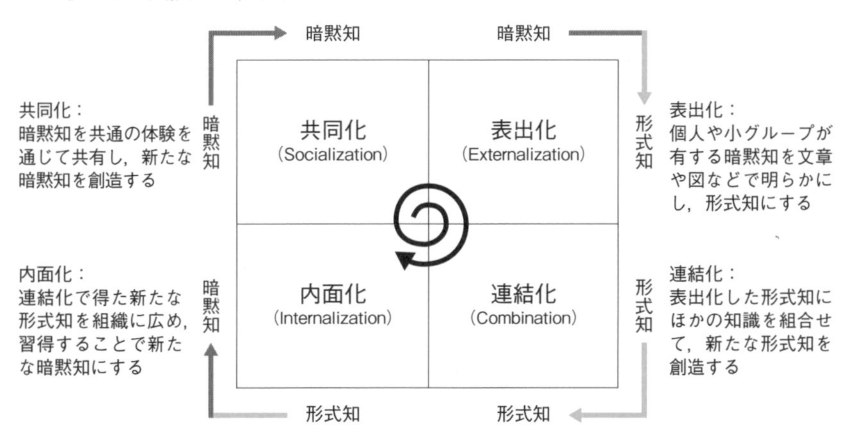

暗黙知
暗黙知
共同化：
暗黙知を共通の体験を通じて共有し，新たな暗黙知を創造する
暗黙知
共同化
(Socialization)
表出化
(Externalization)
形式知
表出化：
個人や小グループが有する暗黙知を文章や図などで明らかにし，形式知にする
内面化：
連結化で得た新たな形式知を組織に広め，習得することで新たな暗黙知にする
暗黙知
内面化
(Internalization)
連結化
(Combination)
形式知
連結化：
表出化した形式知にほかの知識を組合せて，新たな形式知を創造する
形式知
形式知

□デジタルガバメント

デジタルガバメントは，デジタル技術を活用し，行政サービスをより簡単に利用できるように，現在の行政のあり方そのものを変革する取組みのことです。単に情報システムを構築する，手続をオンライン化するということではなく，Society 5.0時代にふさわしい行政サービスを国民一人一人が享受できるようにすることを目的としています。

□ガバメントクラウド

ガバメントクラウドは，国の行政機関や地方自治体の情報システムについて，共通的な基盤・機能を提供するクラウドサービスの利用環境です。デジタル社会の形成に向けた基本的な施策として，デジタル庁はガバメントクラウドの整備，運用を進めています。

□ベースレジストリ

ベースレジストリは，公的機関などで登録・公開され，様々な場面で参照される，人，法人，土地，建物，資格等の社会の基本データであり，正確性や最新性が確保された，社会の基幹となるデータベースのことです。対象となるデータはデジタル庁が指定したもので，商業・法人登記簿，電子国土基本図（地図情報），郵便番号，法令などがあります。

□電子申請，電子調達，電子自治体

地方自治体では，コンピュータやネットワークなどの情報通信技術を活用し，住民や企業の事務負担の軽減，利便性の向上，事務の簡素化･合理化などを図っています。たとえば，電子申請では，申請や届出などの手続を，インターネットを利用し，自宅や職場などから行うことができます。電子調達も同様に，調達における入札の手続をインターネットから行えます。電子自治体は，こうした自治体のあり方や取組み，システム，サービスなどを示すものです。

□e-Gov

e-Gov（イーガブ）は，行政サービス・施策に関する情報の案内，行政機関への電子申請などのサービスを提供する，デジタル庁が運営するWebサイトです。

出典：https://www.e-gov.go.jp/

□生成AI

生成AIは，与えられた作業指示や質問などに応答し，画像や文章，音楽，映像，プログラムなどの多様なコンテンツを生成するAI（人工知能）のことです。あらかじめ学習したデータをもとに，まったく新しいコンテンツを自動で作り出します。テキスト生成AI，画像生成AI，音楽生成AI，動画生成AIなど，様々な種類があります。

□マルチモーダルAI

マルチモーダルAIは，複数の種類の情報（画像やテキスト，音声など）を，同時に組み合わせて処理するAIのことです。

□ランダム性

ランダム性は，事象の発生に規則性がない性質のことです。生成AIはランダム性の仕組みをもち，同じ指示であっても新しく異なるものが生成されます。

□説明可能なAI（XAI：Explainable AI）

説明可能なAIは，AIが出した結果について，AIがどのように結果に達したのかを，人が理解できる方法で過程や結果を説明できるようにする技術の総称です。XAIともいいます。

□ヒューマンインザループ（HITL）

ヒューマンインザループは，自動化・自律化が進んだシステムに人間が介在し，課題解決を目指す考え方です。HITL（human in the loop）ともいいます。機械学習にもHITLが取り入れられており，たとえば人間が監視して差別発言や著作権侵害などがあった場合，問題を修正するためのフィードバックを行います。

□ハルシネーション

ハルシネーションは，学習データの誤りや不足などによって，生成AIが事実とは異なる情報や無関係な情報を，もっともらしい情報として生成する事象のことです。

□ディープフェイク

ディープフェイクは，ディープラーニングと偽物（フェイク）を組み合わせた造語で，動画や音声，画像を部分的に合成・変換する技術です。ディープフェイクの悪用が社会問題となっており，作成された偽物をディープフェイクと呼ぶことが広がっています。

□AIサービスのオプトアウトポリシー

製品やサービスを通じた個人データの提供を，本人の求めに応じて停止することをオプトアウトといいます。AIサービスのオプトアウトポリシーは，AIサービスにおける個人データの取扱い（オプトアウト）について定めたものです。

□OMO（Online Merges with Offline）

OMO（Online Merges with Offline）は，オンラインとオフラインを融合したサービスを提供するマーケティング手法です。実店舗とオンラインショップの境界を無くし，顧客はオンライン，オフラインを意識せずに，一貫したサービスと体験を得ることができます。代表的なサービスとして，スマートフォンで注文して店舗で商品を受けとるモバイルオーダーがあります。

□NFT（Non-Fungible Token）

NFT（Non-Fungible Token）は「代替不可能なトークン」と呼ばれる，ブロックチェーンに記録されるデジタルデータです。トークンごとに固有のIDを持ち，世界に同じものは存在せず，データの改ざんも不可能です。こうした特徴から，デジタルアートなどのデジタルコンテンツに紐づけして，デジタルコンテンツが本物であることや所有権を証明する技術に用いられています。

□中央銀行発行デジタル通貨（CBDC）

中央銀行は国の金融機構の中核となる銀行のことで，日本では日本銀行が該当します。中央銀行発行デジタル通貨（CBDC：Central Bank Digital Currency）は，中央銀行が発行する電子的なお金のことで，日本銀行ではCBDCを次の3点を満たすものであると定義しています。

（1）デジタル化されていること
（2）円などの法定通貨建てであること
（3）中央銀行の債務として発行されること

なお，現時点で日本ではCBDCは発行されておらず，CBDCに求められる機能や特性が技術的に実現可能かどうかを検証するための概念実証が行われています。

□自動運転レベル

運転者ではなくシステムが，運転操作にかかわる認知，判断，操作の全てを代替して行い，車両を自動で走らせることを**自動運転**といいます。自動運転レベルは自動運転化されている度合いを示すもので，レベル0 ～ 5までの6段階があります。レベル0は自動運転化技術が何もない状態，レベル1とレベル2は部分的かつ持続的に自動化した状態で，自動運転ではなく運転支援に当たります。レベル3以上が自動運転で，レベル3は加速・操舵・制動を全てシステムが行い，システムが要請したときのみ運転者が対応する状態です。レベル4は決められた制限下において人が関与せずに完全自動走行する状態，レベル5は制限なく完全自動走行する状態です。

□パブリッククラウド，プライベートクラウド，ハイブリッドクラウド，マルチクラウド

クラウドサービスの提供形態として，次のようなものがあります。

パブリッククラウド	幅広く様々なユーザーに提供されるクラウドサービスで，提供されるリソースを他のユーザーと共有して利用する。
プライベートクラウド	特定のユーザーがリソースを占有して利用するクラウドサービス。クラウドサービス提供事業者からサービスの提供を受ける形態と，自分でクラウド環境の構築・運用を行う形態がある。
ハイブリッドクラウド	パブリッククラウドとプライベートクラウドを組み合わせて利用する形態。オンプレミスを組み合わせる場合もある。
マルチクラウド	異なるクラウドサービス提供事業者からサービスの提供を受けて，複数のクラウドサービスを併用して利用する形態。

□マネージドサービス

マネージドサービスは，サーバやクラウドサービス，セキュリティなど，ITにかかわるインフラ環境の運用・保守などの業務を専門業者にアウトソーシングできるサービスのことです。

■マネジメント系

□MLOps

MLOpsは機械学習（Machine Learning）と運用（Operations）を合わせた造語で，「エムエルオプス」と読みます。DevOpsの考え方を機械学習の分野に適用したもので，機械学習の開発担当者，運用担当者，データサイエンティストなどが密接に連携し，機械学習モデルの開発からサービスへの実装や運用を効率的に進める手法です。

□ユーザーストーリー

アジャイル開発においてユーザーストーリーは，エンドユーザーの視点からソフトウェアに求める要件を定義することです。「何を求めているのか」「どういう目的で必要なのか」といったことを，一般的なわかりやすい言葉で記載します。

□ふりかえり（レトロスペクティブ）

アジャイル開発では，期間を短く区切った**イテレーション**と呼ぶ開発工程を繰り返し，ソフトウェアを段階的に開発していきます。ふりかえり（レトロスペクティブ）は，イテレーションの最後に行う活動で，今回のよかったことや問題点，次回の施策などを話し合います。

□継続的インテグレーション（CI）

継続的インテグレーションは，ソフトウェア開発において，ビルド（実行可能なファイルを作成する作業）とテストを継続的に繰り返し行い，問題を早期に発見して修正する手法です。CI（Continuous Integration）ともいい，アジャイル開発のXP（エクストリームプログラミング）ではプラクティスの1つに挙げられています。

□スクラムチーム（プロダクトオーナー，スクラムマスター，開発者）

アジャイル開発の手法の1つに**スクラム**があります。スクラムチームはスクラムの基本単位で，プロダクトオーナー1人，スクラムマスター1人，複数の開発者で構成されます。**プロダクトオーナー**は開発の方向性を定める人で，スクラムチームから生み出されるプロダクト（製品やサービス）の価値を最大化することの結果に責任を持ち，プロダクトバックログを定義して優先順位を決定します。**スクラムマスター**は全体を支援・マネジメントする人で，チームのコーチやファシリテータとしてスクラムが円滑に進むように支援します。**開発者**は実際に開発作業に携わる人々です。

□プロダクトバックログ

アジャイル開発においてプロダクトバックログは開発・改善に必要なタスクや要求事項をまとめ，優先順位を付けて並べたリストです。最も重要な項目は一番上に表示されます。

□スプリントバックログ

アジャイル開発のスクラムでは，期間を短く区切って繰り返す開発工程を**スプリント**と呼びます。スプリントバックログは，スプリントごとに達成すべき作業項目をまとめたリストです。

□SLO，SLI

情報システムにおいて，顧客に提供されるITサービスの範囲や品質のことを**サービスレベル**といいます。

SLO（Service Level Objective）は，ベンダーなどのITサービスの提供者が，サービスレベルの目標・評価基準を定めたものです。サービスレベル目標ともいいます。

SLI（Service Level Indicator）は，SLOを達成しているかを判断するため，その指標とする数値を定めたものです。サービスレベル指標ともいいます。

□AIOps

AIOpsは，AI（人工知能）やビッグデータを活用して，IT運用の自動化や効率化を図る手法や考えのことです。従来，人が判断・対応していたことが，AIOpsの導入によって迅速かつ正確に行えるようになります。「Artificial Intelligence for IT Operations」の略で，「エーアイオプス」と読みます。

□ITマネジメント

経営方針及びITガバナンスの方針に基づき，情報技術の最適な活用について策定したものを**IT戦略**といいます。

ITマネジメントは，IT戦略で定めた各目標を達成するために，IT システムの利活用に関するコントロールを実行し，その結果を経営者に報告するための体制を整備・運用する活動です。

■テクノロジ系

□JISコード，シフトJISコード，Unicode

コンピュータでは，漢字やひらがな，アルファベットなどの文字を表現するため，1つひとつの文字に2進数や16進数の番号を割り当てています。これを**文字コード**といい，いろいろな種類があります。

JISコード	JIS（日本産業規格）が制定した，日本語に対応した文字コード
シフトJISコード	JISコードを拡張した文字コード。半角英数字は1バイト，日本語や全角英数字は2バイトのコードで表現される
Unicode（ユニコード）	日本語を含め，世界各国の文字を統一したコード体系で扱うために開発された文字コード

□過学習

過学習は，機械学習において生じる現象で，学習データに合わせ過ぎた学習をしてしまって，新しい未知のデータに対しては予測の精度が低くなってしまうことです。

□事前学習

事前学習は，大規模なデータを学習に用いるとき，初期の工程で行われる学習です。事前学習済みのモデルは汎用的な特徴や知識を習得しており，転移学習やファインチューニングに利用することができます。

□ファインチューニング

ファインチューニングは，学習済みモデルについて，重みを変更するなどの微調整を行うことです。

□転移学習

転移学習は，ある領域で学習した学習済みモデルを，別の領域に再利用することによって，効率的に学習させることです。

□畳み込みニューラルネットワーク（CNN）

畳み込みニューラルネットワークはディープラーニングの手法の1つで，画像認識の分野で広く使われています。CNN（Convolutional Neural Network）ともいいます。

畳み込み層，プーリング層，全結合層で構成されており，畳み込み層で画像の特徴を抽出し，プーリング層でデータを圧縮します。畳み込み層とプーリング層での処理を繰り返すことで徐々に高度な特徴を抽出していき，全結合層で出力するための処理を行います。

□リカレントニューラルネットワーク（RNN）

リカレントニューラルネットワークはディープラーニングの手法の1つで，自然言語処理や音声認識でよく使われています。RNN（Recurrent Neural Network）や再帰的ニューラルネットワークともいいます。時間が経過する順に記録されている時系列のデータを扱い，「株価の動きを予測する」「前の言葉から次の言葉を予測する」などのようなデータの順番を踏まえた予測を行います。

□敵対的生成ネットワーク（GAN）

敵対的生成ネットワークは教師なし学習の一種で，GAN（Generative Adversarial Network）ともいいます。生成器（Generator：ジェネレータ）と識別器（Discriminator：ディスクリミネータ）の2つのニューラルネットワークから構成されており，互いを競い合わせることで精度を高めていきます。実在しない画像を生成できることから，生成AIの分野に大きな影響を与えました。

□大規模言語モデル（LLM）

大規模言語モデルは自然言語処理の分野で使用される生成AIで，LLM（Large Language Model）ともいいます。非常に大量のデータによって構築された言語モデルで，Chat GPTをはじめとするチャットボットなどで利用されています。

□プロンプトエンジニアリング

AIに対する指示や命令のことをプロンプトといいます。プロンプトエンジニアリングは，生成AIから適切な回答やアクションを引き出すため，AIに対するプロンプトを設計する技術です。

□GPGPU

GPGPUは，GPUの機能を画像処理以外の目的に応用することや，その技術です。たとえば，AI開発や科学技術計算などに利用されています。「General-Purpose computing on Graphics Processing Units」の略で,「GPUによる汎用計算」という意味です。

□DDR5 SDRAM

DDR5 SDRAMは，コンピュータの主記憶（メインメモリ）などに使われるDRAMの規格の1つです。DRAMにはDDR SDRAM，DDR2 SDRAM，DDR3 SDRAM，DDR4 SDRAMなどがあり，番号が大きいほど後継の規格です。DDR5 SDRAM はDDR4 SDRAMを改良したもので，性能の向上が図られています。

□GPL（GNU General Public License）

OSS（Open Source Software：オープンソースソフトウェア）を利用する際には，利用するOSS ごとに利用許諾条件がまとめられたライセンスに留意する必要があります。GPL（GNU General Public License）はOSSで用いられる代表的なライセンスで，「著作権表示」「誰でも自由に複製，改変，配布できる」「無保証」「派生物に同一ライセンスを適用」といった規定があります。

□コピーレフト

コピーレフトは，「著作権を保持したままで，全ての利用者にプログラムの複製や改変，再配布を認め，また，そのプログラムから派生した二次著作物（派生物）にはオリジナルと同じ配布条件を適用する」という考え方です。OSSのライセンスは，コピーレフトをどこまで厳格に遵守するかによって，コピーレフト型，準コピーレフト型，非コピーレフト型に分類されます。たとえば，GPLはコピーレフト型のライセンスです。

□ポインティングデバイス

コンピュータの入力装置で，画面上で入力位置や座標を指示して使う機器をポインティングデバイスといいます。マウス，タッチパネル，ジョイスティック，ペンタブレットなどがあり，GUI（Graphical User Interface）の操作環境で用いられます。

□液晶ディスプレイ，有機ELディスプレイ，ヘッドマウントディスプレイ

液晶ディスプレイは，液晶パネルを使ったディスプレイです。電圧をかけると液晶分子の向きが変化することを利用した仕組みによって，光の透過をコントロールして映像を表します。液晶自身は発光しないので，光源となるバックライトが必要です。また，色を表現するのにカラーフィルターを用います。

有機ELディスプレイは，電圧をかけると，自らが発光する有機物質を用いたディスプレイです。画素ごとに有機物質が光るため，バックライトなどの光源は必要ありません。同じ画面を長時間表示していると，焼き付き（残像が見えてしまう現象）が生じることがあります。

ヘッドマウントディスプレイは,頭に装着して使うディスプレイの総称です。ゴーグルやメガネなどの形状があり，VR（仮想現実）やAR（拡張現実）の体験などに用いられます。

□LATCH（Location，Alphabet，Time，Category，Hierarchy）の法則

LATCHの法則は情報を整理する手法で，Location（場所），Alphabet（アルファベット・あいうえおの順），Time（時間）, Category（カテゴリー）, Hierarchy（階層）を基準にして整理します。LATCHは「ラチ」や「ラッチ」と読みます。

□マルチタッチインタフェース（タップ，スワイプ，フリック，ピンチ，ロングプレスほか）

タッチパネルで複数個所に同時に触れて操作するものをマルチタッチインタフェースといいます。2本の指を広げる**ピンチアウト**や，その2本の指を狭める**ピンチイン**があります。他にも，画面を軽く叩く**タップ**，画面をなぞる**スワイプ**，さっと払う**フリック**，長押しする**ロングプレス**など，様々な操作が行えます。

□レスポンシブWebデザイン

レスポンシブWebデザインは，PCやスマートフォンなど，利用者が閲覧に使用する端末に合わせて，Webページのレイアウト・デザインを自動調整して表示させることです。

□リダイレクト

Webサイトのリニューアルで転送させる仕組みを…

□複合現実（MR：Mixed Reality）

複合現実は，現実の世界と，CG（コンピュータグラフィックス）による仮想世界を融合させる技術のことです。ゴーグル型の端末（ヘッドマウントディスプレイ）などを使って，仮想世界に入り込んでいるような感覚を体験できます。MRともいいます。

□メタバース

メタバースは，インターネットを通じてアクセスするデジタルな仮想空間や，その関連サービスのことです。自分の分身のアバターを使って，他のユーザーとの交流をはじめ，様々な体験が可能です。メタバースの活用は，実在都市と連動したまちづくり，仮想オフィスでの会議，仮想空間での音楽ライブなど，多岐にわたります。

□WiMAX

WiMAXは無線通信技術の規格の1つで，半径10数kmの広範囲において高速データ通信が可能です。「Worldwide Interoperability for Microwave Access（広域帯移動無線アクセスシステム）」の略で，「ワイマックス」と読みます。

□プラチナバンド

プラチナバンドは，携帯電話での利用に適した，電波の700MHz～900MHzの周波数帯（周波数の範囲）のことです。山や建物などの陰になっている場所にも，電波が届きやすいとされています。

□MNP（Mobile Number Portability）

MNP（Mobile Number Portability）は，携帯会社を変更するとき，電話番号を変えずに移転先の携帯電話会社のサービスを利用できる制度（携帯電話番号ポータビリティ）のことです。

□二重脅迫（ダブルエクストーション）

二重脅迫（ダブルエクストーション）は，ランサムウェアの攻撃で用いられる手口です。ランサムウェアは，データを暗号化し，その解除のために身代金を要求します。さらに二重脅迫では，身代金を支払わない場合，盗んだ機密情報などの重要データを公開すると脅迫します。

□プロンプトインジェクション攻撃

プロンプトインジェクション攻撃は，チャットボットなどのような対話型AIを狙った攻撃です。AIの開発者が想定していない悪意のある質問をして，AIに不適切な回答や動作を起こさせます。

□敵対的サンプル（Adversarial Examples）

敵対的サンプルは，AIによる画像認識において，認識させる画像の中に人間には知覚できないノイズや微小な変化を含めることによってAIアルゴリズムの特性を悪用し，判定結果を誤らせる攻撃です。

□フットプリンティング

フットプリンティングは，サイバー攻撃を行う前に，攻撃者がコンピュータやネットワークの弱点や攻撃の足掛かりを調べる事前準備のことです。

□リスクコミュニケーション

リスクコミュニケーションは，リスクマネジメントにおいて，関係者（ステークホルダ）が対話や情報交換を行い，情報共有や意思疎通を図ることです。

□ISMAP（政府情報システムのためのセキュリティ評価制度）

ISMAP（政府情報システムのためのセキュリティ評価制度）は，政府が求めるセキュリティ要求を満たしているクラウドサービスをあらかじめ評価・登録することにより，政府のクラウドサービス調達におけるセキュリティ水準の確保を図り，政府機関などへのクラウドサービスの円滑な導入に資することを目的とする制度です。「イスマップ」と読み，「Information system Security Management and Assessment Program」の略です。

□EDR（Endpoint Detection and Response）

ネットワークに接続されているPC，スマートフォン，サーバなどのデバイスを**エンドポイント**といいます。EDRは，エンドポイントで動作するOSやアプリケーションの挙動を監視し，悪意のある攻撃を示す異常な挙動や活動の兆候を検知する仕組みです。

□3-2-1ルール，WORM（Write Once Read Many）機能，イミュータブルバックアップ

コンピュータに格納されているファイルやシステムを使用不能にし，元に戻すための代金を要求するマルウェアを**ランサムウェア**といいます。ランサムウェア対策として，次のようなものがあります。

3-2-1ルールは，データのバックアップに関するルールです。まず，オリジナルデータから，2つ以上のコピーを作成します。そして，コピーしたデータを，異なる媒体に保存します。コピーしたデータのうち，1つを物理的に離れた遠隔地で保管します。このようにデータを保存する媒体や保管場所を分けることで，データを安全に保つことができます。

WORM機能は，一度データを書き込んだら変更や削除ができないようにする仕組みや機能のことです。「Write Once Read Many」の略で，書き込みは1回だけ，読み取りは何回でも可能という意味です。

イミュータブルバックアップは，バックアップしたデータを変更不可能な状態にして保護する機能です。イミュータブル（Immutable）は「不変」や「変化しない」という意味で，ランサムウェアなどの攻撃によってバックアップしたデータが変更されることを防ぎます。

□アンチパスバック，インターロック

重要な設備や機密情報がある建物・部屋では，不審者の入室・退室を防ぐための**入退室管理**を行います。

アンチパスバックは，入室記録がないIDカードでの退室や，退室記録がないIDカードでの再入室を許可しない仕組みのことです。**インターロック**は，2つの扉のうち，一方が開くと他方は施錠して，2つの扉を同時に開かないようにします。

□リスクベース認証

リスクベース認証は，利用者の行動パターンや位置情報などから，普段と異なる利用と判断した場合，追加の本人認証を要求する認証方法です。

□パスワードレス認証

パスワードレス認証は，パスワードを使わずに，顔や指紋での生体情報やPINなどによって本人を確認する認証方法です。

□EMV 3-Dセキュア（3Dセキュア2.0）

EMV 3-Dセキュアは，インターネット上でクレジットカード決済を行うときの本人認証サービスです。本人ではない，第三者によるクレジットカードの不正利用を防止します。**3Dセキュア2.0**ともいいます。

□トラストアンカー（信頼の基点）

トラストアンカーは，インターネットなどでの電子的な認証を行ったとき，「正しい通信相手である」「信頼できる存在である」などが証明され，信頼が確保される基点のことです。**信頼の基点**ともいいます。たとえば，デジタル証明書の有効性を検証する場合，このデジタル証明書から出発して順にたどって，自分が信用するCA（Certification Authority：認証局）までを結びます。この場合，CAがトラストアンカーになります。

コラム　AI（人工知能）の基本を固めよう

シラバスVer.6.2の改訂では，生成AIに関する項目・用語が追加されました。これまでもAI（人工知能）に関する問題は出題されていましたが，一層，AIの知識が問われることになります。そこで，ここではAIの基本の用語や仕組みなどを説明しています。AIに関する知識を整理するのに役立ててください。

●AI（人工知能）

AIは「Artificial Intelligence」の略称で，「人工知能」とも呼ばれています。データを与えることによって，人間のように学習，認識・理解，予測・推論などを行うコンピュータシステムや，その技術のことです。

●機械学習

AIの代表的な手法であり，コンピュータが大量のデータを解析することで規則性や判断基準を見つけて，それに基づいて未知のデータに対する予測や判断を行います。以前のAIは，人間が設定したルールに従って判断する仕組みでした（ルールベース）。機械学習ではコンピュータがデータから法則やパターンを自動的に見つけるので，ルールベースのように人間がルールを与えなくて済みます。

また，機械学習の工程において，与えられたデータで法則やパターンの学習を終えたシステムを学習済みモデルといいます。ある未知のデータを学習済みモデルに入力すると，学習に基づく処理が行われて結果が出力されます。

●ニューラルネットワーク

人間の脳内にある神経回路を数学的なモデルで表現したものです。下の図のように入力層，中間層（隠れ層），出力層から構成され，「●」がニューロン（神経細胞）に該当します。データが入力されるとニューロンを順に伝わっていき，各ニューロン間で重み（結びつきの強さ）とバイアスを用いた計算が行われます。中間層のニューロンでは，受け取った値をノード内の活性化関数で処理し，その結果を次に渡します（図1を参照）。

また，中間層は増やすことができ，多層化したニューラルネットワークによるものをディープラーニングといいます（図2を参照）。

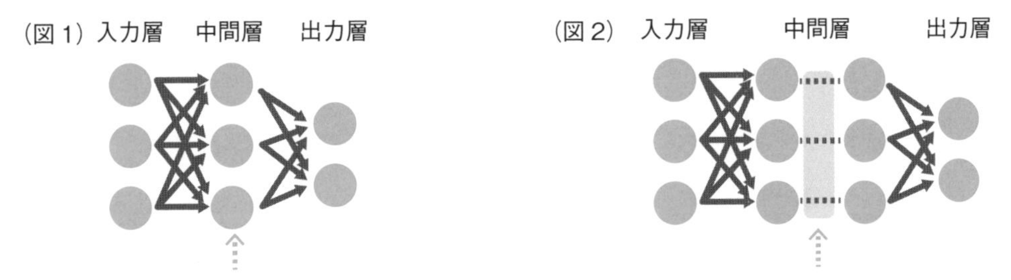

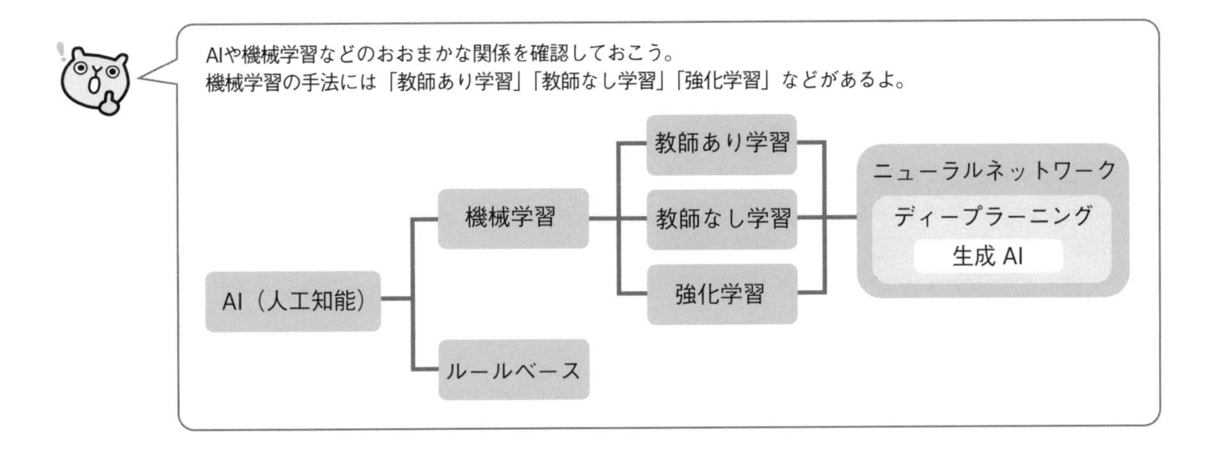

生成AIに関するサンプル問題

シラバスVer.6.3やシラバスVer.6.2では，生成AIの仕組み，活用例，留意事項などに関する項目・用語例が多く追加されました。シラバスVer.6.2が発表されたとき，IPAから「生成AIに関するサンプル問題」が公開されました。試験対策として，ぜひ解いてみてください。

（出典：ITパスポート試験　生成AIに関するサンプル問題）

問1

生成AIの特徴を踏まえて，システム開発に生成AIを活用する事例はどれか。

ア　開発環境から別の環境へのプログラムのリリースや定義済みのテストプログラムの実行，テスト結果の出力などの一連の処理を生成AIに自動実行させる。

イ　システム要件を与えずに，GUI上の設定や簡易な数式を示すことによって，システム全体を生成AIに開発させる。

ウ　対象業務や出力形式などを自然言語で指示し，その指示に基づいてE-R図やシステムの処理フローなどの図を描画するコードを生成AIに出力させる。

エ　プログラムが動作するのに必要な性能条件をクラウドサービス上で選択して，プログラムが動作する複数台のサーバを生成AIに構築させる。

問2

生成AIが，学習データの誤りや不足などによって，事実とは異なる情報や無関係な情報を，もっともらしい情報として生成する事象を指す用語として，最も適切なものはどれか。

ア　アノテーション

イ　ディープフェイク

ウ　バイアス

エ　ハルシネーション

問3

AIにおける基盤モデルの特徴として，最も適切なものはどれか。

ア　“AならばBである”といったルールを大量に学習しておき，それらのルールに基づいた演繹的な判断の結果を応答する。

イ　機械学習用の画像データに，何を表しているかを識別できるように“犬”や“猫”などの情報を注釈として付与した学習データを作成し，事前学習に用いる。

ウ　広範囲かつ大量のデータを事前学習しておき，その後の学習を通じて微調整を行うことによって，質問応答や画像識別など，幅広い用途に適応できる。

エ　大量のデータの中から，想定値より大きく外れている例外データだけを学習させることによって，予測の精度をさらに高めることができる。

問 1　システム開発に生成AIを活用する事例

生成AIは，与えられた作業指示や質問などに応答し，画像や文章，音楽，映像，プログラムなどの多様なコンテンツを生成するAI（人工知能）のことです。あらかじめ学習したデータをもとに，まったく新しいコンテンツを自動で作り出します。

× ア，エ　生成AIの特徴は，画像や文章などの様々なコンテンツを生成できることです。開発環境からの移行で行う一連の処理の自動実行や，サーバの構築は，生成AIを活用する事例として不適切です。

× イ　システム開発で生成AIは，要件定義や設計，プログラミングなどの各工程で活用されています。また，システム全体の開発には，システム要件が与えられる必要があります。

○ ウ　正解です。自然言語は，人間が日常的に会話などで使っている言語のことです。人間が自然言語で指示し，E-R図などを描画するコードを生成して出力しているので生成AIの事例として適切です。
こうして生成AIから出力されたコードをコンピュータで処理することで，容易にE-R図やシステムの処理フローなどの図を作成できます。このような専門的な文書や図は，従来はIT技術者などの専門知識を有する人が作成していましたが，生成AIを活用することによって，他の人も担うことが可能になりつつあります。

問 2　生成AIが事実と異なる情報をもっともらしく生成する事象

× ア　アノテーションは，テキストや音声，画像などのデータに，関連する情報（タグやメタデータ）を付加することです。

× イ　ディープフェイクは，ディープラーニングを活用し，動画や音声，画像を部分的に合成・変換する技術のことです。ディープフェイクを悪用して作成された，偽の動画や音声，画像などを指すこともあります。

× ウ　バイアスは「偏り」や「傾向」などを意味する用語です。たとえば，機械学習において偏っているデータを学習に使ったため，学習結果に偏りが生じてしまうことをアルゴリズムのバイアスといいます。
また，ニューラルネットワークのニューロンの仕組みにおいても，バイアスという用語が使われています。この場合は，ニューロンでの計算に使う値のことです。

○ エ　正解です。ハルシネーションは，生成AIが，本当の情報のように，“もっともらしいウソ”の情報を生成することです。

問 3　AIにおける基盤モデルの特徴

× ア　AIのルールベースに関する説明です。機械学習はコンピュータが自ら学習データから判断基準を見出しますが，ルールベースは人間が用意したルールに従って判断するAIです。

× イ　基盤モデルが学習するのは，画像だけでなく，テキストや音声などのデータも対象です。また，基盤モデルでは，学習データに“犬”などの情報（ラベル）が付いていないものを使います。

○ ウ　正解です。AIにおける基盤モデルは，広範囲かつ大量のデータを事前学習しておき，その後の学習で微調整を行うことによって，汎用的に様々な用途に活用できるAIモデルです。生成AIの多くが基盤モデルをもとにして，実現されています。

× エ　基盤モデルで学習に使うのは広範囲のデータであり，例外データだけを学習させるものではありません。

問1

参考　生成AIに出す指示や質問のことを「プロンプト」というよ。

機械学習　問2

AIの代表的な手法の１つ。コンピュータが大量のデータを解析することで規則性や判断基準を見つけて学習し，それに基づいて未知のデータに対する予測や判断を行う。学習のために使うデータを学習データや訓練データと呼ぶ。

問2

参考　英単語の「hallucination」は「幻覚」という意味だよ。

事前学習　問3

機械学習で大規模なデータを学習に用いるとき，初期の工程で行われる学習。事前学習済みのモデルは汎用的な特徴や知識を習得しており，微調整を行って別の用途に転用できる。

用語対策！

覚えておきたい！新しい用語

シラバスが改訂されるたびに，新しい用語が追加されています。ここでは，シラバスVer.4.0からシラバスVer.6.0までで追加された用語を紹介しています。とくにAIやIoTなどの新しい技術に関する用語は確認しておきましょう。

※ V6.0 が付いているのは，シラバスVer.6.0で新しく追加された用語です。シラバスVer.6.0では，同時期に高等学校の必履修科目となる「情報Ⅰ」に基づいた内容（情報デザイン，データ利活用など）に関する用語が数多く追加されました。

※ シラバスVer.6.3やシラバスVer.6.2で追加された用語については，「シラバスVer.6.3 新しい用語」（12ページ）を参照してください。

■ストラテジ系

□社会的責任投資（SRI：Socially Responsible Investment）

社会的責任投資（SRI：Socially Responsible Investment）は，企業への投資において，従来の財務情報だけでなく，企業として社会的責任（CSR：Corporate Social Responsibility）を果たしているか，ということも考慮して行う投資のことです。

□OODAループ

OODAループは，「Observe（観察）」→「Orient（状況判断）」→「Decide（意思決定）」→「Act（行動）」という4つの手順によって，意思決定を行う手法のことです。迅速な意思決定が可能で，状況に合わせて柔軟な対応がしやすいという特徴があります。

□e-ラーニング

e-ラーニングは，パソコンやインターネットなどによる，動画や音声，ネット通信などの情報技術を利用した学習方法です。自分の好きな時間に学習することができ，自分のペースで進めることができます。

□アダプティブラーニング

アダプティブラーニング（Adaptive Learning）は，学習者1人ひとりの理解度や進捗に合わせて，学習内容や学習レベルを調整して提供する教育手法です。適応学習ともいいます。

□ HRテック

HRテック（HR Tech）は，「human resources（ヒューマンリソース）」と「technology（テクノロジ）」を組み合わせた造語で，AI（人工知能）やビッグデータ解析などの高度なIT技術を活用し，人事に関する業務（人材育成，採用活動，人事評価など）の効率化や改善を図る手法です。

□リテンション

人事においてリテンション（retention）は「人材の維持，確保」という意味で，社員の離職を引き止める取組みのことです。人材の流出を防ぐための対策として，金銭的な報酬，社内コミュニケーションの活性化，能力開発・教育制度の制定，キャリアプランの提示などがあります。

□ワークエンゲージメント

ワークエンゲージメントは，仕事に関連するポジティブで充実した心理状態のことです。「仕事から活力を得ていきいきとしている」（活力），「仕事に誇りとやりがいを感じている」（熱意），「仕事に熱心に取り組んでいる」（没頭）の3つが揃った状態とされています。

□テレワーク V6.0

テレワークとは，ITを活用した，場所や時間にとらわれない柔軟な働き方のことです。主な形態として，自宅を就業場所とする「在宅勤務」，サテライトオフィスなどを就業場所とする「施設利用型勤務」，施設に依存しない「モバイルワーク」があります。

テレワークを導入，実施することには，従業員のワークライフバランスの向上，遠隔地の優秀な人材の雇用，非常時の事業継続性の確保など，様々なメリットがあり，働き方を改革するための施策として期待されています。

□モバイルワーク V6.0

モバイルワークとは，移動中の電車・バスなどの車内，駅，カフェ，顧客先などを就業場所とする働き方のことです。わざわざオフィスに戻って仕事をする必要がなくなり，効率的に業務を行うことができます。身体的負担も軽減でき，ワークライフバランス向上に効果があります。

□サテライトオフィス V6.0

サテライトオフィスとは，企業・組織の本拠地から離れた所に設置された仕事場のことです。本社・本拠地を中心と見たとき，衛星（satellite：サテライト）のように存在するオフィスという意味から名付けられました。

サテライトオフィスには，自社専用の施設や，複数の企業が共同で利用するシェアオフィスやコワーキングスペースなどがあります。また，設置される場所から「都市型」や「郊外型」，「地方型」などに分けられます。

□Society 5.0，超スマート社会

政府は，IoTを始めとする様々なICT（Information and Communication Technology：情報通信技術）が最大限に活用され，サイバー空間（仮想空間）とフィジカル空間（現実空間）とが融合された超スマート社会の実現を推進しています。Society 5.0は，必要なものやサービスが人々に過不足なく提供され，年齢や性別などの違いにかかわらず，誰もが快適に生活することができるとされる「超スマート社会」実現への取組みのことです。

□データ駆動型社会

「データの収集」→「データの蓄積・解析」→「現実社会へのフィードバック」というサイクルによる，実社会とサイバー空間との相互連携をサイバーフィジカルシステム（Cyber Physical System：CPS）といいます。データ駆動型社会は，サイバーフィジカルシステムが社会のあらゆる領域に実装され，大きな社会的価値を生み出す社会のことです。

□デジタルトランスフォーメーション（DX）

デジタルトランスフォーメーション（Digital Transformation）は，新しいIT技術を活用することによって，新しい製品やサービス，ビジネスモデルなどを創出し，企業やビジネスが一段と進化，変革することです。「DX」と略されることがあります。

□国家戦略特区法，スーパーシティ法

国家戦略特区法は，国が定めた国家戦略特別区域において，規制改革等の施策を総合的かつ集中的に推進するために必要な事項を定めた法律です。国家戦略特区では，大胆な規制・制度の緩和や税制面の優遇が行われます。

国家戦略特区制度は，スーパーシティ構想の実現にも活用されています。スーパーシティは，AIやビッグデータを効果的に活用し，暮らしを支える様々な最先端のサービスを実装した未来都市のことです。スーパーシティ構想を推進するために国家戦略特区法の改正が行われ，スーパーシティに関する内容が追加されました。これをスーパーシティ法といいます。

□官民データ活用推進基本法 V6.0

国や地方公共団体，独立行政法人，事業者などにより，事務において管理，利用，提供される電磁的記録を官民データといいます。官民データ活用推進基本法とは，官民データの適正かつ効果的な活用を推進するための基本理念，国や地方公共団体及び事業者の責務，法制上の措置などを定めた法律です。

本法の基本的施策には，「行政手続に係るオンライン利用の原則化・民間事業者等の手続に係るオンライン利用の促進」「国・地方公共団体・事業者による自ら保有する官民データの活用の推進」「地理的な制約，年齢その他の要因に基づく情報通信技術の利用機会又は活用に係る格差の是正」などがあり，オープンデータを普及する取組みを官民あげて推進しています。

□デジタル社会形成基本法 V6.0

デジタル社会形成基本法とは，デジタル社会の形成に関し，基本理念や施策の策定に係る基本方針，国や地方公共団体及び事業者の責務，デジタル庁の設置，重点計画の作成について定めた法律です。

本法においてデジタル社会とは，「インターネットその他の高度情報通信ネットワークを通じて自由かつ安全に多様な情報又は知識を世界的規模で入手し，共有し，又は発信するとともに，先端的な技術をはじめとする情報通信技術を用いて電磁的記録として記録された多様かつ大量の情報を適正かつ効果的に活用することにより，あらゆる分野における創造的かつ活力ある発展が可能となる社会」と定義されています。

□相関と因果，擬似相関

2つの事象に何らかの関連があることを相関といいます。相関にある2つの事象で，「雨が降った」から「来客数が減る」のように，一方が原因となって他方が変動することを因果といいます。擬似相関は，2つの事象に因果関係がないにもかかわらず，あるように見えることです。

□アンケート，インタビュー（構造化，半構造化，非構造化），フィールドワーク V6.0

情報収集で集める情報は，結果を数値で得ることができる定量的な情報と，数値では表現できない定性的な情報に大別することができます。定量的な情報を収集する代表的な手法にアンケートがあります。「はい・いいえ」を選択する，「1・2・3・4・5」の1つに○を付けるなど，明確に回答できる形式で質問を用意しておきます。

定性的な情報を収集する手法には，人と会って話を聞くインタビューがあります。インタビューには，用意した質問に一問一答の形式で回答してもらう構造化インタビュー，大まかな質問を決めておき，回答によって詳しくたずねていく半構造化インタビュー，きちっとした質問は用意せず，自由回答形式で対話していく非構造化インタビューなどの手法があります。

その他にも，情報収集する手法として，実際に調査対象とする場所に行って，様子を直接観察するフィールドワークがあります。

□系統図，ロジックツリー V6.0

系統図とは，目的を達成するために，目的と手段の関係を順に展開していくことによって，最適な手段・方策を明確にしていくために用いる図法です。また，下図のように問題や課題などをツリー状に分解し，考えていく手法をロジックツリーともいいます。

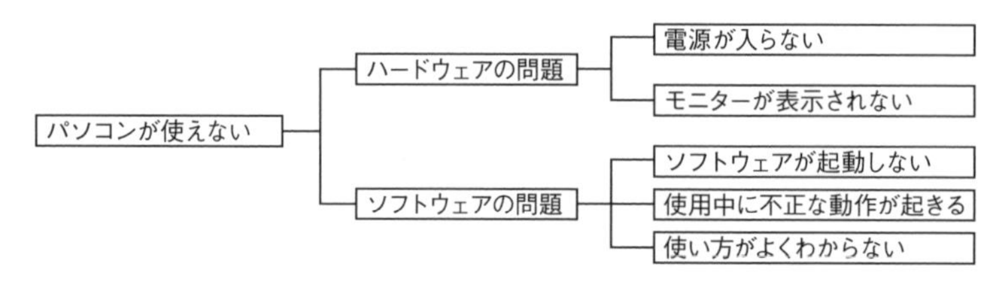

□マトリックス図 V6.0

マトリックス図とは，検討する要素を行と列に配置した表を作成し，交点の位置に関係の度合いや結果などを記入することによって，対応関係を明確にするために用いる図法です。

	効果の高さ	スピード	費用の少なさ
価格の見直し	○	△	△
積極的な広告・宣伝活動	○	○	×
新しい市場の開拓	○	×	×

□モザイク図 V6.0

モザイク図とは，棒の高さと幅を使って，クロス集計表の構成の割合を表す図法です。棒の高さは全て同じですが，幅は数値の大きさに合わせて変わります。

	小	中	大	特大
紅茶	100	60	35	5
コーヒー	125	140	15	20
合計	225	200	50	25

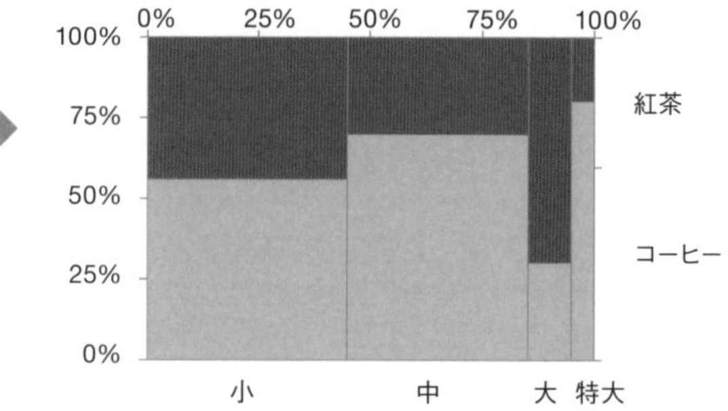

□コンセプトマップ V6.0

コンセプトマップとは，関連のある言葉を並べ，線で結ぶことによって関連性を表した図です。アイディアを整理，可視化する手法で，連想した言葉や内容から，さらに連想されることを加えていきます。

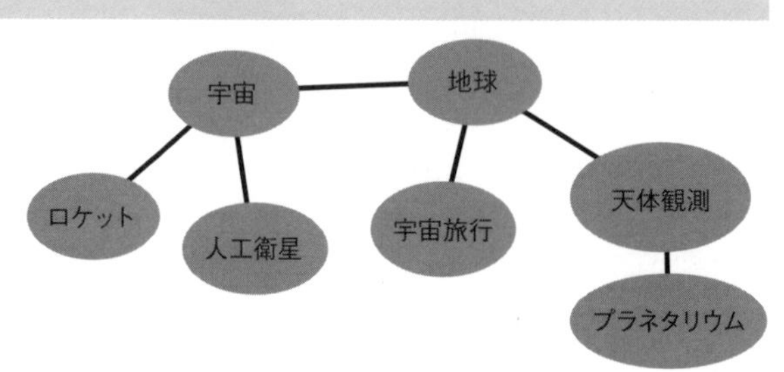

□最小二乗法 V6.0

最小二乗法は，2つの変数をある関係式で表したいときに用いる手法。右図のように，数値の残差（誤差）の2乗の和が最小になる直線が最も正しく関係を表現できているという考えのもと，関係式を求めます。

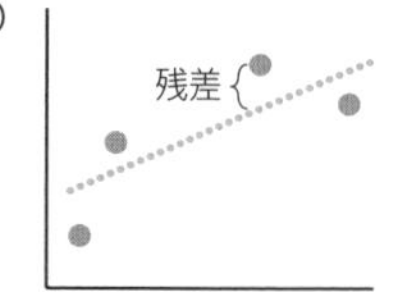

□GISデータ，シェープファイル V6.0

いろいろな統計データを地図上に重ね合わせて表示し，視覚的に統計を把握，分析することができるシステムを**地理情報システム**（GIS：Geographic Information System）といいます。地理情報システムで使用するデータをGISデータといい，代表的なものにシェープファイルがあります。シェープファイルは，基本的に拡張子が「shp」「dbf」「shx」の3つのファイルで構成され，図形や属性などの情報が保存されています。

□共起キーワード V6.0

あるキーワードが含まれる文章の中で，このキーワードと一緒に特定の単語が頻繁に出現することを**共起**といい，出現した単語を共起キーワード（共起語）といいます。たとえば，「学校」というキーワードの場合，「教育」「先生」「生徒」などが共起キーワードになり得ます。テキストデータの分析や可視化など，自然言語の処理において共起キーワードを使います。

□クロスセクションデータ V6.0

時間の経過に沿って記録したデータを**時系列データ**といいます。時系列データに対して，ある時点における場所やグループ別などに，複数の項目を記録したデータのことをクロスセクションデータ（横断面データ）といいます。

	2016年	2017年	2018年	2019年	2020年
人口					
世帯数					
平均年齢					

←時系列データ（人口の行）

↑クロスセクションデータ（2018年の列）

□仮説検定，有意水準，第1種の誤り，第2種の誤り V6.0

統計において，調査の対象とする集団全体を**母集団**，母集団から抽出した一部を**標本**といいます。仮説検定とは，母集団についての仮説を，標本のデータを用いて検証することです。

仮説検定の仮説には，導きたい結論に関する**対立仮説**（効果がある，差があるなど）と，導きたい結論とは反対の**帰無仮説**（効果がない，差がないなど）があります。そして，帰無仮説について，起こりやすさをデータから確率を求めて評価します。その際，帰無仮説が正しいかを判定する基準として有意水準を定めておき，その数値より小さいと帰無仮説は棄却され，対立仮説が成立することになります。

なお，判定について，帰無仮説が正しいのに棄却してしまう誤りを第1種の誤り，対立仮説が正しく，帰無仮説が誤りなのに棄却されない誤りを第2種の誤りといいます。

□テキストマイニング

テキストマイニング（Text Mining）は，文章や言葉などの文字列のデータについて，出現頻度や特徴・傾向などを分析し，有用な情報を抽出する手法やシステムのことです。コールセンターの問合せ内容や，SNSのクチコミなどの分析に活用されています。

□データサイエンス，データサイエンティスト

データサイエンス（Data Science）は，大量かつ多様なデータから，何らかの意味のある情報や法則，関連性などを導き出す研究や，その手法に関する研究のことです。これらに係る研究者や技術者，また，データを分析して企業活動に活用する専門家をデータサイエンティスト（Data Scientist）といいます。

□A/Bテスト

A/Bテストは，いくつかの案から最適なものを選ぶとき，実際に試行し，その効果を調べる手法です。インターネットの広告やWebサイトのデザインなどでよく用いられます。

□ビッグデータ，オープンデータ，パーソナルデータ

ビッグデータ（Big Data）は，大量かつ様々な種類・形式のデータのことです。データの種類には，売上や在庫などのデータだけでなく，SNSのメッセージ，音声，動画，位置情報などがあります。ビッグデータの分析は，マーケティングや経営戦略など，いろいろな分野で活用されています。

また，ビッグデータの代表的な分類として，次のものがあります。

オープンデータ（Open Data）：誰でも自由に入手し，利用できるデータの総称です。主に政府や自治体，企業などが公開している統計資料や文献資料，科学的研究資料を指します。

パーソナルデータ（Personal Data）：個人が識別できるかどうかによらない，個人に関するデータ全般のことです。

例題 基本情報 平成29年秋期 午前　問63

ビッグデータを企業が活用している事例はどれか。

ア　カスタマセンターへの問合せに対し，登録済みの顧客情報から連絡先を抽出する。

イ　最重要な取引先が公表している財務諸表から，売上利益率を計算する。

ウ　社内研修の対象者リスト作成で，人事情報から入社10年目の社員を抽出する。

エ　多種多様なソーシャルメディアの大量な書込みを分析し，商品の改善を行う。

【解答】エ

【解説】 ビッグデータであるのはエの「多種多様なソーシャルメディアの大量な書込み」だけで，それを分析して商品の改善を行うのは，ビッグデータを活用している事例として適切です。

□モデル化（確定モデル，確率モデル） V6.0

事物や現象の本質的な形状や法則性を抽象化し，より単純化して表したものを**モデル**といい，モデル化とは物事や現象のモデルを作ることです。不規則な現象を含まず，方程式などで表せるモデルを確定モデル，サイコロやクジ引きのような不規則な現象を含んだモデルを確率モデルといいます。

□ブレーンライティング V6.0

ブレーンライティングとは，6人程度のグループで用紙を回して，1人が3個ずつアイディアや意見を用紙に書き込んでいく発想法です。前の人の書込みから，さらにアイディアや意見を広げていきます。

□限定提供データ V6.0

不正競争防止法において限定提供データとは，企業間で提供・共有することで，新しい事業の創出やサービス製品の付加価値の向上など，利活用が期待されるデータのことです。

□アクティベーション

アクティベーションは，ソフトウェアのライセンスをもっていることを証明するための手続のことです。不正利用防止を目的としており，一般的な方法として，ソフトウェアのメーカから与えられたコードを，インターネット経由でメーカに伝えることによって行われます。「ライセンス認証」と呼ぶこともあります。

□サブスクリプション

サブスクリプションは，ソフトウェアを購入するのではなく，ソフトウェアを利用する期間に応じて料金を支払う方式のことです。英単語の「subscription」には，新聞や雑誌の「予約購読」や「定期購読」といった意味があります。

□個人情報取扱事業者

個人情報取扱事業者は，個人情報をデータベース化して事業活動に利用している事業者のことです。個人情報のデータベースとは，特定の個人情報をコンピュータで検索できるように体系的に構成したものです。手帳や登録カードなどの紙媒体で，個人情報を一定の規則（五十音順や日付順など）で整理し，容易に検索できるよう目次や索引を付けているものもデータベースに含まれます。

個人情報取扱事業者には，個人情報の利用目的の特定，目的外利用の禁止，適正な取得など，個人情報保護法の義務規定が課されます。以前は5,000人分以下の個人情報しか保有しない事業者は法の対象外でしたが，法改正により，現在は個人情報を取り扱う全ての事業者が該当し，自治会や同窓会などの非営利組織も個人情報取扱事業者となります。ただし，国の機関，地方公共団体，独立行政法人，地方独立行政法人（国立大学など）は除かれます。

□個人情報保護委員会

個人情報保護委員会は，マイナンバーを含む個人情報の有用性に配慮しつつ，その適正な取り扱いを確保するために設置された機関です。個人情報保護法及びマイナンバー法に基づき，個人情報保護に関する基本方針の策定・推進，広報・啓発活動，国際協力，相談・苦情等への対応などの業務を行っています。個人情報保護法に違反，または違反するおそれがある場合には，立入検査を行い，指導・助言や勧告・命令をすることができます。

□個人識別符号 V6.0

個人情報保護法において個人識別符号とは，個人情報として保護される情報で，マイナンバーやパスポート番号，免許証番号など，個人に割り当てられた番号のことです。また，次のような身体の特徴も，コンピュータで使うために変換した文字や番号などの符号で，個人を識別するものとして，個人識別符号に該当します。

・細胞から採取されたDNAを構成する塩基の配列
・顔の骨格，皮膚の色，目，鼻，口，その他の顔の部位の位置，形状によって定まる容貌
・虹彩の表面の起伏により形成される線状の模様
・発声の際の声帯の振動，声門の開閉，声道の形状とその変化
・歩行の際の姿勢，両腕の動作，歩幅やその他の歩行の態様
・手のひら，手の甲，指の皮下の静脈の分岐や，端点によって定まるその静脈の形状
・指紋，掌紋

引用：「個人情報の保護に関する法律についてのガイドライン（通則編）」

□要配慮個人情報

要配慮個人情報は，本人に対する不当な差別や偏見，その他の不利益が生じるおそれがあるため，特に慎重な取り扱いが求められる情報のことです。具体的には，次のような情報が該当します。

・人種（単純な国籍や「外国人」という情報だけでは人種には含まない。肌の色も含まない）
・信条
・社会的身分（単なる職業的地位や学歴は含まない）
・病歴，健康診断等の検査の結果
・身体障害，知的障害，精神障害などの障害があること
・医師等による保健指導，診療，調剤が行われたこと
・犯罪の経歴，犯罪により害を被った事実
・本人を被疑者または被告人として刑事事件に関する手続が行われたこと
・遺伝子（ゲノム）情報

なお，出題のガイドラインは令和5年12月に一部改正されましたが，要配慮個人情報については変更ありません。

例題 情報セキュリティマネジメント 平成30年春期 午前 問33

個人情報保護委員会“個人情報の保護に関する法律についてのガイドライン（通則編）平成29年3月一部改正”に，要配慮個人情報として例示されているものはどれか。

ア 医療従事者が診療の過程で知り得た診療記録などの情報
イ 国籍や外国人であるという法的地位の情報
ウ 宗教に関する書籍の購買や貸出しに係る情報
エ 他人を被疑者とする犯罪捜査のために取調べを受けた事実

【解答】 ア
【解説】 要配慮個人情報はアだけです。ウは情報を推知させるにすぎないもの，エは他人を被疑者とする取調べなので該当しません。なお，出題にあるガイドラインは「個人情報保護委員会」のホームページ（https://www.ppc.go.jp/personalinfo/legal/）からダウンロードできます。

□匿名加工情報

匿名加工情報は，特定の個人を識別できないように個人情報を加工し，元の情報に復元できないようにしたものです。匿名加工情報を使うことで，大量の個人データを集めて分析し，新たな製品・サービスの開発に寄与することが期待されています。

匿名加工情報を作成する基準は個人情報保護委員会規則で定められており，匿名加工情報を作成する事業者はこの基準に従って適切に加工する必要があります。また，加工情報を作成した後には，ホームページなどで匿名加工情報に含まれる個人に関する情報の項目を公表しなければなりません。第三者に匿名加工情報を提供するときも，情報の項目や提供の方法を公表する義務があります。

□マイナンバー法

マイナンバーは，日本に住民票を有する全ての人（外国人の方も含む）に割り当てられる12桁の番号のことで，税や年金，雇用保険などの行政手続において，個人の情報を確認するために使用されます。この仕組みをマイナンバー制度といい，マイナンバー法（正式名称は「行政手続における特定の個人を識別するための番号の利用等に関する法律」）はマイナンバー制度について定めた法律です。

マイナンバーの利用範囲は基本的に「社会保障」「税」「災害対策」の3分野で，法令で定められた範囲以外でマイナンバーを利用することは禁じられています。なお，マイナンバー法の改正（令和5年）により，3つの分野以外にも利用範囲の拡大が進められています。

□一般データ保護規則（GDPR）

一般データ保護規則は，欧州経済領域（EEA）における個人情報保護を規定した法律で，正式名称をGDPR（General Data Protection Regulation）といいます。個人データの処理と移転に関する規則が定められており，EEA域内の全ての組織が対象となります。EEA域内に子会社や支店などをおく日本の企業も対象に含まれ，子会社などの拠点がなくても，EEA域内にいる個人の情報データを扱う場合は適用対象となる可能性があります。

□特定電子メール法

特定電子メール法は，広告宣伝の電子メールなど，一方的に送り付けられる迷惑メールを規制するための法律です。営利目的で送信する電子メールに，送信者の身元の明示，受信拒否のための連絡先の明記，受信者の事前同意などを義務付けており，処分・罰則の規定も定められています。正式な名称を「特定電子メールの送信の適正化等に関する法律」といい，「迷惑メール防止法」と呼ばれることもあります。

□不正指令電磁的記録に関する罪（ウイルス作成罪）

不正指令電磁的記録に関する罪（ウイルス作成罪）は，刑法に定められている刑罰で，正当な理由がないのに，無断で他人のコンピュータにおいて実行させる目的でコンピュータウイルスを作成，提供，供用，取得，保管することを処罰対象としています。

□サイバーセキュリティ経営ガイドライン

サイバーセキュリティ経営ガイドラインは，大企業や中小企業（小規模事業者を除く）がITを利活用していく中で，これらの経営者が認識すべきサイバーセキュリティに関する原則や，経営者のリーダーシップによって取り組むべき項目をまとめたものです。当ガイドラインは，経済産業省のホームページ（http://www.meti.go.jp/policy/netsecurity/mng_guide.html）からダウンロードすることができます。

□中小企業の情報セキュリティ対策ガイドライン

中小企業の情報セキュリティ対策ガイドラインは，中小企業の経営者やIT担当者が情報セキュリティ対策の必要性を理解し，重要な情報を安全に管理するための具体的な手順などを示したものです。当ガイドラインは，IPAのホームページ（https://www.ipa.go.jp/security/keihatsu/sme/guideline/）からダウンロードすることができます。

□サイバー・フィジカル・セキュリティ対策フレームワーク

サイバー・フィジカル・セキュリティ対策フレームワークは，経済産業省が策定・公開した文書で，Society 5.0におけるセキュリティ対策の全体像を整理し，産業界が自らの対策に活用できるセキュリティ対策例をまとめたものです。

□特定デジタルプラットフォームの透明性及び公正性の向上に関する法律

インターネットを通じて商品・役務等の提供者と一般利用者をつなぐ場で，ネットワーク効果（提供者・一般利用者の増加が互いの便益を増進させ，双方の数がさらに増加する関係等）を利用したサービスであるものを**デジタルプラットフォーム**といいます。たとえば，代表的なプラットフォームには，Google，Amazon，Facebookなどがあります。特定デジタルプラットフォームの透明性及び公正性の向上に関する法律は，デジタルプラットフォームにおける取引の透明性と公正性の向上を図るために，商品等の売上額の総額や利用者の数などが，政令で定める規模以上であるものを**特定デジタルプラットフォーム**として定め，特定デジタルプラットフォーム提供者への情報開示や手続・体制整備などを規定したものです。独占禁止法違反のおそれがあると認められる事案を把握した場合の，公正取引委員会への措置要求も定めています。

□資金決済法／金融商品取引法

金融分野におけるITの活用に関する法律として，資金決済法や金融商品取引法などがあります。

資金決済法は，銀行業以外による資金（商品券やプリペイドカードなどの金券，電子マネー，暗号資産など）の支払い手段について規定した法律です。金融商品取引法は，株式や金融先物など，投資性のある金融商品の取引について規定した法律です。国民経済の健全な発展と投資者の保護を目的として制定され，「投資サービス法」ともいいます。

□リサイクル法

リサイクル法は，資源の有効利用や廃棄物の発生抑制を目的として，使用済み製品の分別回収や再利用について定めた法律です。リサイクルされる対象には，自動車，家電製品，パソコン，包装容器，建設資材などがあり，具体的なリサイクルの仕組みは，「自動車リサイクル法」や「家電リサイクル法」など，資源ごとに各法律で規定されています。

□ソーシャルメディアポリシー（ソーシャルメディアガイドライン）

利用者同士のつながりを促進することで，インターネットを介して利用者が発信する情報を多数の利用者に幅広く伝播させる仕組みを**ソーシャルメディア**（Social media）といいます。ソーシャルメディアポリシー（ソーシャルメディアガイドライン）は，企業・団体がソーシャルメディアの利用についてルールや禁止事項などを定めたものです。

□倫理的・法的・社会的な課題（ELSI：Ethical, Legal and Social Issues）

新しい研究や技術は，人や社会に良いことだけでなく，思わぬ悪影響を及ぼすことがあります。たとえば，人間の遺伝情報（ヒトゲノム）の研究は，病気の予防や診断・治療などに役立てられますが，遺伝情報による差別やプライバシー侵害などが危惧されています。このような課題や問題のことを倫理的・法的・社会的な課題（ELSI：Ethical, Legal and Social Issues）といいます。

□フォーラム標準

製品や技術，サービスなどについて，統一した規格や仕様を決めることを**標準化**といいます。フォーラム標準は，ある特定の標準の策定に関心のある企業が自発的に集まってフォーラムを形成し，合意によって作成した標準のことです。

□ISO 26000（社会的責任に関する手引）V6.0

ISO 26000（**社会的責任に関する手引**）とは，ISO（国際標準化機構）が発行した，組織の社会的責任に関する国際的な規格です。認証目的や，規制及び契約のために使用することを意図したものではなく，取り組みの手引きとして活用するガイダンス規格になっています。

□JIS Q 38500（ITガバナンス）V6.0

JIS Q 38500（ITガバナンス）とは，ITガバナンスに関する国際規格「ISO/IEC 38500」をもとに作成されたJIS規格です。ITガバナンスを実施する経営陣に対して，組織内で効果的，効率的及び受入れ可能なIT利用に関する原則を規定しています。

□VRIO分析

VRIO分析は，企業の経営資源を経済的価値（Value），希少性（Rarity），模倣可能性（Imitability），組織（Organization）という4つの視点から評価し，自社の競争優位性を分析する手法です。

□同質化戦略

業界内で，市場シェアが一番大きい企業を「リーダー」といいます。同質化戦略はリーダーが行う戦略で，リーダー以外の企業が新しい製品を出したとき，同じような製品を出すことによって，新製品の効果を削減しようとする戦略です。

□カニバリゼーション

カニバリゼーションは，自社の商品同士が競合してしまって，売上やシェアなどを奪い合う現象のことです。英単語「cannibalization」の意味から，「共食い」とよく表現されます。

□ESG投資

ESG投資は，企業への投資において，従来の財務情報だけでなく，環境（Environment），社会（Social），ガバナンス（Governance）の要素も考慮して行う投資のことです。

□クロスメディアマーケティング

クロスメディアマーケティングは，テレビや雑誌，Webサイトなど，様々なメディアを組み合わせ，連動させることで相乗効果を高め，マーケティング効果を上げる広告戦略のことです。

□スキミングプライシング，ペネトレーションプライシング，ダイナミックプライシング

スキミングプライシング（Skimming Pricing）は，新製品を販売する際，早期に投資を回収するため，市場投入の初期に高価格を設定する価格戦略のことです。対して，市場への早期普及を図るため，製品投入の初期段階で低価格を設定する価格戦略をペネトレーションプライシング（Penetration Pricing）といいます。

ダイナミックプライシング（Dynamic Pricing）は，需要状況に応じて，製品の価格を変動させる価格戦略のことです。

□プル戦略

プル戦略は，広告やCMなどで顧客の購買意欲に働きかけ，顧客から商品に近づき，購入してもらうマーケティング戦略です。また，プル戦略に対して，流通業者や販売店などに自社の製品の販売を強化してもらい，消費者に積極的に商品を売り込む戦略を**プッシュ戦略**といいます。

□Webマーケティング

Webマーケティングは，インターネットを利用して行われるマーケティング活動の総称です。バナー広告やアフィリエイト，SNSなどで販売促進を行ったり，SEO対策やリスティング広告でWebサイトのアクセスを増やしたりなど，様々な手法があります。

□オープンイノベーション

オープンイノベーションは，自社内の人員や設備などの資源だけではなく，外部（他企業や大学など）と連携することで，いろいろな技術やアイディア，サービス，知識などを結合させ，新たなビジネスモデルや製品，サービスの創造を図ることです。オープンイノベーションの事例として，民間企業と大学との産学連携，大企業とベンチャ企業との共同研究開発などがあります。

□死の谷，ダーウィンの海，魔の川

死の谷やダーウィンの海は，技術経営において乗り越えなければならない障害を指す用語です。研究開発から事業化を進めるにあたり，魔の川という用語を加えて，3つの障壁があるといわれています。

魔の川	基礎研究と，製品化に向けた開発との間にある障壁。研究が製品に結び付かず，開発段階への進行を阻む。
死の谷	開発と事業化との間にある障壁。製品を開発できても，採算が取れない，競争力がないなどの理由から事業化を阻む。
ダーウィンの海	事業化と産業化との間にある障壁。事業を成功させるためには，市場で製品の競争優位性を獲得し，顧客に受け入れられる必要がある。

例題 応用情報 平成28年秋期 午前　問70

技術経営における課題のうち，“死の谷”を説明したものはどれか。

ア　コモディティ化が進んでいる分野で製品を開発しても，他社との差別化ができず，価値利益化ができない。
イ　製品が市場に浸透していく過程において，実用性を重んじる顧客が受け入れず，より大きな市場を形成できない。
ウ　先進的な製品開発に成功しても，事業化するためには更なる困難が立ちはだかっている。
エ　プロジェクトのマネジメントが適切に行われないために，研究開発の現場に過大な負担を強いて，プロジェクトのメンバーが過酷な状態になり，失敗に向かってしまう。

【解答】ウ
【解説】 アは「魔の川」，イは「ダーウィンの海」の説明です。エはプロジェクトマネジメントに関する用語の「死の行進」の説明です。

□ハッカソン

ハッカソン（Hackathon）は，IT技術者やシステム開発者などが集まって，数時間から数日の一定期間，特定のテーマについてアイディアを出し合い，プログラムの開発などの共同作業を行うことです。企業内の研修や，参加者を集めたイベントとして実施されます。

□キャズム

キャズムは，革新的な技術や製品が市場に浸透していく過程で，越えるのが困難な深い溝があるという理論です。英単語の「chasm」には「割れ目」や「隔たり」といった意味があります。

□イノベーションのジレンマ

イノベーションのジレンマは，顧客の要望に耳を傾け，より高品質の製品やサービスを提供し続けている業界トップの企業が，破壊的技術をもった格下の企業に取って代わられることです。**破壊的技術**とは，従来の価値基準では劣るのに，新しい基準では従来よりも優れた特長をもつ新技術のことです。

□デザイン思考

デザイン思考（Design Thinking）は，ビジネスの問題や課題に対して，デザイナーがデザインを行うときの考え方や手法で解決策を見出す方法論です。ユーザー中心のアプローチで問題解決に取り組み，たとえば，ユーザーの視点で考える，本当の目的や課題を把握する，たくさんアイディアを出す，試作品を作る，検証・改善を行う，というプロセスを実施します。

□ペルソナ法

ペルソナ法は，ソフトウェアや製品の開発において，典型的なユーザーについて人物像（ペルソナ）を具体的に想定し，開発プロセスの各段階でペルソナの目標が満足するように開発を進める手法のことです。

□バックキャスティング

バックキャスティング（backcasting）は，未来における目標を設定し，そこから現在を振り返って，今，何をすべきかを考える方法のことです。バックキャスティングとは反対に，現在を起点に考えていく方法を**フォアキャスティング**（forecasting）といいます。

□ビジネスモデルキャンバス

ビジネスモデルキャンバスは，ビジネスモデルを考える際，事業を右の9つの要素に分類し，1つの図で表したものです。

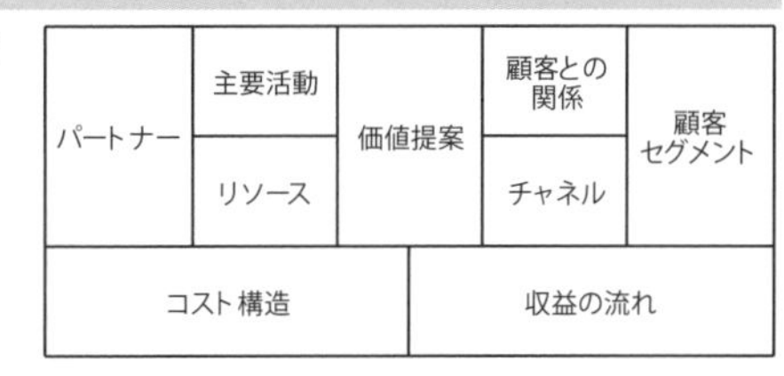

□リーンスタートアップ

リーンスタートアップ（Lean startup）は，新たな事業を始める際，必要最低限の要素でスタートし，その結果から短いサイクルで改良を繰り返す手法です。

□APIエコノミー

OSやアプリケーションソフトウェアがもつ機能の一部を公開し，他のプログラムから利用できるように提供する仕組みのことを**API**（Application Programming Interface）といいます。APIエコノミーは，APIを使って既存の外部のサービスやデータを活用し，新たなビジネスや価値を生み出す仕組みのことです。

□VC（Venture Capital：ベンチャーキャピタル）

VC（Venture Capital：ベンチャーキャピタル）は，未上場のベンチャー企業や中小企業など，将来的に大きな成長が見込める企業に対して，出資を行う企業・団体のことです。

□CVC（Corporate Venture Capital：コーポレートベンチャーキャピタル）

CVC（Corporate Venture Capital：コーポレートベンチャーキャピタル）は，投資事業を主としていない事業会社が，自社の戦略目的のために，成長が見込める企業に出資や支援を行うことです。基本的に自社の事業領域と関連があり，本業との相乗効果が期待できる企業に投資します。

□ITS（Intelligent Transport Systems：高度道路交通システム） V6.0

ITS（Intelligent Transport Systems：高度道路交通システム）とは，情報通信技術を活用して「人」，「道路」，「車両」の情報を結び付け，交通事故や渋滞，環境対策などの問題解決を図るためのシステムの総称です。

□セルフレジ V6.0

セルフレジとは，スーパーなどで顧客自身が商品の精算を行うレジのことです。セルフレジには，顧客が商品バーコードの読取りから支払いまでを行う**完全セルフレジ**（**フルセルフレジ**）と，店員が商品バーコードの読取りを行い，設置された機器などで顧客が支払いを行う**セミセルフレジ**があります。

□デジタルツイン，サイバーフィジカルシステム（CPS）

デジタルツインは，サイバー空間に現実世界と同等の世界を，現実世界で収集したデータを用いて構築し，現実世界では実施できないようなシミュレーションを行うことです。サイバー空間に構築した，現実と同等の世界自体を指すこともあります。

サイバーフィジカルシステムは，現実世界でセンサーなどから様々なデータを収集し，そのデータをサイバー空間で分析，知識化を行い，得た結果を現実世界にフィードバックして最適化を図るという仕組みのことです。「Cyber Physical System」の頭文字をとって，CPSともいいます。

□住民基本台帳ネットワークシステム V6.0

住民基本台帳は，氏名，生年月日，性別，住所などが記載された住民票を編成したものです。住民基本台帳ネットワークシステムとは，各市町村が管理する住民基本台帳をネットワークで結び，全国どこの市区町村からでも，本人確認ができるシステムのことです。

□マイナンバーカード V6.0

マイナンバーカードとは，マイナンバー制度に基づき交付される，マイナンバーが記載された顔写真付きのICカードのことです。公的な身分証明書として使用できたり，ICチップに記録されている電子証明書を使ってコンビニエンスストアで住民票の写しや課税証明書などが取得できたりします。

□マイナポータル

マイナポータルは政府が運営するマイナンバーに対応したオンラインサービスで，子育てや介護を始めとする行政手続をワンストップで行えたり，行政機関からのお知らせを確認できたりします。

□全国瞬時警報システム（J-ALERT） V6.0

全国瞬時警報システム（J-ALERT）とは，地震や津波，気象警報などの緊急情報を，人工衛星や地上回線を通じて全国の都道府県や市町村などに送信し，市町村の同報系防災行政無線を自動起動するなどして，住民に情報を瞬時に伝えるシステムのことです。

□AI（Artificial Intelligence：人工知能）

AI（Artificial Intelligence）は人工知能のことで，コンピュータを使って人間の知能の働きを人工的に実現したものです。AIには，次のような分類があります。

特化型AI：自動運転，画像認識，将棋の対局など，特定の用途に特化した人工知能です。

汎用型AI：特定の用途に限定せず，人間のように様々なことに対処できる人工知能です。実現には長い時間がかかる，または，実現不可能と考えられています。

□人間中心のAI社会原則

人間中心のAI社会原則は，政府が策定した文書で，社会がAIを受け入れ適正に利用するため，社会（特に国などの立法・行政機関）が留意すべき基本原則をまとめたものです。第2章「基本理念（人間の尊厳が尊重される社会，多様な背景を持つ人々が多様な幸せを追求できる社会，持続性ある社会）」，第3章「Society 5.0 実現に必要な社会変革（AI-Readyな社会）」，第4章「人間中心のAI社会原則」（下の表を参照）という構成になっています。

原則	説明
人間中心の原則	AIの利用は，憲法及び国際的な規範の保障する基本的人権を侵すものであってはならない。また，人が自らどのように利用するかの判断と決定を行うことが求められる。AIの利用がもたらす結果については，問題の特性に応じて，AIの開発·提供·利用にかかわった関係者が分担して責任を負う。
教育・リテラシーの原則	教育・リテラシーを育む教育環境が全ての人に平等に提供されなければならない。
プライバシー確保の原則	個人が不利益を受けることのないよう，関係者はパーソナルデータを扱わなければならない。パーソナルデータを利用したAIやAIを活用したサービスでは，政府における利用を含め，個人の自由，尊厳，平等が侵害されないようにすべきである。
セキュリティ確保の原則	AIのベネフィット（恩恵）とリスクのバランスに留意し，全体として社会の安全性及び持続可能性が向上するように務めなければならない。
公正競争確保の原則	新たなビジネス，サービスを創出し，持続的な経済成長の維持と社会課題の解決策が提示されるよう，公正な競争環境が維持されなければならない。
公平性，説明責任及び透明性の原則	公平性及び透明性のある意思決定とその結果に対する説明責任が適切に確保されると共に，技術に対する信頼性が担保される必要がある。
イノベーションの原則	Society 5.0を実現し，AIの発展によって，人も併せて進化していくような継続的なイノベーションを目指すため，国境や産学官民，人種，性別，国籍，年齢，政治的信念，宗教等の垣根を越えて，幅広い知識，視点，発想等に基づき，人材・研究の両面から，徹底的な国際化・多様化と産学官民連携を推進するべきである。

※出典：内閣府ホームページ「人間中心のAI社会原則」より抜粋，一部加工
https://www8.cao.go.jp/cstp/aigensoku.pdf

□AIアシスタント

AIアシスタントは，人工知能を活用し，生活や行動をサポートしてくれる技術やサービスのことです。たとえば，スマートスピーカーやチャットボットなどがあります。

□トロッコ問題

トロッコ問題は，「暴走したトロッコが，そのまま進むと5人が犠牲になる。レバーを引くと進路が変わって5人は助かるが，別の1人が犠牲になる」という状況でレバーを引くかどうかを選択する，倫理学における思考実験です。AIにどのような判断基準をもたせるか，トロッコ問題のような課題があります。

□AI利活用ガイドライン V6.0

AI利活用ガイドラインとは，総務省が公表した文書で，AIの利用者（AIを利用してサービスを提供する者を含む）が留意すべき10項目のAI利活用原則（以下の①～⑩を参照）や，同原則を実現するための具体的方策について取りまとめたものです。

① 適正利用の原則
利用者は，人間とAIシステムとの間及び利用者間における適切な役割分担のもと，適正な範囲及び方法でAIシステム又はAIサービスを利用するよう努める。

② 適正学習の原則
利用者及びデータ提供者は，AIシステムの学習等に用いるデータの質に留意する。

③ 連携の原則
AIサービスプロバイダ，ビジネス利用者及びデータ提供者は，AIシステム又はAIサービス相互間の連携に留意する。また，利用者は，AIシステムがネットワーク化することによってリスクが惹起・増幅される可能性があることに留意する。

④ 安全の原則
利用者は，AIシステム又はAIサービスの利活用により，アクチュエーター等を通じて，利用者及び第三者の生命・身体・財産に危害を及ぼすことがないよう配慮する。

⑤ セキュリティの原則
利用者及びデータ提供者は，AIシステム又はAIサービスのセキュリティに留意する。

⑥ プライバシーの原則
利用者及びデータ提供者は，AIシステム又はAIサービスの利活用において，他者又は自己のプライバシーが侵害されないよう配慮する。

⑦ 尊厳・自律の原則
利用者は，AIシステム又はAIサービスの利活用において，人間の尊厳と個人の自律を尊重する。

⑧ 公平性の原則
AIサービスプロバイダ，ビジネス利用者及びデータ提供者は，AIシステム又はAIサービスの判断にバイアスが含まれる可能性があることに留意し，また，AIシステム又はAIサービスの判断によって個人及び集団が不当に差別されないよう配慮する。

⑨ 透明性の原則
AIサービスプロバイダ及びビジネス利用者は，AIシステム又はAIサービスの入出力等の検証可能性及び判断結果の説明可能性に留意する。

⑩ アカウンタビリティの原則
利用者は，ステークホルダに対しアカウンタビリティを果たすよう努める。

出典：総務省「AI利活用ガイドライン～ AI利活用のためのプラクティカルリファレンス～」
https://www.soumu.go.jp/main_content/000637097.pdf

□信頼できるAIのための倫理ガイドライン

信頼できるAIのための倫理ガイドラインは，欧州連合（EU）が発表した，AIに関する倫理ガイドラインです。信頼できるAIのためには合法的，倫理的，頑健であるべきとし，尊重すべき倫理原則や要求事項などがまとめられています。

□人工知能学会倫理指針

人工知能学会倫理指針は，人工知能学会倫理委員会が策定・発表した文書で，人工知能研究者の倫理的な価値判断の基礎となる倫理指針が定められています。

□リーン生産方式，かんばん方式

リーン生産方式やかんばん方式は，どちらもトヨタ自動車の生産方式に基づくものです。リーン生産方式は製造工程の無駄を排除し，効率的な生産を実現する生産方式です。英単語の「リーン（lean）」には，「ぜい肉のない」という意味があります。かんばん方式は，ジャスト・イン・タイムを実現する手法です。「かんばん」は部品名や数量，入荷日時などを書いたもので，これを工程間で回すことによって生産を管理します。後工程（部品を使用する側）は「いつ，どれだけ，どの部品を使った」という情報を伝え，これに基づいて前工程（部品を供給する側）は必要な量だけの部品を生産します。

□クラウドソーシング

クラウドソーシングは，企業などが，委託したい業務内容を，Webサイトで不特定多数の人に告知して募集し，適任と判断した人々に当該業務を発注することです。

□フリーミアム

フリーミアムは，基本的なサービスや製品は無料で提供し，高度な機能や特別な機能については料金を課金するビジネスモデルのことです。

□EFT（Electronic Fund Transfer：電子資金移動）

EFT（Electronic Fund Transfer：電子資金移動）は，銀行券や小切手などの紙を使った手段ではなく，電子データで送金や決済などを行うことです。

□フィンテック（FinTech）

フィンテック（FinTech）は，「finance（金融）」と「technology（技術）」を組み合わせた造語で，AI（人工知能）による投資予測やモバイル決済，オンライン送金，暗号資産（仮想通貨）など，IT技術を活用した金融サービスのことです。また，これに関連する事業や，事業を行う企業などを指すこともあります。

□暗号資産

暗号資産（仮想通貨）は，インターネットを通じて物品やサービスの対価に使えるデジタルな通貨のことです。有名な暗号資産としてはビットコインがあります。紙幣や硬貨といった形が存在せず，改正資金決済法では次の①～③の性質をもつ財産的価値をいいます。①不特定の者に対して，代金の支払等に使用でき，かつ，法定通貨（日本円や米国ドル等）と相互に交換できる。②電子的に記録され，移転できる。③法定通貨又は法定通貨建ての資産（プリペイドカード等）ではない。なお，金融商品取引法の法改正により，法令上の呼称が仮想通貨から暗号資産に変更されることになりました。

※①～③は金融庁のリーフレット「平成29年４月から，『仮想通貨』に関する新しい制度が開始されます。」から引用しています。

□アカウントアグリゲーション

アカウントアグリゲーション（Account aggregation）は，複数の金融機関の取引口座情報を，１つの画面に一括して表示する個人向けWebサービスのことです。

□eKYC（electronic Know Your Customer）

eKYC（electronic Know Your Customer）は，銀行口座の開設やクレジットカードの発行などで必要な本人確認を，オンライン上だけで完結する方法や技術のことです。

□AML・CFTソリューション

AML・CFTソリューションは，マネーロンダリングやテロ資金供与を防止するためのシステムやサービスのことです。AML（Anti-Money Laundering）はマネーロンダリング，CFT（Countering the Financing of Terrorism）はテロ資金供与対策という意味です。

□IoT

IoT(Internet of Things)は，自動車や家電などの様々なものをインターネットに接続し，情報をやり取りして，自動制御や遠隔操作などを行うことです。IoTを利用したシステムには，ドローンや自動運転，ワイヤレス給電，ロボット，クラウドサービスなどがあります。また，産業分野でIoTに関する主要な用語として，次のものがあります。

スマートファクトリー：IoTなどを用いて，工場内の機器や設備をつないでいる工場のことです。品質や稼働状態などのデータを可視化して把握し，それらを分析することで最適化を図ります。

インダストリー 4.0：IoTや人工知能，ビッグデータなどの技術の活用によって，産業や社会構造を変革しようとする取組みのことです。

ドイツ政府が推進する技術革新プロジェクトに基づく用語で，4次産業革命ともいわれます。第1次を蒸気機関，第2次を電気機関，第3次を製造業の自動化として，それに続く産業革命とみなしています。

例題　応用情報 平成27年秋期 午前　問70

IoT（Internet of Things）の実用例として，適切でないものはどれか。

ア　インターネットにおけるセキュリティの問題を回避する目的で，サーバに接続せず，単独でファイルの管理や演算処理，印刷処理などの作業を行うコンピュータ

イ　大型の機械などにセンサーと通信機能を内蔵して，稼働状況や故障箇所，交換が必要な部品などを，製造元がインターネットを介してリアルタイムに把握できるシステム

ウ　自動車同士及び自動車と路側機が通信することによって，自動車の位置情報をリアルタイムに収集して，渋滞情報を配信するシステム

エ　検針員に代わって，電力会社と通信して電力使用量を申告する電力メータ

【解答】ア

□ARグラス・MRグラス・スマートグラス

ARグラスはAR（Augmented Reality：拡張現実），MRグラスはMR（Mixed Reality：複合現実）が体感できる眼鏡型のウェアラブル端末です。実際にある壁や床などをカメラやセンサーで認識し，仮想の映像や情報を重ね合わせて表示します。スマートグラスも眼鏡型のウェアラブル端末で，視界の一部にテキスト情報などを表示しますが，実際にあるものを認識する機能は備えていません。

□スマートスピーカー

スマートスピーカーは，AI（人工知能）が搭載された，音声で操作できるスピーカーのことです。話しかけると，音楽を再生したり，知りたい情報を教えてくれたりします。

□CASE（Connected，Autonomous，Shared & Services，Electric）

CASE（Connected，Autonomous，Shared & Services，Electric）は，自動車の次世代技術やサービスを示す，「Connected（コネクテッド）」，「Autonomous（自動運転）」，「Shared & Services（シェアリング/サービス）」，「Electric（電動化）」の頭文字をとった造語です。

□MaaS（Mobility as a Service）

MaaS（Mobility as a Service）は，ICT（情報通信技術）の活用により，様々な交通手段による移動（モビリティ）を1つのサービスとしてとらえる，新しい「移動」の概念のことです。複数の交通手段をシームレスにつなぎ，たとえば，電車やバス，飛行機などを乗り継いで移動する際，スマートフォンなどから検索，予約，支払いを一度に行えるようにしてユーザーの利便性を高めるという考え方です。

□コネクテッドカー

コネクテッドカーは，インターネットに接続してサーバとリアルタイムで連携する機能を備えた自動車のことです。各種センサーが搭載されており，車両の状態や道路の状況などの様々なデータを収集してサーバに送信します。また，サーバから運転に関する情報を受け取って，走行支援や危険予知などに役立てます。

□スマート農業 V6.0

スマート農業とは，ロボット，AI（人工知能），IoTなどの先端技術を活用する農業のことです。スマート農業の効果として，次のようなものがあります。

① 作業の自動化：ロボットトラクタ，スマホで操作する水田の水管理システムなどの活用により，作業を自動化し人手を省くことが可能になる

② 情報共有の簡易化：位置情報と連動した経営管理アプリの活用により，作業の記録をデジタル化・自動化し，熟練者でなくても生産活動の主体になれる

③ データの活用：ドローン・衛星によるセンシングデータや気象データのAI解析により，農作物の生育や病虫害を予測し，高度な農業経営が可能になる

出典：「スマート農業の展開について 2021年9月 農林水産省」－「スマート農業について」
https://www.soumu.go.jp/main_content/000775128.pdf

□マシンビジョン

マシンビジョン（Machine Vision）は，工場や倉庫などで人が目で見る代わりに，カメラで読み取ってコンピュータで画像処理することで，自動で検査や計測，個数の読み取りなどの処理を行うシステムのことです。

□HEMS（Home Energy Management System）

HEMS（Home Energy Management System）は，家庭で使う電気やガスなどのエネルギーを把握し，効率的に運用するためのシステムです。たとえば，複数の家電製品をネットワークにつなぎ，電力の可視化及び電力消費の最適制御を行います。

□ロボティクス

ロボティクスは，ロボットの設計，製作，運用に関する研究（ロボット工学）や，ロボットに関連した事業や取組みのことです。

□エンタープライズサーチ

エンタープライズサーチ（Enterprise Search）は，企業内のデータベースやファイルサーバ，Webサイトなどに散在している情報を，横断的に検索できるシステムのことです。

□SoR（Systems of Record），SoE（Systems of Engagement）

SoR（Systems of Record）は，基幹システムのようにデータを安全かつ適切に処理することを重視したシステムのことです。扱うデータが過去に取得した情報であることが多いことから，「記録のためのシステム」といわれます。対してSoE（Systems of Engagement）は，環境の変化に柔軟・迅速に適応できるシステムのことです。新たな技術や柔軟なデータ活用によって，たとえば日々変化する顧客ニーズを把握して適切に対応するなど，顧客とのつながりを構築し，関連性を強めることが可能です。「engagement」は「つながり」や「絆」という意味をもち，「つながるためのシステム」といわれます。

□BPMN（Business Process Model and Notation：ビジネスプロセスモデリング表記）

BPMN（Business Process Model and Notation）は，業務フローを図式化する手法で，国際標準規格（ISO 19510）です。右図のようなグラフィカルな記号を使って，開発者だけでなく，関係者全員にわかりやすく表現することができます。

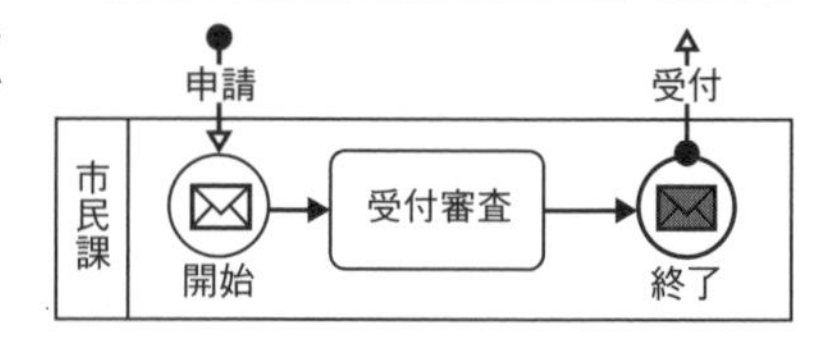

□RPA（Robotic Process Automation）

RPA（Robotic Process Automation）は，これまで人が行っていた定型的な事務作業をソフトウェア型のロボットに代替させて，業務の自動化や効率化を図ることです。「デジタルレイバー（Digital Labor）」や「仮想知的労働者」ともいい，適用する業務としては，帳簿入力や伝票作成，経費チェック，顧客データの管理などがあります。なお，RPAの中には認知技術（ルールエンジン，AI，機械学習など）を活用し，従来より高度な作業を自動化するものも開発されています。

□シェアリングエコノミー

シェアリングエコノミーは，使っていない物やサービス，場所などを，他の人々と共有し，交換して利用する仕組みのことです。仲介するサービスを指すこともあります。

□ライフログ

ライフログは，人の生活での行動や様子をデジタルデータとして記録する技術や，その記録のことです。総務省のワーキンググループでは，「閲覧履歴」「電子商取引による購買・決済履歴」「位置情報」の3つを挙げています。広い意味では，SNSへの投稿，通話履歴，歩数や心拍数といった健康情報など，パーソナルデータや個人情報も含みます。

□情報銀行，PDS（Personal Data Store）

内閣官房IT総合戦略室の「AI，IoT時代におけるデータ活用ワーキンググループ」では，次のように定義されています。

情報銀行（情報利用信用銀行）：個人とのデータ活用に関する契約等に基づき，PDS等のシステムを活用して個人のデータを管理するとともに，個人の指示またはあらかじめ指定した条件に基づき個人に代わり妥当性を判断の上，データを第三者（他の事業者）に提供する事業。

PDS（Personal Data Store）：他者保有データの集約を含め，個人が自らの意思で自らのデータを蓄積・管理するための仕組み（システム）であって，第三者への提供に係る制御機能（移管を含む）を有するもの。

□PoC（Proof of Concept）

PoC（Proof of Concept）は「概念実証」という意味で，新しい概念や理論，アイディアについて，本当に実現できるかどうかを検証することです。

□ITリテラシー

ITリテラシーは，事業活動・業務遂行のためにコンピュータ，アプリケーションソフトウェアなどのITを理解し，効果的に活用する能力のことです。情報（information）と識字（literacy）を組み合わせた造語で，情報リテラシーともいわれます。

□レガシーシステム

レガシーシステムは，新しい技術が適用しにくい，時代遅れとなった古いシステムのことです。老朽化，肥大化・複雑化，ブラックボックス化したシステムで，一般的にメインフレームやオフコン（オフィスコンピュータ）を指します。

□グリーン調達

グリーン調達は，製品やサービスを購入する際，環境負荷が小さいものを優先して選ぶことです。積極的に環境負荷の小さい製品・サービスを扱ったり，環境配慮に取り組んだりしている企業から優先して購入するケースもあります。

例題 基本情報 平成29年秋期 午前 問64

グリーン調達の説明はどれか。

ア 環境保全活動を実施している企業がその活動内容を広くアピールし，投資家から環境保全のための資金を募ることである。
イ 第三者が一定の基準に基づいて環境保全に資する製品を認定する，エコマークなどの環境表示に関する国際規格のことである。
ウ 太陽光，バイオマス，風力，地熱などの自然エネルギーによって発電されたグリーン電力を，市場で取引可能にする証書のことである。
エ 品質や価格の要件を満たすだけでなく，環境負荷の小さい製品やサービスを，環境負荷の低減に努める事業者から優先して購入することである。

【解答】エ
【解説】アはグリーン投資，イは環境ラベリング制度の国際規格（ISO 14020シリーズ），ウはグリーン電力証書に関する説明です。

□AI・データの利用に関する契約ガイドライン

AI・データの利用に関する契約ガイドラインは，データの利用等に関する契約や，AI技術を利用したソフトウェアの開発・利用契約について，経済産業省が公開している文書です。「データ編」と「AI編」に分かれて，契約上の主な課題や論点，契約条項例，条項作成時の考慮要素などが記載されています。

■マネジメント系

□DevOps

DevOpsはDevelopment（開発）とOperations（運用）を組み合わせた造語で，ソフトウェア開発において，開発担当者と運用担当者が連携・協力する手法や考えのことです。

□需要管理，サービス要求管理

需要管理やサービス要求管理は，サービスマネジメントで行う活動です。

需要管理では，サービスに対する顧客の需要を判断し，その需要に備えます。あらかじめ定めた間隔でサービスに対する現在の需要を決定し，将来の需要を予測します。サービスの需要及び消費の監視，報告も行います。

サービス要求管理では，パスワードのリセットや新規ユーザーの登録など，小さな変更への要求に対応します。記録や分類，優先度付けをするなど，定められた手順に従って実施します。

□サービスカタログ

サービスカタログは，顧客に提供するサービスに関する情報をまとめた文書やデータベースのことです。顧客はサービスカタログを見て，利用できるサービスの名称や内容などを確認することができます。

□SPOC（Single Point Of Contact）

サービスデスクでは，利用者からの問合せを単一の窓口で受け付け，必要に応じて別の組織や担当者に引き継ぎます。SPOC（Single Point Of Contact）は，このような「単一の窓口」のことです。

□チャットボット

チャットボット（chatbot）は，AI（人工知能）を活用して，人との会話のやり取りが自動でできるプログラム（自動会話プログラム）のことです。「対話（chat）」と「ボット（bot）」を組み合わせた造語で，ボットはロボット（robot）が語源の自動的に作業を行うプログラムの総称です。

□アジャイル

アジャイルは，迅速かつ適応的にソフトウェア開発を行う軽量な開発手法の総称です。アジャイル開発ともいいます。重要な部分から小さな単位での開発を繰り返し，作業を進めていきます。代表的な手法として，次のものがあります。

XP（エクストリームプログラミング）：比較的少人数の開発に適した手法で，開発チームが行うべき「プラクティス」という具体的な実践項目が定義されており，次のようなものがあります。

ペアプログラミング	プログラマが2人1組となり，その場で相談やレビューを行いながら，共同でプログラムを作成する。
リファクタリング	外部から見た動作は変えずに，プログラムの内部構造を理解，修正しやすくなるようにコードを改善する。
テスト駆動開発	プログラムの開発に先立ってテストケースを設定し，テストをパスすることを目標として，プログラムを作成する。

スクラム：共通のゴールに到達するため，開発チームが一体となって働くことに重点をおいた手法です。

例題　基本情報 平成29年春期 午前　問50

ソフトウェア開発の活動のうち，アジャイル開発においても重視されているリファクタリングはどれか。

ア　ソフトウェアの品質を高めるために，2人のプログラマが協力して，一つのプログラムをコーディングする。

イ　ソフトウェアの保守性を高めるために，外部仕様を変更することなく，プログラムの内部構造を変更する。

ウ　動作するソフトウェアを迅速に開発するために，テストケースを先に設定してから，プログラムをコーディングする。

エ　利用者からのフィードバックを得るために，提供予定のソフトウェアの試作品を早期に作成する。

【解答】イ

【解説】 アはペアプログラミング，ウはテスト駆動開発，エはソフトウェア開発モデルのプロトタイピングに関する説明です。

□システム監査の目的

システム監査の目的は，情報システムにまつわるリスク（情報システムリスク）に適切に対処しているかどうかを，独立かつ専門的な立場のシステム監査人が点検・評価・検証することを通じて，組織体の経営活動と業務活動の効果的かつ効率的な遂行，さらにはそれらの変革を支援し，組織体の目標達成に寄与すること，または利害関係者に対する説明責任を果たすことです。

□代表的なシステム監査技法

監査手続で利用する代表的なシステム監査技法として，次のようなものがあります。

チェックリスト法	システム監査人が，あらかじめ監査対象に応じて調整して作成したチェックリスト（チェックリスト形式の質問書）に対して，関係者から回答を求める技法。
ドキュメントレビュー法	監査対象の状況に関する監査証拠を入手するために，システム監査人が関連する資料や文書類を入手し，内容を点検する技法。
インタビュー法	監査対象の実態を確かめるために，システム監査人が，直接，関係者に口頭で問い合わせ，回答を入手する技法。
ウォークスルー法	データの生成から入力，処理，出力，活用までのプロセス，組み込まれているコントロールを，書面上または実際に追跡する技法。
突合・照合法	関連する複数の証拠資料を調査し，記録された最終結果について，原始資料まで遡って，その起因となった事象と突き合わせる技法。
現地調査法	システム監査人が，被監査部門等に直接赴いて，対象業務の流れ等の状況を，自ら観察・調査する技法。
コンピュータ支援監査技法	監査対象ファイルの検索，抽出，計算など，システム監査で使用頻度の高い機能に特化していて，しかも非常に簡単な操作で利用できるシステム監査を支援する専用のソフトウェアや表計算ソフトウェア等を使ってシステム監査を実施する技法。

※出典：経済産業省「システム監査基準」（平成30年4月20日）より抜粋，一部加工

□レピュテーションリスク

レピュテーションリスクは，企業への否定的な報道や評判が原因で生じるリスクのことです。企業に対する信頼やブランド価値の低下を招き，業績悪化につながります。「風評リスク」ともいいます。

■テクノロジ系

□名義尺度，順序尺度，間隔尺度，比例尺度 V6.0

数値データの尺度には，次の4種類があります。

名義尺度	区別や分類するために用いられる尺度。 （例）電話番号，郵便番号，血液型（A型「1」，B型「2」など，数値を対応させたもの）
順序尺度	大小関係や順序には意味があるが，間隔には意味がない尺度。 （例）等級（1級，2級，3級），地震の震度，成績などの5段階評価
間隔尺度	目盛りが等間隔になっているもので，大小関係に加えて，間隔の差にも意味がある尺度。 （例）気温（摂氏），西暦，100点満点のテストの点数
比率尺度	0を原点として，大小関係や差に加えて，比にも意味がある尺度。 （例）身長，重量，値段

□グラフ理論，頂点（ノード），辺（エッジ），有向グラフ，無向グラフ V6.0

グラフ理論においてグラフとは，折れ線グラフや棒グラフのような数量の変化や大きさを表したものではなく，いくつかの点と，それらを結ぶ線からなる図形のことです。グラフの点のことを頂点（ノード），線のことを辺（エッジ）と呼び，幅広い分野で様々な情報をモデル化するのに利用されます。また，辺に方向性があるグラフを有向グラフ，方向性がないグラフを無向グラフといいます。

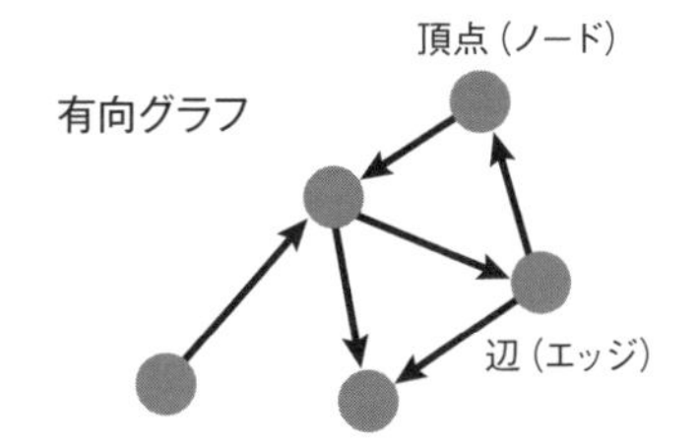

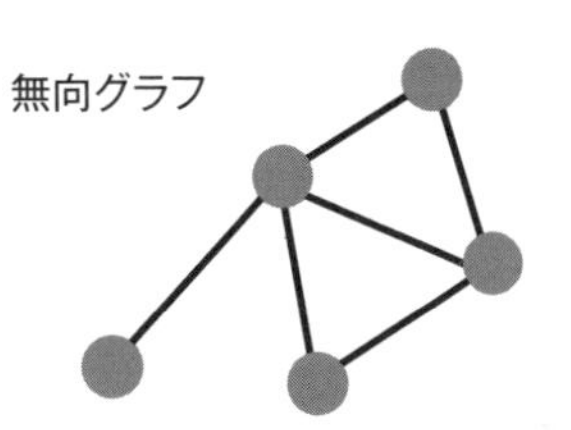

□ルールベース，特徴量，活性化関数

AI（人工知能）の技術に関する重要な用語として，次のようなものがあります。

ルールベースは，コンピュータが判別に使う条件や基準を，人が用意して設定する方式のことです。

特徴量は，対象の特徴を数値化したものです。たとえば，「リンゴ」を識別する場合，色，形，大きさなどを特徴量として数値にします。ディープラーニングでは，コンピュータが自動的に特徴量を抽出して学習していきます。

活性化関数は，ニューラルネットワークにおいて，ニューロンから次のニューロンに数値を出力する際，もとの数値を別の数値に変換するものです。活性化関数にはシグモイド関数やステップ関数，ReLU関数などの種類があり，人間の脳のように複雑な表現を得るために用いられます。

□機械学習

機械学習は，AI（人工知能）がデータを解析して規則性や判断基準を学習し，それにより未知のものを予測，判断する技術のことです。機械学習には，次のような種類があります。

教師あり学習	ラベル（正解を示す答え）を付けたデータを与え，学習を行う方法。たとえば，猫の画像に「猫」というラベルを付け，その大量の画像をAIが学習することで，画像にラベルがなくても猫を判断できるようになる。
教師なし学習	ラベルを付けていないデータを与え，学習を行う方法。AIは，ラベルのない大量の画像から，自ら特徴を把握してグループ分けなどを行う。
強化学習	試行錯誤を通じて，報酬を最大化する行動をとるような学習を行う。たとえば，囲碁や将棋などのゲームを行うAIに使われている。

□ニューラルネットワーク，ディープラーニング

ニューラルネットワーク（Neural Network）は，ディープラーニングを構成する技術で，人間の脳内にある神経回路を数学的なモデルで表現したものです。英単語の「neural」には「神経の」という意味があります。

ディープラーニング（Deep Learning）は，ニューラルネットワークの多層化によって，高精度の分析や認識を可能にした技術。機械学習の一種で，人間がデータを識別する特徴を定義することなく，コンピュータがデータから特徴を検出して自ら学んでいきます。「深層学習」ともいいます。

□バックプロパゲーション V6.0

機械学習でニューラルネットワークを用いて推論を行っていく際，ネットワークからの出力値と正解値が異なる場合があります。この誤差を上層に遡って伝え，修正を行う仕組みをバックプロパゲーションといいます。

□探索のアルゴリズム（線形探索法，2 分探索法） V6.0

大量のデータの中から目的のデータを探し出すアルゴリズムを探索のアルゴリズムといい，線形探索法や2分探索法などがあります。線形探索法は，先頭から順番に目的のデータと比較し，一致するデータを探していきます。2分探索法は，データが小さい順か大きい順に整列されている場合，中央にあるデータから，前にあるか後ろにあるかの判断を繰り返して目的のデータを探します。

□整列のアルゴリズム（選択ソート，バブルソート，クイックソート） V6.0

大量にあるデータを大きい順または小さい順に並べ替えるアルゴリズムを整列のアルゴリズムといい，代表的なものに次のようなアルゴリズムがあります。

選択ソート	未整列のデータから最小値（最大値）を探し，未整列のデータの1番目にあるデータと入れ替える操作を繰り返す。
バブルソート	隣り合うデータを比較して，大小の順が逆であれば，それらのデータを入れ替える操作を繰り返す。
クイックソート	中間的な基準値を決めて，それよりも大きな値を集めた区分と小さな値を集めた区分にデータを振り分ける。次に，各区分の中で同じ処理を繰り返す。

□プログラム言語の種類，特徴 V6.0

プログラムを書くための専用の言語をプログラム言語といいます。様々な種類があり，代表的なプログラム言語として次のようなものがあります。

C	OSやアプリケーションソフト，組込みソフトなど，様々な開発で用いられている言語。
Fortran	科学技術計算のプログラム開発に適した，世界初で実用化された高水準の言語。
Java	オブジェクト指向型の言語。作成したプログラムは「Java仮想マシン」という環境で動作するため，OSやコンピュータの機種に依存しない。
C++	C言語にオブジェクト指向の考え方を取り入れた言語で，スマホアプリやゲーム開発などで用いられることが多い。
Python	オブジェクト指向型のスクリプト言語。機械学習やディープラーニングなどに用いられる。
JavaScript	プログラムを簡易的に作成できるスクリプト言語で，主にブラウザ上で動くプログラムを記述するのに用いる。
R	オープンソースで，統計解析に適した命令体系をもっている言語。

□コーディング標準 V6.0

プログラム言語を使って，ソースコードを記述する作業をコーディングといいます。コーディング標準とは，ソースコードをどういった書き方にするかの決まりごとのことです。たとえば，関数や変数の命名規則，インデントやスペースの入れ方など，コードの書き方や形式を定めます。コーディング規約やコーディングルールとも呼ばれます。

□モジュール分割 V6.0

ソフトウェア開発において，プログラムを一定の機能のまとまりに分けたものを**モジュール**といいます。モジュール分割は，プログラムをモジュール単位に分割し，階層化することです。

□メインルーチン，サブルーチン V6.0

プログラムは，複数の命令・処理をまとめた手続で構成されています。その中で，プログラムを開始したとき，最初に実行されるのがメインルーチンで，プログラムの中心として機能するものです。対して，メインルーチンから呼び出されるものをサブルーチンといいます。サブルーチンは，プログラム内で繰り返し使われる部分となっている場合が多く，異なるメインルーチンで共通して使用することもあります。

□ライブラリ V6.0

プログラミングにおいてライブラリは，ある特定の働きをする定型化したプログラムを複数集めて，再利用できるようにしたものです。一言でいうとプログラムの部品集です。

□API，WebAPI V6.0

API（Application Programming Interface）は，OS やソフトウェアがもつ機能の一部を公開し，他のプログラムからも利用できるようにした仕組みです。WebAPIは，API のやり取りをHTTP やHTTPS の通信で行うもので，たとえば，Web サイトにGoogleマップの機能を埋込むことにより，地図サービスを提供できます。

□ローコード，ノーコード V6.0

コンピュータに処理させる命令を，プログラム言語で記述したものを**ソースコード**といいます。ソースコードを全く書かずにソフトウェアを開発する手法をノーコード，できる限り書かない手法をローコードといいます。ビジュアルな画面で視覚的な操作によって開発を行います。

□データ記述言語 V6.0

データ記述言語は，コンピュータで扱うデータを記述するための言語のことです。プログラム言語ではなく，代表的なものとしてマークアップ言語やJSON があります。

□JSON（JavaScript Object Notation） V6.0

JSON（JavaScript Object Notation）は，コンピュータにおいて扱うデータを記述するためのデータ記述言語の1つで，{ } の中にキーと値をコロンで区切って記述するデータ形式です。異なるプログラム言語間でのデータ交換などに使われます。

□DDR3 SDRAM，DDR4 SDRAM V6.0

コンピュータの主記憶（メインメモリ）には，DRAMという半導体メモリが使われています。DRAMの仕組みを発展させたものを**SDRAM**といい，さらにSDRAMを発展させたものがDDR3 SDRAMやDDR4 SDRAMです。DDR3やDDR4という番号が大きいほど後継の規格で，データの伝送効率が向上しています。

□DIMM，SO-DIMM V6.0

DIMMやSO-DIMMとは，主記憶（メインメモリ）としてPCに取り付ける，SDRAMのチップを搭載している基盤の種類です。**DIMM**はデスクトップ型パソコン，**SO-DIMM**はノートパソコンなどの小型のパソコンで使われます。

DIMM

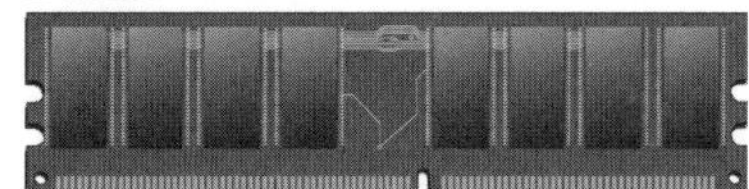

□DisplayPort（ディスプレイポート）

DisplayPortはインタフェースの規格で，HDMIと同じように1本のケーブルで映像や音声などを送ることができます。主にPCと液晶ディスプレイとの接続に使われます。

□IoTデバイス

IoTデバイスはインターネットに接続された機器のことで，IoT（モノのインターネット）における「モノ」にあたります。IoTデバイスには，家電製品，自動車，ウェアラブル機器など，多種多様です。

□センサー，アクチュエーター

センサーは，光，温度，音，圧力，煙など，対象の物理的な量や変化を測定し，信号やデータに変換する機器のことです。たとえば，光学センサー，赤外線センサー，磁気センサー，加速度センサー，ジャイロセンサー，超音波センサー，温度センサー，湿度センサー，圧力センサー，煙センサーなどがあります。

アクチュエーターは，制御信号に基づき，電気などのエネルギーを回転，並進などの物理的な動きに変換するもののことです。たとえば，DCモーター，油圧シリンダ，空気圧シリンダなどがアクチュエーターです。

□VM（Virtual Machine：仮想マシン）

CPUやメモリ，ハードディスク，ネットワークなどの資源を，物理的な実在の構成にとらわれず，論理的に統合・分割して利用する技術を**仮想化**といいます。たとえば，1台のコンピュータを論理的に分割し，仮想的に複数のコンピュータを作り出して動作させることができます。VM（Virtual Machine：仮想マシン）は，このように仮想的に作られたコンピュータ環境のことです。

□VDI（Virtual Desktop Infrastructure：デスクトップ仮想化）

VDI（Virtual Desktop Infrastructure：デスクトップ仮想化）は，サーバに仮想化されたデスクトップ環境を作り，ユーザーに提供する仕組みのことです。ユーザーはネットワーク経由でサーバに接続し，仮想化されたデスクトップ環境を呼び出して作業します。シンクライアントの方式の1つで，ユーザーが使う端末にはデータが残りません。

□マイグレーション，ライブマイグレーション

システムやソフトウェア，データなどを別の環境に移したり，新しい環境に切り替えたりすることをマイグレーションといいます。ライブマイグレーションは，サーバの仮想化技術において，仮想サーバで稼働しているOSやソフトウェアを停止することなく，他の物理サーバへ移し替える技術のことです。移動前の状態から，途切れることなく処理を継続させることができます。

□Chrome OS V6.0

Chrome OSとは，グーグル社が提供しているOS（オペレーティングシステム）です。Chrome OSを搭載したPCでは，ハードディスクなどにアプリケーションソフトをインストールするのではなく，インターネットを通じてWebアプリケーションを使用します。データもクラウド上に保存するなど，多くの作業をWebサービスによって行う仕様になっています。

□iOS，Android

どちらもスマートフォンやタブレット端末用の基本ソフト（OS）です。iOSはアップル社が開発し，同社のiPhone，iPod touchなどの製品に搭載されています。Androidは，グーグル社が開発しています。

□スマートデバイス

スマートデバイスは，スマートフォンやタブレット端末の総称です。明確な定義はなく，一般的にはインターネットに接続できて，いろいろなアプリが使用できる携帯型の多機能端末が該当します。

□情報デザイン V6.0

日常生活の中には，たくさんの情報があふれています。情報デザインは，これらの情報を目的や状況に応じて受け手に分かりやすく伝えるため，情報を整理し表現するための考え方のことです。

□デザインの原則（近接，整列，反復，対比） V6.0

文章や画像などを配置する際，デザインの原則として，次の4つがあります。

近接	関連する情報は近づけて配置し，異なる要素は離しておく。
整列	右揃え，左揃え，中央揃えなど，意図的に整えて配置する。
反復	フォント，色，線などのデザイン上の特徴を，一定のルールで繰り返す。
対比	要素ごとの大小や強弱を明確にする。見出しは本文よりも太くする。

□シグニファイア V6.0

シグニファイアとは，利用者に適切な行動を誘導する，役割をもたせたデザインのことです。たとえば，駅などにあるゴミ箱は，缶やビンの投入口は丸く，新聞や雑誌は平たく，その他のゴミは大きめに設計されています。このデザインによって，意識して行動するのではなく，自然にゴミを分別して捨てることができるように誘導されています。

□構造化シナリオ法 V6.0

デザインの要件を定義する際，デザインしたものが利用される場面を具体的に想定し，要件を定義する手法を**シナリオ法**といいます。構造化シナリオ法は，利用者にもたらされる価値を記載した「バリューシナリオ」，価値を満たすための利用者の活動を記載した「アクティビティシナリオ」，利用者の詳しい具体的な行動を記載した「インタラクションシナリオ」の3段階に分けてシナリオを考えます。

□UXデザイン（User Experienceデザイン）

UX（User Experience）は，ユーザーがシステムや製品，サービスなどを利用した際に得られる体験や感情のことです。ユーザーに満足度の高いUXを提供できるようにデザイン（設計や企画など）することをUXデザイン**（User Experienceデザイン）**といいます。

□ピクトグラム

ピクトグラムは，非常口や車いすのマークなどに使われている，絵文字や記号のことです。「絵文字」や「絵単語」とも呼ばれ，誰にでもわかりやすいように単純な構図でデザインされています。

□インフォグラフィックス V6.0

インフォグラフィックスとは，「インフォメーション（情報）」と「グラフィックス（視覚表現）」を組み合わせた造語で，データを直感的に把握できるように表現する手法や表現した図のことです。

出典：統計ダッシュボード
(https://dashboard.e-stat.go.jp/)のデータを加工して作成

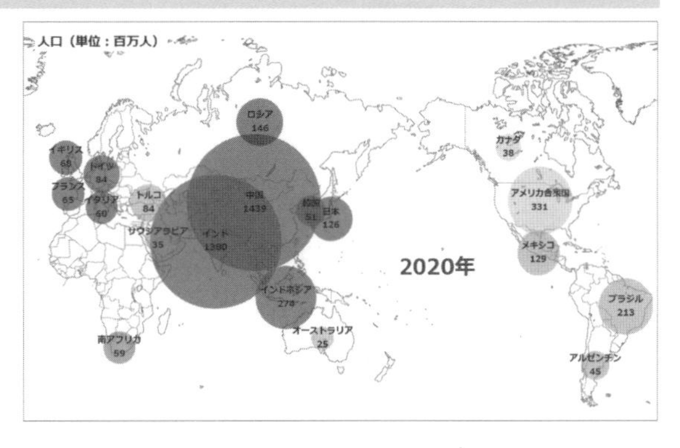

□アクセシビリティ

アクセシビリティは，年齢や身体障害の有無に関係なく，様々な人が容易にPCやソフトウェア，Webページなどを利用できることや，その度合いを表す用語です。たとえば，利用しやすいときは「アクセシビリティが高い」といいます。

□ジェスチャーインタフェース，VUI（Voice User Interface）

人がコンピュータを操作する際に接する，操作画面や操作方法をユーザインタフェースといいます。ジェスチャーインタフェースは，手や指，体の動きなどでコンピュータを操作するユーザインタフェースの総称です。

VUI（Voice User Interface）は，声によって操作を行うユーザインタフェースです。

□モバイルファースト

モバイルファーストは，Webサイトの制作において，スマートフォンで利用しやすいサイト構成や画面デザインにすることです。従来はPC向けサイトを先に作っていましたが，スマートフォンの普及によって，スマートフォン向けのサイトを優先的に制作するという意味です。

□人間中心設計 V6.0

人間中心設計とは，製品やサービスなどを開発する際，利用者の使いやすさを中心において，デザインや設計を行うという考え方です。

人間中心設計の国際規格であるJIS Z 8530: 2019（ISO 9241-210:2010）では，人間中心設計を「システムの使用に焦点を当て，人間工学及びユーザビリティの知識と手法とを適用することによって，インタラクティブシステムをより使えるものにすることを目的としたシステムの設計及び開発へのアプローチ」と定義しています。また，人間中心設計のプロセスは，「利用者状況及び明示」→「ユーザーと組織の要求事項の明示」→「設計による解決策の作成」→「要求事項に対する設計の評価」というサイクルで行い，利用者のニーズを満たすまで評価と改善を繰り返すとしています。

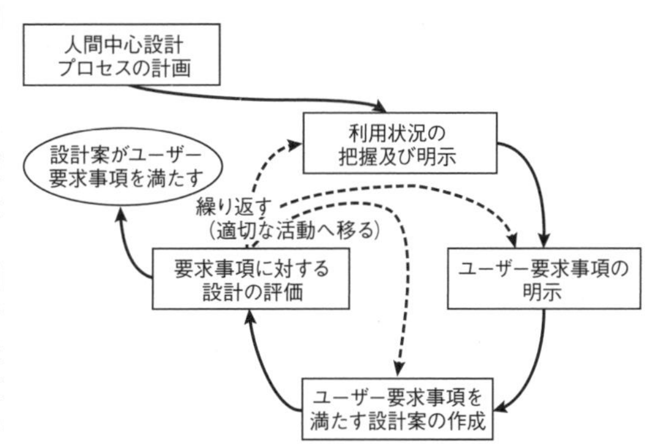

出典：JIS Z 8530: 2019（ISO 9241-210:2010）

□エンコード，デコード

エンコードは，あるデータを一定の規則に基づいて，別の形式のデータに変換することです。たとえば，動画ファイルのエンコードでは，映像データや音声データを圧縮し，いろいろな端末から視聴できる形式に変換します。対して，デコードはエンコードされたデータをもとの状態に戻すことです。

□PCM（Pulse Code Modulation：パルス符号変調） V6.0

PCM（Pulse Code Modulation）は，音声データをデジタル化する代表的な変換方法です。音声データを一定の周期ごとに区切って値を切り出す「標本化（サンプリング）」，切り出した値を段階に合わせて数値化する「量子化」，量子化したデータをビット列に変換する「符号化」の手順で行われます。

□WAV，AAC V6.0

WAVは，マイクロソフト社とIBM社によって開発された，Windowsの標準的な音声のファイル形式です。非圧縮のため，ファイルサイズが大きくなりがちです。

AACは，MP3の後継とされる音声のファイル形式です。非可逆圧縮で，MPEG-2やMPEG-4の音声フォーマットに採用されています。

□ラスターデータ，ベクターデータ V6.0

コンピュータで扱う画像データは，ラスターデータとベクターデータに大別することができます。

ラスターデータ	色情報をもった点を使って，画像を表現したデータ。写真や自然画などを扱うのに適している。点の集合で表現されているため，画像を拡大すると輪郭にギザギザ（ジャギー）が生じ，画像の拡大・縮小・変形などには適さない。ビットマップデータ（ビットマップ画像）とも呼ばれる。
ベクターデータ	点とそれを結ぶ線や面で，画像を計算処理して表現したデータ。イラストや図面などを作成するのに適している。画像を拡大・縮小・変形しても，画質が維持される。

□BMP，TIFF，EPS V6.0

BMPは，Windowsの標準的な画像のファイル形式です。非圧縮のため，ファイルサイズが大きくなりがちです。

TIFFは「Tagged Image File Format」の略で，「タグ」という情報をもつ，画像のファイル形式です。タグには，解像度や色数，符号化方式などが記録され，その情報に基づいて画像が再生されます。非圧縮で高い画質のまま保存することができ，1つのファイルに複数の画像をまとめて格納することも可能です。

EPSは，PostScriptというページ記述言語を利用した，画像のファイル形式です。ベクトルデータとビットマップデータの両方を含むことができます。「Encapsulated PostScript」の略です。

□フレーム，フレームレート V6.0

動画は，複数の静止画を連続して切り替えることで，動いているように見えています。この静止画のことをフレームといい，1秒あたりのフレームの数をフレームレートといいます。

□H.264，H.265 V6.0

H.264は，動画の圧縮符号化方式の1つです。データの圧縮の効率が高く，ハイビジョンテレビ放送，ビデオ会議，デジタルサイネージ，ドローンの動画撮影など，幅広い用途で使用されています。H.265はH.264の後継規格で，H.264よりも圧縮率や画質が向上しています。

□AVI，MP4 V6.0

AVIは，Windowsの標準的な動画のファイル形式です。ファイルサイズが大きくなりやすく，ストリーミング配信には適していません。

MP4は，現在，最も一般的に使用されている動画のファイル形式です。OSに依存せず，スマートフォンや家電など，幅広い機器で再生することができ，ストリーミング配信でよく使われています。

□加法混色，減法混色，CMYK V6.0

加法混色や減法混色は，色を表現する方法です。

加法混色は，光の三原色である赤（Red），緑（Green），青（Blue）を組み合わせて表現する方法です。ディスプレイやテレビ画面などで用いられています。

減法混色は，絵の具などの，色の三原色であるシアン（Cyan），マゼンタ（Magenta），イエロー（Yellow）を組み合わせて表現します。理論上は3色を合わせると黒になりますが，家庭用／ビジネス用のプリンターや商業印刷など実際の印刷では，黒（Key plate）を加えて使用します。このことを，CMYKといいます。

□dpi（dot per inch），ppi（pixels per inch） V6.0

デジタル画像は，画素（ピクセル）と呼ばれる点の集まりで表現されています。画素がどのくらいの集まりであるかを表す値を**解像度**といい，dpi（dot per inch）やppi（pixels per inch）は解像度を示す単位のことです。数値が大きいほど，解像度が高く，繊細な表示になります。

□ランレングス法，ハフマン法 V6.0

ランレングス法やハフマン法は，どちらもデータを可逆圧縮する符号化方式です。

ランレングス法では，データ中で同じ文字が繰り返されるとき，繰り返し部分をその反復回数と文字の組に置き換えて，文字列を短くします。たとえば，「AAAAABBBBB」という文字列を「A5B5」のように表現した場合，10文字分を4文字分で表せるので，元の40%に圧縮されたことになります。

AAAAABBBBB ➡ A5B5

10文字　4文字

ハフマン法は，データ中で文字列の出現頻度を求め，よく出る文字列には短い符号，あまり出ない文字列には長い符号を割り当てることで，全体のデータ量を減らします。たとえば，A，B，C，D，Eという5種類の文字を表すためには，3ビット必要で，「文字数×3ビット」がデータの大きさになります。文字列の出現頻度に合わせて割り当てる符号を変えると，「文字数×3ビット」よりもデータ量を減らすことができます。

文字	A	B	C	D	E
符号	000	001	010	011	100

➡

文字	A	B	C	D	E
出現頻度	26%	25%	24%	13%	12%
符号	00	01	10	110	111

□4K・8K

4K・8Kは次世代の映像規格で，現行のハイビジョンを超える超高画質の映像を実現します。もともと4Kや8Kは映像の解像度で，4Kは3,840×2,160ピクセル，8Kは7,680×4,320ピクセルです。「K」は1,000を表す語句で，横方向の数値が約4,000，8,000であることから，4K，8Kといわれます。

□RDBMS，NoSQL

RDBMSは「Relational DataBase Management System」の略で，リレーショナルデータベース（関係データベース）の管理システムです。関係データベースでは，行と列の表形式でデータを管理し，「SQL」というデータ処理言語を使ってデータの結合や抽出などを行います。

NoSQLは，リレーショナルデータベース以外のデータベースの総称です。様々な形式のデータを1つのキーに対応付けて管理するキーバリュー型，XMLやJSONなどのドキュメントデータの格納に特化したドキュメント指向型などがあります。ビッグデータの管理には，事前にデータの構造をきちんと定義しておくRDBMSよりも，NoSQLが向いているといわれています。

例題　応用情報 平成30年春期 午前　問30

ビッグデータの基盤技術として利用されるNoSQLに分類されるデータベースはどれか。

ア　関係データモデルをオブジェクト指向データモデルに拡張し，操作の定義や型の継承関係の定義を可能としたデータベース

イ　経営者の意思決定を支援するために，ある主題に基づくデータを現在の情報とともに過去の情報も蓄積したデータベース

ウ　様々な形式のデータを一つのキーに対応付けて管理するキーバリュー型データベース

エ　データ項目の名称や形式など，データそのものの特性を表すメタ情報を管理するデータベース

【解答】ウ

□キーバリューストア（KVS），ドキュメント指向データベース，グラフ指向データベース V6.0

リレーショナルデータベース管理システム以外の，データベース管理システムを総称して**NoSQL**といい，次のような種類があります。

キーバリューストア（KVS）：1つの項目（key）に対して1つの値（value）を設定し，これらをセットで格納します。

ドキュメント指向データベース：データ構造が自由で，JSONなどのデータ形式をそのまま格納することができます。

グラフ指向データベース：ノード（頂点），エッジ（辺），プロパティ（属性）から構成されたグラフ構造をもちます。ノード間をつないで関係性を表現し，ノードとエッジはプロパティをもつことができます。
※エッジは「リレーション」や「リレーションシップ」ともいいます。

□データクレンジング

データクレンジングは，データベースなどに保存しているデータの中から，データの誤りや重複，表記の揺れなどを探し出し，適切な状態に修正してデータの品質を高めることです。

□ACID特性

ACID特性は，データベースのトランザクション処理で必要とされる，原子性（Atomicity），一貫性（Consistency），独立性（Isolation），耐久性（Durability）という4つの性質のことです。耐久性は，永続性と呼ばれる場合もあります。

原子性	トランザクションは，完全に実行されるか，全く実行されないか，どちらかでなければならない。
一貫性	整合性の取れたデータベースにおいて，トランザクション実行後も整合性が取れている。
独立性	同時実行される複数のトランザクションは互いに干渉しない。
耐久性	いったん終了したトランザクションの結果は，そのあと障害が発生しても結果は失われず保たれる。

□2相コミットメント

2相コミットメントは，分散データベースシステムにおいて，一連のトランザクション処理を行う複数サイトに更新処理が確定可能かどうかを問い合わせ，全てのサイトが確定可能である場合，更新処理を確定する方式です。

□VLAN V6.0

VLAN（Virtual LAN）とは，実際に機器を接続している形態に関係なく，機器をグループ化して仮想的なLANを構築する技術のことです。組織の体制に合わせて，柔軟に通信可能なグループ分けを行うことができます。「仮想LAN」や「バーチャルLAN」とも呼ばれます。

□Wi-Fi Direct

Wi-Fi Direct（Wi-Fiダイレクト）は無線LANの規格で，無線LANルーターを介さずに，パソコンやスマートフォン，プリンター，テレビなどの機器同士を直接つなげることです。

□メッシュWi-Fi

「メッシュ（Mesh）」は「網の目」という意味で，メッシュWi-Fiはネットワークを網の目のように張り巡らせたネットワークのことです。家庭などで電波の届かない死角をなくし，家のどこにいてもWi-Fiに接続できるようにする仕組みや機器を指す場合もあります。

□WPS（Wi-Fi Protected Setup）V6.0

WPS（Wi-Fi Protected Setup）とは，無線LANへの接続設定を簡単に行うための規格です。パソコンやスマートフォンなどを無線LANルーターに接続するとき，ボタンを押すだけで，接続や暗号化の設定を行うことができます。

□5G

5Gは，モバイル通信の規格の1つです。第5世代移動通信システムの略称で，現在利用されている4GやLTEの上位に位置付けられる次世代の無線通信システムです。

□SDN（Software-Defined Networking）

SDN（Software-Defined Networking）は，専用のソフトウェアを使って，ネットワークの構築や設定などを，柔軟かつ動的に制御する考えや，その技術のことです。

□ビーコン

ビーコンは，電波を発信し，それを受信することで位置を特定したり，位置情報に関するサービスを提供したりする装置や設備のことです。通信にBLE（Bluetooth Low Energy）を使ったものをBLEビーコンといい，店舗に設置したビーコンから店舗付近の人のスマートフォンに商品情報を送信するなど，身近な多くのサービスで活用されています。

□ハンドオーバー

ハンドオーバーは，スマートフォンや携帯電話などで通信しながら移動しているとき，交信する基地局やアクセスポイントを切り替える動作のことです。電波強度が強い方に切り替えることで，通信を切断することなく，継続して使用できます。

□ローミング

ローミングは，契約している通信事業者のサービスエリア外でも，他の事業者の設備によってサービスを利用できるようにすることや，このようなサービスのことです。

□IoTネットワークの構成要素

IoTデバイスを接続する，IoTネットワークの代表的な構成や通信方式として，次のようなものがあります。

LPWA（Low Power Wide Area）：少ない電力消費で，広域な通信が行える無線通信技術の総称です。携帯電話や無線LANと比べて通信速度は低速ですが，10kmを超える長距離の通信が可能です。通信容量は小さいが，大量のIoTデバイスを接続するニーズにも，低コストで応えられます。

BLE（Bluetooth Low Energy）：近距離無線通信規格Bluetoothのバージョン4.0から追加された，消費電力が低い通信方式です。

エッジコンピューティング：モノ（機器や装置）に近い側へ，データ処理装置を分散配置することです。データを整理して必要な情報のみを送信することで，通信の遅延や上位システムへの負荷を防ぎます。

IoTエリアネットワーク：IoTデバイスとIoTゲートウェイの間を結んだネットワークのことです。IoTデバイスは多種多様で，それぞれの機器の要件に適した形でIoTエリアネットワークを構築します。

応用情報 平成29年秋期 午前　問10

IoTでの活用が検討されているLPWA（Low Power, Wide Area）の特徴として，適切なものはどれか。

ア　2線だけで接続されるシリアル有線通信であり，同じ基板上の回路及びLSIの間の通信に適している。
イ　60GHz帯を使う近距離無線通信であり，4K，8Kの映像などの大容量のデータを高速伝送することに適している。
ウ　電力線を通信に使う通信技術であり，スマートメータの自動検針などに適している。
エ　バッテリ消費量が少なく，一つの基地局で広範囲をカバーできる無線通信技術であり，複数のセンサーが同時につながるネットワークに適している。

【解答】エ

【解説】 LPWAは無線通信なので，アの「有線通信であり」という説明は適切ではありません。イはWiGig（Wireless Gigabit），ウはPLC（Power Line Communication）に関する説明です。

□OSI 基本参照モデル　V6.0

OSI 基本参照モデルとは，データの流れや処理などによって，データ通信で使う機能や通信プロトコル（通信規約）を7つの階層に分けたものです。ISO（International Organization for Standardization：国際標準化機構）が策定，標準化した規格で，各層の役割は次の通りです。

階層	名称	役割
7	アプリケーション層	メールやファイル転送など，具体的な通信サービスの対応について規定。
6	プレゼンテーション層	文字コードや暗号など，データの表現形式に関する方式を規定。
5	セション層	通信の開始・終了の一連の手順を管理し，同期を取るための方式を規定。
4	トランスポート層	送信先にデータが，正しく確実に伝送されるための方式を規定。
3	ネットワーク層	通信経路の選択や中継制御など，ネットワーク間の通信で行う方式を規定。
2	データリンク層	隣接する機器間で，データ送信を制御するための方式を規定。
1	物理層	コネクタやケーブルなど，電気信号に変換されたデータを送る方式を規定。

□TCP/IP階層モデル，ネットワークインタフェース層，インターネット層，トランスポート層，アプリケーション層　V6.0

インターネットでは，多くのプロトコルが使われており，それらを総称して**TCP/IP**といいます。TCP/IP階層モデルとは，ネットワークに必要な機能や通信プロトコルを「ネットワークインタフェース層」「インターネット層」「トランスポート層」「アプリケーション層」という4つの階層に定めたものです。これらの階層は，OSI基本参照モデルと次のように対応します。

OSI基本参照モデル	TCP/IP階層モデル	
	階層名	主なプロトコル
第7層 アプリケーション層	アプリケーション層	DHCP　FTP　HTTP POP3　SMTP　IMAP MIME　TELNET
第6層 プレゼンテーション層		
第5層 セション層		
第4層 トランスポート層	トランスポート層	TCP
第3層 ネットワーク層	インターネット層	IP
第2層 データリンク層	ネットワーク インタフェース層	PPP
第1層 物理層		

□MIMO

MIMO（Multi-Input Multi-Output）は，送信側と受信側に複数のアンテナをそれぞれ搭載し，複数の異なるデータを同じ周波数帯域で同時に転送することによって，無線通信を高速化させる技術です。

□eSIM（embedded SIM）

eSIMは，スマートフォンなどの端末にあらかじめ内蔵されているSIMカードのことです。利用者が自分で契約者情報などを書き換えることができ，一般のSIMカードのように端末から抜き差しすることはありません。

□テレマティクス

テレマティクス（Telematics）は，通信システムを搭載した自動車などの移動体で，速度や位置情報などのデータを外部とやり取りして，いろいろな機能やサービスの提供を行うことです。たとえば，車に搭載された機器から，急加速や急ブレーキなどの運転状況のデータを収集して運転の安全性を診断したり，速度と位置情報から道路の渋滞状況を把握したりすることなどに利用されています。

□サイバー空間

サイバー空間は，インターネット上に構築された仮想的な空間（仮想空間）のことです。多様なサービスのつながりやコミュニティなどが形成され，1つの新しい社会領域となっています。

□サイバー攻撃

サイバー攻撃は，コンピュータやネットワークに不正に侵入し，データの搾取や破壊，改ざんなどを行ったり，システムを機能不全に陥らせたりする攻撃の総称です。

□ビジネスメール詐欺（BEC）

ビジネスメール詐欺は，巧妙に細工したメールのやり取りにより，企業の担当者をだまして，攻撃者の用意した口座へ送金させる詐欺の手口です。BEC（Business E-mail Compromise）とも呼ばれます。

□ダークウェブ

ダークウェブは，通常のGoogleやYahoo!などの検索エンジンで見つけることができず，一般的なWebブラウザでは閲覧できないWebサイトのことです。匿名性が高く，違法な物品の売買など，犯罪の温床になっています。

□ファイルレスマルウェア V6.0

ファイルレスマルウェアとは，実行ファイルを使用せずに，OSに備わっている機能を利用して行われるサイバー攻撃のことです。従来のマルウェアとは異なり，ハードディスクなどに実行ファイルを保存せず，メモリ上でのみ不正プログラムを展開します。そのため，従来のマルウェアよりも検知が困難で，攻撃に気づきにくいという特徴があります。**ファイルレス攻撃**ともいいます。

□RAT

RAT（ラット）は，コンピュータを遠隔操作するリモートツールの総称です。情報セキュリティでは，この機能をサイバー攻撃に使うマルウェア（バックドアとして機能するトロイの木馬）を指します。

□SPAM

SPAM（スパム）は，もともと無差別かつ大量に送付される迷惑メールのことでしたが，現在はインターネット上での様々な迷惑行為を指します。代表的なスパムとして，SNSやブログのコメント欄，掲示板への書込みで，本来の話題を無視して広告宣伝したり，他サイトに誘導したりする行為があります。

□シャドー IT

シャドー ITは，会社が許可していないIT機器やネットワークサービスなどを，業務で使用する行為や状態のことです。たとえば，会社が許可していない私用のオンラインストレージ上に業務ファイルを保存して作業するなどの行為がこれにあたります。

□クロスサイトリクエストフォージェリ

クロスサイトリクエストフォージェリは，ユーザーがWebサイトにログインしている状態で，攻撃者によって細工された別のWebサイトを訪問してリンクをクリックなどすると，ログインしているWebサイトへ強制的に悪意のあるリクエストが送信されてしまう攻撃です。悪意のあるリクエスト送信によって，ネットショップでの強制購入，会員情報の変更や退会など，ユーザーが意図しない処理が行われてしまいます。

□不正のトライアングル（機会，動機，正当化）

不正のトライアングル理論では，不正行為は機会，動機，正当化の3つの要素が全て揃ったときに発生すると考えられています。

機会	内部者による不正行為の実行を可能，または容易にする環境であること。 例：情報システムなどの技術や物理的な環境，組織のルールなど
動機	不正行為に至るきっかけ，原因。 例：処遇への不満やプレッシャー（業務量，ノルマ等）など
正当化	自分勝手な理由づけ，倫理観の欠如。 例：都合の良い解釈や他人への責任転嫁など

□クリックジャッキング

クリックジャッキングは，Webサイトのコンテンツ上に，透明化した標的サイトのコンテンツを配置しておき，Webサイトでの操作に見せかけて，標的サイト上で不正な操作を行わせる攻撃です。

□ドライブバイダウンロード

ドライブバイダウンロードは，利用者が公開Webサイトを閲覧したときに，その利用者の意図にかかわらず，PCにマルウェアをダウンロードさせて感染させる攻撃手法です。

□ディレクトリトラバーサル

ディレクトリトラバーサルは，「../info/passwd」などのパス名からフォルダを遡って，非公開のファイルなどに不正にアクセスする攻撃です。

□中間者（Man-in-the-middle）攻撃，MITB（Man-in-the-browser）攻撃

中間者（Man-in-the-middle）攻撃は，クライアントとサーバとの通信の間に不正な手段で割り込み，通信内容の盗聴や改ざんを行う攻撃です。MITB(Man-in-the-browser)攻撃は中間者攻撃の1つで，Webブラウザを乗っ取って，通信内容の盗聴や改ざんを行います。

□第三者中継

メールサーバに第三者からの関係のないメールが送り付けられ，別の第三者に中継して送信してしまうことを，メールの第三者中継といい，迷惑メール送信の踏み台に利用されるおそれがあります。

□IPスプーフィング

IPスプーフィングは，送信元を示すIPアドレスを偽装することや，偽装して攻撃を行うことです。送信元を隠蔽し，攻撃対象のネットワークへの侵入を図ります。

□キャッシュポイズニング

キャッシュポイズニングはDNSの仕組みを悪用した攻撃で，「DNSキャッシュポイズニング」ともいいます。DNSサーバのキャッシュ情報を作為的に変更することにより，利用者が正しいドメイン名を指定しても，そのWebサイトに到達できないようにしたり，誤った別のWebサイトへ誘導したりします。

□セッションハイジャック

セッションハイジャックは，サーバとクライアント間で交わされるセッションを乗っ取り，通信当事者になりすまして，不正行為を行う攻撃です。たとえば，正規のサーバになりすまして，クライアントの情報を盗んだり，クライアントを不正なWebサイトに誘導したりします。

□DDoS攻撃

DDoS攻撃は，Webサーバやメールサーバなどに対して，複数のコンピュータやルーターなどの機器から大量のパケットを送り付ける攻撃です。サーバに膨大な負荷をかけることで，サービスを提供できない状態にします。

□クリプトジャッキング

クリプトジャッキングは，マルウェアなどで他人のコンピュータを勝手に使って，暗号資産（仮想通貨）をマイニングする行為のことです。クリプトジャッキングされると，処理速度の大幅な低下，過負荷による熱暴走やシャットダウンなどの被害が生じます。

□リスクアセスメント（リスク特定，リスク分析，リスク評価）

リスクマネジメントは，リスク特定，リスク分析，リスク評価，リスク対応という流れで実施します。リスクアセスメントは，リスク特定，リスク分析，リスク評価を網羅するプロセス全体のことです。

リスク特定	情報の機密性，完全性，可用性の喪失に伴うリスクを特定し，リスクの包括的な一覧を作成する。
リスク分析	特定したリスクについて，リスクが実際に生じた場合に起こり得る結果や，リスクの発生頻度を分析し，その結果からリスクレベルを決定する。
リスク評価	リスク分析で決定したリスクレベルとリスク基準を比較し，リスク対応の優先順位付けを行う。

□真正性，責任追跡性，否認防止，信頼性

情報セキュリティは情報の機密性，完全性，可用性を維持することで，これらを情報セキュリティの3要素といいます。さらに，真正性，責任追跡性，否認防止，信頼性の4つを，情報セキュリティの要素に加えることもあります。

真正性	エンティティは，それが主張する通りのものであるという特性（JIS Q 27000:2014）。たとえば，利用者であることを主張する場合，パスワード認証やICカードなどによって，確実に利用者本人を認証できるようにすること。
責任追跡性	あるエンティティの動作が，その動作から動作主のエンティティまで一意に追跡できることを確実にする特性（JIS Q 13335-1:2006）。たとえば，情報システムやデータベースなどへのアクセスログを記録しておき，いつ，誰がアクセスしたか，どのデータを更新したかなどを追跡できるようにしておくこと。
否認防止	主張された事象または処置の発生，及びそれを引き起こしたエンティティを証明する能力（JIS Q 27000:2014）。たとえば，電子文書にデジタル署名とタイムスタンプ（時刻認証）を付けた場合，この文書をいつ，誰が署名したかを立証することができる。
信頼性	意図する行動と結果とが一貫しているという特性（JIS Q 27000:2014）。たとえば，情報システムである処理を行ったとき，システムの障害や不具合の発生が少なく，達成水準を満たす結果が得られること。

※エンティティは，情報を使用する組織や人，情報を扱う設備やソフトウェア，物理的媒体などのことです。
※JIS Q 27000:2014やJIS Q 13335-1:2006は，用語の定義の出所を示しています。

□プライバシポリシー（個人情報保護方針）

プライバシポリシー（個人情報保護方針）は，個人情報を扱う事業者が，個人情報保護に関する考えや取組みを宣言することです。個人情報の収集や利用，安全管理など，個人情報の取り扱いに関する方針を文書にまとめて公開します。

□安全管理措置

個人情報保護法では，取り扱う個人情報の安全管理のために，個人情報取扱事業者に対して安全管理措置を講じることを求めています（第20条）。個人データの取り扱いにかかわる規律の整備や，組織的・人的・物理的・技術的の観点から必要かつ適切な安全措置を実施します。個人情報保護委員会が公開している「個人情報保護法ガイドライン（通則編）」には，安全管理措置の具体的な手法について「講じなければならない措置」と「手法の例示」が記載されています。

□サイバー保険

サイバー保険は，サイバー攻撃によって生じた費用や損害を補償する保険です。保険によっては，サイバー攻撃だけでなく，他のセキュリティ事故に起因した各種損害を包括的に補償するものもあります。

□SECURITY ACTION

SECURITY ACTIONは，中小企業自らが情報セキュリティ対策に取り組むことを自己宣言する制度です。IPA（独立行政法人 情報処理推進機構）が創設した制度で，宣言を行った中小企業には，取組み段階に応じて「一つ星」または「二つ星」のロゴマークが提供されます。

□WAF

WAF（Web Application Firewall）は，通信内容に特徴的なパターンが含まれるかなど，Webアプリケーションのやり取りを検査して，不正な通信を遮断するシステムや装置のことです。Webアプリケーションの脆弱性を悪用した攻撃を防御することができます。

□IDS（侵入検知システム），IPS（侵入防止システム）

IDS（Intrusion Detection System）は，サーバやネットワークを監視し，不正な通信や攻撃と思われる通信を検知した場合は管理者に通知するシステムです。侵入検知システムともいいます。

IPS（Intrusion Prevention System）は，IDSの機能に加えて，不正な通信や攻撃を検知したとき，それらを遮断して防御するシステムです。侵入防止システムともいいます。

□情報セキュリティ組織・機関

情報セキュリティに関する組織や機関，関連する制度として，次のようなものがあります。

情報セキュリティ委員会：企業や組織において，情報セキュリティマネジメントに関する意思決定を行う最高機関のことです。情報セキュリティ最高責任者（CISO：Chief Information Security Officer）を中心に，経営陣や各部門の責任者が参加します。

SOC（Security Operation Center）：24時間体制でネットワークやセキュリティ機器などを監視し，サイバー攻撃の検出や分析，対応策のアドバイスなどを行う組織のことです。

コンピュータ不正アクセス届出制度：「コンピュータ不正アクセス対策基準」に基づく制度で，不正アクセスが判明した場合，不正アクセスの被害の拡大及び再発を防止するため，必要な情報をIPA（情報処理推進機構）に届け出ます。

コンピュータウイルス届出制度：「コンピュータウイルス対策基準」に基づく制度で，コンピュータウイルスを発見した場合，コンピュータウイルスの被害の拡大と再発を防止するため，必要な情報をIPA（情報処理推進機構）に届け出ます。

ソフトウェア等の脆弱性関連情報に関する届出制度：経済産業省の「ソフトウェア製品等の脆弱性関連情報に関する取扱規程」に基づく制度で，ソフトウェア製品やWebアプリケーションに脆弱性を発見した場合，その情報を受付機関のIPA（情報処理推進機構）に届け出ます。

J-CSIP（サイバー情報共有イニシアティブ）：IPA（情報処理推進機構）を集約点として，重工や重電など，重要インフラで利用される機器の製造業者を中心とした参加組織間で情報共有を行い，高度なサイバー攻撃対策につなげていく取り組みです。

サイバーレスキュー隊（J-CRAT）：IPA（情報処理推進機構）が設置した組織で，標的型サイバー攻撃の被害の低減と，被害の拡大防止を目的とした活動を行います。

□DLP（Data Loss Prevention：情報漏えい対策）

DLP（Data Loss Prevention）は，情報システムにおいて機密情報や重要データを監視し，情報漏えいやデータの紛失を防ぐ仕組みのことです。たとえば，機密情報を外部に送ろうとしたり，USBメモリにコピーしようとすると，警告を発令したり，その操作を自動的に無効化させたりします。

□SIEM（Security Information and Event Management）

SIEM（Security Information and Event Management）は，サーバやネットワーク機器などのログデータを一括管理，分析して，セキュリティ上の脅威を発見し，通知するセキュリティ管理システムです。様々な機器から集められたログを総合的に分析し，管理者による分析を支援します。

□SSL/TLS（Secure Sockets Layer/Transport Layer Security）

SSL/TLSは，主にWebサーバとWebブラウザ間の通信データを暗号化する仕組みです。SSL（Secure Sockets Layer）とTLS（Transport Layer Security）はどちらも暗号化に用いる技術（プロトコル）で，TLSはSSLが発展したものです。現在はTLSが使用されていますが，SSLの名称がよく知られているため，実際はTLSでも「SSL」や「SSL/TLS」と表記します。

□MDM（Mobile Device Management：モバイルデバイス管理）

MDMは，会社や団体が，自組織の従業員に貸与する携帯端末（スマートフォンやタブレットなど）に対して，セキュリティポリシーに従った設定をしたり，利用可能なアプリケーションや機能を制限したりなど，携帯端末の利用を一元管理・監視する仕組みのことです。

□ブロックチェーン，スマートコントラクト

ブロックチェーンは，取引の台帳情報を一元管理するのではなく，ネットワーク上にある複数のコンピュータで同じ内容のデータを管理する分散型台帳技術です。一定期間内の取引記録をまとめた「ブロック」を，ハッシュ値によって相互に関連付けて連結することで，取引情報が記録されています。改ざんが非常に困難で，ビットコインなどの暗号資産（仮想通貨）の基盤技術です。

スマートコントラクトは，ブロックチェーンの技術を活用した，契約の履行を自動化する仕組みです。

□耐タンパ性

タンパ（tamper）は「許可なくいじる，不正に変更する」といった意味です。**耐タンパ性**は，IT機器やソフトウェアなどの内部構造を，外部から不正に読出し，改ざんするのが困難になっていることです。また，その度合いや強度のことで，「耐タンパ性が高い」のようにいいます。

□セキュアブート

セキュアブートは，PCの起動時にOSやドライバのデジタル署名を検証し，許可されていないものを実行しないようにすることによって，OS起動前のマルウェアの実行を防ぐ技術です。

□PCI DSS

PCI DSSは，クレジットカードの会員データを安全に取り扱うことを目的として，技術面及び運用面の要件を定めたクレジットカード業界のセキュリティ基準です。「Payment Card Industry Data Security Standard」の頭文字をつないでいます。

□コンテンツフィルタリング，URLフィルタリング

コンテンツフィルタリングは，好ましくないコンテンツのWebサイトへのアクセスを制限することです。たとえば，犯罪に関する有害なWebサイト，職務や教育上において不適切なWebサイトなどが対象となります。制限するWebサイトを，URLによって判断する機能を**URLフィルタリング**といいます。

□MACアドレスフィルタリング V6.0

LANカードやスマートフォンなど，ネットワークに接続する機器には，1台1台に**MACアドレス**という固有の番号が付けられています。**MACアドレスフィルタリング**は，無線LANに接続を許可する機器をMACアドレスによって判別する仕組みです。

□ペアレンタルコントロール

ペアレンタルコントロールは，子供のPCやスマートフォン，ゲーム機などの利用について，保護者が監視・制限する取組みのことです。また，そのための機能や設定を指すこともあります。

□クリアデスク，クリアスクリーン

クリアデスクは，情報セキュリティ保護のため，席を離れる際，机の上に書類や記憶媒体などを放置しておかないことです。**クリアスクリーン**は，パソコンの元を離れる際，画面を他の人が画面をのぞき見したり，操作したりできる状態で放置しないことです。

□セキュリティケーブル

セキュリティケーブルは，パソコン，周辺機器などの盗難や不正な持出しを防止するため，これらのIT機器を机や柱などにつなぎ留める金属製の器具のことです。セキュリティワイヤーともいいます。

□遠隔バックアップ

遠隔バックアップ（遠隔地バックアップ）は，地震などの不測の事態に備えて，重要なデータの複製を遠隔地に保管することです。

□暗号化アルゴリズム V6.0

暗号化アルゴリズムとは，「どのように暗号化するか」という計算の方式のことです。代表的なものとして，共通鍵暗号方式では「AES」，公開鍵暗号方式では「RSA」などがあります。

□ディスク暗号化，ファイル暗号化

ディスク暗号化は，ハードディスクやSSDなどのディスク全体を丸ごと暗号化する機能のことです。対して，**ファイル暗号化**は，ファイルやフォルダ単位でデータを暗号化することです。

□タイムスタンプ（時刻認証）

タイムスタンプ（**時刻認証**）は，電子データが，ある日時に確かに存在していたこと，及びその日時以降に改ざんされていないことを証明する技術です。

□ハイブリッド暗号方式

ハイブリッド暗号方式は，公開鍵暗号方式と共通鍵暗号方式を組み合わせた暗号方式です。通信するデータの暗号化は，公開鍵暗号方式よりも，処理が高速な共通鍵暗号方式で行います。データの暗号化に用いた共通鍵は，公開鍵暗号方式で暗号化して通信相手に送ります。

例題 応用情報 平成28年秋期 午前　問42

OpenPGPやS/MIMEにおいて用いられるハイブリッド暗号方式の特徴はどれか。

ア　暗号通信方式としてIPsecとTLSを選択可能にすることによって利用者の利便性を高める。
イ　公開鍵暗号方式と共通鍵暗号方式を組み合わせることによって鍵管理コストと処理性能の両立を図る。
ウ　複数の異なる共通鍵暗号方式を組み合わせることによって処理性能を高める。
エ　複数の異なる公開鍵暗号方式を組み合わせることによって安全性を高める。

【解答】イ

□多要素認証

多要素認証は，複数の要素（知識情報，所有情報，生体情報）を組み合わせて，安全性を高める認証方法のことです。たとえば，パスワードと生体認証などを組み合わせます。要素が2つの場合は，2要素認証といいます。

□SMS認証

SMS認証は，スマートフォンや携帯電話のSMS（Short Message Service：ショートメッセージサービス）を使って，本人確認を行う認証方法のことです。

□静脈パターン認証，虹彩認証，声紋認証，顔認証，網膜認証

静脈や虹彩，声紋など，人間の身体的特徴を用いた生体認証（バイオメトリクス認証）として，次のようなものがあります。

静脈パターン認証：手のひらや指などの静脈パターンで認証します。
虹彩認証：目の虹彩（瞳孔より外側のドーナツ状に見える部分）の模様で認証します。
声紋認証：声を周波数分析した声紋の特徴で認証します。
顔認証：目や鼻の形，位置など，顔面の特徴で認証します。
網膜認証：目の網膜（目の眼底にある膜）の毛細血管のパターンで認証します。

□本人拒否率，他人受入率

本人拒否率や他人受入率は生体認証の精度を示す基準で，本人拒否率は本人なのに本人ではないと認識される確率，他人受入率は他人なのに本人であると認識される確率です。本人拒否率はFRR（False Rejection Rate），他人受入率はFAR（False Acceptance Rate）ともいいます。

情報セキュリティマネジメント 平成30年春期 午前　問22

バイオメトリクス認証システムの判定しきい値を変化させるとき，FRR（本人拒否率）と FAR（他人受入率）との関係はどれか。

ア　FRRとFARは独立している。
イ　FRRを減少させると，FARは減少する。
ウ　FRRを減少させると，FARは増大する。
エ　FRRを増大させると，FARは増大する。

【解答】ウ

□セキュリティバイデザイン，プライバシーバイデザイン

セキュリティバイデザイン（Security by Design）は，システムや製品などを開発する際，開発初期である企画・設計段階からセキュリティを確保する方策のことです。また，開発の初期段階から，個人情報の漏えいやプライバシー侵害を防ぐための方策に取り組むことをプライバシーバイデザイン（Privacy by Design）といいます。

□IoTセキュリティガイドライン，コンシューマ向けIoTセキュリティガイド

IoTセキュリティガイドラインは，IoT機器やシステム，サービスの提供にあたってのライフサイクル（方針，分析，設計，構築・接続，運用・保守）における指針を定めるとともに，一般利用者のためのルールを定めたものです。コンシューマ向けIoTセキュリティガイドは，実際のIoTの利用形態を分析し，IoT利用者を守るためにIoT製品やシステム，サービスを提供する事業者が考慮しなければならない事柄をまとめたものです。

書き込みながら
用語を覚える

要点整理！まとめノート

重要事項をノートのように見やすくまとめています。
語句を穴埋めして，まとめノートを完成させましょう。

※解答は各ページの下で確認できます。

業務分析手法

ストラテジ系：業務分析・データ利活用（業務分析と業務計画）
業務分析に使う代表的な手法と図を覚えよう。

●［❶　　　　　　　　］

棒グラフと折れ線グラフを組み合わせたもの。
棒グラフは数値が大きい順に並べ，折れ線グラフはそれぞれの数値の全体に対する割合を累計していく。

不良品数（個）
400
300
200
100
0
キズ
汚れ
割れ・欠け
変色
へこみ
サビ
ゆがみ
はがれ
累積比率（％）
100%
80%
60%
40%
20%
0%

ABC分析で使用する図。
重点管理する項目を調べることができる。

●［❷　　　　　　　　］

特性（結果）とその要因（原因）の関係をまとめたもの。
どのような原因によって，問題が起きているかを明確にできる。

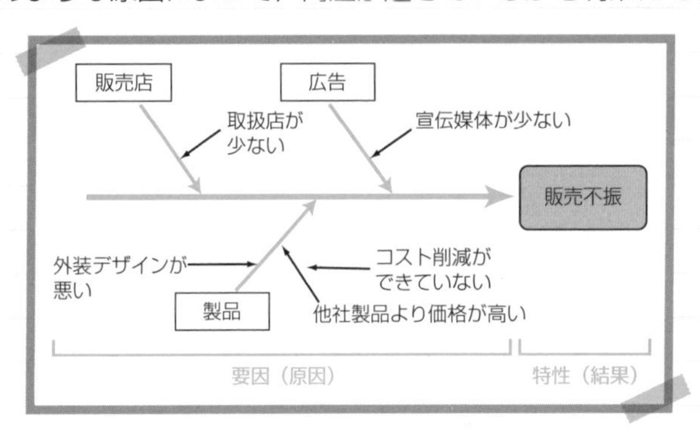

骨の形に似ているので，フィッシュボーンチャートともいう。

●［❸　　　　　　　　］

生産現場で時系列に得たデータを，折れ線グラフで表したもの。
品質に異常がないか，製造工程が安定しているかを確認するために使う。

管理限界の内側だが，偏っているので異常
上方管理限界
片側に偏る
基準値
下方管理限界
管理限界を超えている
管理限界の外側なので異常
群番号（日時やロット番号など）

●［❹　　　　　　　　］

作業の順序関係と所要時間をまとめたもの。
日程管理，重要な作業を把握するのに使う。**PERT（パート）図**ともいう。

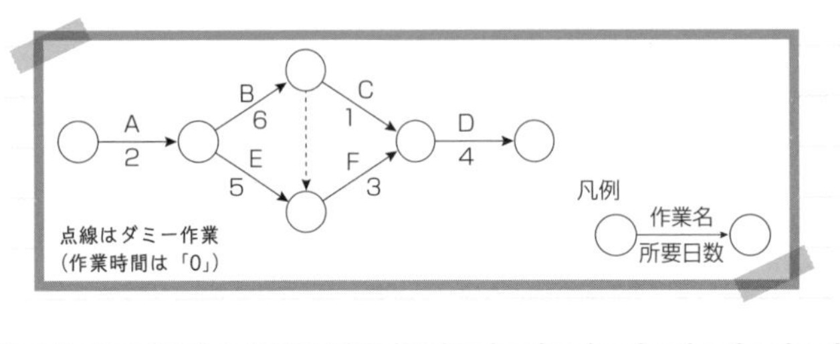

重要

プロジェクト開始から終了までをつないだ経路のうち，最も時間がかかる経路をクリティカルパスという。
この経路上での遅れは全体の遅延につながるため，重点的に管理する。

❶パレート図　❷特性要因図　❸管理図　❹アローダイアグラム

図表・グラフによるデータ可視化

ストラテジ系：業務分析・データ利活用（業務分析と業務計画）
データ可視化に使う代表的な図を覚えよう。

●［❶　　　　　　　　］
データを階級に分けて，棒グラフにしたもの。データの分布（偏りやバラつき）がわかる。

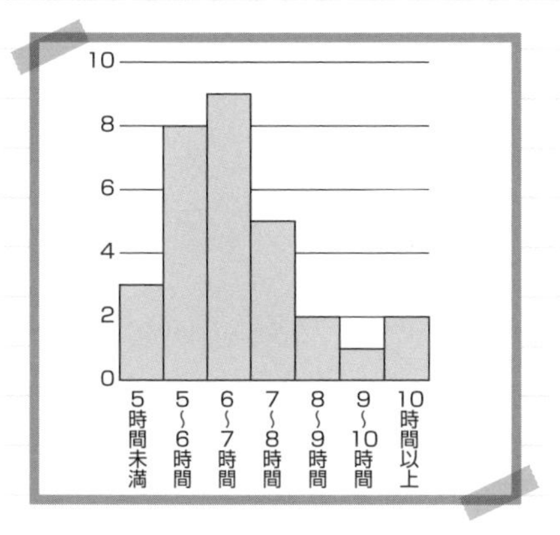

●［❷　　　　　　　　］
複数の項目を結んだ，くもの巣のようなグラフ。項目間のバランスがわかる。

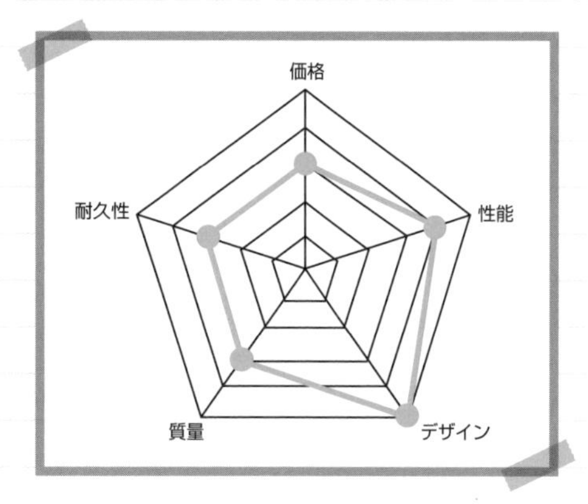

●［❸　　　　　　　　］
2つの項目を縦軸と横軸にとって，点でデータを表したグラフ。右上がりの場合は**正の相関**，右下がりの場合は**負の相関**。

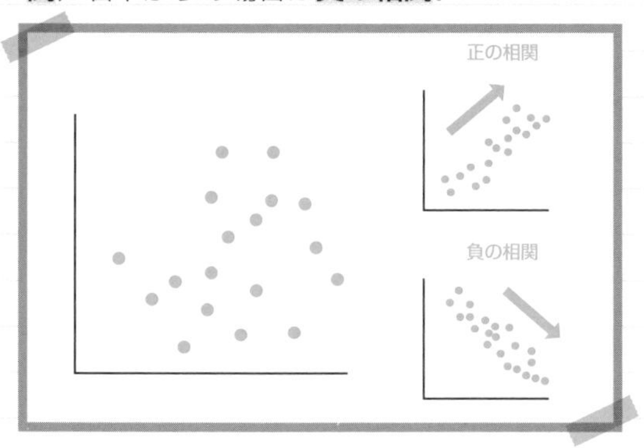

●［❹　　　　　　　　］
データのバラつきを，箱（長方形）とひげ（線）で表したグラフ。最大値，最小値，中央値をまとめて確認できる。

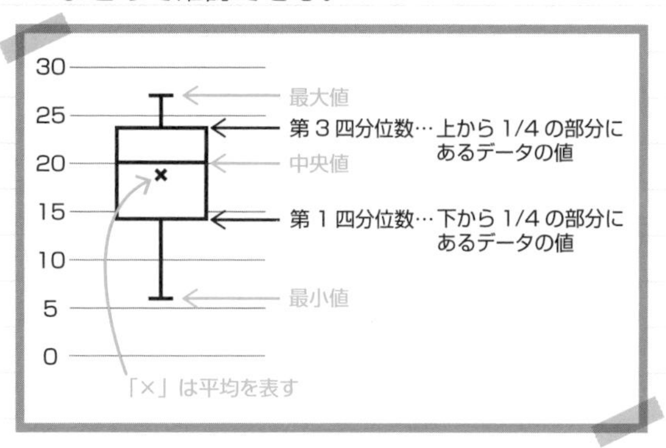

●［❺　　　　　　　　］
ボックスなどに言葉（ラベル）を書き，関連するものを線で結んだ図。概念の関係を視覚的に表すことができ，考えやアイディアなどを整理するときに使う。**概念地図**ともいう。

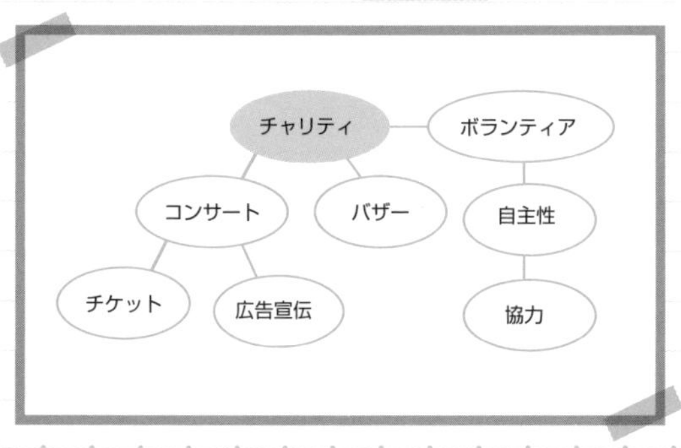

●［❻　　　　　　　　］
棒の高さと幅の大きさで，2つの構成比を表した図。棒の高さは変わらないが，幅は数値の大きさに合わせて変わる。数値が大きいと，マス目の面積も大きくなる。

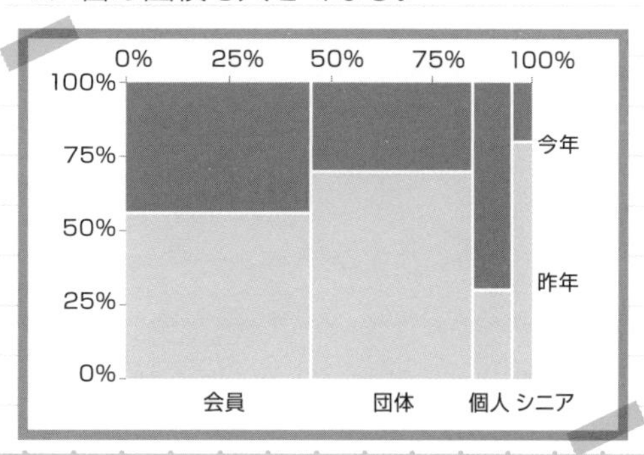

❶ヒストグラム　❷レーダーチャート　❸散布図　❹箱ひげ図　❺コンセプトマップ　❻モザイク図

データ利活用

ストラテジ系：業務分析・データ利活用（データ利活用）
データ分析に使うデータの種類や集め方を覚えよう。

1 データの種類

● [❶　　　　　　　　　]･･･数値の大きさに意味をもつデータ。
　　(例）人数，身長，気温，金額

単位が付く数値データ。

[❷　　　　　　　　　]･･･種類や分類を区別するためのデータ。
　　(例）性別，職業，血液型

● [❸　　　　　　　　　]･･･目的に従って，自ら収集したデータ。
[❹　　　　　　　　　]･･･官公庁や他社などが保有するデータ。

政府統計や気象情報などがある。

● [❺　　　　　　　　　]･･･作成者や作成日時，タイトルなど，データに付随している情報。

作成日時
作成者
サイズ　など
文書

撮影日時
撮影場所
機種　など
画像

● 一定の規則・構造で管理できるデータを**構造化データ**という。
(例）表形式の構造化データ

商品名	単価	販売数
アップルパイ	350	8
エクレア	200	16
どら焼き	140	30

構造化が難しいデータを非構造化データという。画像，動画，音声，規則性に関する区切りがない文書など。

● 地理的な図形や属性，座標などの情報が記録されているデータを[❻　　　　　　　　　]という。
代表的なフォーマットに**シェープファイル**がある。

2 母集団と標本抽出

● 統計データをとるとき，調査対象の全体のことを**母集団**という。
また，母集団から一部を抜き出すことを[❼　　　　　　　　　]，抜き出したものを**標本**という。
● 次のような標本の抽出方法がある。
・母集団から無作為に調査対象を抽出する･･･**無作為抽出**
・母集団を性別や年代，業種などの属性でいくつかのグループに分け，各グループの中から必要な数の標本を無作為抽出する･･･[❽　　　　　　　　　]
・グループを選ぶ操作を繰り返し，最終的なグループから標本を無作為抽出する･･･**多段抽出**

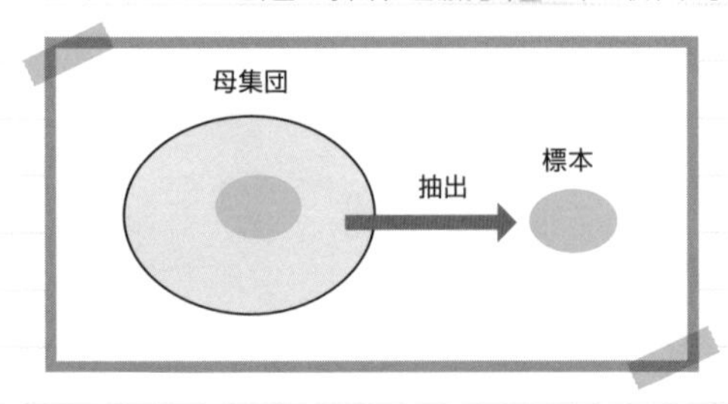

なぜ?
母集団が大きいと，調査に手間や費用がかかるため，標本を調べて母集団の性質を推測する。

● 母集団を全て調べることを**全数調査**，抽出した標本を調べることを[❾　　　　　　　　　]という。

❶量的データ　❷質的データ　❸1次データ　❹2次データ　❺メタデータ　❻GISデータ
❼標本抽出　❽層別抽出　❾標本調査

ソフトウェア開発 マネジメント系：開発プロセス・手法
代表的なソフトウェア開発手法を覚えよう。

1 ソフトウェア開発技術

● [❶　　　　　　　　]
システム開発をいくつかの工程に分け，上流から下流の工程に開発を進める。
次の工程に進んだら原則として，後戻りしない。

[❷　　　　　　　　]
システム開発の初期段階で**プロトタイプ（試作品）**を作成し，それをユーザーに確認してもらいながら開発を進める。

RAD
(Rapid Application Development)
「迅速なアプリケーション開発」という意味で，開発ツールや部品などを利用することで作業の省力化を図り，効率よく迅速に開発を行う手法。

● [❸　　　　　　　　]
システムをいくつかのサブシステムに分割し，サブシステムごとに設計や開発を繰り返して，システムを徐々に完成させていく。

2 アジャイル開発

● アジャイル開発
アジャイル（agile）は，「機敏」や「素早い」という意味。
迅速かつ適応的にソフトウェア開発を行う開発手法の総称。
開発の途中で設計や仕様に変更が生じることを前提としていて，ユーザーの要求や仕様変更にも柔軟な対応が可能。

アジャイル開発は必修の用語。
XPや代表的なプラクティスを確実に覚えておこう。
1「ソフトウェア開発技術」や3「その他のソフトウェア開発手法」も繰り返し出題されている重要用語！

● XP（エクストリームプログラミング）
アジャイル開発の代表的な手法。開発チームが行うべき「プラクティス」という具体的な実践項目がある。

[❹　　　　　　]	**プログラマが2人1組**となり，その場で一緒に相談やレビューを行いながら，共同でプログラムを作成する。
リファクタリング	外部から見た動作は変えずに，プログラムの内部構造を理解，修正しやすくなるようにコードを改善する。
[❺　　　　　　]	プログラムの開発に先立って**テストケースを設定**し，テストをパスすることを目標として，プログラムを作成する。

● スクラム
スプリントという時間の枠を定め，**反復的かつ漸進的な手法**で開発を進める。
共通のゴールに到達するため，開発チームが一体となって働くことに重点をおく。

3 その他のソフトウェア開発手法

● [❻　　　　　　　　]･･･既存のソフトウェアやハードウェアなどの製品を分解し，解析することによって，その製品の構造や仕組みなどを明らかにし，技術を獲得する。

● [❼　　　　　　　　]･･･ソフトウェア開発において，開発担当者と運用担当者が密接に連携，協力する手法や考え。Development（開発）とOperations（運用）を組み合わせた造語。

● **オフショア開発**･･･システム開発を，海外の事業者や海外の子会社に委託する開発形態。

❶ウォーターフォールモデル　❷プロトタイピングモデル　❸スパイラルモデル
❹ペアプログラミング　❺テスト駆動開発　❻リバースエンジニアリング　❼DevOps

システム監査

マネジメント系：システム監査
システム監査の概要と代表的な監査技法を覚えよう。

1 システム監査

システム監査

情報システムについて，信頼性や安全性，有効性，効率性などを総合的に監査し，監査の依頼者に助言や勧告を行う。監査対象から**独立した立場**の**システム監査人**が実施する。

監査人は独立した第三者であることが重要。利害関係者だと，正しく評価できないおそれがある。
システム監査では，情報システムの管理者や利用者は監査人になれない。

システム監査の流れ

1 監査計画の策定
2 監査の実施（[❶]，本調査，評価・結論）
…システムの運用記録やヒアリングで得た証言など，**監査証拠**を集める。
…監査業務の実施記録であり，監査証拠や関連資料などをまとめた**監査調書**を作成する。
…監査調書をもとに，監査の結果を導く。
3 監査報告…監査の依頼者に**システム監査報告書**を提出する
4 [❷]…改善勧告したことについて，改善が行われているかを確認，評価する。

監査を受ける側の部門を「被監査部門」という。
被監査部門にも，監査に必要な資料の準備，システムの運用ルールの説明，改善計画書の作成などの役割がある。

● [❸]…システム監査人の行動規範を定めた文書

2 代表的なシステム監査技法

システム監査人は，予備調査や本調査で，次のようなシステム監査技法を利用する。

監査技法の種類	説明
[❹]	システム監査人が，あらかじめ監査対象に応じて調整して作成した**チェックリスト**（チェックリスト形式の質問書）に対して，関係者から回答を求める技法
ドキュメントレビュー法	監査対象の状況に関する監査証拠を入手するために，システム監査人が関連する**資料や文書類を入手し，内容を点検**する技法
[❺]	監査対象の実態を確かめるために，システム監査人が，直接，関係者に**口頭で問い合わせ**，回答を入手する技法
[❻]	データの生成から入力，処理，出力，活用までのプロセス，組み込まれているコントロールを，書面上または実際に**追跡する技法**
[❼]	関連する複数の証拠資料間を突き合わせること。記録された最終結果について，原始資料まで遡ってその起因となった事象と**突き合わせる**技法
[❽]	システム監査人が，被監査部門等に**直接赴**（おもむ）**いて**，対象業務の流れ等の状況を，自ら観察・調査する技法
コンピュータ支援監査技法	監査対象ファイルの検索，抽出，計算など，システム監査で使用頻度の高い機能に特化していて，しかも非常に簡単な操作で利用できるシステム監査を支援する専用の**ソフトウェアや表計算ソフトウェア等を使って**システム監査を実施する技法

※出典：経済産業省「システム監査基準」（平成30年4月20日）より抜粋，一部加工

❶予備調査　❷フォローアップ　❸システム監査基準　❹チェックリスト法
❺インタビュー法　❻ウォークスルー法　❼突合・照合法　❽現地調査法

情報デザイン

テクノロジ系：情報デザイン，インタフェース設計
情報デザイン，インタフェース設計の考え方を覚えよう。

1 情報デザインの考え方や手法

情報デザイン

相手にとってわかりやすく，正確に情報を伝えるため，情報を適切に整理，表現すること。
代表的なルール（**デザインの原則**）として，次の4つがある。

[❶　　　　　　]･･･関連する情報は近付けて配置し，異なる要素は離しておく。
[❷　　　　　　]･･･右揃え，左揃え，中央揃えなど，意図的に整えて配置する。
[❸　　　　　　]･･･フォント，色，線などのデザイン上の特徴を，一定のルールで繰り返す。
[❹　　　　　　]･･･見出しを本文より目立たせるなど，要素ごとの大小や強弱を明確にする。

シグニファイア

利用者に適切な行動を誘導する，役割をもたせたデザインのこと。
（例）Webページのリンクをボタンの形状にして，「押す」という行動に誘導する

[❺　　　　　　]

利用者のニーズを価値と位置付けて，「バリューシナリオ」，「アクティビティシナリオ」，「インタラクションシナリオ」の3段階に分けてシナリオを考えるシナリオ法。

3段階を日本語にすると，「価値」「行動」「操作」。

シナリオ法は，デザインしたものが利用される場面を具体的に想定し，要件を定義する手法。

UXデザイン

ユーザーに「楽しい」「使いやすい」など，ユーザーに満足度の高いUX（User Experience）を提供するためのデザイン（設計や企画など）。

UX（User Experience）は，ユーザーがシステムや製品，サービスなどを利用したときに得られる体験のこと。満足度のような感情や印象も含まれる。

[❻　　　　　　]

文化，言語，年齢および性別の違いや，障害の有無や能力の違いなどにかかわらず，できる限り多くの人が支障なく利用できることを目指したデザイン。

[❼　　　　　　]

「インフォメーション（情報）」と「グラフィックス（視覚表現）」を組み合わせた造語で，データを直感的に把握できるように表現する手法や表現した図のこと。

ピクトグラムもインフォグラフィックスの種類の1つ。

2 インタフェース設計

ヒューマンインタフェース

コンピュータの操作画面や操作方法，帳票のレイアウトなど，人とコンピュータシステムの接点となる部分。

ジェスチャーインタフェース
手や指，体の動きなどによって操作するユーザインタフェース。PCやスマホの操作など。

VUI
（Voice User Interface）
音声によって，操作を行うユーザインタフェース。

[❽　　　　　　]

製品やサービスなどを開発する際，人間工学及びユーザビリティの知識と手法とを適用することによって，デザインや設計を行うという考え方。

年齢や身体障害の有無などに関係なく，誰でも容易にPCやソフトウェア，Webページなどを利用できることをアクセシビリティという。

---

❶近接　❷整列　❸反復　❹対比　❺構造化シナリオ法　❻ユニバーサルデザイン
❼インフォグラフィックス　❽人間中心設計

データベース

テクノロジ系：データベース（データベース方式，トランザクション処理）
データベース管理システムの種類やトランザクション処理について覚えよう。

1 データベース管理システム

データベース管理システム

データベースを安全かつ効率よく管理し，運用するためのシステム。売上や在庫，顧客情報など，いろいろなデータを一元的に管理する。DBMS（DataBase Management System）ともいう。

RDBMS（Relational DataBase Management System）

表形式でデータを管理する，関係データベース管理システムのこと。
データベースの操作に［❶　　　　　］というデータ処理言語を使う。

NoSQLはビッグデータの基盤技術として利用される。

NoSQL

RDBMS以外のデータベース管理システムの総称。次のようなものがある。

［❷　　　　　］	1の項目（key）に対して1つの値（value）を設定し，これらをセットで格納する。
ドキュメント指向データベース	データ構造が自由で，XMLや**JSON**などのデータ形式をそのまま格納することができる。
［❸　　　　　］	ノード（頂点），エッジ（辺），プロパティ（属性）から構成されたグラフ構造をもつ。ノード間をつないで，データ同士の関係性を表現できる。 ※エッジは「リレーション」や「リレーションシップ」ともいう。

2 トランザクション処理

トランザクション

切り離せない連続する複数の処理を，ひとまとめで管理するときの処理の単位。
トランザクション単位で処理を実行することで，データベースに不整合が起きるのを防ぐ。
（例）AさんがBさんに振込みをする。

Aさんの口座の金額を減らす ➡ 振込先であるBさんの口座の金額を増やす

トランザクション

同時実行制御［❹　　　　　］

複数の利用者が同時に同じデータを更新しようとしたとき，データに矛盾が起きることを防ぐため，ロックをかけて，他の利用者は使えないようにする。

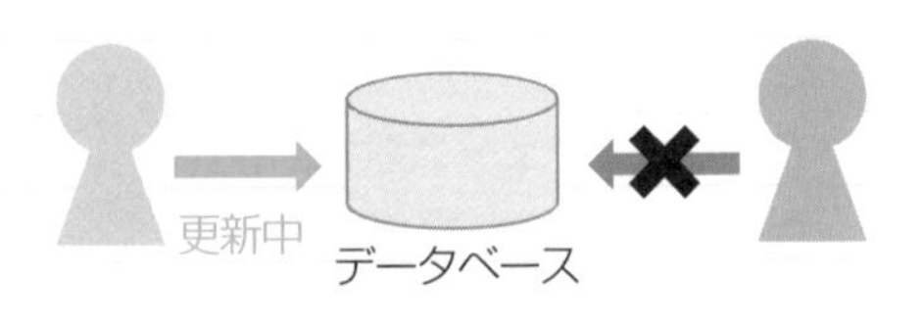

ACID特性…データベースのトランザクション処理で必要とされる4つの性質。

［❺　　　　　］…トランザクションは，完全に実行されるか，全く実行されないか，どちらかでなければならない。
［❻　　　　　］…整合性の取れたデータベースに対して，トランザクション実行後も整合性が取れている。
［❼　　　　　］…同時実行される複数のトランザクションは互いに干渉しない。
［❽　　　　　］…いったん終了したトランザクションの結果は，その後，障害が発生しても，結果は失われずに保たれる。

---

❶SQL　❷キーバリューストア（KVS）　❸グラフ指向データベース　❹排他制御　❺原子性　❻一貫性　❼独立性　❽耐久性（永続性）

通信プロトコル

テクノロジ系：通信プロトコル
電子メールで使用されるプロトコルやOSI基本参照モデルなどを覚えよう。

1 通信プロトコル

●通信プロトコル

ネットワーク上でコンピュータ同士がデータをやり取りするための取決め（通信規約）のこと。

●電子メールで使用されるプロトコル

[❶]･･･メールをメールサーバに送信，転送する。
[❷]･･･メールサーバからメールを受信する。
[❸]･･･メールサーバにアクセスし，メールを管理，操作する。

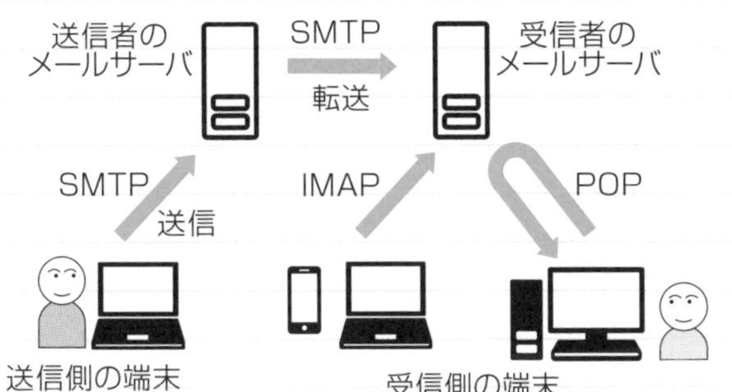

注意
・SMTPは送信だけでなく，転送にも使われる。
・POPはメールサーバからメールをPCなどの端末にダウンロードし，メールを管理する。
・IMAPはメールサーバ上でメールを管理するので，どの端末からでも同一のメール情報を参照，確認できる。

2 OSI基本参照モデルとTCP/IP階層モデル

●OSI基本参照モデル

データの流れや処理などによって，データ通信で使う機能や通信プロトコルを7階層に分けたもの。ISOが策定，標準化した規格。

●TCP/IP階層モデル

データ通信で使う機能や通信プロトコルを4階層に分けたもの。

TCP/IPはインターネットで標準的に使われているプロトコルの総称。「TCP」や「IP」という個別のプロトコルもある。

OSI基本参照モデル			TCP/IP階層モデル
階層		役割	
第7層	[❹]	メールやファイル転送など，具体的な通信サービスの対応について規定。	アプリケーション層
第6層	[❺]	文字コードや暗号など，データの表現形式に関する方式を規定。	
第5層	[❻]	通信の開始・終了の一連の手順を管理し，同期を取るための方式を規定。	
第4層	[❼]	送信先にデータが，正しく確実に伝送されるための方式を規定。	トランスポート層
第3層	[❽]	通信経路の選択や中継制御など，ネットワーク間の通信で行う方式を規定。	インターネット層
第2層	[❾]	隣接する機器間で，データ送信を制御するためのことを規定。	ネットワークインタフェース層
第1層	[❿]	コネクタやケーブルなど，電気信号に変換されたデータを送ることを規定。	

❶SMTP　❷POP　❸IMAP　❹アプリケーション層　❺プレゼンテーション層
❻セション層　❼トランスポート層　❽ネットワーク層　❾データリンク層　❿物理層

厳選

新用語をまとめて攻略しよう！新技術・重要用語の過去問題 集中トレーニング

ここでは，過去問題の中から，近年のデジタル社会の動向を踏まえ，シラバスに追加された新用語に関する重要な問題を集めています。AI（人工知能），ビッグデータ，IoTなどの新しい技術の問題を中心に取り上げているので，しっかり学習しておきましょう。

ストラテジ系

問1

人口減少や高齢化などを背景に，ICTを活用して，都市や地域の機能やサービスを効率化，高度化し，地域課題の解決や活性化を実現することが試みられている。このような街づくりのソリューションを示す言葉として，最も適切なものはどれか。

ア　キャパシティ
イ　スマートシティ
ウ　ダイバーシティ
エ　ユニバーシティ

問2

ソフトウェアの不正利用防止などを目的として，プロダクトIDや利用者のハードウェア情報を使って，ソフトウェアのライセンス認証を行うことを表す用語はどれか。

ア　アクティベーション
イ　クラウドコンピューティング
ウ　ストリーミング
エ　フラグメンテーション

問3

意思決定に役立つ知見を得ることなどが期待されており，大量かつ多種多様な形式でリアルタイム性を有する情報などの意味で用いられる言葉として，最も適切なものはどれか。

ア　ビッグデータ
イ　ダイバーシティ
ウ　コアコンピタンス
エ　クラウドファンディング

問4

個人情報保護法における，個人情報取扱事業者の義務はどれか。

ア　個人情報の安全管理が図られるよう，業務委託先を監督する。
イ　個人情報の安全管理を図るため，行政によるシステム監査を受ける。
ウ　個人情報の利用に関して，監督官庁に届出を行う。
エ　プライバシーマークを取得する。

問 1 スマートシティ

×ア キャパシティ（capacity）は，人が物事を受け入れる能力や，企業，工場，コンピュータなどが扱える量などのことです。

○イ 正解です。スマートシティは，IoTやAIなどの先端技術を活用し，少子高齢化や温暖化，エネルギー不足などの課題解決を図る街づくりのことです。国土交通省都市局ではスマートシティを「都市の抱える諸課題に対して，ICT等の新技術を活用しつつ，マネジメント（計画，整備，管理・運営等）が行われ，全体最適化が図られる持続可能な都市または地区」と定義しています。

×ウ **ダイバーシティ**（diversity）は多様性という意味で，性別，年齢，国籍，経験などが個人ごとに異なることを示す言葉です。

×エ ユニバーシティは（university）は，専門学部や研究所などがある大学や，大学の敷地・建物などのことです。

問 2 アクティベーション

○ア 正解です。ライセンス認証を行って，ソフトウェアを使用可能な状態にすることをアクティベーションといいます。ある機能を有効化する，という意味でも使われます。

×イ **クラウドコンピューティング**は，従来は手元で保有していたハードウェアやソフトウェア，データなどを，インターネット経由で利用する形態のことです。

×ウ **ストリーミング**は，インターネット上から動画や音声などのコンテンツをダウンロードしながら，同時に再生していくことです。

×エ **フラグメンテーション**は，1つのファイルが連続した領域に保存されず，複数の領域に分散して保存されている状態になることです。

問 3 ビッグデータ

○ア 正解です。情報化社会では刻々と膨大なデータが生まれており，ビッグデータはこれらのデータを指す用語です。データが多いだけでなく，文字や画像，動画など，形式も多種多様です。事業に役立つ知見を導出するためのデータとして，様々な分野で期待されています。

×イ **ダイバーシティ**は多様性という意味で，性別，年齢，国籍，経験などが個人ごとに異なることを示す言葉です。

×ウ **コアコンピタンス**は，他社にはまねのできない，その企業独自の重要なノウハウや技術のことです。

×エ **クラウドファンディング**は，「～をしたい」といった夢やアイディアなどを提示し，インターネットなどを通じて不特定多数の人々から資金調達を行うことです。

問 4 個人情報取扱事業者

個人情報取扱事業者とは，個人情報データベース等（紙媒体，電子媒体を問わず，特定の個人情報を検索できるように体系的に構成したもの）を事業活動に利用している者のことです。

○ア 正解です。個人情報取扱事業者は，個人情報の取り扱いを外部に委託する場合，業務委託先を監督する義務があります。

×イ，ウ 行政によるシステム監査を受けたり，個人情報の利用に関して監督官庁に届け出を行ったりする義務はありません。

×エ **プライバシーマーク**は，個人情報の取り扱いについて，適切な体制を整備・運用している事業者に与えられるものです（プライバシーマーク制度）。プライバシーマークの取得によって，個人情報取扱事業者は社会的信用を向上することができますが，義務ではありません。

ICT 問1

情報通信技術のこと。ITとほぼ同じ意味で用いられる。「Information and Communication Technology」の略。

ライセンス認証 問2

ソフトウェアの不正使用を防ぐため，正規のライセンス（使用権）がある製品であることを確認する手続のことです。

問3

参考 クラウドファンディング(Crowdfunding)は，群衆(crowd)と資金調達（funding）を組み合わせた造語だよ。

個人情報保護法 問4

個人情報の取り扱いについて定めた法律。「本人の同意を得ないで，個人データを第三者に提供してはならない」など，個人情報取扱事業者が個人情報を適切に扱うための義務規定が定められている。

問5

特定電子メールとは，広告や宣伝といった営利目的に送信される電子メールのことである。特定電子メールの送信者の義務となっている事項だけを全て挙げたものはどれか。

a 電子メールの送信拒否を連絡する宛先のメールアドレスなどを明示する。
b 電子メールの送信同意の記録を保管する。
c 電子メールの送信を外部委託せずに自ら行う。

ア a，b　イ a，b，c　ウ a，c　エ b，c

問6

刑法には，コンピュータや電磁的記録を対象としたIT関連の行為を規制する条項がある。次の不適切な行為のうち，不正指令電磁的記録に関する罪に抵触する可能性があるものはどれか。

ア 会社がライセンス購入したソフトウェアパッケージを，無断で個人所有のPCにインストールした。
イ キャンペーンに応募した人の個人情報を，応募者に無断で他の目的に利用した。
ウ 正当な理由なく，他人のコンピュータの誤動作を引き起こすウイルスを収集し，自宅のPCに保管した。
エ 他人のコンピュータにネットワーク経由でアクセスするためのIDとパスワードを，本人に無断で第三者に教えた。

問7

経営戦略上，ITの利活用が不可欠な企業の経営者を対象として，サイバー攻撃から企業を守る観点で経営者が認識すべき原則や取り組むべき項目を記載したものはどれか。

ア IT基本法
イ ITサービス継続ガイドライン
ウ サイバーセキュリティ基本法
エ サイバーセキュリティ経営ガイドライン

問8

マイナンバーを使用する行政手続として，適切でないものはどれか。

ア 災害対策の分野における被災者台帳の作成
イ 社会保障の分野における雇用保険などの資格取得や給付
ウ 税の分野における税務当局の内部事務
エ 入国管理の分野における邦人の出入国管理

問 5 特定電子メール法

広告・宣伝といった営利目的で送信される電子メールについて，送信の適正化を図り，迷惑メールを防止するため，特定電子メール法という法律が制定されています。この法律に基づいてa～cの事項を判定すると，次のようになります。

○ a 正しい。受信者が送信拒否の連絡を行えるように，送信拒否を連絡する宛先のメールアドレスを明示しておきます。
○ b 正しい。特定電子メールを送信できる宛先は，あらかじめ電子メールの送信に同意した人に対してだけで，その送信同意の記録を保存しておく必要があります。
× c 特定電子メールを自ら送信することは義務付けられておらず，外部委託してもかまいません。

よって，正解は ア です。

問 6 不正指令電磁的記録に関する罪（ウイルス作成罪）

不正指令電磁的記録に関する罪は，刑法に定められている刑罰で，コンピュータウイルスを作成，提供，供用，取得，保管する行為を処罰対象としています。正当な理由なく，無断で他人のコンピュータにおいて実行させる目的で，コンピュータウイルスを作成，提供などした場合に成立します。

× ア **著作権法**に違反する行為です。
× イ **個人情報保護法**に違反する行為です。
○ ウ 正解です。正当な理由なく，他人のコンピュータの誤動作を引き起こすウイルスを収集し，自宅のPCに保管することは，不正指令電磁的記録に関する罪に抵触する行為です。
× エ **不正アクセス禁止法**に違反する行為です。

問 7 サイバーセキュリティ経営ガイドライン

× ア **IT基本法**は，インターネットなどの技術を活用した「高度情報通信ネットワーク社会」について，国として基本理念や施策の基本方針などを定めた法律でしたが，デジタル社会形成基本法の施行に伴い廃止されました。IT基本法に代わるデジタル社会形成基本法は，デジタル社会の形成に関して，基本理念や施策策定の基本方針，国・自治体・事業者の責務，デジタル庁の設置，重点計画の作成について定めた法律です。令和3年9月から施行されました。
× イ **ITサービス継続ガイドライン**は，災害や事故等が発生した際の事業継続計画（BCP）にかかわる，ITサービス継続のための枠組みや具体的な実施策を説明したガイドラインです。
× ウ **サイバーセキュリティ基本法**は，国のサイバーセキュリティに関する施策への基本理念を定め，国や地方公共団体の責務などを明らかにし，サイバーセキュリティ戦略の策定，その他サイバーセキュリティの施策の基本となる事項を定めた法律です。
○ エ 正解です。サイバーセキュリティ経営ガイドラインは，企業がITを利活用していく中で，経営者が認識すべきサイバーセキュリティに関する原則や，経営者のリーダーシップによって取り組むべき項目をまとめたガイドラインです。

問 8 マイナンバー

マイナンバーは，日本に住民票を有する全ての人（外国人の方も含む）に割り当てられる12桁の番号です。マイナンバーの取扱いはマイナンバー法で定められており，「社会保障」「税」「災害対策」とその他の行政分野で，法令で定められた手続においてのみ利用されます。選択肢 ア～ウ の分野はマイナンバーを使用する行政手続として適切ですが，エ の入国管理の分野における邦人の出入国管理ではマイナンバーの使用は認められていません。よって，正解は エ です。

問5

参考 特定電子メール法の正式な名称は「特定電子メールの送信の適正化等に関する法律」だよ。相手の同意を得ず，一方的に送りつける広告や宣伝のメール（オプトアウトメール）は，特定電子メール法で禁止されているよ。

問5

参考 受信側の承諾を得ないで，無差別に送信される迷惑メールを「スパムメール」というよ。

問6

参考 不正指令電磁的記録に関する罪は，一般では「ウイルス作成罪」と呼ばれているよ。

事業継続計画 問7

災害や事故などの不測の事態が発生しても，事業が継続できるように対処方法を考えておくこと。BCP（Business Continuity Plan）ともいう。

問8

参考 マイナンバー法の正式な名称は「行政手続における特定の個人を識別するための番号の利用等に関する法律」だよ。

問9 イノベーションのジレンマに関する記述として，最も適切なものはどれか。

ア 最初に商品を消費したときに感じた価値や満足度が，消費する量が増えるに従い，徐々に低下していく現象
イ 自社の既存商品がシェアを占めている市場に，自社の新商品を導入することで，既存商品のシェアを奪ってしまう現象
ウ 全売上の大部分を，少数の顧客が占めている状態
エ 優良な大企業が，革新的な技術の追求よりも，既存技術の向上でシェアを確保することに注力してしまい，結果的に市場でのシェアの確保に失敗する現象

問10 デザイン思考の例として，最も適切なものはどれか。

ア Webページのレイアウトなどを定義したスタイルシートを使用し，ホームページをデザインする。
イ アプローチの中心は常に製品やサービスの利用者であり，利用者の本質的なニーズに基づき，製品やサービスをデザインする。
ウ 業務の迅速化や効率化を図ることを目的に，業務プロセスを抜本的に再デザインする。
エ データと手続を備えたオブジェクトの集まりとして捉え，情報システム全体をデザインする。

問11 特定の目的の達成や課題の解決をテーマとして，ソフトウェアの開発者や企画者などが短期集中的にアイディアを出し合い，ソフトウェアの開発などの共同作業を行い，成果を競い合うイベントはどれか。

ア コンベンション
イ トレードフェア
ウ ハッカソン
エ レセプション

問12 技術経営における“死の谷”の説明として，適切なものはどれか。

ア 研究の開始までに横たわる障壁
イ 研究の結果を基に製品開発するまでの間に横たわる障壁
ウ 事業化から市場での成功までの間に横たわる障壁
エ 製品開発から事業化までの間に横たわる障壁

問9 イノベーションのジレンマ

×ア **限界効用逓減**の法則に関する記述です。限界効用逓減の法則は，最初に商品やサービスを消費したときに得られる価値や満足度が，消費量が増えるにつれて低下していく現象のことです。

×イ カニバリゼーションに関する記述です。**カニバリゼーションは，自社の製品同士が競合し，共食いが生じてしまう現象**のことです。

×ウ **パレートの法則**に関する記述です。パレートの法則は，たとえば「全商品のうち2割に当たる売れ筋商品が，売上全体の8割の売上を占める」のように，全体で上位にある一部の要素が，全体の大部分を占めている状態のことです。

○エ 正解です。イノベーションのジレンマは，**業界トップの企業が，革新的な技術の追求よりも，顧客のニーズに応じた製品やサービスの提供に注力した結果，格下の企業に取って代わられるという現象**のことです。

問10 デザイン思考

デザイン思考は，問題や課題に対して，デザイナーがデザインを行うときの考え方や手法で解決策を見出す方法論です。

×ア ホームページのデザインの例です。**スタイルシート**は，文字のフォントや色，箇条書きなど，Webページのデザインを統一して管理するための機能です。

○イ 正解です。**デザイン思考は，ユーザー中心のアプローチで問題解決に取り組みます。**たとえば，ユーザーの視点で考える，本当の目的や課題を把握する，たくさんのアイディアを出す，試作品を作る，検証・改善を行うといったプロセスで行います。

×ウ **BPR**（Business Process Reengineering）の例です。

×エ **オブジェクト指向**の例です。

問11 ハッカソン

×ア コンベンション（Convention）は大規模な集会や会議のことです。

×イ トレードフェア（Trade fair）は，見本市や展示会のことです。

○ウ 正解です。ハッカソン（Hackathon）は，**ソフトウェア開発者や企画者などが集まってチームを作り，特定のテーマについて，短期間（数時間～数日間）集中してソフトウェアやサービスを開発し，その成果を競うイベント**のことです。

×エ レセプション（Reception）は，歓迎会や受付のことです。

問12 技術経営における“死の谷”

技術経営において，研究，開発，事業化，産業化のプロセスを乗り越えるには，「魔の川」「死の谷」「ダーウィンの海」という3つの障壁があるといわれています。

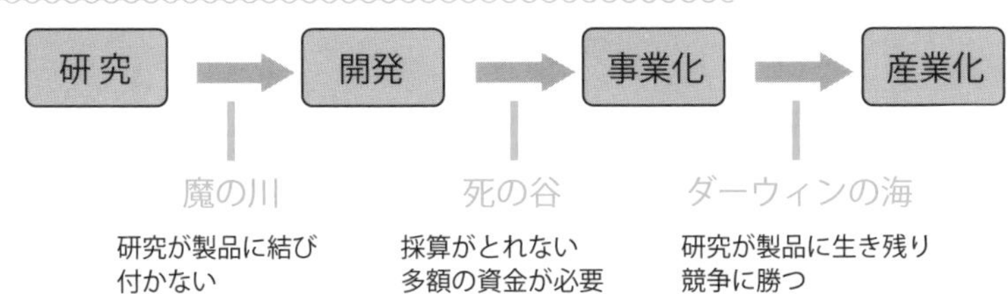

選択肢ア～エを確認すると，「死の谷」はエの「製品開発から事業化までの間に横たわる障壁」が適切です。イは「魔の川」，ウは「ダーウィンの海」の説明です。よって，正解はエです。

問9

対策「カニバリゼーション」も重要な用語だよ。あわせて覚えておこう。

問10

参考 スタイルシートは「CSS」（Cascading Style Sheets）ともいうよ。

問12

魔の川 といえば 研究と開発の間

死の谷 といえば 開発と事業化の間

ダーウィンの海 といえば 事業化と産業化の間

問13 ジャストインタイムやカンバンなどの生産活動を取り込んだ，多品種大量生産を効率的に行うリーン生産方式に該当するものはどれか。

ア 自社で生産ラインをもたず，他の企業に生産を委託する。
イ 生産ラインが必要とする部品を必要となる際に入手できるように発注し，仕掛品の量を適正に保つ。
ウ 納品先が必要とする部品の需要を予測して多めに生産し，納品までの待ち時間の無駄をなくす。
エ 一つの製品の製造開始から完成までを全て一人が担当し，製造中の仕掛品の移動をなくす。

問14 銀行などの預金者の資産を，AIが自動的に運用するサービスを提供するなど，金融業においてIT技術を活用して，これまでにない革新的なサービスを開拓する取組を示す用語はどれか。

ア FA
イ FinTech
ウ OA
エ シェアリングエコノミー

問15 IoTに関する記述として，最も適切なものはどれか。

ア 人工知能における学習の仕組み
イ センサーを搭載した機器や制御装置などが直接インターネットにつながり，それらがネットワークを通じて様々な情報をやり取りする仕組み
ウ ソフトウェアの機能の一部を，他のプログラムで利用できるように公開する関数や手続の集まり
エ ソフトウェアのロボットを利用して，定型的な仕事を効率化するツール

問16 IoTの事例として，最も適切なものはどれか。

ア オークション会場と会員のPCをインターネットで接続することによって，会員の自宅からでもオークションに参加できる。
イ 社内のサーバ上にあるグループウェアを外部のデータセンターのサーバに移すことによって，社員はインターネット経由でいつでもどこでも利用できる。
ウ 飲み薬の容器にセンサーを埋め込むことによって，薬局がインターネット経由で服用履歴を管理し，服薬指導に役立てることができる。
エ 予備校が授業映像をWebサイトで配信することによって，受講者はスマートフォンやPCを用いて，いつでもどこでも授業を受けることができる。

問13 リーン生産方式

ジャストインタイム（Just In Time）は「必要な物を，必要なときに，必要な量だけ」生産するという生産方式のことです。工程における無駄を省き，在庫をできるだけ少なくすることで生産の効率化を図ります。略してJITともいいます。

ジャストインタイムを実現する手法として，カンバンを使うかんばん方式があります。「カンバン」は部品名や数量，入荷日時などを書いたもので，これを工程間で回すことによって，「いつ，どれだけ，どの部品を使った」という情報を伝えます。

× ア **ファブレス**に該当するものです。ファブレスは，自社で工場はもたず，製造は全て提携した外部の企業に委託している企業のことです。

○ イ 正解です。リーン生産方式に該当するものです。リーン生産方式は，製造工程の無駄を徹底的に排除し，効率的な生産を実現する生産方式です。

× ウ 「部品の需要を予測して多めに生産」することは無駄を生じさせているため，リーン生産方式に該当しません。

× エ **セル生産方式**に該当するものです。セル生産方式は，1つの製品について，1人または数人のチームで組立ての全工程を行う生産方式です。

問14 FinTech（フィンテック）

× ア **FA**（Factory Automation）は，コンピュータの制御技術を用いることで，工場の自動化，無人化を図ることです。

○ イ 正解です。FinTech（フィンテック）は，AIによる投資予測やモバイル決済，オンライン送金など，IT技術を活用した金融サービスのことです。

× ウ **OA**（Office Automation）は，事務作業をコンピュータなどの機器によって自動化，効率化を図ることです。作業に使う機器を指すこともあります。

× エ シェアリングエコノミーは，使っていないものやサービス，場所などを，他の人々と共有し，交換して利用する仕組みや，これらの貸出しを仲介するサービスのことです。

問15 IoT

× ア 機械学習に関する記述です。機械学習は，人工知能がデータを解析し，規則性や判断基準を自ら学習する技術のことです。

○ イ 正解です。IoT（Internet of Things）に関する記述です。IoTは自動車や家電などの様々な「モノ」をインターネットに接続し，ネットワークを通じて情報をやり取りすることで，自動制御や遠隔操作などを行う技術のことです。「モノのインターネット」とも呼ばれ，製造や医療，建設，農業など，多種多様な業務でIoTは活用されています。

× ウ **API**（Application Programming Interface）に関する記述です。APIはOSやアプリケーションソフトがもつ機能の一部を公開し，他のプログラムから利用できるように提供する仕組みです。

× エ **RPA**（Robotic Process Automation）に関する記述です。

問16 IoTの事例

× ア インターネットを活用したオークションの事例です。あらかじめ会員登録しておくことで，インターネット経由で自宅からでもオークションに参加することができます。

× イ **SaaS**（Software as a Service）や**ASP**（Application Service Provider）の事例です。

○ ウ 正解です。IoTの仕組みは，センサーを搭載した機器や制御装置などがインターネットにつながり，それらがネットワークを通じて情報をやり取りします。飲み薬の容器にセンサーを埋め込み，インターネット経由で服用履歴の情報を管理することは，IoTの事例として適切です。

× エ **e-ラーニング**の事例です。

問13

参考 英単語の「リーン（lean）」には，「ぜい肉のない」という意味があるよ。

問14

参考 FinTechは「フィンテック」と読むよ。「Finance（金融）」と「Technology（技術）」を合わせた造語だよ。

問15

対策 APIを活用して様々なサービスやデータをつなぎ，新たなビジネスや価値を生み出す仕組みを「APIエコノミー」というよ。過去問題で出題されているので，あわせて覚えておこう。

グループウェア 問16

情報交換やデータの共有など，組織での共同作業を支援するソフトウェア。利用できる代表的な機能に，電子掲示板，電子メール，データ共有，スケジュールの予約，会議室の予約，ワークフロー管理などがある。

問17 RPA（Robotic Process Automation）に関する記述として，最も適切なものはどれか。

ア ホワイトカラーの定型的な事務作業を，ソフトウェアで実現されたロボットに代替させることによって，自動化や効率化を図る。

イ システムの利用者が，主体的にシステム管理や運用を行うことによって，利用者のITリテラシーの向上や，システムベンダーへの依存の軽減などを実現する。

ウ 組立てや搬送などにハードウェアのロボットを用いることによって，工場の生産活動の自動化を実現する。

エ 企業の一部の業務を外部の組織に委託することによって，自社のリソースを重要な領域に集中したり，コストの最適化や業務の高効率化などを実現したりする。

マネジメント系

問18 ソフトウェア開発におけるDevOpsに関する記述として，最も適切なものはどれか。

ア 開発側が重要な機能のプロトタイプを作成し，顧客とともにその性能を実測して妥当性を評価する。

イ 開発側と運用側が密接に連携し，自動化ツールなどを活用して機能などの導入や更新を迅速に進める。

ウ 開発側のプロジェクトマネージャが，開発の各工程でその工程の完了を判断した上で次工程に進む方式で，ソフトウェアの開発を行う。

エ 利用者のニーズの変化に柔軟に対応するために，開発側がソフトウェアを小さな単位に分割し，固定した期間で繰り返しながら開発する。

問19 アジャイル開発の特徴として，適切なものはどれか。

ア 大規模なプロジェクトチームによる開発に適している。

イ 設計ドキュメントを重視し，詳細なドキュメントを作成する。

ウ 顧客との関係では，協調よりも契約交渉を重視している。

エ ウォーターフォール開発と比較して，要求の変更に柔軟に対応できる。

問20 アジャイル開発において，短い間隔による開発工程の反復や，その開発サイクルを表す用語として，最も適切なものはどれか。

ア イテレーション

イ スクラム

ウ プロトタイピング

エ ペアプログラミング

問17 RPA（Robotic Process Automation）

○ア 正解です。RPA（Robotic Process Automation）に関する記述です。RPAは，これまで人が行っていた定型的な事務作業をソフトウェア型のロボットに代替させて，業務の自動化や効率化を図ることです。たとえば，帳簿入力や伝票作成，経費チェック，顧客データの管理などがあります。

×イ **エンドユーザコンピューティング**（End User Computing）に関する記述です。エンドユーザコンピューティングは，情報システム部などの担当者ではなく，システムの利用者（エンドユーザ）が主体的にシステム管理や運用に携わることです。

×ウ **産業用ロボット**に関する記述です。産業用ロボットは，人間の代わりに，作業現場で組立てや搬送などを行う機械装置（ロボット）です。

×エ **BPO**（Business Process Outsourcing）に関する記述です。BPOは自社の業務処理の一部を外部の事業者に委託することで，たとえば総務や人事，経理などの業務を委託します。

問18 DevOps

×ア **プロトタイピングモデル**に関する記述です。

○イ 正解です。DevOpsに関する記述です。DevOpsはソフトウェア開発において，開発担当者と運用担当者が連携・協力する手法や考えのことです。開発側と運用側が密接に協力し，自動化ツールなどを活用して開発を迅速に進めます。

×ウ **ウォーターフォールモデル**に関する記述です。

×エ **アジャイル開発**に関する記述です。

問19 アジャイル開発

アジャイル開発は，迅速かつ適応的にソフトウェア開発を行う，軽量な開発手法の総称です。重要な部分から小さな単位での開発を繰り返し，作業を進めていきます。開発の途中で設計や仕様に変更が生じることを前提としていて，ユーザーの要求や仕様変更にも柔軟な対応が可能です。

×ア アジャイル開発は，一般的に10人以下のチームで行います。

×イ アジャイル開発では，ドキュメントよりも動くソフトウェアを使った仮説検証を行うことを重視し，ドキュメントは価値がある必要なものだけを作成します。

×ウ 顧客との関係では，契約交渉よりも，顧客との協調を重視します。

○エ 正解です。ウォーターフォール開発は上流の工程から順に開発を進め，原則として前の工程に後戻りしないため，変更にかかる手間やコストが大きくなります。対して，アジャイル開発は小さな単位での開発を繰り返して作業を進めるので，要求の変更に柔軟に対応できます。

問20 イテレーション

○ア 正解です。アジャイル開発では，ソフトウェアを小さな機能に分割し，機能単位での開発を繰り返します。この開発工程を反復することや，工程の開発期間のことをイテレーションといいます。

×イ スクラムはアジャイル開発の代表的な手法で，スプリントと呼ばれる，定めた期間内で計画，開発，レビューなどの一連の開発作業を行い，それを繰り返してシステムを完成させていきます。

×ウ **プロトタイピング**は，システム開発の初期段階でプロトタイプ（試作品）を作成し，それをユーザーなどに確認してもらいながら開発を進める手法です。

×エ ペアプログラミングは，プログラマが2人1組で，その場で相談やレビューを行いながら，プログラムの作成を共同で進めていくことです。

問17

参考 RPAは頻出の用語だよ。RPAで自動化を図るのに適しているのは，「繰り返し行う」「定型的」な事務作業であることを覚えておこう。

問18

参考 DevOpsはDevelopment（開発）とOperations（運用）を組み合わせた造語で，「デブオプス」と読むよ。

問19

参考 アジャイル（agile）は，「機敏」や「素早い」という意味だよ。
アジャイル開発の代表的手法として，「スクラム」や「XP」（eXtreme Programing：エクストリームプログラミング）があるよ。

問20

参考 イテレーションのことを，スクラムでは「スプリント」という用語で表すよ。

問21 ユーザーからの問合せに効率よく迅速に対応していくために，ユーザーがWeb上の入力エリアに問合せを入力すると，システムが会話形式で自動的に問合せに応じる仕組みとして，最も適切なものはどれか。

ア レコメンデーション
イ チャットボット
ウ エスカレーション
エ FAQ

テクノロジ系

問22 ディープラーニングに関する記述として，最も適切なものはどれか。

ア 営業，マーケティング，アフタサービスなどの顧客に関わる部門間で情報や業務の流れを統合する仕組み
イ コンピュータなどのデジタル機器，通信ネットワークを利用して実施される教育，学習，研修の形態
ウ 組織内の各個人がもつ知識やノウハウを組織全体で共有し，有効活用する仕組み
エ 大量のデータを人間の脳神経回路を模したモデルで解析することによって，コンピュータ自体がデータの特徴を抽出，学習する技術

問23 ソフトウェア①～④のうち，スマートフォンやタブレットなどの携帯端末に使用されるOSS（Open Source Software）のOSだけを全て挙げたものはどれか。

① Android
② iOS
③ Thunderbird
④ Windows Phone

ア ①
イ ①，②，③
ウ ②，④
エ ③，④

問24 アクティビティトラッカの説明として，適切なものはどれか。

ア PCやタブレットなどのハードウェアのROMに組み込まれたソフトウェア
イ 一定期間は無料で使用できるが，継続して使用する場合は，著作権者が金品などの対価を求めるソフトウェアの配布形態の一つ，又はそのソフトウェア
ウ ソーシャルメディアで提供される，友人や知人の活動状況や更新履歴を配信する機能
エ 歩数や運動時間，睡眠時間などを，搭載された各種センサーによって計測するウェアラブル機器

問21 チャットボット

× ㋐ **レコメンデーション**は，ユーザーの購入履歴や嗜好などに合わせて，お勧めの商品を提示するマーケティング手法です。

○ ㋑ 正解です。**チャットボット**は，**人工知能を活用した，会話形式のやり取りができる自動会話プログラムのこと**です。ユーザーからの問合せに対して，リアルタイムで自動的に応じることができます。「対話（chat）」と「ボット（bot）」を組み合わせた造語で，ボットはロボット（robot）が語源の自動的に作業を行うプログラムの総称です。

× ㋒ **エスカレーション**は，対応が困難な問合せがあったとき，上位の担当者や管理者などに対応を引き継ぐことです。

× ㋓ **FAQ**（Frequently Asked Questions）は，よくある質問とその回答を集めたものです。

問22 ディープラーニング

× ㋐ **CRM**（Customer Relationship Management）に関する記述です。

× ㋑ **e-ラーニング**に関する記述です。

× ㋒ **ナレッジマネジメント**（Knowledge Management）に関する記述です。ナレッジマネジメントは，企業内に分散している知識やノウハウなどを企業全体で共有し，有効活用することで，企業の競争力を強化する手法や仕組みです。

○ ㋓ 正解です。**ディープラーニング**に関する記述です。**ディープラーニングはAIの機械学習の一種で，ニューラルネットワークの多層化によって，高精度の分析や認識を可能にした技術**です。**人から教えられることなく，コンピュータ自体がデータの特徴を検出し，学習していきます。**

問23 OSS（Open Source Software）のOS

OS（Operating System）は基本ソフトとも呼ばれ，コンピュータの基本的な動作やハードウェアやアプリケーションソフトを管理するソフトウェアです。

①～④について，スマートフォンやタブレットなどの携帯端末に使用される，OSSのOSかどうかを判定すると，次のようになります。

○ ① **Android**は**グーグル社が開発した携帯端末向けのOS**です。**OSSであり，ソースコードが公開されています。**

× ② **iOS**は**アップル社が開発した携帯端末向けのOS**ですが，**OSSではありません。**

× ③ **Thunderbird**はOSSですが，メールソフトです。

× ④ **Windows Phone**はマイクロソフト社が開発した携帯端末向けのOSですが，OSSではありません。

端末携帯に使用されるOSSのOSは①だけです。よって，正解は㋐です。

問24 アクティビティトラッカ

× ㋐ **ファームウェア**の説明です。ファームウェアは，ハードウェアの基本的な制御のため，機器に組み込まれているソフトウェアのことです。

× ㋑ **シェアウェア**の説明です。シェアウェアは，一定の試用期間の間は無料で使用できますが，継続して利用するには料金を支払う必要があるソフトウェアの配布形態や，そのソフトウェアのことです。

× ㋒ **アクティビティフィード**の説明です。アクティビティフィードは，Facebookなどのソーシャルメディアが提供する，友人・知人の活動状況や更新履歴を配信する機能のことです。

○ ㋓ 正解です。**アクティビティトラッカ**は，**身体に装着しておくことで，歩数や運動時間，睡眠時間などを，センサーによって計測するウェアラブル機器**です。

問21

参考 利用者からの問合せの窓口となるサービスデスクでは，電話や電子メールに加えて，チャットボットも活用されているよ。

CRM（Customer Relationship Management） 問22

営業部門やサポート部門などで顧客情報を共有し，顧客との関係を深めることで，業績の向上を図る手法。CRMを実現するためのシステムを指すこともある。

ニューラルネットワーク（Neural Network） 問22

脳の神経回路の仕組みを似せたモデルのこと。「neural」には「神経の」という意味がある。

OSS（Open Source Software） 問23

ソフトウェアのソースコードが無償で公開され，ソースコードの改変や再配布も認められているソフトウェア。

代表的なものにLinux（OS），Thunderbird（メールソフト），Firefox（Webブラウザ）などがある。

ソーシャルメディア 問24

インターネットを利用して誰でも手軽に情報を発信し，相互のやり取りができる双方向のメディアのこと。代表的なものとして，ブログやSNS，動画共有サイト，メッセージアプリなどがある。

ウェアラブル機器 問24

身体に装着して使う情報機器のこと。腕時計型，眼鏡型，リストバンド型などがある。

問25

IoTデバイスとIoTサーバで構成され，IoTデバイスが計測した外気温をIoTサーバへ送り，IoTサーバからの指示でIoTデバイスに搭載されたモーターが窓を開閉するシステムがある。このシステムにおけるアクチュエーターの役割として，適切なものはどれか。

ア　IoTデバイスから送られてくる外気温のデータを受信する。
イ　IoTデバイスに対して窓の開閉指示を送信する。
ウ　外気温を電気信号に変換する。
エ　窓を開閉する。

問26

複数のIoTデバイスとそれらを管理するIoTサーバで構成されるIoTシステムにおける，エッジコンピューティングに関する記述として，適切なものはどれか。

ア　IoTサーバ上のデータベースの複製を別のサーバにも置き，両者を常に同期させて運用する。
イ　IoTデバイス群の近くにコンピュータを配置して，IoTサーバの負荷低減とIoTシステムのリアルタイム性向上に有効な処理を行わせる。
ウ　IoTデバイスとIoTサーバ間の通信負荷の状況に応じて，ネットワークの構成を自動的に最適化する。
エ　IoTデバイスを少ない電力で稼働させて，一般的な電池で長期間の連続運用を行う。

問27

IoT端末で用いられているLPWA（Low Power Wide Area）の特徴に関する次の記述中のa，bに入れる字句の適切な組合せはどれか。

LPWAの技術を使った無線通信は，無線LANと比べると，通信速度は［ a ］，消費電力は［ b ］。

	a	b
ア	速く	少ない
イ	速く	多い
ウ	遅く	少ない
エ	遅く	多い

問28

LTEよりも通信速度が高速なだけではなく，より多くの端末が接続でき，通信の遅延も少ないという特徴をもつ移動通信システムはどれか。

ア　ブロックチェーン
イ　MVNO
ウ　8K
エ　5G

問25 アクチュエーター

アクチュエーターは，IoTを用いたシステム（IoTシステム）の主要な構成要素であり，**制御信号に基づき，エネルギー（電気など）を回転，並進などの物理的な動きに変換するもの**のことです。たとえば，DCモーター，油圧シリンダ，空気圧シリンダなどがアクチュエーターです。

IoTサーバからの指示でIoTデバイスに搭載されたモーターが窓を開閉するシステムでは，物理的な動きの「窓を開閉する」ことがアクチュエーターの役割になります。よって，正解はエです。

問26 エッジコンピューティング

×ア **レプリケーション**に関する記述です。レプリケーションは別のサーバにデータの複製を作成し，同期をとる機能で，もとのサーバに障害が起きても，別のサーバで運用の継続が可能です。

○イ 正解です。エッジコンピューティングとは，**広域なネットワーク内において，各デバイスの近くにサーバを分散配置し，データ処理を行う方式のこと**です。デバイスの近くでデータを処理することで，上位システムの負荷を低減し，リアルタイム性の高い処理を実現します。

×ウ SDN（Software-Defined Networking）に関する記述です。**SDNは，ソフトウェアによって，ネットワークの構成や設定などを，柔軟かつ動的に設定・変更する技術の総称**です。SDNを用いることで，通信負荷などの状況に応じて，ネットワークの構成を自動的に最適化することが可能です。

×エ **LPWA**（Low Power Wide Area）に関する記述です。

問27 LPWA（Low Power Wide Area）

LPWA（Low Power Wide Area）は，**少ない電力消費で，広域な通信が行える無線通信技術の総称**です。携帯電話や無線LANと比べて通信速度は低速ですが，10kmを超える長距離の通信も可能です。

記述に選択肢の語句を入れると，「**LPWAの技術を使った無線通信は，無線LANと比べると，通信速度は遅く，消費電力は少ない**」となります。よって，正解はウです。

問28 5G

×ア ブロックチェーンは，**取引の台帳情報を一元管理するのではなく，ネットワーク上にある複数のコンピュータで，同じ内容のデータを保持，管理する分散型台帳技術のこと**です。取引記録をまとめたデータを順次作成するとき，そのデータに直前のデータのハッシュ値を埋め込んで，データを相互に関連付けます。こうして作成した台帳情報を，複数のコンピュータがそれぞれ保持して，正当性を検証，担保することによって，取引記録を矛盾なく改ざんすることを困難にしています。

×イ **MVNO**（Mobile Virtual Network Operator）は，大手通信事業者から携帯電話などの通信基盤を借りて，自社ブランドで通信サービスを提供する事業者のことです。**仮想移動体通信事業者**ともいいます。

×ウ 8K**は現行のハイビジョンを超える，超高画質の映像規格のこと**です。横7,680×縦4,320ピクセルの解像度の映像で，同様の規格として横3,840×縦2,160ピクセルの解像度の4Kもあります。

○エ 正解です。**携帯電話の無線通信規格にはLTEや3G（第3世代の通信規格）などがあり，**5G**はさらに高速化させたもの**です。**より多くの端末が接続できる，通信速度の遅延も少ないという特徴もあります。**

IoTデバイス 問25

IoTシステムに組み込まれているセンサーやアクチュエーターなどの部品のこと。広義では，IoTによりインターネットに接続された機器（家電製品やウェアラブル端末など）も含まれる。

問26

参考 エッジコンピューティングのエッジ「edge」は，「端」という意味だよ。

問26

対策「SDN」も重要な用語だよ。あわせて覚えておこう。

問28

対策 ブロックチェーンは改ざんが非常に困難で，ビットコインなどの暗号資産（仮想通貨）に用いられている基盤技術だよ。よく出題されているので覚えておこう。

問29

企業での内部不正などの不正が発生するときには，“不正のトライアングル”と呼ばれる3要素の全てがそろって存在すると考えられている。“不正のトライアングル”を構成する3要素として，最も適切なものはどれか。

ア　機会，情報，正当化
イ　機会，情報，動機
ウ　機会，正当化，動機
エ　情報，正当化，動機

問30

PCでWebサイトを閲覧しただけで，PCにウイルスなどを感染させる攻撃はどれか。

ア　DoS攻撃
イ　ソーシャルエンジニアリング
ウ　ドライブバイダウンロード
エ　バックドア

問31

IoT機器やPCに保管されているデータを暗号化するためのセキュリティチップであり，暗号化に利用する鍵などの情報をチップの内部に記憶しており，外部から内部の情報の取出しが困難な構造をもつものはどれか。

ア　GPU
イ　NFC
ウ　TLS
エ　TPM

問32

デジタル署名やブロックチェーンなどで利用されているハッシュ関数の特徴に関する，次の記述中のa，bに入れる字句の適切な組合せはどれか。

ハッシュ関数によって，同じデータは， a ハッシュ値に変換され，変換後のハッシュ値から元のデータを復元することが b 。

	a	b
ア	都度異なる	できない
イ	都度異なる	できる
ウ	常に同じ	できない
エ	常に同じ	できる

問29 不正のトライアングル

不正のトライアングル理論では，不正行為は次の「機会」「動機」「正当化」の3つの要素が全て揃ったときに発生すると考えられています。よって，正解は ウ です。

機会	不正行為の実行を可能，または容易にする環境。 例：IT技術や物理的な環境及び組織のルールなど。
動機	不正行為に至るきっかけ，原因。 例：処遇への不満やプレッシャー（業務量，ノルマ等）など。
正当化	自分勝手な理由づけ，倫理観の欠如。 例：都合の良い解釈や他人への責任転嫁など。

問30 ドライブバイダウンロード

× ア **DoS攻撃**は，Webサイトやメールなどのサービスを提供するサーバに大量のデータを送りつけ，過剰な負荷をかけることで，サーバがサービスを提供できないようにする攻撃です。DoS攻撃の一種で，複数のコンピュータやルーターなどの機器から行う攻撃をDDoS攻撃といいます。

× イ **ソーシャルエンジニアリング**は，人間の心理や習慣などの隙を突いて，パスワードや機密情報を不正に入手することです。

○ ウ 正解です。ドライブバイダウンロードは，利用者が公開Webサイトを閲覧したときに，その利用者の意図にかかわらず，PCにマルウェアをダウンロードさせて感染させる攻撃です。

× エ **バックドア**は，攻撃者がコンピュータに不正侵入するために，仕掛けた入り口（侵入経路）のことです。

問31 TPM

× ア **GPU**（Graphics Processing Unit）は，CPUの代わりに，三次元グラフィックスなどの画像処理を行う演算装置です。

× イ **NFC**（Near Field Communication）は10cm程度の距離でデータ通信する近距離無線通信のことです。

× ウ **TLS**（Transport Layer Security）は，インターネット上での通信の暗号化に用いる技術（プロトコル）です。

○ エ 正解です。TPM（Trusted Platform Module）は，暗号化に使う鍵やデジタル署名などの情報を記憶し，PCやIoT機器に搭載されているセキュリティチップのことです。

問32 ハッシュ関数

ハッシュ関数は，与えられたデータについて一定の演算を行って，規則性のない値（ハッシュ値）を生成する手法のことです。もとのデータが同じであれば，必ず同じハッシュ値が出力されます。また，ハッシュ値から，もとのデータを導くことはできません。このような特性から，暗号化や改ざんの検知などに利用されています。

これより，[a] は「常に同じ」，[b] は「できない」が入ります。よって，正解は ウ です。

問29

不正のトライアングル といえば

- 機会
- 動機
- 正当化

マルウェア 問30

コンピュータウイルスやスパイウェア，ランサムウェアなど，悪意のあるプログラムの総称。

プロトコル 問31

ネットワーク上でコンピュータ同士がデータをやり取りするための約束事。通信規約。

問33 情報セキュリティにおけるリスクアセスメントの説明として，適切なものはどれか。

ア PCやサーバに侵入したウイルスを，感染拡大のリスクを抑えながら駆除する。
イ 識別された資産に対するリスクを分析，評価し，基準に照らして対応が必要かどうかを判断する。
ウ 事前に登録された情報を使って，システムの利用者が本人であることを確認する。
エ 情報システムの導入に際し，費用対効果を算出する。

問34 SSL/TLSによる通信内容の暗号化を実現させるために用いるものはどれか。

ア ESSID
イ WPA2
ウ サーバ証明書
エ ファイアウォール

問35 MDM（Mobile Device Management）の説明として，適切なものはどれか。

ア 業務に使用するモバイル端末で扱う業務上のデータや文書ファイルなどを統合的に管理すること
イ 従業員が所有する私物のモバイル端末を，会社の許可を得た上で持ち込み，業務で活用すること
ウ 犯罪捜査や法的紛争などにおいて，モバイル端末内の削除された通話履歴やファイルなどを復旧させ，証拠として保全すること
エ モバイル端末の状況の監視，リモートロックや遠隔データ削除ができるエージェントソフトの導入などによって，企業システムの管理者による適切な端末管理を実現すること

問36 認証に用いられる情報a～dのうち，バイオメトリクス認証に利用されるものだけを全て挙げたものはどれか。

a PIN（Personal Identification Number）
b 虹彩（こう）
c 指紋
d 静脈

ア a, b, c
イ b, c
ウ b, c, d
エ d

問33 リスクアセスメント

情報セキュリティにおけるリスクマネジメントでは，情報資産に対するリスクについて，リスク特定，リスク分析，リスク評価のプロセスを通じて，情報資産に対するリスクを特定して分析・評価し，リスク対策実施の必要性を判断します。

リスクマネジメントで行うプロセスのうち，次のリスク特定，リスク分析，リスク評価を網羅するプロセス全体をリスクアセスメントといいます。

①リスク特定	情報の機密性，完全性，可用性の喪失に伴うリスクを特定し，リスクの一覧を作成する。
②リスク分析	特定したリスクについて，リスクが発生したときの影響度の大きさとリスクの発生確率を分析し，その結果からリスクレベルを決定する。
③リスク評価	リスクレベルとリスク基準（リスク受容基準と情報セキュリティリスクアセスメントを実施するための基準）を比較し，リスクの優先順位付けを行う。

選択肢を確認すると，イが情報セキュリティにおけるリスクアセスメントの説明として適切です。よって，正解はイです。

覚えよう！ 問33

リスクアセスメント といえば

- リスク特定
- リスク分析
- リスク評価

問34 SSL/TLS

SSL/TLSのSSL（Secure Sockets Layer）やTLS（Transport Layer Security）は，インターネット上で安全な通信を行えるようにする仕組みのことです。SSL/TLSは，主にWebサーバとWebブラウザ間での通信内容を暗号化する際に使われています。

× ア **ESSID**は，無線LANにおけるネットワークの識別番号で，接続するアクセスポイントの名前に当たります。

× イ **WPA2**は無線LANの暗号化方式です。

○ ウ 正解です。サーバ証明書はWebサーバの正当性を証明する電子証明書で，SSL/TLSはサーバ証明書を用いて，Webサーバの認証や暗号化通信を行います。

× エ **ファイアウォール**は，インターネットと組織のネットワークとの間に設置し，外部からの不正な侵入を防ぐ仕組みです。

暗号化 問34

データを読み取り可能な状態から，第三者が解読できない形式に変換すること。第三者による，データの盗み見や改ざんを防ぐことができる。

問34

参考 TLSはSSLが発展したものだよ。現在はTLSが使用されているけど，SSLの名称がよく知られているため，実際はTLSでも「SSL」や「SSL/TLS」と表記されるよ。

問35 MDM

× ア MDMは，モバイル端末自体を管理するもので，モバイル端末で扱う業務上のデータや文書ファイルを管理するのではありません。

× イ **BYOD**（Bring Your Own Device）に関する説明です。BYODは従業員が私物のPCやスマートフォンなどの端末を持ち込み，業務で使用することです。

× ウ **デジタルフォレンジックス**に関する説明です。デジタルフォレンジックスは不正アクセスやデータ改ざんなどに対して，犯罪の法的な証拠を確保できるように，原因究明に必要なデータの保全，収集，分析をすることです。

○ エ 正解です。MDM（Mobile Device Management）の説明です。企業や団体において，従業員に支給したスマートフォンなどのモバイル端末を監視，管理する手法です。モバイルデバイス管理ともいいます。

問35

対策 会社が許可していないIT機器やネットワークサービスなどを，業務で使用する行為や状態のことを「シャドーIT」というよ。あわせて覚えておこう。

問36 バイオメトリクス認証

バイオメトリクス認証は個人の身体的，行動的特徴による認証方法です。指紋や静脈のパターン，網膜，虹彩，声紋などの身体的特徴や，音声や署名など行動特性に基づく行動的特徴を用いて認証します。

a～dのうち，bの虹彩，cの指紋，dの静脈はバイオメトリクス認証に用いられる身体的特徴です。よって，正解はウです。

PIN（Personal Identification Number） 問36

PCやスマートフォンなどを使用するとき，個人認証のために用いられる暗証番号のこと。

合格を確実に！

得点アップにつなげる！　予想問題

ITパスポート試験ではシラバスが改訂されるたびに新しい用語が追加され，シラバスVer.6.0～Ver.6.3だけでも約280の用語が増えています。また，公開される過去問題が，以前は年2回でしたが，令和4年からは年1回になりました。そこで，シラバスVer.6.3に基づいた予想問題を用意しました。シラバスVer.6.3対策として，ぜひ挑戦してみてください。

ストラテジ系

問1

ITを活用した，場所や時間にとらわれない柔軟な働き方のことを表す用語はどれか。

ア　BYOD
イ　フィールドワーク
ウ　OJT
エ　テレワーク

問2

内閣にデジタル庁を設置し，政府がデジタル社会の形成に関する重点計画を作成することを定めた法律はどれか。

ア　官民データ活用推進基本法
イ　サイバーセキュリティ基本法
ウ　デジタル社会形成基本法
エ　国家戦略特区法

問3

GISデータに関する記述として，適切なものはどれか。

ア　身長，気温，人数などの単位がつく数値データ
イ　地理的位置に関する様々な情報をもったデータ
ウ　項目ごとに，値を「,」で区切ったデータ
エ　撮影日や撮影場所など，画像ファイルに記録されているデータ

問4

グループで用紙を回し，アイディアや意見を書き込んでいく発想法はどれか。

ア　ブレーンライティング
イ　テキストマイニング
ウ　共起キーワード
エ　コンセプトマップ

解説

問1 テレワーク

× ア BYODは「Bring Your Own Device」の略で，従業員が私物の端末（PCやスマートフォンなど）を持ち込み，業務で使用することです。
× イ フィールドワークは，実際に調査対象とする場所に行って，様子を直接観察する情報収集の手法です。
× ウ OJTは「On the Job Training」の略で，実際の業務を通じて，仕事に必要な知識や技術を習得，向上させる教育訓練のことです。
○ エ 正解です。テレワークは，情報通信技術を活用した，場所や時間にとらわれない柔軟な働き方のことです。テレワーク（telework）は，「離れた場所（tele）」と「働く（work）」を組み合わせた造語です。テレワークの形態には，在宅勤務，サテライトオフィス，モバイルワークなどがあります。

問2 デジタル社会形成基本法

× ア 官民データ活用推進基本法は，官民データの適正かつ効果的な活用を推進するための基本理念，国や地方公共団体及び事業者の責務，法制上の措置などを定めた法律です。
× イ サイバーセキュリティ基本法は，国のサイバーセキュリティに関する施策への基本理念を定め，国や地方公共団体の責務などを明らかにし，サイバーセキュリティ戦略の策定，その他サイバーセキュリティの施策の基本となる事項を定めた法律です。
○ ウ 正解です。デジタル社会形成基本法は，デジタル社会の形成に関して，基本理念や施策策定の基本方針，国・自治体・事業者の責務，デジタル庁の設置，重点計画の作成について定めた法律です。令和3年9月から施行されました。
× エ 国家戦略特区法は，国が定めた特別区域において規制改革等の施策を総合的かつ集中的に推進するために，必要な事項を定めた法律です。特区内では，大胆な規制・制度の緩和や税制面の優遇が行われます。

問3 GISデータ

× ア 量的データに関する説明です。量的データは，身長や人数など，数字の大きさに意味をもつデータのことです。
○ イ 正解です。地図上に，その位置に関する様々な情報を重ねて，分析，管理などを行うシステムをGIS（Geographic Information System：地理情報システム）といいます。GISデータは，位置に関する図形や属性，座標などの情報が保存されている，GISで用いるデータのことです。
× ウ CSVに関する説明です。CSVは，項目を「,」（コンマ）で区切ったデータ形式のことです。
× エ メタデータに関する説明です。メタデータは，データに付いている，データに関する情報を記述したデータのことです。

問4 ブレーンライティング

○ ア 正解です。ブレーンライティングは，6人程度のグループで用紙を回して，アイディアや意見を用紙に書き込んでいく発想法です。前の人の書込みから，さらにアイディアや意見を広げていきます。
× イ テキストマイニングは，文章や言葉などの文字列のデータについて，出現頻度や特徴・傾向などを分析し，有用な情報を抽出することです。
× ウ 共起キーワードは，あるキーワードが含まれる文章の中で，このキーワードと一緒に頻繁に出てくる単語のことです。
× エ コンセプトマップは，関連のある言葉を並べ，線で結ぶことによって関連性を表した図で，アイディアを整理，可視化する手法です。

合格のカギ

サテライトオフィス 問1
企業・組織の本拠から離れた所に設置された仕事場のこと。本社・本拠地を中心と見たとき，衛星（satellite：サテライト）のように存在するオフィスという意味から名付けられた。

モバイルワーク 問1
移動中の電車・バスなどの車内，駅，カフェ，顧客先などを就業場所とする働き方のこと。

官民データ 問2
国や地方公共団体，独立行政法人，事業者などにより，事務において管理，利用，提供される電磁的記録のこと。

問2
参考 デジタル社会形成基本法によって，それまでITに関する国としての基本理念などを定めていた「IT基本法（高度情報通信ネットワーク社会形成基本法）」は廃止になったよ。

CSV 問3
コンマで区切ったデータ。

日付,A地点,B地点,C地点,気温
4月1日,1600,2400,1480,19
4月2日,1200,1200,1400,20
4月3日,5000,1480,2000,18

問4
参考 自由に発言し，意見を出し合う発想法に「ブレーンストーミング」があるよ。ブレーンライティングは，発言する代わりに，紙に書き込んでいくよ。

問5 系統図法の活用例はどれか。

ア 解決すべき問題を端か中央に置き，関係する要因を因果関係に従って矢印でつないで周辺に並べ，問題発生に大きく影響している重要な原因を探る。

イ 結果とそれに影響を及ぼすと思われる要因との関連を整理し，体系化して，魚の骨のような形にまとめる。

ウ 事実，意見，発想を小さなカードに書き込み，カード相互の親和性によってグループ化して，解決すべき問題を明確にする。

エ 目的を達成するための手段を導き出し，更にその手段を実施するための幾つかの手段を考えることを繰り返し，細分化していく。

問6 モデルは，表現形式や対象の特性によって分類することができる。モデルを対象の特性によって分類したとき，次の記述中のa，bに入れる字句の適切な組合せはどれか。

不規則な現象を含まず，方程式などで表せるモデルを［ a ］，サイコロやクジ引きのような不規則な現象を含んだモデルを［ b ］と呼ぶ。

	a	b
ア	確定モデル	動的モデル
イ	確定モデル	確率モデル
ウ	静的モデル	動的モデル
エ	静的モデル	確率モデル

問7 個人情報保護法における個人情報に該当するものだけを全て挙げたものはどれか。

a 運転免許証に記載されている12桁の免許証番号
b バイオメトリクス認証で使う指紋データ
c 新聞やインターネットなどで既に公表されている個人の氏名，性別及び生年月日

ア a　　イ a b　　ウ a c　　エ a b c

問 5　系統図法の活用例

× ア　連関図法の活用例です。連関図法は，ある出来事について「原因と結果」または「目的と手段」といったつながりを明らかにする手法です。

× イ　特性要因図の活用例です。特性要因図は「原因」と「結果」の関係を体系的にまとめた図です。結果（不具合）がどのような原因によって起きているのかを調べるときに使用します。魚の骨の形に似た図表で，「フィッシュボーンチャート」とも呼ばれます。

× ウ　親和図法の活用例です。親和図法は，収集した情報を相互の関連によってグループ化し，解決すべき問題点を明確にする手法です。

○ エ　正解です。系統図法の活用例です。系統図法は，目的を達成するための手段を順に展開して細分化し，最適な手段・方策を明確にしていく手法です。

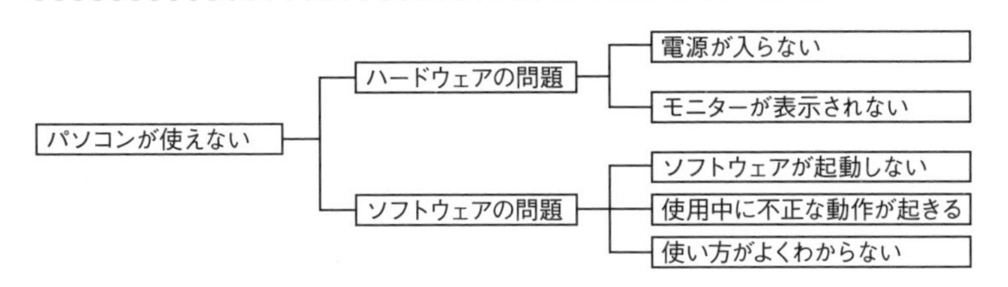

問 6　モデル，確定モデル，確率モデル

モデルは，事物や現象の本質的な形状や法則性を抽象化し，より単純化して表したものです。実物を縮尺した模型，建築の図面，金利を計算する数式など，様々な種類のモデルがあります。

選択肢の4つのモデルを分類すると，まず，時間的な要素を含むものは動的モデル，含まないものは静的モデルになります。動的モデルのうち，規則的な現象であるものは確定モデル，規則的でないものは確率モデルになります。

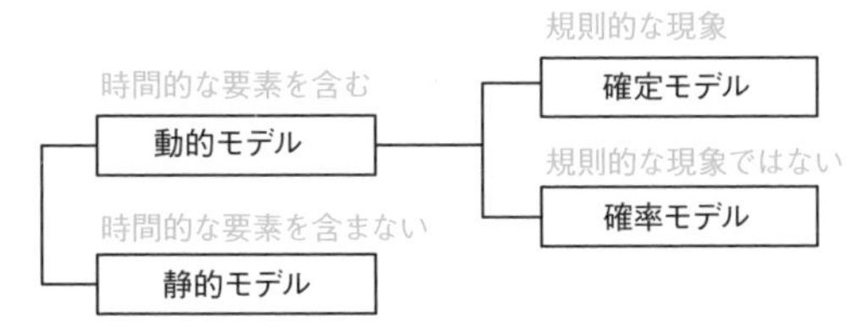

これより，[a] には確定モデル，[b] には確率モデルが入ります。よって，正解は イ です。

問 7　個人情報（個人識別符号）

個人情報保護法における個人情報は，生存する個人に関する情報で，特定の個人を識別することができるものです。たとえば，本人の氏名，氏名と住所の組合せ，特定の個人を識別できるメールアドレスなどです。

また，個人識別符号が含まれるものも個人情報に該当します。個人識別符号は，次のいずれかに該当するもので，政令・規則で個別に指定されています。

（1）身体の一部の特徴を電子計算機のために変換した符号
　　DNA，顔認証データ，虹彩，声紋，歩行の態様，手指の静脈，指紋・掌紋

（2）サービス利用や書類において対象者ごとに割り振られる符号（公的な番号）
　　旅券番号，基礎年金番号，免許証番号，住民票コード，マイナンバー等

a～cについて，個人情報に該当するかどうかを判定すると，次のようになります。

○ a　免許証番号は個人識別番号であり，個人情報に該当します。
○ b　認証に用いる指紋データは個人識別番号であり，個人情報に該当します。
○ c　新聞やインターネットなどで公表されている氏名などの情報も，個人情報に該当します。

a～cの全てが個人情報に該当します。よって，正解は エ です。

連関図法　問5

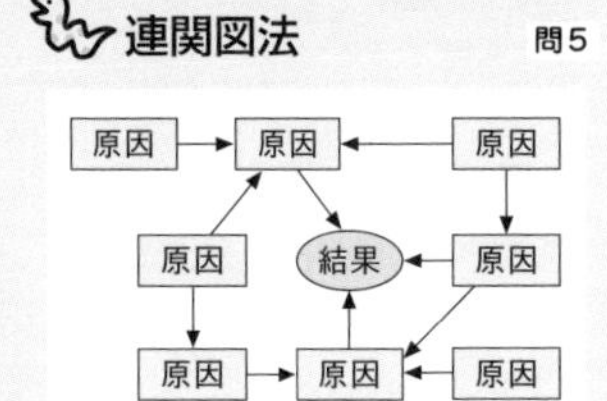

特性要因図　問5

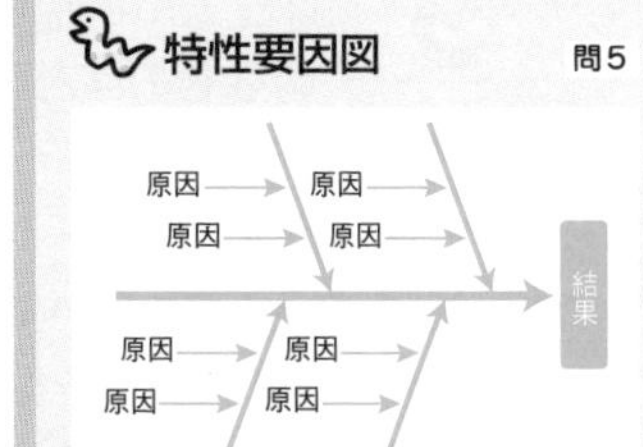

親和図法　問5

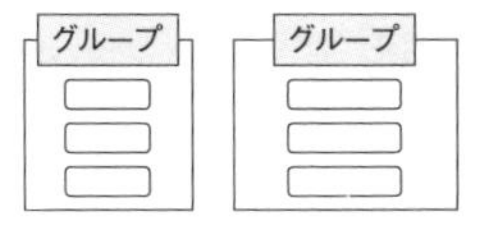

問6

参考 モデルには，数式で表すことができるものもあるよ。社会現象などをモデルで分析，シミュレーションすることによって，問題解決を図っていくよ。

個人情報保護法　問7

個人情報の取り扱いについて定めた法律。「本人の同意なしで，第三者に個人情報を提供しない」など，個人情報取扱事業者が個人情報を適切に扱うための義務規定が定められている。

バイオメトリクス認証　問7

身体的な特徴や行動的特徴で本人を確認する認証方法。指紋や静脈のパターン，網膜，虹彩，声紋などの身体的特徴や，音声や署名など行動特性に基づく行動的特徴によって認証を行う。

問8 ISOが発行した，組織の社会的責任に関する国際規格はどれか。

ア ISO 26000
イ ISO/IEC 27000
ウ ISO/IEC 20000
エ ISO 14000

問9 ITS（Intelligent Transport Systems：高度道路交通システム）に関する記述として，適切なものはどれか。

ア 高速道路ネットワークを全国に張り巡らすことを最重要課題としている。
イ 情報通信技術を用いて，人と道路と車両とを一体のシステムとして構築する。
ウ 物流事業の高度化を図るため，運輸業が主導する共同配送のシステムである。
エ 通行料を必要とする高速道路と一般有料道路だけを対象としている。

問10 e-TAXなど行政への電子申請の際に，本人証明のために公的個人認証サービスを利用することができる。このサービスを利用する際に使用できるものはどれか。

ア 印鑑登録カード
イ クレジットカード
ウ マイナンバーカード
エ パスポート

問11 SNSやWeb検索などに関して，イーライ・パリサーが提唱したフィルターバブルの記述として，適切なものはどれか。

ア PCやスマートフォンなど，使用する機器の性能やソフトウェアの機能に応じて，利用者は情報へのアクセスにフィルターがかかっており，様々な格差が生じている。
イ SNSで一般のインターネット利用者が発信する情報が増えたことで，Web検索の結果は非常に膨大なものとなり，個人による適切な情報収集が難しくなった。
ウ 広告収入を目的に，事実とは異なるフィルターのかかったニュースがSNSなどを通じて発信されるようになったので，正確な情報を検索することが困難になった。
エ 利用者の属性・行動などに応じ，好ましいと考えられる情報がより多く表示され，利用者は実社会とは隔てられたパーソナライズされた情報空間へと包まれる。

問 8 ISO 26000（社会的責任に関する手引き）

○ア　正解です。ISO 26000は，ISOが発行した組織の社会的責任に関する国際規格です。取り組みの手引きとして活用するガイダンス規格で，社会的責任に関する手引きとも呼ばれます。
×イ　ISO/IEC 27000は情報セキュリティマネジメントシステムの国際規格です。
×ウ　ISO/IEC 20000はITサービスマネジメントの国際規格です。
×エ　ISO14000は環境マネジメントシステムの国際規格です。

問 9 ITS（Intelligent Transport Systems：高度道路交通システム）

ITS（Intelligent Transport Systems：高度道路交通システム）は，情報通信技術を活用して「人」，「道路」，「車両」を結び，交通事故や渋滞，環境対策などの問題解決を図るためのシステムの総称です。人，道路，交通，車両，情報通信など，広範な分野に及び，民間及び関係府省庁などが一体となった取組みです。これより，選択肢ア～エを確認すると，ITSに関して適切な記述はイになります。よって，正解はイです。

問10 マイナンバーカード

公的個人認証サービスは，インターネットを通じて行政手続などを行う際，他人による「なりすまし」やデータの改ざんを防ぐための本人証明の手段です。たとえば，e-Taxでの電子申請，マイナポータルへのログインなどで，安全・確実に利用者本人であることを証明できます。

公的個人認証サービスを利用する際は，本人を証明する電子証明書を記録しているマイナンバーカードが必要になります。マイナンバーカードは，マイナンバー制度に基づき交付される，ICチップ付きカードです。ICチップには「署名用」と「利用者証明用」の2種類の電子証明書を保存できるようになっており，電子申請では「署名用」が用いられます。

これより，選択肢の中でウのマイナンバーカードが適切です。よって，正解はウです。

問11 フィルターバブル

×ア　デジタルディバイドに関する記述です。デジタルディバイドは，PCやインターネットなどの情報通信技術を利用できる環境や能力の違いによって，経済的や社会的な格差が生じることです。
×イ　フィルターバブルによって，個人による適切な情報収集が難しくなるおそれはありますが，情報が増えて検索結果が非常に膨大となるからではありません。
×ウ　フェイクニュースに関する記述です。フェイクニュースは，主にSNSを中心に拡散される，虚偽の情報のことです。
○エ　正解です。フィルターバブルは，利用者の個人情報や検索履歴などによって，利用者が好むような情報ばかりが表示され，それ以外の情報に接する機会が失われている状況のことです。

ISO　問8
国際標準化機構。工業や技術に関する国際規格の策定を行っている団体。策定した規格はISO 9001やISO 9002のように，ISOに続く番号で表される。

ISO/IEC　問8
ISO（国際標準化機構）とIEC（国際電気標準会議）が共同で策定した規格。

e-Tax　問10
国税庁が運営する，申告・申請・納税に関するオンラインサービス。正式名称は「国税電子申告・納税システム」。

問11
参考　フィルターバブルは，利用者が好む情報だけに囲まれることから，思考が狭まったり，偏ったりする危険性があるといわれているよ。

問12 労働基準法で定める制度のうち，いわゆる36協定と呼ばれる労使協定に関する制度はどれか。

- ア 業務遂行の手段，時間配分の決定などを大幅に労働者に委ねる業務に適用され，労働時間の算定は，労使協定で定めた労働時間の労働とみなす制度
- イ 業務の繁閑に応じた労働時間の配分などを行い，労使協定によって1か月以内の期間を平均して1週の法定労働時間を超えないようにする制度
- ウ 時間外労働，休日労働についての労使協定を書面で締結し，労働基準監督署に届け出ることによって，法定労働時間を超える時間外労働が認められる制度
- エ 労使協定によって1か月以内の一定期間の総労働時間を定め，1日の固定勤務時間以外では，労働者に始業・終業時刻の決定を委ねる制度

問13 ロケーションベースマーケティングの説明として，最も適切なものはどれか。

- ア 顧客との良好な関係を維持することで個々の顧客から長期間にわたって安定した売上を獲得することを目指すマーケティング手法
- イ 数時間から数日間程度の短期間の時間制限を設け，その時間内だけネット上で商品を販売するマーケティング手法
- ウ スマートフォンのGPS機能を利用し，現在地に近い店舗の広告を配信するマーケティング手法
- エ テレビ，新聞，雑誌などの複数のメディアを併用し，消費者への多角的なアプローチを目指すマーケティング手法

問14 ナレッジマネジメントのプロセスモデルであるSECIモデルにおいて，図中のIに入るものはどれか。

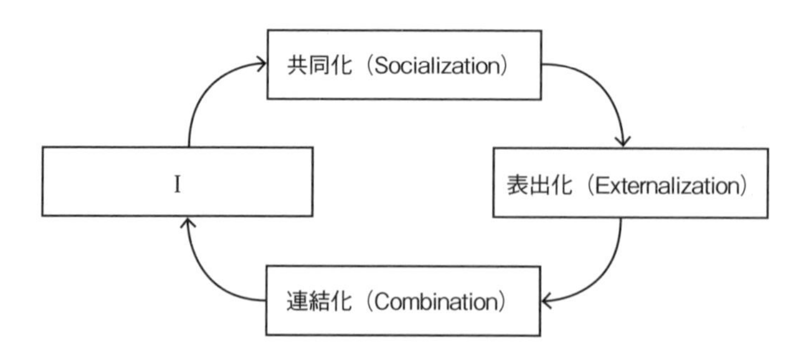

- ア 国際化（Internationalization）
- イ 情報化（Informatization）
- ウ 初期化（Initialization）
- エ 内面化（Internalization）

解説

問12 労働基準法の36協定

× ア 裁量労働制の説明です。
× イ 変形労働時間制の説明です。
○ ウ 正解です。労働基準法において36協定は時間外労働や休日労働に関するもので，労働基準法第36条に基づくことから36（サブロク）協定と呼ばれています。労働基準法では，労働時間の上限を，原則として1日8時間，1週40時間以内と定めています。この法定労働時間を超えて労働させる場合や，休日労働をさせる場合には，使用者は36協定と労働基準監督署への届け出が必要です。
× エ フレックスタイム制の説明です。フレックスタイム制は，一定期間の総労働時間数を定めておき，日々の始業・終業時刻は社員が自ら設定できる制度です。

問13 ロケーションベースマーケティング

× ア リレーションシップマーケティングの説明です。リレーションシップマーケティングは顧客と良好な関係を築くことで，長期間にわたって売上を獲得していくマーケティング手法です。
× イ フラッシュマーケティングの説明です。フラッシュマーケティングは，期間や数量を限定して，商品購入に利用できる割引クーポンや特典付きクーポンを販売するマーケティング手法です。
○ ウ 正解です。ロケーションベースマーケティングはスマートフォンなどの位置情報を活用して行われるマーケティング手法です。たとえば，ユーザーの現在位置に基づいて，店舗やイベントなどの適切な情報を提供します。
× エ クロスメディアマーケティングの説明です。クロスメディアマーケティングは，テレビや雑誌，Webサイトなどの複数のメディアを組み合わせることで，広告の相乗効果を高めるマーケティング手法です。

問14 SECIモデル

言語や図表で表現された知識を「形式知」といい，それに対して知識やノウハウなどの形式化されていない知識を「暗黙知」といいます。

SECIモデルは，個人がもつ経験やスキルなどを組織全体で共有し，組織の新しい知識を創造していくフレームワークです。次の4つのプロセスを繰り返すことにより，個人のもつ暗黙知を形式知に変換し，組織全体の知識を発展させていきます。

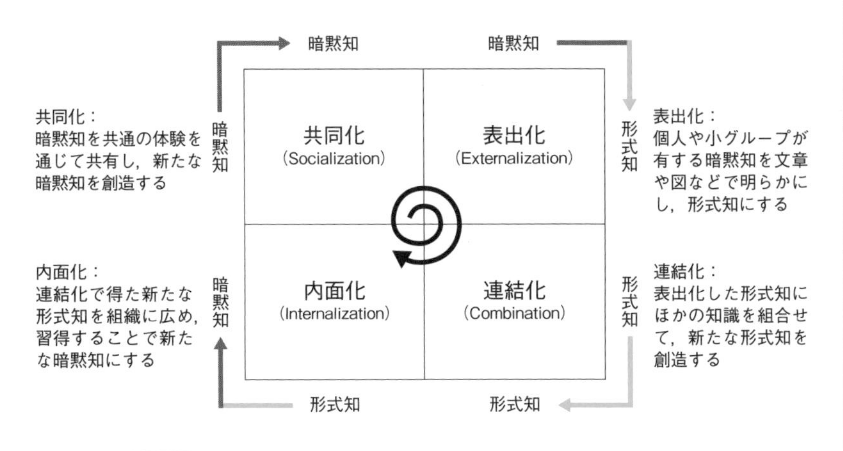
暗黙知
暗黙知
共同化：
暗黙知を共通の体験を通じて共有し，新たな暗黙知を創造する
暗黙知
共同化
(Socialization)
表出化
(Externalization)
形式知
表出化：
個人や小グループが有する暗黙知を文章や図などで明らかにし，形式知にする
内面化：
連結化で得た新たな形式知を組織に広め，習得することで新たな暗黙知にする
暗黙知
内面化
(Internalization)
連結化
(Combination)
形式知
連結化：
表出化した形式知にほかの知識を組合せて，新たな形式知を創造する
形式知
形式知

これより，[I]に入るのは エ の「内面化（Internalization）」です。よって，正解は エ です。

合格のカギ

労働基準法 問12

労働者の賃金や就業時間，休憩，休暇などの労働条件に関する最低基準を定めた法律。労働者の権利を守るため，労働条件や雇用者の義務，違反した場合の罰則などが規定されている。

問14

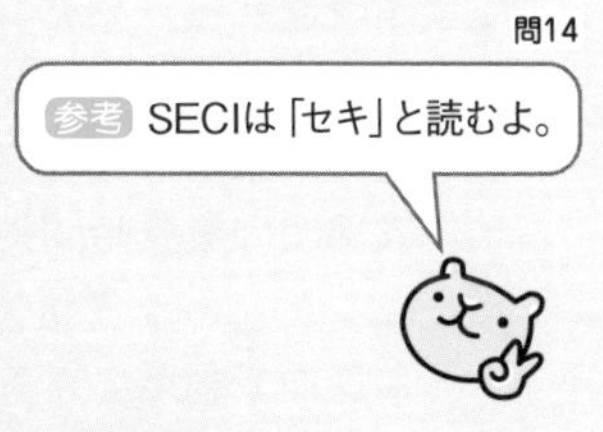
参考 SECIは「セキ」と読むよ。

覚えよう！ 問14

共同化 といえば
暗黙知を暗黙知として共有
表出化 といえば
暗黙知を形式知に変換
連結化 といえば
形式知と形式知を結合
内面化 といえば
形式知を暗黙知として習得

問15

アジャイル開発手法の一つであるスクラムで定義され，スプリントで実施するイベントのうち，毎日決まった時間に決まった場所で行い，開発チームの全員が前回からの進捗状況や今後の作業計画を共有するものはどれか。

ア　スプリントプランニング
イ　スプリントレトロスペクティブ
ウ　スプリントレビュー
エ　デイリースクラム

問16

スクラムチームにおけるプロダクトオーナーの役割はどれか。

ア　ゴールとミッションが達成できるように，プロダクトバックログのアイテムの優先順位を決定する。
イ　チームのコーチやファシリテータとして，スクラムが円滑に進むように支援する。
ウ　プロダクトを完成させるための具体的な作り方を決定する。
エ　リリース判断可能な，プロダクトのインクリメントを完成する。

問17

システム監査基準（平成30年）における監査手続の実施に際して利用する技法に関する記述のうち，適切なものはどれか。

ア　インタビュー法とは，システム監査人が，直接，関係者に口頭で問い合わせ，回答を入手する技法をいう。
イ　現地調査法は，システム監査人が監査対象部門に直接赴いて，自ら観察・調査するものなので，当該部門の業務時間外に実施しなければならない。
ウ　コンピュータ支援監査技法は，システム監査上使用頻度の高い機能に特化した，しかも非常に簡単な操作で利用できる専用ソフトウェアによらなければならない。
エ　チェックリスト法とは，監査対象部門がチェックリストを作成及び利用して，監査対象部門の見解を取りまとめた結果をシステム監査人が点検する技法をいう。

解説

問15 スクラムで実施するイベント

アジャイル開発の手法の1つであるスクラムでは，一定の期間で開発作業を区切ったスプリントを繰り返して，システムの開発を進めます。各スプリントで目標（ゴール）を定めて，計画，設計，開発などの一連の作業を行い，次のイベントを実施します。

スプリントプランニング	スプリントの開始時，スプリントのゴールや必要な作業などを決める。
デイリースクラム	毎日，同じ時間，同じ場所に集まり，進捗状況や今後の作業計画などを共有する。
スプリントレビュー	スプリントの終了時，完成した成果物をステークホルダに説明し，フィードバックを得る。
スプリントレトロスペクティブ	スプリントの最後に，実施したスプリントについて，よかった点や課題などをふり返る。

毎日決まった時間や場所で行い，チームで進捗状況や作業計画などを共有するのはデイリースクラムです。よって，正解は エ です。

問16 スクラムチーム

○ア　正解です。プロダクトオーナーはプロダクト（製品）の開発を主導する人で，スクラムチームから生み出されるプロダクトの価値を最大化することの結果に責任をもちます。プロダクトバックログを定義し，優先順位を決定することは，プロダクトオーナーの役割です。

×イ　スクラムマスターの役割です。スクラムマスターはスクラムチームが機能するように支援する人で，スクラムの理論やプロセスについてのレクチャーやコーチングなどを行います。

×ウ，エ　実際にプロダクトの開発を行う開発者の役割です。インクリメントは開発した成果物のことです。

問17 システム監査技法

システム監査の監査手続は，監査対象の実態を把握するための予備調査，及び予備調査で得た情報を踏まえて，十分かつ適切な監査証拠を入手するための本調査に分けて実施されます。

その際，システム監査人は，チェックリスト法，ドキュメントレビュー法，インタビュー法，ウォークスルー法，突合・照合法，現地調査法，コンピュータ支援監査技法などを利用します。

○ア　正解です。インタビュー法は，監査対象の実態を確かめるために，システム監査人が，直接，関係者に口頭で問い合わせ，回答を入手する技法です。

×イ　現地調査法は，システム監査人が，被監査部門等に直接赴いて，対象業務の流れ等の状況を，自ら観察・調査する技法です。業務の状況を確認するには，業務時間内に実施する必要があります。

×ウ　コンピュータ支援監査技法は，監査対象ファイルの検索，抽出，計算など，システム監査で使用頻度の高い機能に特化していて，しかも非常に簡単な操作で利用できるシステム監査を支援する専用のソフトウェアや表計算ソフトウェア等を使ってシステム監査を実施する技法のことです。専用ソフトウェアだけでなく，一般の表計算ソフトを使用することもできます。

×エ　チェックリスト法は，システム監査人が，あらかじめ監査対象に応じて調整して作成したチェックリスト（チェックリスト形式の質問書）に対して，関係者から回答を求める技法です。チェックリストを作成・利用するのは，システム監査人です。

アジャイル開発　問15

迅速かつ適応的にソフトウェア開発を行う，軽量な開発手法の総称。開発の途中で設計や仕様に変更が生じることを前提として，重要な部分から小さな単位での開発を繰り返し，作業を進めていく。代表的な手法として，XP（エクストリームプログラミング）やスクラムなどがある。

スクラムチーム　問16

スクラムを実践する基本単位。プロダクトオーナー１人，スクラムマスター１人，複数の開発者で構成される

プロダクトバックログ　問16

プロダクトの開発に，必要なタスクや要求事項をまとめたリスト。優先順位を付けて，順位が高いものから順に並べる。

ドキュメントレビュー法　問17

監査対象の状況に関する監査証拠を入手するために，システム監査人が関連する資料や文書類を入手し，内容を点検する技法。

ウォークスルー法　問17

データの生成から入力，処理，出力，活用までのプロセス，組み込まれているコントロールを，書面上または実際に追跡する技法。

突合・照合法　問17

関連する複数の証拠資料間を突き合わせること，記録された最終結果について，原始資料まで遡ってその起因となった事象と突き合わせる技法。

問18 相関係数に関する記述のうち，適切なものはどれか。

ア　全ての標本点が正の傾きをもつ直線上にあるときは，相関係数が＋1になる。
イ　変量間の関係が線形のときは，相関係数が0になる。
ウ　変量間の関係が非線形のときは，相関係数が負になる。
エ　無相関のときは，相関係数が－1になる。

問19 AIにおける過学習の説明として，最も適切なものはどれか。

ア　ある領域で学習した学習済みモデルを，別の領域に再利用することによって，効率的に学習させる。
イ　学習に使った訓練データに対しては精度が高い結果となる一方で，未知のデータに対しては精度が下がる。
ウ　期待している結果とは掛け離れている場合に，結果側から逆方向に学習させて，その差を少なくする。
エ　膨大な訓練データを学習させても効果が得られない場合に，学習目標として成功と判断するための報酬を与えることによって，何が成功か分かるようにする。

問20 アプリケーションソフトウェアの開発環境上で，用意された部品やテンプレートをGUIによる操作で組み合わせたり，必要に応じて一部の処理のソースコードを記述したりして，ソフトウェアを開発する手法はどれか。

ア　継続的インテグレーション
イ　ノーコード開発
ウ　プロトタイピング
エ　ローコード開発

問18 相関係数

2つの項目の値について，たとえば「Aの値が大きくなると，Bの値も大きくなる」というような関連性があることを相関関係といいます。相関関係を分析するには散布図を使い，点が線形に集まっていれば相関関係があると判断されます。その際，線が右上がりの場合は正の相関，右下がりの場合は負の相関といいます。点が線状にまとまっているほど，相関が強い関係にあります。なお，まとまりがなく散らばっている場合は無相関になります。

また，相関係数は，2つの項目について，関連性がどのくらいあるのかを示す値のことです。「−1」から「1」までの数値で，「1」に近いほどに正の相関が強く，「−1」に近いと負の相関が強いといえます。「0」に近いときは，相関関係が低いことになります。

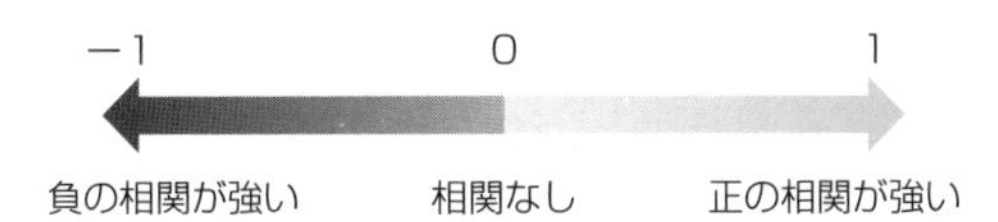

○ア　正解です。相関係数が+1になるのは，変量間の関係が右上がりの直線で，全ての点がこの直線上にあるときです。
×イ　相関係数が0になるのは，変量間の関係が線形になっていない無相関のときです。
×ウ　相関係数が負になるのは，変量間の関係が右下がりの線形のときです。
×エ　無相関のときは，相関係数は0になります。

問19 AIにおける過学習

×ア　転移学習の説明です。機械学習において転移学習は，ある領域での学習が終わった学習済みモデルを，別の領域に適用することによって，学習の効率化を図る手法です。
○イ　正解です。AIにおける機械学習では，データを学習していくことによって判断や予測を行います。過学習は，機械学習において生じる現象で，学習データに過度に適合した学習をしたことにより，未知のデータに対しては精度が低くなってしまうことです。
×ウ　バックプロパゲーションの説明です。バックプロパゲーションは，機械学習で出力値と期待した結果がかけ離れている場合，出力層から入力層に向かって学習させて，誤差を小さくする手法です。
×エ　強化学習の説明です。強化学習は機械学習の手法の1つで，試行錯誤を通じて，報酬を最大化する行動をとるような学習を行います。

問20 ローコード開発

×ア　継続的インテグレーションは，ソフトウェア開発において，ビルド（実行可能なファイルを作成する作業）とテストを継続的に繰り返し行い，問題を早期に発見して修正する手法です。
×イ　ノーコード開発は，用意された部品やテンプレートを組み合わせることで，ソースコードを全く書かずにソフトウェアを開発する手法です。
×ウ　プロトタイピングはシステム開発の初期段階でプロトタイプ（試作品）を作成し，それをユーザーに確認してもらいながら開発を進める手法です。
○エ　正解です。ローコード開発は，用意された部品やテンプレートを組み合わせて開発を進め，必要最低限のソースコードを記述してソフトウェアを開発する手法です。

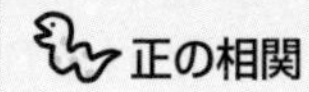

正の相関　問18

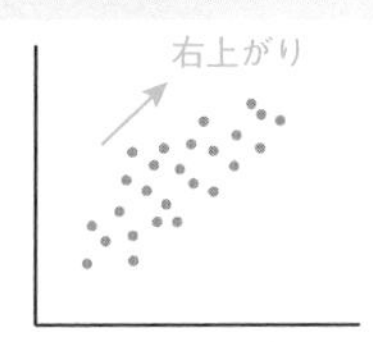

負の相関　問18

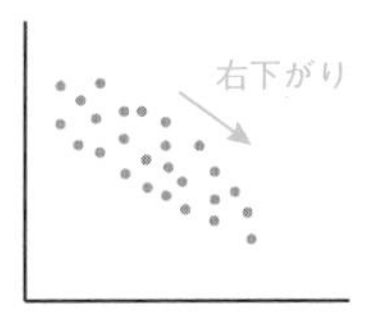

無相関　問18

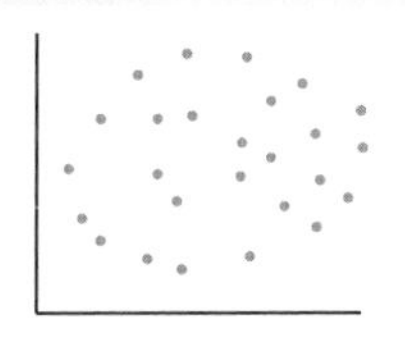

機械学習　問19

AI（人工知能）がデータを解析することで，規則性や判断基準を自ら学習し，それに基づいて未知のものを予測，判断する技術。代表的な手法として，教師あり学習，教師なし学習，強化学習などがある。

ソースコード　問20

人間がプログラミング言語を使って，コンピュータへの命令を記述したコードのこと。

覚えよう！　問20

ノーコード開発　といえば　ソースコードを全く書かない
ローコード開発　といえば　ソースコードを最小限だけ書く

問21

配列上に不規則に並んだ多数のデータの中から，特定のデータを探し出すのに適したアルゴリズムはどれか。

ア　2分探索法
イ　線形探索法
ウ　ハッシュ法
エ　モンテカルロ法

問22

クイックソートの処理方法を説明したものはどれか。

ア　既に整列済みのデータ列の正しい位置に，データを追加する操作を繰り返していく方法である。
イ　データ中の最小値を求め，次にそれを除いた部分の中から最小値を求める。この操作を繰り返していく方法である。
ウ　適当な基準値を選び，それより小さな値のグループと大きな値のグループにデータを分割する。同様にして，グループの中で基準値を選び，それぞれのグループを分割する。この操作を繰り返していく方法である。
エ　隣り合ったデータの比較と入替えを繰り返すことによって，小さな値のデータを次第に端のほうに移していく方法である。

問23

JSON（JavaScript Object Notation）に関する説明として，適切なものはどれか。

ア　科学技術計算向けに開発された言語である。
イ　ブラウザで動作する処理内容を記述するスクリプト言語である。
ウ　利用者が独自のタグを定義してデータの意味や構造を記述できるマークアップ言語である。
エ　異なるプログラム言語間でのデータのやり取りなどに用いられるデータ記述言語である。

問24

システムの要件を検討する際に用いるUXデザインの説明として，適切なものはどれか。

ア　システム設計時に，システム稼働後の個人情報保護などのセキュリティ対策を組み込む設計思想のこと
イ　システムを構成する個々のアプリケーションソフトウェアを利用者が享受するサービスと捉え，サービスを組み合わせることによってシステムを構築する設計思想のこと
ウ　システムを利用する際にシステムの機能が利用者にもたらす有効性，操作性などに加え，快適さ，安心感，楽しさなどの体験価値を重視する設計思想のこと
エ　接続仕様や仕組みが公開されている他社のアプリケーションソフトウェアを活用してシステムを構築することによって，システム開発の生産性を高める設計思想のこと

問21 探索のアルゴリズム

×ア 2分探索法は，小さい順か大きい順に整列されているデータについて，中央にあるデータから，前にあるか後ろにあるかの判断を繰り返して目的のデータを探すアルゴリズムです。不規則に並ぶデータには利用できません。

○イ 正解です。線形探索法は，先頭から順番に目的のデータを探していくアルゴリズムです。不規則に並んだデータの中から，特定のデータを探すことができます。

×ウ ハッシュ法は，ハッシュ関数で求めたハッシュ値によって，データの格納位置を見つけるアルゴリズムです。あらかじめ，ハッシュ関数でデータの格納位置を決めておく必要があります。

×エ モンテカルロ法は，乱数を用いて，近似値を求める数値計算の手法です。

問22 整列のアルゴリズム

×ア 挿入ソートの説明です。挿入ソートは，未整列のデータから1つ値を取り出し，整列済みデータの正しい位置に挿入する操作を繰り返します。

×イ 選択ソートの説明です。選択ソートは，未整列のデータで先頭から順に最小値を探して，見つけた最小値を先頭のデータと入れ替えます。同様にして，未整列のデータの中で同じ操作を繰り返します。

○ウ 正解です。クイックソートの説明です。クイックソートは，中間的な基準値を決め，それよりも大きな値を集めた区分と小さな値を集めた区分にデータを振り分けます。同様にして，各区分の中で同じ操作を繰り返します。

×エ バブルソートの説明です。バブルソートは，隣り合ったデータを比較して，大小の順が逆であれば，それらのデータを入れ替える操作を繰り返します。

問23 JSON（JavaScript Object Notation）

×ア Fortranに関する説明です。Fortranは，主に科学技術計算のプログラム開発に使われるプログラム言語です。

×イ JavaScriptに関する説明です。JavaScriptは，主にWebブラウザで動作するスクリプトの記述に使われるプログラム言語です。

×ウ XMLに関する説明です。XMLは，利用者が独自のタグを定義して，データの意味や構造を記述できるマークアップ言語です。

○エ 正解です。JSON（JavaScript Object Notation）はデータ記述言語の1つで，{ } の中にキーと値をコロンで区切って記述します。異なるプログラム言語で書かれたプログラムを，JSONのデータ形式に変換することで，別の言語とのデータ交換が可能になります。

問24 UXデザイン

×ア プライバシーバイデザイン（Privacy by Design）の説明です。プライバシーバイデザインは，開発の初期段階から，個人情報の漏えいやプライバシー侵害を防ぐための方策に取り組むことです。

×イ SOA（Service Oriented Architecture）の説明です。SOAは，既存のソフトウェアやその一部の機能を「サービス」として捉えて部品化し，それらを組み合わせて新しいシステムを構築する手法です。

○ウ 正解です。製品，システム，サービスなどの利用場面を想定したり，実際に利用したりすることによって得られる人の感じ方や反応をUX（User Experience）といいます。UXデザインは，ユーザーに満足度の高いUXを提供できるようにデザイン（設計や企画など）することです。

×エ API連携の説明です。OSやアプリケーションソフトウェアがもつ機能の一部を公開し，他のプログラムから利用できるように提供する仕組みをAPI（Application Programming Interface）といいます。公開されているAPIを連携して活用することで，大幅に開発効率を高めることができます。

問21

参考 与えられたデータについて一定の演算を行って，規則性のない値（ハッシュ値）を生成する手法だよ。もとのデータが同じであれば，必ず同じハッシュ値が出力されるよ。

問22

参考「ソート」は，一定の規則に従ってデータを並べ替える，という意味だよ。

スクリプト 問23

コンピュータに対する一連の命令などを記述した簡易プログラム。

データ記述言語 問23

コンピュータで扱うデータを記述するための言語。プログラム言語ではなく，代表的なものとしてマークアップ言語やJSONがある。

JSON 問23

データの記述例

```
{
 "_id":"AP15",
 "品名":"15型ノートPC",
 "価格":"オープンプライス",
 "関連商品 id":[
 "BP15"
 ]
}
```

問24

参考 Webの技術を使ったAPIを「WebAPI」というよ。

文章や画像などのレイアウトにおいて，a～cで実施したことと，それに相当するデザインのルールの組合せとして，適切なものはどれか。

a　関連する情報を近づけ，グループにして配置した。
b　枠線で囲んだタイトルを繰り返して使った。
c　見出しを本文よりも大きくして目立たせた。

	a	b	c
ア	整列	対比	反復
イ	近接	反復	対比
ウ	整列	反復	対比
エ	近接	整列	対比

問26　H.264/MPEG-4 AVCの説明として，適切なものはどれか。

ア　5.1チャンネルサラウンドシステムで使用されている音声圧縮技術
イ　携帯電話で使用されている音声圧縮技術
ウ　デジタルカメラで使用されている静止画圧縮技術
エ　ワンセグ放送で使用されている動画圧縮技術

問27　符号化方式に関する記述のうち，ハフマン方式はどれか。

ア　0と1の数字で構成する符号の中で，0又は1の連なりを一つのブロックとし，このブロックに長さを表す符号を割り当てる。
イ　10進数字の0～9を4ビット2進数の最初の10個に割り当てる。
ウ　発生確率が分かっている記号群を符号化したとき，1記号当たりの平均符号長が最小になるように割り当てる。
エ　連続した波を標本化と量子化によって0と1の数字で構成する符号に割り当てる。

問25 デザインの原則（近接，整列，反復，対比）

文章や画像などを配置する際のデザインの原則として，次の4つのルールがあります。

近接	関連する情報は近づけて配置し，異なる要素は離しておく。
整列	右揃え，左揃え，中央揃えなど，意図的に整えて配置する。
反復	フォント，色，線などのデザイン上の特徴を，一定のルールで繰り返す。
対比	要素ごとの大小や強弱を明確にする。見出しは本文よりも太くする。

したがって，aは「近接」，bは「反復」，cは「対比」に該当します。よって，正解はイです。

問26 H.264/MPEG-4 AVC

× ア AACに関する説明です。AACは音声データの圧縮符号化方式で，MPEG -2やMPEG- 4の音声フォーマットに用いられています。音声配信や音声記録などにも活用されています。

× イ H.264/MPEG-4 AVCは動画に関する圧縮方式であり，音声圧縮技術ではありません。

× ウ JPEGに関する説明です。JPEGは静止画の圧縮符号化方式で，デジタルカメラで撮影した写真画像などに使用されます。

○ エ 正解です。H.264/MPEG-4 AVCは，動画の圧縮符号化方式です。MPEG-4の映像部分を効率よくしたものがMPEG-4 AVCで，ワンセグ放送やインターネットなどで用いられています。

問27 ハフマン法

× ア ランレングス法に関する記述です。ランレングス法はデータを圧縮する手法で，データ中で同じ文字が繰り返されるとき，繰り返し部分をその反復回数と文字の組に置き換えて，文字列を短くします。たとえば，「AAAAABBBBB」という文字列を「A5B5」のように表現した場合，10文字分を4文字分で表せるので，もとの40%に圧縮されたことになります。

× イ 2進化10進数に関する記述です。

○ ウ 正解です。ハフマン方式（ハフマン法）に関する記述です。ハフマン法はデータを圧縮する手法で，データ中で文字列の出現頻度を求め，よく出る文字列には短い符号，あまり出ない文字列には長い符号を割り当てることで，全体のデータ量を減らします。たとえば，表1のように各文字に3ビットの符号を割り当てている場合，「文字数×3ビット」がデータ量になります。表2のように文字列の出現頻度によって割り当てる符号を変えることで，「文字数×3ビット」よりもデータ量を減らせます。

表1

文字	A	B	C	D	E
符号	000	001	010	011	100

↓

表2

文字	A	B	C	D	E
出現頻度	26%	25%	24%	13%	12%
符号	00	01	10	110	111

× エ アナログ信号のデジタル化に関する記述です。アナログ信号のデジタル化は，アナログ信号を一定の周期ごとに区切って値を取り出す標本化，標本化で得た値を段階に合わせて数値化する量子化，量子化の数値を2進法でビット列に変換する符号化の手順で行われます。

問25

デザインの原則　といえば
- 近接
- 整列
- 反復
- 対比

問26

参考「H.264」と「MPEG-4 AVC」は同じ内容だよ。ITU-Tが「H.264」，ISO/IECが「MPEG-4 AVC」として規格化したので，「H.264/MPEG-4 AVC」のように併記される場合があるよ。

問27

対策 ランレングス法やハフマン法は，可逆圧縮の代表的な圧縮方法だよ。それぞれの圧縮する仕組みを確認しておこう。

問28 ビッグデータの処理で使われるキーバリューストアの説明として，適切なものはどれか。

ア “ノード”，“リレーションシップ”，“プロパティ” の3要素によってノード間の関係性を表現する。

イ 1件分のデータを “ドキュメント” と呼び，個々のドキュメントのデータ構造は自由であって，データを追加する都度変えることができる。

ウ 集合論に基づいて，行と列から成る2次元の表で表現する。

エ 任意の保存したいデータと，そのデータを一意に識別できる値を組みとして保存する。

問29 OSI基本参照モデルにおけるネットワーク層の説明として，適切なものはどれか。

ア エンドシステム間のデータ伝送を実現するために，ルーティングや中継などを行う。

イ 各層のうち，最も利用者に近い部分であり，ファイル転送や電子メールなどの機能が実現されている。

ウ 物理的な通信媒体の特性の差を吸収し，上位の層に透過的な伝送路を提供する。

エ 隣接ノード間の伝送制御手順(誤り検出，再送制御など)を提供する。

問30 公開鍵暗号方式の暗号アルゴリズムはどれか。

ア AES　　イ KCipher-2　　ウ RSA　　エ SHA-256

問28 NoSQL，キーバリューストア

従来からよく使われている関係データベース以外の，データベース管理システムの総称をNoSQLといいます。キーバリューストア，ドキュメント指向データベース，グラフ指向データベースなどの種類があり，ビッグデータの管理などに利用されています。

× ア　グラフ指向データベースの説明です。グラフ指向データベースは，ノード(頂点)の間をリレーション(線)でつないで構造化したものです。ノードとリレーションに，プロパティ（属性情報）をもつことができます。
× イ　ドキュメント指向データベースの説明です。ドキュメント指向データベースは，データ項目の値として，階層構造のデータをドキュメントとして格納することができます。ドキュメントに対し，インデックスを作成することもできます。
× ウ　関係データベースの説明です。関係データベースは，複数の表でデータを管理するデータベースです。
○ エ　正解です。キーバリューストア（KVS：Key-Value Store）の説明です。キーバリューストアは，1の項目（key）に対して1つの値（value）を設定し，これらをセットで格納します。値の型は定義されていないので，様々な型の値を格納することができます。

問29 OSI基本参照モデル

OSI基本参照モデルとは，データの流れや処理などによって，データ通信で使う機能や通信プロトコル（通信規約）を7つの階層に分けたものです。ISOが策定，標準化した規格で，各層の役割は次の通りです。

階層	名称	役割
7	アプリケーション層	メールやファイル転送など，具体的な通信サービスの対応について規定。
6	プレゼンテーション層	文字コードや暗号など，データの表現形式に関する方式を規定。
5	セション層	通信の開始・終了の一連の手順を管理し，同期を取るための方式を規定。
4	トランスポート層	送信先にデータが，正しく確実に伝送されるための方式を規定。
3	ネットワーク層	通信経路の選択や中継制御など，ネットワーク間の通信で行う方式を規定。
2	データリンク層	隣接する機器間で，データ送信を制御するための方式を規定。
1	物理層	コネクタやケーブルなど，電気信号に変換されたデータを送ることを規定。

○ ア　正解です。ルーティングや中継などを行うのはネットワーク層です。
× イ　ファイル転送や電子メールなどの機能が実現されているのは，アプリケーション層です。
× ウ　物理的な通信媒体にかかわることなので，物理層の説明です。
× エ　隣接ノード間の伝送制御手順にかかわることなので，データリンク層の説明です。

問30 暗号化アルゴリズム

暗号化アルゴリズムは，暗号化の処理において「どのように暗号化するか」という計算の方式のことです。共通鍵暗号方式や公開鍵暗号方式などの暗号化で使用され，AESやRSAなどの種類があります。

× ア　AESは，共通鍵暗号方式で使われる代表的な暗号アルゴリズムです。
× イ　KCipher-2は，共通鍵暗号方式で使われる暗号アルゴリズムです。
○ ウ　正解です。RSAは，公開鍵暗号方式で使われる代表的な暗号アルゴリズムです。
× エ　SHA-256は，ハッシュ関数の1つです。

ビッグデータ　問28

ビジネスや日常生活においてリアルタイムで発生・蓄積されている膨大なデータのこと。購買情報，SNSへの投稿，位置情報，気象データなど，あらゆる情報が含まれる。

問28

参考 グラフ指向データベースはグラフ理論に基づくデータベースで，リレーションのことを「リレーションシップ」や「エッジ」ともいうよ。

問28

対策 キーバリューストア(KVS)，ドキュメント指向データベース，グラフ指向データベースは，全てシラバスVer.6.0で追加された用語だよ。
NoSQLの一種であることと，それぞれの特徴を確認しておこう。

問29

対策 OSI基本参照モデルは，どの階層が出題されてもよいように，各階層の名称と特徴を確認しておこう。

問30

参考 AESは，WPA2による無線LANの暗号化でも使用されているよ。

計算問題 必修テクニック

iパスでは，計算問題を解く力も要求されます。苦手な人は繰り返し問題を解いて，確実に正解になるようにしておきましょう。ここではよく出題される計算問題の解き方を学びましょう。

2進数から10進数への変換

2進数10.011を10進数で表現したものはどれか。

ア 2.2　　イ 2.05　　ウ 2.125　　エ 2.375

解説 2進数を10進数に変換するには，値が「1」である桁だけ，「桁の値×桁の重み」を計算し，その結果を合計します。

	1	0	.0	1	1
桁の重み	2^1	2^0	2^{-1}	2^{-2}	2^{-3}
	1×2			$1\times\frac{1}{4}$	$1\times\frac{1}{8}$

$$2+\frac{1}{4}+\frac{1}{8}=2+0.25+0.125=2.375$$

※小数部分の桁の重みは $2^{-n}=\frac{1}{2^n}$ と考えます。

よって，2進数10.011を10進数に変換すると2.375になります。正解は エ です。

10進数から2進数への変換

10進数18を2進数で表現したものはどれか。

ア 11010　　イ 10010　　ウ 10011　　エ 10101

解説 10進数を2進数に変換するには，10進数の数値を2で割って余りを求め，その答えを2で割って余りを求める計算を繰り返し，最後に余りを後ろから並べます。

10進数18の場合，右のように計算します。

余りを後ろから並べた「10010」が，10進数18を2進数に変換した数値になります。正解は イ です。

18÷2=9　余り 0
9÷2=4　余り 1
4÷2=2　余り 0
2÷2=1　余り 0
1÷2=0　余り 1

↑ 後ろから並べる

稼働率の算出

ある装置の100日間の障害記録を調査したところ，障害が4回発生し，それぞれの故障時間は，60分，180分，140分及び220分であった。この装置の稼働率はどれか。ここで，この装置の毎日の稼働時間は10時間とする。

ア 0.96　　イ 0.97　　ウ 0.98　　エ 0.99

解説 稼働率は次の式で求めます。

稼働率 = 稼働時間 ÷ 全運転時間

まず，全運転時間と故障時間の合計，稼働時間をそれぞれ求めます。

全運転時間：100日 × 10時間 = 1,000時間

故障時間の合計：60分 + 180分 + 140分 + 220分 = 600分 = 10時間

稼働時間：1,000時間 − 10時間 = 990時間

よって，稼働率は，990 ÷ 1,000 = 0.99 となります。正解は エ です。

稼働時間は，「全運転時間 − 故障時間」で求めることができるね。

MTBF, MTTRを使った稼働率の算出

装置aとbのMTBFとMTTRが表の通りであるとき，aとbを直列に接続したシステムの稼働率は幾らか。

単位：時間

装置	MTBF	MTTR
a	80	20
b	180	20

ア 0.72　イ 0.80　ウ 0.85　エ 0.90

解説 稼働率を求める式をMTBF，MTTRで表すと，次のようになります。

稼働率 ＝ MTBF ÷（MTBF ＋ MTTR）

MTBF（平均故障間隔）はシステムがきちんと稼働している時間，MTTR（平均修復間隔）は故障したシステムの修理にかかる時間だよ。

まず，装置a，bの稼働率をそれぞれ求めます。

装置aの稼働率　80 ÷（80+20）
＝80 ÷100 ＝ 0.8

装置bの稼働率　180 ÷（180+20）
＝180 ÷ 200 ＝ 0.9

複数の装置を直列に接続しているシステムの場合，システム全体の稼働率は各装置の稼働率をかけて求めるので，0.8 × 0.9 ＝ 0.72 になります。

正解は ア です。

直列・並列接続した稼働率の算出

2台の処理装置からなるシステムがある。少なくともいずれか一方が正常に動作すればよいときの稼働率と，2台とも正常に動作しなければならないときの稼働率の差は幾らか。ここで，処理装置の稼働率はいずれも0.90とし，処理装置以外の要因は考慮しないものとする。

ア 0.09　イ 0.10　ウ 0.18　エ 0.19

解説 複数の装置を接続したシステムの稼働率は，次のように求めます。

直列に接続した稼働率

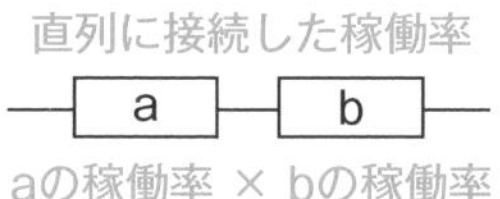

aの稼働率 × bの稼働率

並列に接続した稼働率

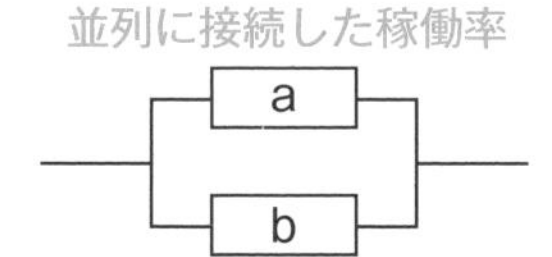

1 －（1 － aの稼働率）×（1 － bの稼働率）

直列に装置を接続した場合，一台が故障すると，システム全体が動作しなくなります。これより，「少なくともいずれか一方が正常に動作すればよいとき」は，装置を並列に接続していることになります。また，「2台とも正常に動作しなければならないとき」は直列に接続しています。

よって，並列に接続した場合と，直列に接続した場合の稼働率をそれぞれ求めます。

並列に接続した場合の稼働率
1 －（1 － 0.90）×（1 － 0.90）
＝ 1 － 0.1 × 0.1 ＝ 1 － 0.01 ＝ 0.99

直列に接続した場合の稼働率
0.9 × 0.9 ＝ 0.81

並列に接続した場合と，直列に接続した場合の稼働率の差を求めると，0.99 － 0.81 ＝ 0.18 になります。正解は ウ です。

実行できる命令数の算出

クロック周波数が1.8GHzのCPUは，4クロックで処理される命令を1秒間に何回実行できるか。

ア 40万　イ 180万　ウ 4億5千万　エ 72億

解説 クロック周波数は1秒間に何回のクロックが発生するかを示したもので，たとえば1GHzなら1秒間に10^9回のクロックが発生します。よって，1秒間に実行できる命令数は，次の式で求めます。

1秒間に実行できる命令数
＝ クロック周波数 ÷ 1命令当たりのクロック数

G（ギガ）は10^9を表す接頭辞だよ。

本問の場合，クロック周波数が1.8GHz，1命令当たり4クロックが必要なので，

1.8Gクロック ÷ 4クロック
＝ 0.45G ＝ 0.45 × 10^9 ＝ 4億5千万

となります。正解は ウ です。

作業時間の算出

Aさん，Bさんが通販業務を1人で担当するときに要する1週間の平均作業時間は表の通りである。表から，Aさんが1人で通販業務を行う場合，1週間の通販業務に要する作業時間は36時間である。このことから，1週間の通販業務の業務量に対して，Aさんが1時間でできる業務量はその$\frac{1}{36}$である。週の初めからAさんとBさんの2人が一緒に通販業務を行うとき，その週の作業は何時間で終わるか。

社員	平均作業時間（時間/週）
A	36
B	45

ア 19　　イ 20　　ウ 40　　エ 41

解説 1週間の通販業務の業務量に対して，Aさんが1時間でできる業務量が$\frac{1}{36}$，Bさんは$\frac{1}{45}$です。よって，2人が一緒に1時間でできる業務量は次のようになります。

$$\frac{1}{36}+\frac{1}{45}=\frac{5}{180}+\frac{4}{180}=\frac{9}{180}=\frac{1}{20}$$

次に2人が一緒に通販業務を行ったとき，1週間の業務にかかる時間を計算すると，

$$1\div\frac{1}{20}=1\times\frac{20}{1}=20$$

となります。よって，正解は イ です。

全体の業務量を「1」と考え，業務にかかる時間は「1÷全体に対する1時間の業務量」で求めることができるよ。

部品数の算出

1個の製品Aは3個の部品Bと2個の部品Cで構成されている。ある期間の生産計画において，製品Aの需要量が10個であるとき，部品Bの正味所要量（総所要量から引当可能在庫量を差し引いたもの）は何個か。ここで，部品Bの在庫残が5個あり，他の在庫残，仕掛残，注文残，引当残などは考えないものとする。

ア 20　　イ 25　　ウ 30　　エ 45

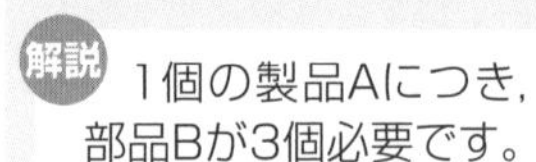

解説 1個の製品Aにつき，部品Bが3個必要です。

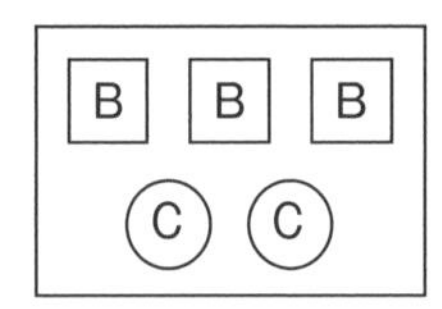

よって，製品Aを10個生産するときに必要な部品Bの個数は 3 × 10 = 30個 です。

ただし，部品Bの在庫が5個あるので，正味所要量は 30 − 5 = 25個 になります。正解は イ です。

部品Cのように，問題文に記載されていても計算に使わない数値もあるよ。このような値は無視しよう。

損益分岐点売上高の算出

損益計算資料から求められる損益分岐点売上高は，何百万円か。

ア 225　　イ 300　　ウ 450　　エ 480

〔損益計算資料〕　単位：百万円

売上高	500
材料費（変動費）	200
外注費（変動費）	100
製造固定費	100
総利益	100
販売固定費	80
利益	20

解説 損益分岐点売上高（損益分岐点となる売上高）は，次の計算式で求めます。

損益分岐点売上高 ＝ 固定費 ÷（1 − 変動費率）
変動費率 ＝ 変動費 ÷ 売上高

まず，変動費と売上高から変動費率を求めます。本問の場合，「材料費」と「外注費」の合計が変動費になります。

変動費率 ＝（200 ＋ 100）÷ 500
　　　　 ＝ 300 ÷ 500 ＝ 0.6

変動費率とは，売上高に占める変動費の割合のことだよ。

次に，損益分岐点売上高を求めます。本問の場合，「製造固定費」と「販売固定費」の合計が固定費になります。

損益分岐点売上高 ＝（100 ＋ 80）÷（1 − 0.6）
　　　　　　　　 ＝ 180 ÷ 0.4 ＝ 450

よって，正解は ウ です。

営業利益の算出

期末の決算において，表の損益計算資料が得られた。当期の営業利益は何百万円か。

ア 270　　イ 300　　ウ 310　　エ 500

単位：百万円

項目	金額
売上高	1,500
売上原価	1,000
販売費及び一般管理費	200
営業外収益	40
営業外費用	30

営業利益は，次の計算式で求めます。

営業利益 ＝（売上高 － 売上原価）－ 販売費及び一般管理費

（売上高 － 売上原価）＝ 売上総利益

売上高から売上原価を引いた値を「売上総利益」というよ。

よって，営業利益は 1,500 － 1,000 － 200 ＝ 300 となります。
営業外収益や営業外費用の金額は，営業利益を求めるのに使用しません。正解は イ です。

売上原価の算出

当期の財務諸表分析の結果が表の値のとき，売上原価は何万円か。

ア 1,400　　イ 1,600　　ウ 1,800　　エ 2,000

売上原価率	80%
売上高営業利益率	10%
営業利益	200万円

売上高と営業利益，売上高営業利益率の関係は，次の式のようになります。

売上高 × 売上高営業利益率＝営業利益

↓

売上高 ＝ 営業利益 ÷ 売上高営業利益率

売上原価を求める計算式は「売上原価 ＝ 売上高 × 売上原価率」なので，まず売上高を求めます。

売上高 ＝ 200万円 ÷ 10%
＝ 200万円 ÷ 0.1 ＝ 2,000万円

よって，売上高2,000万円，売上原価率80%として，売上原価を計算すると，

売上原価 ＝ 2,000万円×80%
＝ 2,000万円×0.8 ＝ 1,600万円

になります。正解は イ です。

期待値を用いた計算

X社では，生産の方策をどのようにすべきかを考えている。想定した各経済状況下で各方策を実施した場合に得られる利益を見積って，利益表にまとめた。経済状況の見通しの割合が好転30%，変化なし60%，悪化10%であると想定される場合，最も利益の期待できる方策はどれか。

ア A1　　イ A2　　ウ A3　　エ A4

単位：万円

方策＼経済状況	好転	変化なし	悪化
A1	800	300	200
A2	800	400	100
A3	700	300	300
A4	700	400	200

解説
期待値を求めるには，項目ごとに確率と数値をかけてその結果を合計します。本問の方策A1 ～ A4で期待できる利益（期待値）は，次のように算出します。

A1　800 × 0.3 ＋ 300 × 0.6 ＋ 200 × 0.1 ＝ 240 ＋ 180 ＋ 20 ＝ 440
A2　800 × 0.3 ＋ 400 × 0.6 ＋ 100 × 0.1 ＝ 240 ＋ 240 ＋ 10 ＝ 490
A3　700 × 0.3 ＋ 300 × 0.6 ＋ 300 × 0.1 ＝ 210 ＋ 180 ＋ 30 ＝ 420
A4　700 × 0.3 ＋ 400 × 0.6 ＋ 200 × 0.1 ＝ 210 ＋ 240 ＋ 20 ＝ 470

最も利益の期待できるのはA2の方策です。よって，正解は イ です。

シラバスVer.6.0から新たに登場！

プログラム（擬似言語）問題への対策

シラバスVer.6.0から，プログラミング的思考力を問うための，プログラム言語（擬似言語）で書かれたプログラム問題が出題されます。擬似言語は，ITパスポート試験独自のプログラムの表記方法です。提示された処理手続が正しく行われるように，プログラムを読み解いて解答します。

（例）擬似言語で記述されたプログラム

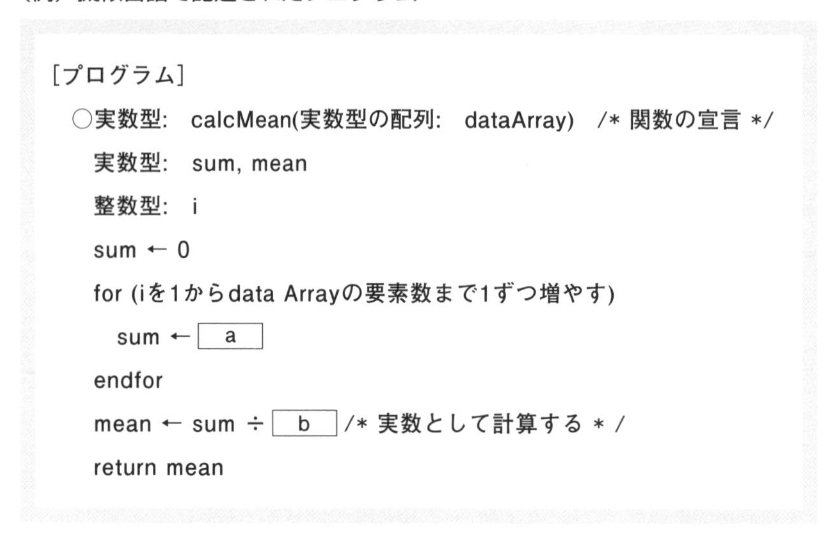

```
[プログラム]
 ○実数型:  calcMean(実数型の配列:  dataArray)  /* 関数の宣言 */
   実数型:  sum, mean
   整数型:  i
   sum ← 0
   for (iを1からdata Arrayの要素数まで1ずつ増やす)
     sum ← [  a  ]
   endfor
   mean ← sum ÷ [  b  ] /* 実数として計算する */
   return mean
```

このプログラムの読み解き方は，このあと詳しく説明するよ。109ページも参照してね。

※このプログラムは，IPAから公開された擬似言語のサンプル問題です。
※擬似言語の記述形式，演算子と優先順位などについては，481ページに掲載しています。

ここでは，プログラムの記述において重要な用語やルールを説明します。プログラム問題は難しいとイメージされるかもしれませんが，プログラムを穴埋めして完成する問題なので，ルールに従ってプログラムを読んでいくと十分に正解を得ることができます。まずは，プログラムを読むのに必要な知識をしっかり確認しておきましょう。

1 関数

関数は，与えられた値に対して，何らかの処理を行い，結果の値（**戻り値**）を返すものです。あらかじめ機能が用意されている関数を使うこともありますが，「関数の宣言」をして処理する内容を定義することができます。たとえば，上の例のプログラムでは1行目で「calcMean」という関数を宣言し，2行目以降で行う処理を定義しています。なお，関数名の前の「実数型」は戻り値のデータ型で，関数名の後ろの（　）の中には処理に使うデータ名「dataArray」とデータ型を引数として指定しています。

関数名　引数

○実数型：calcMean(実数型の配列: dataArray)　/* 関数の宣言 */

戻り値のデータ型引数　　関数で処理するデータ名とデータ型

記述ルール

手続・関数を宣言するとき，先頭に「○」を記載します。これから，こういう手続・関数を記述します，という意味です。

なお，「/* 関数の宣言 */」はプログラムに付けられた注釈で，処理には影響しない記述です。

○実数型： calcMean(実数型の配列: dataArray) /* 関数の宣言 */

注釈

> **記述ルール**
>
> 注釈を入れるとき，「/* □□ */」や「// □□」（□には簡単な説明が入る）のように記載します。

2 変数

変数は，数値や文字列などのデータを格納する「箱」のようなものです。繰り返し使ったり，後から参照したりするデータを一時的に記憶しておくことができます。変数には，「x」，「y」，「sum」などの名前を付けておき，これを**変数名**といいます。

変数にデータを入れる処理を**代入**といい，図1は変数xに「5」を代入した様子を表したものです。図2は「5」を代入した変数xに対して，「x+10」を2回繰り返す処理を表しています。

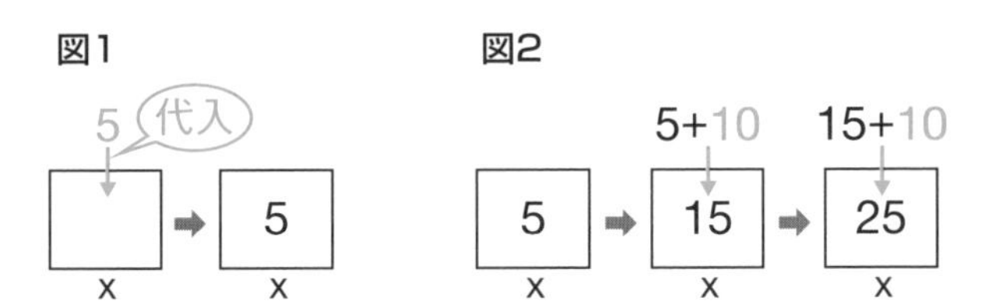

> **記述ルール**
>
> 変数への代入は，「x←0」のように記載します。

3 配列

配列は，データ型が同じ値を順番に並べたデータ構造のことです。配列の中にあるデータを**要素**といい，各要素には**要素番号**（**添え字**）が付けられています。プログラムで配列の中のデータを使う場合，配列名と要素番号によって指定します。たとえば，次の配列「exampleArray」について，「exampleArray[4]」と指定すると，4番目の要素にアクセスして「7」を参照することができます。

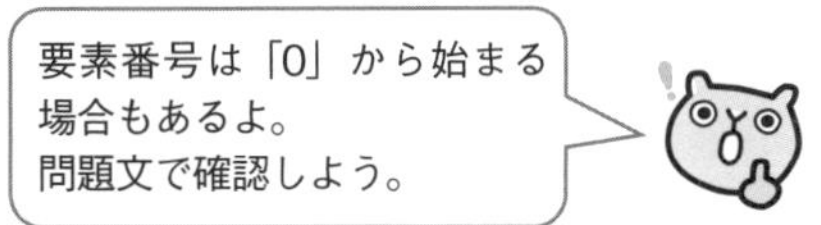

要素番号は「0」から始まる場合もあるよ。
問題文で確認しよう。

なお，上の図のようにデータを1行に並べたものを一次元配列，また，データを2行以上で表のように並べたものを二次元配列といいます。もし，配列「exampleArray」が二次元配列で，2行目5列目にある要素にアクセスするときは「exampleArray[2, 5]」のように指定します。

4 データ型

データ型は，プログラムで扱うデータの種類のことです。どのデータ型であるかは，プログラムで定義します。よく使う基本的なデータ型には，次のようなものがあります。

整数型：整数の数値を扱う（例）4　95　−3　0
実数型：小数を含む数値を扱う（例）1.23　−87.6
文字列型：文字列を扱う（例）"合格"　"maru"

> **記述ルール**
>
> 変数を宣言するとき，次のようにデータ型も記載します。
>
> （例）変数xと変数sumが実数型，変数yが整数型
>
> 実数型：x，sum
>
> 整数型：y

擬似言語のサンプル問題1

問1　関数calcMeanは，要素数が1以上の配列dataArrayを引数として受け取り，要素の値の平均を戻り値として返す。プログラム中のa，bに入れる字句の適切な組合せはどれか。ここで，配列の要素番号は1から始まる。

〔プログラム〕

```
○実数型: calcMean(実数型の配列: dataArray)  /*関数の宣言*/
  実数型: sum, mean
  整数型: i
  sum ← 0
  for (iを1からdataArrayの要素数まで1ずつ増やす)
    sum ← [ a ]
  endfor
  mean ← sum ÷ [ b ] /*実数として計算する*/
  return mean
```

	a	b
ア	sum＋dataArray[i]	dataArrayの要素数
イ	sum＋dataArray[i]	(dataArrayの要素数+1)
ウ	sum×dataArray[i]	dataArrayの要素数
エ	sum×dataArray[i]	(dataArrayの要素数+1)

解答・解説

1 問題文について

問題文を確認すると，出題されているプログラムについて，次のことがわかります。

・「calcMean」という関数を宣言し，平均を求める処理を行う
・平均をするのは，配列「dataArray」の要素の値である

まず，問題文を読んで，プログラムの概要を把握しよう。問題文には，どのような処理を行うプログラムなのか，提示されているよ。

また，配列を使う問題では，要素番号が0から始まるのか，1から始まるのかを確認しておきます。

本問では，「配列の要素番号は1から始まる」となっています。出題されるプログラムの記述によって，解答に影響することがあるので注意します。

2 プログラムについて

では，プログラムを1行目から順に読み解いていきます。

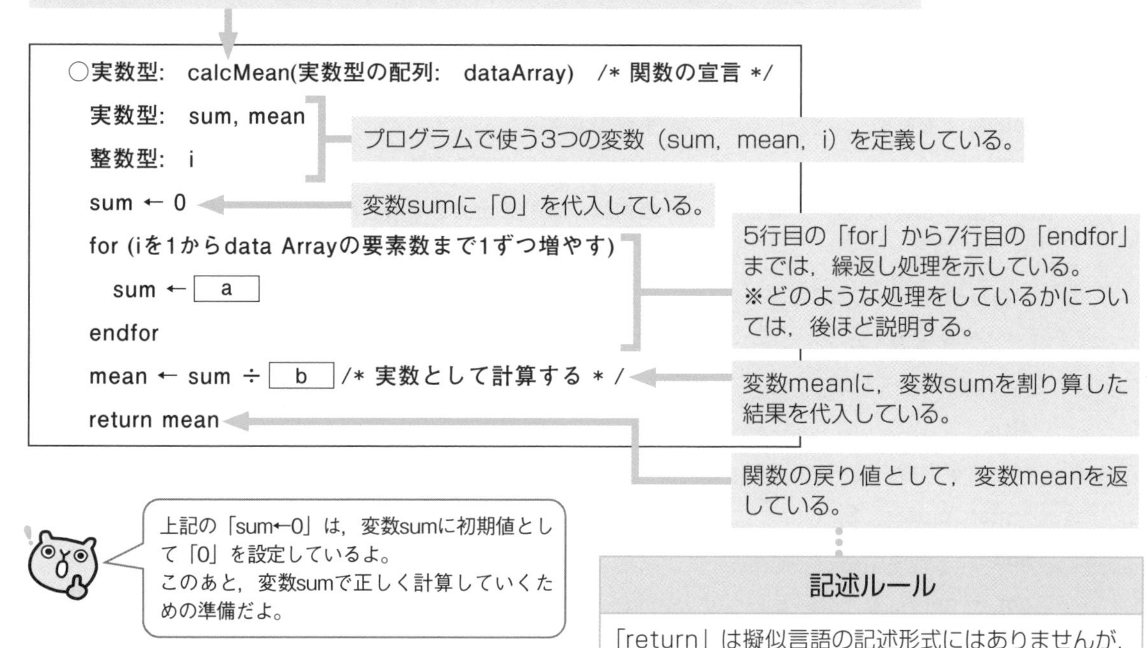

まず，「calcMean」という関数の宣言を行っている。
引数の（　）の中には，処理に使うデータとして，配列「dataArray」が指定されている。
○実数型: calcMean(実数型の配列: dataArray) /* 関数の宣言 */
実数型: sum, mean
整数型: i
プログラムで使う3つの変数（sum，mean，i）を定義している。
sum ← 0
変数sumに「0」を代入している。
for (iを1からdata Arrayの要素数まで1ずつ増やす)
sum ← a
endfor
5行目の「for」から7行目の「endfor」までは，繰返し処理を示している。
※どのような処理をしているかについては，後ほど説明する。
mean ← sum ÷ b /* 実数として計算する * /
変数meanに，変数sumを割り算した結果を代入している。
return mean
関数の戻り値として，変数meanを返している。
上記の「sum←0」は，変数sumに初期値として「0」を設定しているよ。
このあと，変数sumで正しく計算していくための準備だよ。

記述ルール

「return」は擬似言語の記述形式にはありませんが，戻り値を返すことを示すものです。

3 解答の求め方・攻略

平均値を求めるときは，数値を合計し，合計値を数値の個数で割り算します。このうち，数値を合計することを，5～7行目の繰返し処理で行っています。

forの（　）の中にある「i」は，配列「dataArray」の要素番号を示す変数です。たとえば，下の例のようなデータ構造であった場合，変数iは1から3まで，1ずつ増えていきます。そして，変数iが1のときは「5」，2のときは「7」，3のときは「10」が，それぞれ配列から取り出されます。

記述ルール

forに続く（　）内の内容に基づいて，処理を繰り返し実行します。

```
for (制御記述)
  処理
endfor
```

（例）配列「dataArray」

5	7	10
1	2	3

要素数が3つの場合，
「i」は1から3まで，1つずつ増える

この繰返し処理によって，配列「dataArray」に格納されている数値を1つずつ取り出し，変数sumを使って合計していきます。したがって，［a］には，選択肢より「sum+dataArray［i］」が入ります。

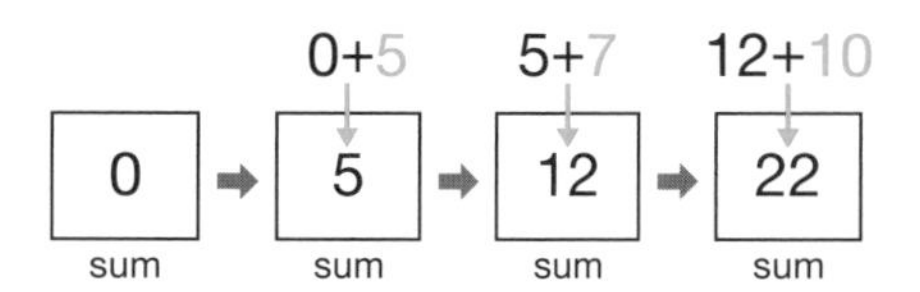

また，［b］には，合計値を割り算するデータの個数が入ります。つまり，配列「dataArray」の要素の数になるので，選択肢より「dataArrayの要素数」になります。よって，正解はアです。

擬似言語のサンプル問題2

問2　手続printStarsは，“☆”と“★”を交互に，引数numで指定された数だけ出力する。プログラム中のa，bに入れる字句の適切な組合せはどれか。ここで，引数numの値が0以下のときは，何も出力しない。

［プログラム］

```
○printStars(整数型: num)              /* 手続の宣言 */
  整数型:  cnt ← 0                     /* 出力した数を初期化する */
  文字列型:  starColor ← "SC1"         /* 最初は“☆”を出力させる */
  [  a  ]
    if (starColorが"SC1"と等しい)
      "☆" を出力する
      starColor ← "SC2"
    else
      "★"を出力する
      starColor ← "SC1"
    endif
    cnt ← cnt + 1
  [  b  ]
```

	a	b
ア	do	while(cntがnum以下)
イ	do	while (cntがnumより小さい)
ウ	while(cntがnum以下)	endwhile
エ	while(cntがnumより小さい)	endwhile

解答・解説

1 問題文について

問題文を確認すると，出題されているプログラムについて，次のことがわかります。

- 手続printStarsは，“☆”と“★”を交互に出力する処理を行う
- 出力する回数は，引数numで指定する
- 引数numの値が0以下のときは，何も出力しない

つまり，このプログラムは，引数numに数値を指定することで，「☆」「☆★」「☆★☆」のような処理を行います。「引数numが0以下のときは，何も出力されない」という条件も，ポイントとして押さえておきます。

2 プログラムについて

では，プログラムを1行目から順に読み解いていきます。
なお，4行目と13行目は，［ a ］や［ b ］の穴だけなので省略します。

まず，「printStars」という手続の宣言を行う。引数の（　）の中には，☆や★の出力回数を指定する，引数numが指定されている。

変数cntを定義し，「0」を代入して初期化する。整数型なので，入れることができる値は「1」「2」「3」･･･「99」「100」などになる。

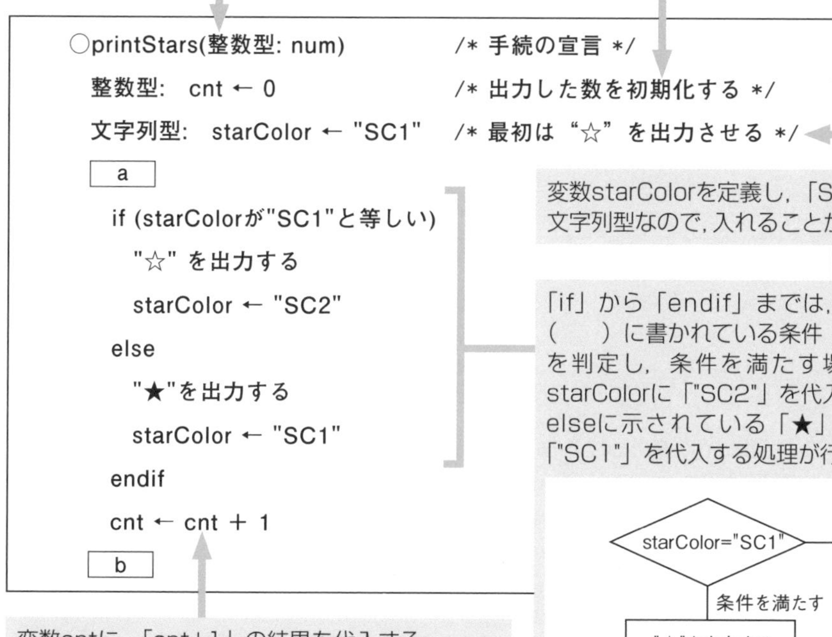

```
○printStars(整数型: num)            /* 手続の宣言 */
  整数型:  cnt ← 0                   /* 出力した数を初期化する */
  文字列型:  starColor ← "SC1"       /* 最初は“☆”を出力させる */
  [ a ]
    if (starColorが"SC1"と等しい)
      "☆" を出力する
      starColor ← "SC2"
    else
      "★"を出力する
      starColor ← "SC1"
    endif
    cnt ← cnt ＋ 1
  [ b ]
```

変数starColorを定義し，「SC1」を代入する。
文字列型なので，入れることができる値は文字列のみとなる。

「if」から「endif」までは，選択処理を示している。ifの（　）に書かれている条件「starColorが"SC1"と等しい」を判定し，条件を満たす場合は「☆」を出力し，変数starColorに「"SC2"」を代入する。条件を満たさない場合，elseに示されている「★」を出力し，変数starColorに「"SC1"」を代入する処理が行われる。

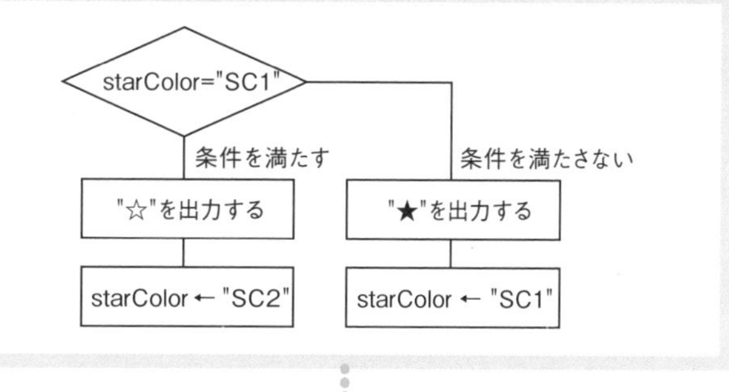

変数cntに，「cnt+1」の結果を代入する。
処理を繰り返すごとに，変数cntの数値が1ずつ増えていく。

記述ルール

ifの（　）の条件を判定し，条件を満たす場合は「処理1」，条件を満たさない場合は「処理2」を実行します。

```
if (条件式)
   処理1
else
   処理2
endif
```

「elseif（条件式）」を入れて，複数の条件を指定することもできる

3 解答の求め方・攻略

選択肢を確認すると，[a] と [b] には，前判定繰返し処理の「while ( )」と「endwhile」の組合せか，後判定繰返し処理の「do」と「while ( )」の組合せのどちらかが入ります。

これらは，どちらも条件を指定し，条件を満たしている間，処理を繰り返すものですが，次のような違いがあります。

・**前判定繰返し処理：**
条件を判定し，条件を満たしていれば処理を行い，満たしていない場合は処理を行わない。
処理が1回も行われない場合もある。

・**後判定繰返し処理：**
まず，処理を行う。そのあと，繰り返すかどうかを判定する。
必ず1回は処理が行われる。

記述ルール

・前判定繰返し処理
条件式を満たす間，処理を繰り返し実行します。

```
while (条件式)
  処理
endwhile
```

・後判定繰返し処理
処理を実行し，条件式を満たす間，処理を繰り返し実行します。

```
do
  処理
while (条件式)
```

このプログラムでは，問題文より，引数numの値が0以下のときは何も出力しません。後判定繰返し処理にすると，引数numが0以下のときでも，必ず1回は出力されてしまいます。そのため，後判定繰返し処理は適切ではなく，[a] と [b] には前判定繰返しの組合せが入ります。

選択肢の中で，前判定繰返しの組合せはウとエですが，whileの（　　）が「cntがnum以下」または「cntがnumより小さい」と異なっています。これらの変数を確認するため，3回出力する場合を考えてみます。変数numに「3」を指定すると，変数cntの値と出力結果は次のようになります。

（例）引数numに「3」を指定し，3回出力する

	cntの値	numの値	出力結果
1回目	0	3	☆
2回目	1	3	☆★
3回目	**2**	3	☆★☆

↑ 繰返し処理が終了になる

具体的な数値を入れて考えてみよう。
変数の値を確認しやすいよ。

変数cntの値は「0」から始まり，処理を繰り返すごとに1ずつ増え，3回目の出力を終えたあと「2」になります。このとき，変数cntは変数numより小さく，ここで繰返しの処理が終了になります。これより，whileの（　　）には，「cntがnumより小さい」が入ります。「cntがnum以下」にすると，1回，余分に出力されることになります。よって，正解はエです。

第1章

よく出る問題

ストラテジ系

ここでは，iパス（IT パスポート試験）の過去問題から，繰り返し出題されている用語や内容など，重要度が高いと思われる問題を厳選して解説しています（一部，問題を改訂）。

章末（174ページ）に，ストラテジ系の必修用語を掲載しています。
試験直前の対策用としてご利用ください。

大分類1 企業と法務

中分類1：企業活動

▶ キーワード　問1

- 経営理念
- 経営資源

問1

経営理念を説明したものはどれか。

ア　企業が活動する際に指針となる基本的な考え方であり，企業の存在意義や価値観などを示したもの
イ　企業が競争優位性を構築するために活用する資源であり，一般的に人・物・金・情報で分類されるもの
ウ　企業の将来の方向を示したビジョンを具現化するための意思決定計画であり，長期・中期・短期の別に策定されるもの
エ　企業のもつ個性，固有の企業らしさのことで社風とも呼ばれ，長年の企業活動の中で生み出され定着してきたもの

▶ キーワード　問2

- 株主総会
- 株主
- 取締役
- 監査役

問2

株主総会の決議を必要とする事項だけを，全て挙げたものはどれか。

a　監査役を選任する。　　b　企業合併を決定する。
c　事業戦略を執行する。　d　取締役を選任する。

ア　a，b，d　イ　a，c　ウ　b　エ　c，d

▶ キーワード　問3

- CSR
- MBO（目標による管理）

問3

利益の追求だけでなく，社会に対する貢献や地球環境の保護などの社会課題を認識して取り組むという企業活動の基本となる考え方はどれか。

ア　BCP　イ　CSR　ウ　M&A　エ　MBO

▶ キーワード　問4

- グリーンIT

問4

グリーンITの考え方に基づく取組みの事例として，適切なものはどれか。

ア　LEDの青色光による目の疲労を軽減するよう配慮したディスプレイを使用する。
イ　サーバ室の出入口にエアシャワー装置を設置する。
ウ　災害時に備えたバックアップシステムを構築する。
エ　資料の紙への印刷は制限して，PCのディスプレイによる閲覧に留めることを原則とする。

解説

問1 経営理念

○ア 正解です。経営理念は企業の活動において指針となる基本的な考え方で，「この会社は何のために存在しているのか」「どのような目標に向かって経営するのか」など，企業の存在意義，価値観，使命などを示したものです。

×イ 経営資源の説明です。経営資源は企業を経営していくうえで活用するもので，「ヒト・モノ・カネ・情報」は四大経営資源と呼ばれています。

×ウ 経営計画の説明です。

×エ 企業風土の説明です。

問2 株主総会

株式会社では，株式を発行して出資者からお金を調達し，株式を得た出資者は株主になります。株主総会は株式会社の最高意思決定機関で，株主が集まって会社運営における重要事項を決定する会議です。また，株式会社には，次の機関があります。

取締役	会社の重要事項や方針を決定する権限をもつ役員のこと。取締役で構成される機関を取締役会といい，会社の業務執行の決定などを行う。
監査役	取締役の職務執行や会社の会計を監査する機関。会社の経営が適法に行われているか，会計に不正処理がないかなどを調査し，不当な点があれば阻止・是正する役割をもつ。

株主総会で決議することには，「取締役や監査役の選任」「会社の合併，分割，解散」「定款の変更」などがあります。問題のa～dのうち，株主総会で決議することは，aの「監査役を選任する」，bの「企業合併を決定する」，dの「取締役を選任する」です。cの「事業戦略を執行する」は経営者が行うことです。よって，正解は ア です。

問3 CSR

×ア BCP（Business Continuity Plan）は事業継続計画のことで，大規模災害などの発生時においても，事業が継続できるように準備することです。

○イ 正解です。CSR（Corporate Social Responsibility）は社会的責任の遂行を目的として，利益の追求だけでなく，地域への社会貢献やボランティア活動，地球環境の保護活動など，社会に貢献する責任も負っているという考え方です。従業員に対する取組みも求められます。

×ウ M&Aは，企業が事業規模を拡大するに当たり，合併や買収などによって，他社の全部または一部の支配権を取得することです。

×エ MBO（Management BuyOut）は，経営権の取得を目的として，経営陣や幹部職員が親会社などから株式や営業資産を買い取ることです。また，「目標による管理」（Management By Objectives）を示す場合もあります。

問4 グリーンIT

グリーンITは，パソコンやサーバ，ネットワークなどの情報通信機器の省エネや資源の有効利用だけでなく，それらの機器を利用することによって，社会の省エネを推進し，環境を保護していくという考え方です。

具体的なグリーンITの取組みには，たとえばテレビ会議による出張の削減，ペーパレス化による紙資源の節約などがあります。選択肢 ア～エ を確認すると，ア，イ，ウ の取組みは省エネの推進や環境保護とは関係ありません。エ の「紙への印刷を制限」はペーパレス化であり，グリーンITに基づく取組みとして適切です。よって，正解は エ です。

問1

参考 企業が目指す将来の姿を「経営ビジョン」というよ。経営理念に基づき，企業が望む，将来のあるべき姿を具体化したものだよ。

定款（ていかん） 問2

会社の組織，活動，運営について，根本的な事項を定めた規則。事業内容，商号，本店所在地，役員の数などを記載する。

目標による管理 問3

社員が自ら目標を設定し，その達成度に応じて評価を行う管理手法のこと。

問3

参考 CSRは「企業の社会的責任」ともいうよ。

大分類1 企業と法務

▶ キーワード 問5
- □ ダイバーシティ
- □ ワークライフバランス

問5

□□□

性別，年齢，国籍，経験などが個人ごとに異なるような多様性を示す言葉として，適切なものはどれか。

ア グラスシーリング
イ ダイバーシティ
ウ ホワイトカラーエグゼンプション
エ ワークライフバランス

▶ キーワード 問6
- □ OJT
- □ Off-JT
- □ e-ラーニング
- □ CDP
- □ アダプティブラーニング

問6

□□□

現在担当している業務の実践を通じて，業務の遂行に必要な技術や知識を習得させる教育訓練の手法はどれか。

ア CDP　　イ e-ラーニング
ウ Off-JT　　エ OJT

▶ キーワード 問7
- □ BCP
- □ BCM

問7

□□□

地震，洪水といった自然災害，テロ行為といった人為災害などによって企業の業務が停止した場合，顧客や取引先の業務にも重大な影響を与えることがある。こうした事象の発生を想定して，製造業のX社は次の対策を採ることにした。対策aとbに該当する用語の組合せはどれか。

[対策]
a 異なる地域の工場が相互の生産ラインをバックアップするプロセスを準備する。
b 準備したプロセスへの切換えがスムーズに行えるように，定期的にプロセスの試験運用見直しを行う。

	a	b
ア	BCP	BCM
イ	BCP	SCM
ウ	BPR	BCM
エ	BPR	SCM

合格のカギ

解説

問5 ダイバーシティ

×ア **グラスシーリング**（Glass Ceiling）は，能力や成果のある人材が，性別や人種などによって，組織内で昇進を阻まれている状態のことです。

○イ 正解です。ダイバーシティ（Diversity）は**多様性という意味で，性別，年齢，国籍，経験などが個人ごとに異なることを示す言葉**です。

×ウ **ホワイトカラーエグゼンプション**（White-collar Exemption）は，事務系の労働者を対象として，労働時間規制の適用を除外する制度のことです。

×エ ワークライフバランス（Work-life Balance）は**仕事と生活の調和**という意味で，**仕事と仕事以外の生活を調和させ，その両方の充実を図るという考え方**です。

問5

参考 グラスシーリングは「ガラスの天井」ともいうよ。昇進を阻む，見えない天井があることを表現しているよ。

問6 OJT

×ア CDP（Career Development Program）は，**長期的な視点で従業員の能力開発を支援する仕組み**のことです。

×イ e-ラーニングは，**パソコンやインターネットなどの情報技術を利用した学習方法**です。

×ウ Off-JT（Off the Job Training）は，**集合研修や社外セミナー，通信教育など，職場や業務を離れて行う教育訓練**のことです。

○エ 正解です。OJT（On the Job Training）は**実際の業務を通じて，仕事に必要な知識や技術を習得させる教育訓練**のことです。

問6

参考 学習者1人ひとりの理解度や進捗に合わせて，学習内容や学習レベルを調整して提供する教育手法を「アダプティブラーニング」というよ。

問7 BCP，BCM

選択肢のア～エに記載されている用語は，次の通りです。

「対策a」の用語

BCP（Business Continuity Plan）
　災害や事故などの不測の事態が発生した場合でも，重要な事業を継続し，もし事業が中断しても早期に復旧できるように策定しておく計画です。事業継続計画ともいいます。

BPR（Business Process Reengineering）
　企業の業務効率や生産性を改善するため，既存の組織やビジネスルールを全面的に見直し，業務プロセスを抜本的に改革することです。

「対策b」の用語

BCM（Business Continuity Management）
　BCPを策定し，その運用や見直しなどを継続的に行う活動です。事業継続マネジメントともいいます。

SCM（Supply Chain Management）
　資材の調達から生産，流通，販売に至る一連の流れを統合的に管理し，コスト削減や経営の効率化を図る経営手法です。**サプライチェーンマネジメント**ともいいます。

　自然災害や人為災害への対策に関するものは「BCP」と「BCM」です。よって，正解はアです。

問7

参考 BCPとBCMのどちらも，「B」は「Business（事業）」，「C」は「Continuity（継続）」を意味するよ。

問7

対策 BPRとSCMも頻出の用語なので，ぜひ覚えておこう。

大分類1 企業と法務

▶ キーワード 問8

- □ 職能別組織
- □ 事業部制組織
- □ カンパニ制組織
- □ 社内ベンチャ組織
- □ プロジェクト組織
- □ マトリックス組織
- □ ネットワーク組織

▶ キーワード 問9

- □ CEO
- □ CIO
- □ CFO
- □ CHO
- □ CTO
- □ COO

▶ キーワード 問10

- □ パレート図

問8

□□□

2人又はそれ以上の上司から指揮命令を受けるが，プロジェクトの目的別管理と職能部門の職能的責任との調和を図る組織構造はどれか。

ア 事業部制組織　　イ 社内ベンチャ組織
ウ 職能別組織　　エ マトリックス組織

問9

□□□

経営幹部の役職のうち，情報システムを統括する最高責任者はどれか。

ア CEO　イ CFO　ウ CIO　エ COO

問10

□□□

パレート図の説明として，適切なものはどれか。

ア 作業を矢線で，作業の始点／終点を丸印で示して，それらを順次左から右へとつなぎ，作業の開始から終了までの流れを表現した図
イ 二次元データの値を縦軸と横軸の座標値としてプロットした図
ウ 分類項目別に分けたデータを件数の多い順に並べた棒グラフで示し，重ねて総件数に対する比率の累積和を折れ線グラフで示した図
エ 放射状に伸びた数値軸上の値を線で結んだ多角形の図

問 8 企業の組織形態

企業の組織形態には，次のようなものがあります。

職能別組織	営業や開発，人事，商品企画など，同じ職務を行う部門ごとに分けた組織形態。
事業部制組織	地域や製品，市場などの単位で，事業部を分けた組織形態。
カンパニ制組織	事業部制組織の独立性を高め，各事業部を独立した会社のようにみなす組織形態。事業部制より与えられている権限が大きく，意思決定の迅速化や経営責任の明確化が図れる。
社内ベンチャ組織	社内にベンチャ事業を行う部門やプロジェクトを設けた組織形態。これらの組織は独立した企業のように運営し，成果に対して起業者としての権限と責任が与えられる。
プロジェクト組織	新規事業の立ち上げなど，特定の目的を実行するために，必要な人材を集めて編成する組織形態。プロジェクトを達成すると組織は解散する。
マトリックス組織	「営業部」かつ「販促プロジェクト」にも所属というような，2つの異なる組織体系に社員が所属するような組織形態。複数の部署に属しているので，指揮命令が複雑になる欠点がある。
ネットワーク組織	組織の構成員が対等な関係で連携し，自立性を有している組織形態。企業や部門の壁を越えて，編成されることもある。

本問の説明は，マトリックス組織に関する内容です。よって，正解は エ です。

問 9 情報システムを統括する責任者

企業における責任者の主な役職として，次のようなものがあります。

CEO	最高経営責任者。企業の代表者として，経営全体に責任をもつ。Chief Executive Officerの略。
CIO	最高情報責任者。情報システムの最高責任者として，情報システム戦略の策定・実行に責任をもつ。Chief Information Officerの略。
CFO	最高財務責任者。財務部門の最高責任者として，資金調達や運用などの財務に関して責任をもつ。Chief Financial Officerの略。
CHO	最高人事責任者。企業の人事を統括し，人事戦略に責任をもつ。Chief Human Officerの略。
CTO	最高技術責任者。専門的な技術・知識を用いる技術部門の最高責任者として，企業における技術戦略，開発，研究に責任をもつ。Chief Technology Officerの略。
COO	最高執行責任者。経営方針や経営戦略に基づいた，日常の業務の執行に責任をもつ。Chief Operating Officerの略。

情報システムを統括する最高責任者はCIOです。よって，正解は ウ です。

問 10 パレート図

パレート図は，**数値を大きい順に並べた棒グラフと，棒グラフの数値の累計比率を示した折れ線グラフを組み合わせた図**で，重要な項目を調べるときに使用します。たとえば，右図のようなパレート図では，不良品数が多い要因や，その要因の全体に対する割合がどのくらいなのかを把握することができます。

× ア **アローダイアグラム**の説明です。
× イ **散布図**の説明です。
○ ウ 正解です。**パレート図**の説明です。**パレート図は，ABC分析で使用されます。**
× エ **レーダーチャート**の説明です。

事業部制組織 問8

たとえば，次の図は地域別（「関東」「関西」「海外」）に事業部を分けている。

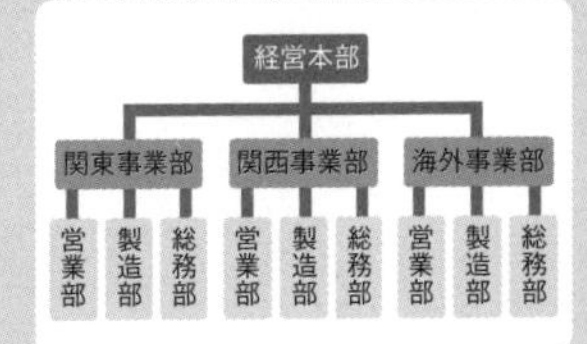

問8

対策 「事業部制組織」「職能別組織」「マトリックス組織」は，よく出題されているので必ず覚えておこう。

問9

対策 どの役職が出題されてもよいように，役職と責任をもつ対象を覚えておこう。

パレート図 問10

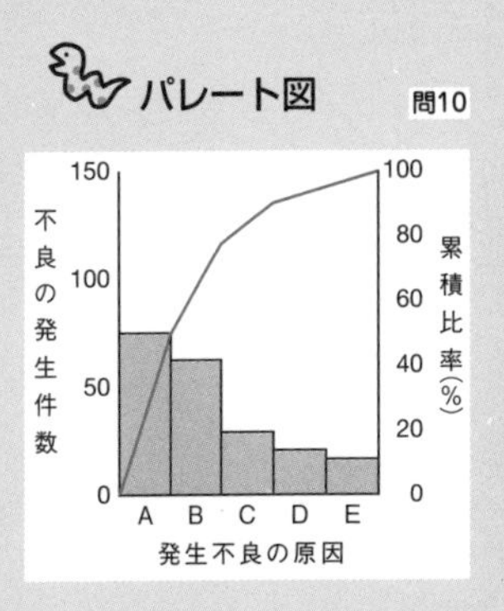

▶ キーワード　問11

□ ABC分析

問11

□□□

不良品の個数を製品別に集計すると表のようになった。ABC分析に基づいて対策を取るべきA群の製品は何種類か。ここで，A群は70%以上とする。

製品	P	Q	R	S	T	U	V	W	X	合計
個数	182	136	120	98	91	83	70	60	35	875

ア 3　イ 4　ウ 5　エ 6

▶ キーワード　問12

□ 管理図

問12

□□□

二つの管理図は，工場内の製造ラインA，Bで生産された製品の，製造日ごとの品質特性値を示している。製造ラインA，Bへの対応のうち，適切なものはどれか。

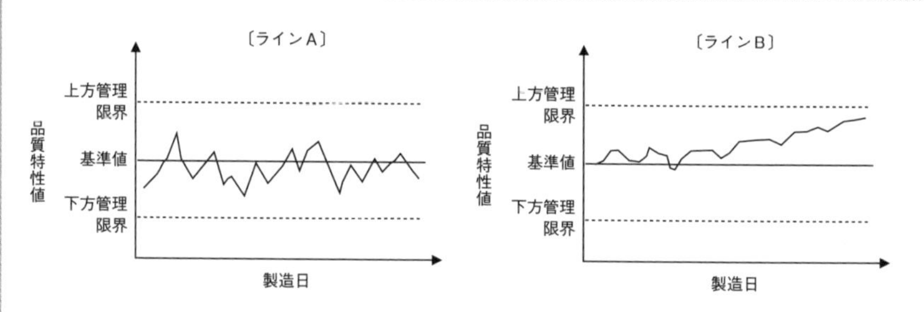

ア ラインAは，ラインBより値のばらつきが大きいので，原因の究明を行う。

イ ラインA，Bとも値が管理限界内に収まっているので，このまま様子をみる。

ウ ラインA，Bとも値が基準値から外れているので，原因の究明を行う。

エ ラインBは，値が継続して増加傾向にあるので，原因の究明を行う。

問11 ABC分析

ABC分析は，項目の全体に対する割合（構成比）の累計値によって，項目をA，B，Cのランクに分ける分析方法です。売上で多くの割合を占める商品はどれか，製造した部品で不良品数が多い要因はどれかなど，重要な項目を調べることができます。

ABC分析を行うには，分析対象の項目を数値の大きい順に並べ，その順に累計を求めていきます。本問ではA群に含まれるのは全体の70%以上なので，

合計×70%＝875×0.7＝612.5

となります。よって，累計が612.5を超えるまでの製品がA群です。

数値の大きい順 →

製品	P	Q	R	S	T	U	V	W	X	合計
個数	182	136	120	98	91	83	70	60	35	875
累計		318	438	536	627 …612.5を超えた					

累計を確認すると，P，Q，R，S，Tで全体の70%を超えるので，これらがA群の製品となります。正解は ウ です。

なお，本問の製品についてB群を95%，残りをC群とした場合，B群に含まれるのは，

合計×95%＝875×0.95＝831.25

なので製品U，V，WがB群，製品XがC群になります。

製品	P	Q	R	S	T	U	V	W	X	合計
個数	182	136	120	98	91	83	70	60	35	875
累計		318	438	536	627	710	780	840	875	
	A群					B群			C群	

問12 管理図

管理図は，品質や製造工程の管理に使われる，時系列にデータを表した折れ線グラフです。品質や製造工程が安定した状態にあり，異常が発生していないかを発見するのに用います。

たとえば，機械で作った部品でも1つずつ重さが微妙に違うことがあり，その重さを製造順に表すと，基準値（基準とする重さ）を上下した折れ線グラフになります。その際，折れ線が管理限界を超えたり，管理限界内に収まっていても，一定方向にデータが偏っていたりするときは，製造工程に問題が起きている可能性があります。

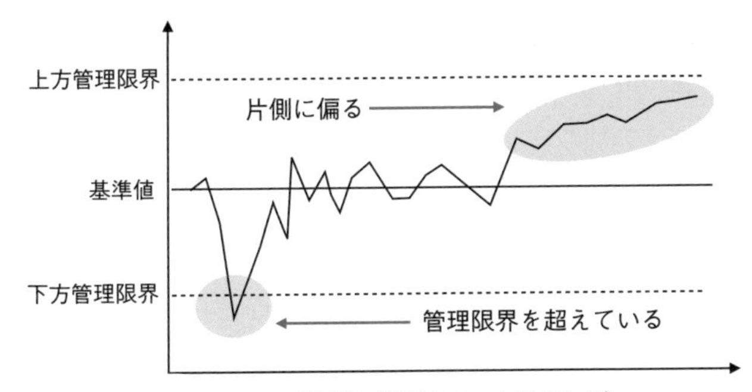

本問では，ラインAは管理限界内に収まり，特定の傾向は見受けられません。ラインBは管理限界内に収まっていますが，徐々に増加しており，何らかの異常が発生している可能性があります。よって，正解は エ です。

合格のカギ

問11

参考 ABC分析は，商品管理や在庫管理，品質管理で使用されるよ。たとえば，商品数が多くて管理が大変という場合，ABC分析で商品を分類し，「売れ行きのよい商品は手厚く管理」といったように，重要度によって手間のかけ方を変えるという判断ができるよ。

▶ キーワード 問13

- □ ヒストグラム
- □ 度数分布表

問13 ヒストグラムを説明したものはどれか。

□□□

ア 2変数を縦軸と横軸にとり，測定された値を打点し作図して2変数の相関関係を示したもの

イ 管理項目を出現頻度の大きい順に並べた棒グラフとその累積和の折れ線グラフを組み合わせたもの

ウ データを幾つかの区間に分類し，各区間に属する測定値の度数に比例する面積をもつ長方形を並べたもの

エ 複雑な原因と結果の関係を結び整理して示したもの

▶ キーワード 問14

- □ 散布図
- □ 正の相関
- □ 負の相関

問14 散布図のうち，“負の相関”を示すものはどれか。

□□□

ア
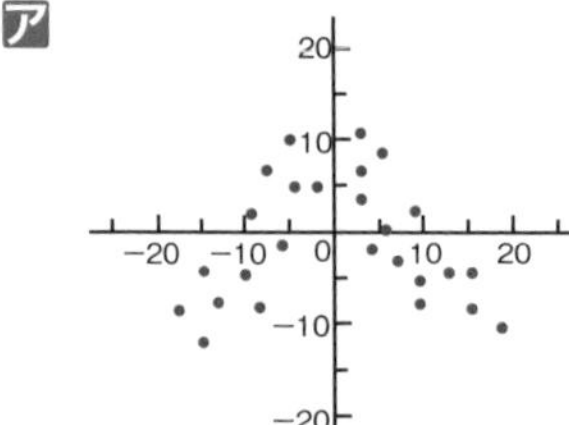

イ
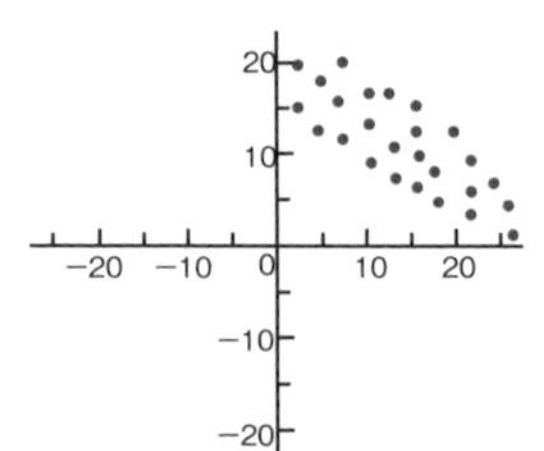

ウ
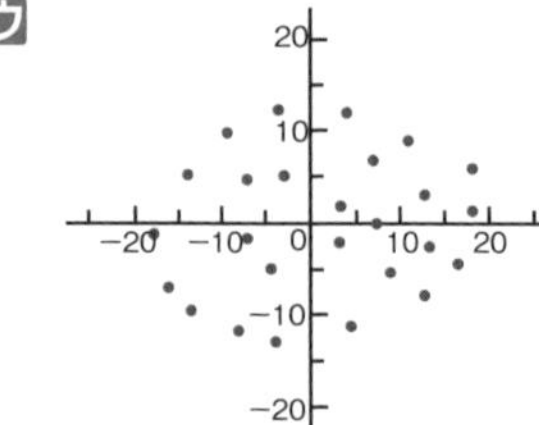

エ
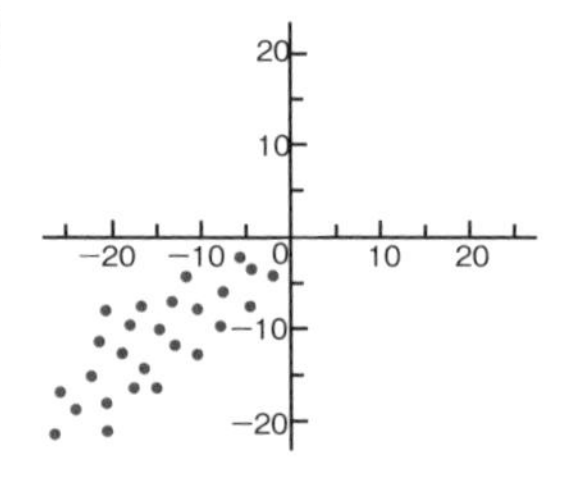

▶ キーワード 問15

- □ レーダーチャート
- □ 特性要因図
- □ 円グラフ

問15 クラスの学生の8科目の成績をそれぞれ5段階で評価した。クラスの平均点と学生の成績の比較や，科目間の成績のバランスを評価するために用いるグラフとして，最も適切なものはどれか。

□□□

ア 円グラフ　　イ 特性要因図

ウ パレート図　　エ レーダーチャート

問13 ヒストグラム

ヒストグラムは，収集したデータを幾つかの区間に分類し，各区間のデータの個数を棒グラフで表したものです。ヒストグラムを利用すると，データの分布やばらつきを視覚的に確認することができます。

区間(体重) 以上　未満	度数(人数)
35 ～ 40	2
40 ～ 45	4
45 ～ 50	7
50 ～ 55	8
55 ～ 60	6
60 ～ 65	3

ヒストグラムの例

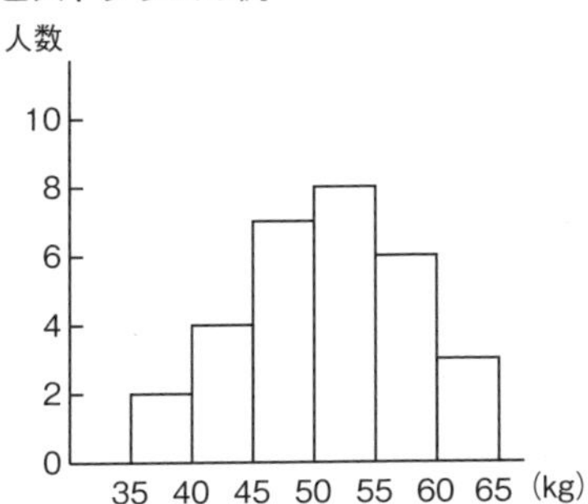

×ア　散布図の説明です。
×イ　**パレート図**の説明です。
○ウ　正解です。ヒストグラムの説明です。
×エ　**特性要因図**の説明です。

問14 散布図

散布図は，2つの項目を縦軸と横軸にとり，点でデータを示したグラフです。点がどのように分布しているかによって，2つの項目の間に相関関係があるかどうかを調べることができます。

相関関係とは，たとえば「身長が高ければ，体重も重い」のように，2つの項目が連動していることです。**点が右上がりにまとまっている場合は正の相関**といい，一方の値が増えるともう一方も増える傾向にあることがわかります。**点が右下がりにまとまっている場合は負の相関**といい，一方の値が増えるともう一方が減る傾向にあります。また，**点の分布がばらばらの場合は相関がない（無相関）**といい，項目間に相関関係はありません。

本問は負の相関を示す図を選択するので，正解はイです。なお，エは正の相関があり，アとウは相関がありません。

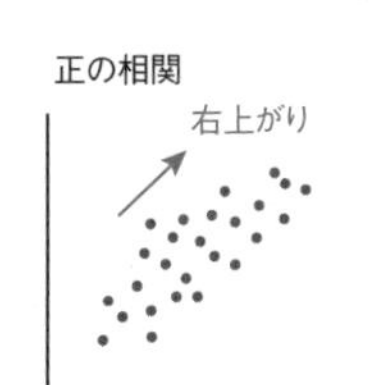

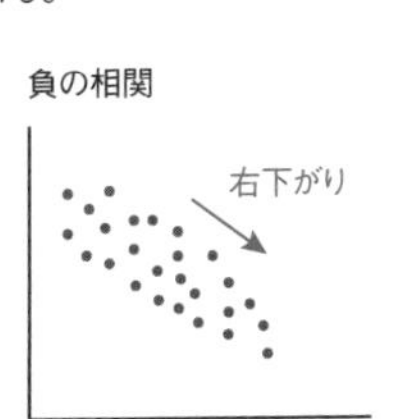

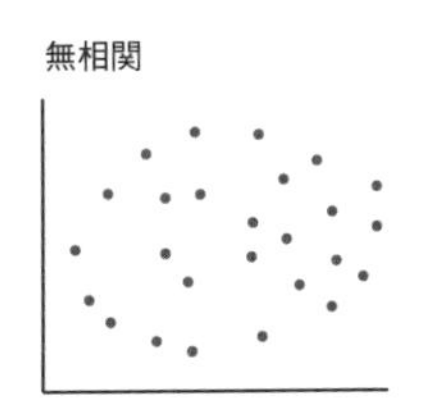

問15 レーダーチャート

×ア　**円グラフ**は，構成比を比較するのに適したグラフです。
×イ　**特性要因図**は，「原因」と「結果」の関係を体系的にまとめた図です。結果（不具合）がどのような原因によって起きているのかを調べるときに使用します。魚の骨のような見た目から「フィッシュボーンチャート」とも呼ばれます。
×ウ　**パレート図**は，棒グラフと，棒グラフの数値の累計比率を示した折れ線グラフを組み合わせた図で，重要な項目を調べるときに使用します。
○エ　正解です。**レーダーチャート**は放射状に伸びた数値軸上の値を線で結んだ多角形の図で，項目間のバランスを表現するのに適しています。

合格のカギ

問13

参考 各区間のデータの個数をまとめた表を「度数分布表」，各区間のデータの個数を「度数」と呼ぶよ。

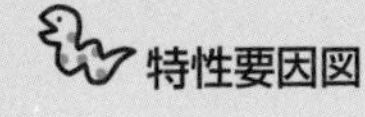

特性要因図　問15

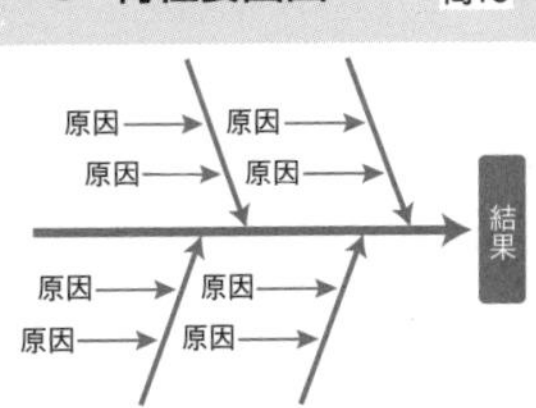

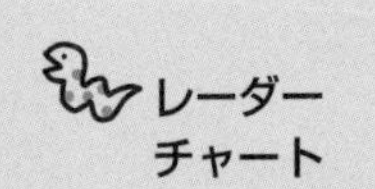

レーダーチャート　問15

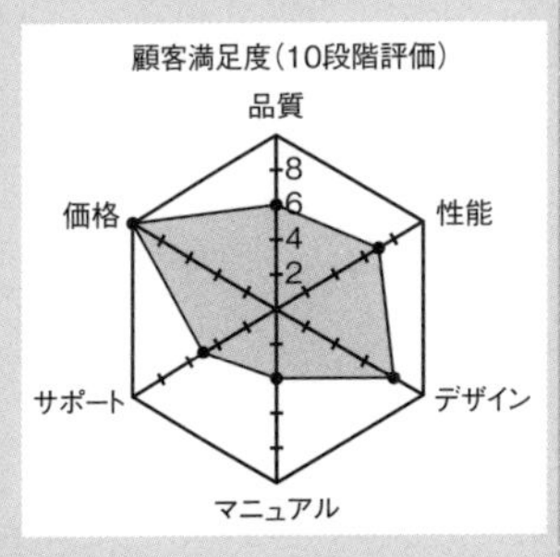

▶ キーワード　問16

- □ 連関図法
- □ 系統図法
- □ 親和図法
- □ PDPC法

問16

□□□

親和図法を説明したものはどれか。

ア　事態の進展とともに様々な事象が想定される問題について，対応策を検討し望ましい結果に至るプロセスを定める方法である。

イ　収集した情報を相互の関連によってグループ化し，解決すべき問題点を明確にする方法である。

ウ　複雑な要因の絡み合う事象について，その事象間の因果関係を明らかにする方法である。

エ　目的・目標を達成するための手段・方策を順次展開し，最適な手段・方策を追求していく方法である。

▶ キーワード　問17

- □ データマイニング
- □ データウェアハウス
- □ BI

問17

□□□

蓄積された販売データなどから，天候と売れ筋商品の関連性などの規則性を見つけ出す手法を表す用語はどれか。

ア　データウェアハウス　　イ　データプロセッシング

ウ　データマイニング　　エ　データモデリング

▶ キーワード　問18

- □ ブレーンストーミング

問18

□□□

ブレーンストーミングの進め方のうち，適切なものはどれか。

ア　自由奔放なアイディアは控え，実現可能なアイディアの提出を求める。

イ　他のメンバーの案に便乗した改善案が出ても，とがめずに進める。

ウ　メンバーから出される意見の中で，テーマに適したものを選択しながら進める。

エ　量よりも質の高いアイディアを追求するために，アイディアの批判を奨励する。

解説

問16 親和図法

業務を把握，改善するための手法には，次のようなものがあります。

連関図法	ある出来事について，「原因と結果」または「目的と手段」といったつながりを明らかにする手法。
系統図法	目的を達成するための手段を細分化し，系統ごとに段階的にまとめる手法。
親和図法	収集した情報から関連のあるものをグループ化して，整理する手法。
PDPC法	問題に対する対応策とその流れをできるだけ考え，最善策を調べる手法。

×ア　PDPC法の説明です。
○イ　正解です。親和図法の説明です。
×ウ　連関図法の説明です。
×エ　系統図法の説明です。

問17 データマイニング

×ア　データウェアハウスは，企業経営の意思決定を支援するために，目的別に編成された，時系列のデータの集まりです。
×イ　データプロセッシングは，コンピュータによって，必要とする結果を得るために行うデータ処理操作のことです。
○ウ　正解です。**データマイニング**は，統計やパターン認識などを用いることによって，大量に蓄積されたデータの中に存在する，ある規則性や関係性を導き出す技術です。たとえば，「商品Aを買った人は，商品Bも同時に買う傾向がある」ということがわかれば，商品Aの近くに商品Bを置くことで売上の増加が期待できます。
×エ　**データモデリング**は，業務システムなどにおけるデータの関係や流れを図式化して表すことです。

問18 ブレーンストーミング

ブレーンストーミングは複数人で意見を出し合い，新しいアイディアを生み出す技法です。アイディアを出し合うことが目的のため，一般的に適切ではないような意見の出し方でもかまいません。なお，ブレーンストーミングを行うときには，次のルールがあります。

批判禁止	他の人の意見を批判したり，良し悪しを批評したりしない。
質より量	できるだけ多くの意見を出し合う。意見の質を考慮する必要はない。
自由奔放	自由に発言する。テーマから外れた意見でもかまわない。
結合・便乗	他の人の意見を流用して発言してもよい。

×ア　自由奔放にアイディアを出し合います。実現可能なアイディアかどうかは，関係ありません。
○イ　正解です。他のメンバーのアイディアに便乗したり，アイディアを結合したりすることで，アイディアを発展させていきます。
×ウ　テーマに適したアイディアに限定せず，意見を集めるようにします。
×エ　質よりも量を重視して，できるだけ多くのアイディアを出すようにします。出されたアイディアを批判することは，禁止されています。

合格のカギ

連関図法　問16

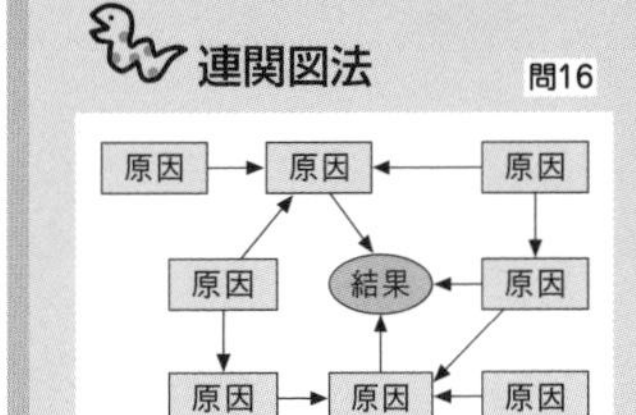

系統図法　問16

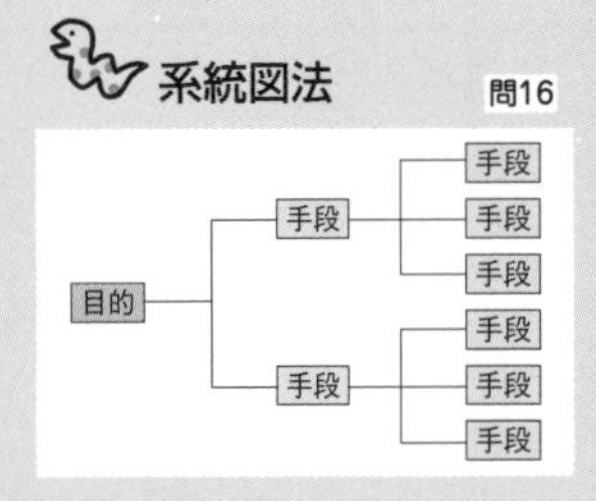

親和図法　問16

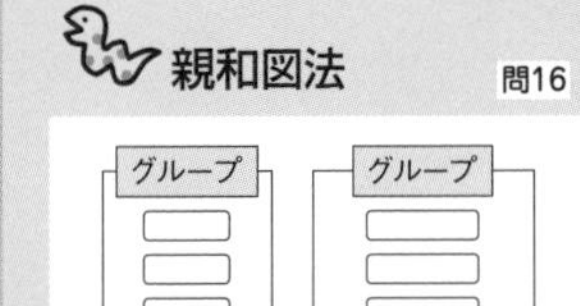

PDPC法　問16

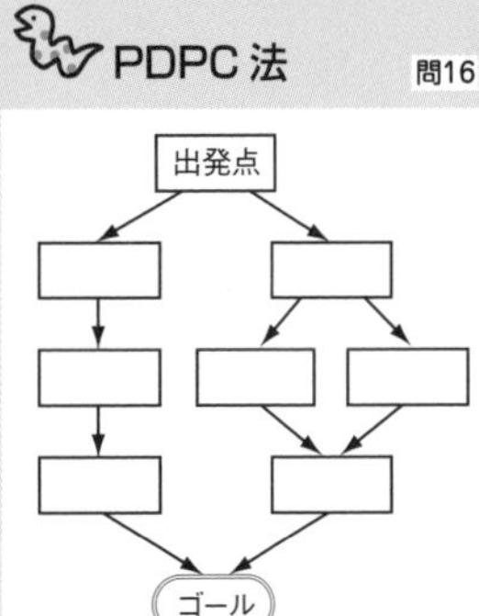

問17

対策 企業内に蓄積された膨大なデータを，経営者や社員が自ら分析・加工し，それを企業の意思決定に役立てることを「BI」（Business Intelligence）というよ。

▶ キーワード 問19

□ 固定費
□ 変動費

問19 □□□

ある商品を5,000個販売したところ，売上が5,000万円，利益が300万円となった。商品1個当たりの変動費が7,000円であるとき，固定費は何万円か。

ア 1,200　イ 1,500　ウ 3,500　エ 4,000

▶ キーワード 問20

□ 損益分岐点
□ 損益分岐点売上高

問20 □□□

損益計算資料から求められる損益分岐点となる売上高は何百万円か。

[損益計算資料]　単位　百万円

売上高	400
材料費（変動費）	140
外注費（変動費）	100
製造固定費	100
粗利益	60
販売固定費	20
営業利益	40

ア 160　イ 250　ウ 300　エ 360

▶ キーワード 問21

□ 貸借対照表
□ 損益計算書
□ キャッシュフロー計算書
□ 財務諸表

問21 □□□

損益計算書を説明したものはどれか。

ア 一会計期間における経営成績を表示したもの
イ 一会計期間における現金収支の状況を表示したもの
ウ 企業の一定時点における財務状態を表示したもの
エ 純資産の部の変動額を計算し表示したもの

問19 固定費，変動費

製品を製造して販売するには，材料費や運送費，広告費などの費用がかかり，こういった費用は固定費と変動費に分けられます。

固定費	売上高にかかわらず，発生する一定の費用。家賃や機械のリース料など
変動費	売上高の増減に応じて変わる費用。材料費や運送費など

商品を販売したとき，売上高から固定費と変動費を引いた金額が利益になります。

利益 ＝ 売上高－固定費－変動費
　　＝ 売上高－固定費－商品1個当たりの変動費×販売個数

この計算式に，固定費をxとして，問題文の数値を当てはめて，次のように計算します。

300万円 ＝ 5,000万円－x－7,000円×5,000個
300万円 ＝ 5,000万円－x－3,500万円
300万円 ＝ 1,500万円－x
　　　x ＝ 1,500万円－300万円
　　　x ＝ 1,200万円

以上の計算より，固定費は1,200万円になります。よって，正解は ア です。

問20 損益分岐点売上高

損益分岐点は，売上と費用が同じ金額で，利益と損失ともに「0」になる点です。商品が売れても売れなくても一定した固定費がかかるため，売上が少ないと損失が出てしまい，売上が増えて損益分岐点を超えると利益を得られるようになります。つまり，損益分岐点は利益と損失のわかれ目で，売上高が損益分岐点を上回れば利益があり，下回れば損失が出ます。このときの売上高を**損益分岐点売上高**といい，次の計算式で求めます。

> 損益分岐点売上高 ＝ 固定費÷（1－変動費率）
> 　　　変動費率 ＝ 変動費÷売上高

損益分岐点売上高を求めるには，まず，変動費率を出します。問題文より，変動費（材料費と外注費）と売上高を計算式に当てはめて，次のように計算します。

変動費率 ＝（140＋100）÷400 ＝ 240÷400＝ **0.6**

次に，上記で求めた変動費率と，固定費（製造固定費と販売固定費）から損益分岐点売上高を求めます。

損益分岐点売上高 ＝（100＋20）÷（1－0.6）＝ 120÷0.4 ＝ **300**

以上の計算より，損益分岐点売上は300になります。よって，正解は ウ です。

問21 財務諸表

○ア　正解です。**損益計算書**の説明です。**損益計算書は，一会計期間における企業の収益と費用を記載した書類**です。どのくらい利益が出たのかがわかる，いわば経営の成績表です。

×イ　**キャッシュフロー計算書**の説明です。**キャッシュフロー計算書は，一会計期間における，お金の流れを記載した書類**です。

×ウ　**貸借対照表**の説明です。**貸借対照表は，一定時点における企業の資産や負債などを記載した書類**です。企業の財政状況を示したもので，**バランスシート**（Balance Sheet）とも呼ばれます。

×エ　**株主資本等変動計算書**の説明です。株主資本等変動計算書は，貸借対照表の純資産の変動状況を表した書類です。

合格のカギ

問19

対策 利益，費用を求める計算式を覚えておこう。

・利益を求める式
　売上高－費用
　＝売上高－固定費－変動費

・費用を求める式
　固定費＋変動費

利益図表　問20

損益分岐点を表した図表。

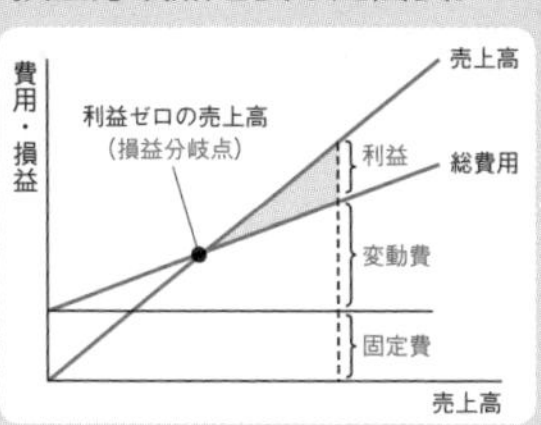

問20

対策 損益分岐点を求める式は，必ず覚えておこう。

問21

対策 企業は，一定期間ごとに，自社の財務状況や財政状況を表す書類を作成するよ。この書類を「財務諸表」といい，解説の4つの書類は全て財務諸表だよ。
損益計算書，貸借対照表，キャッシュフロー計算書はよく出題されているので，確実に覚えておこう。

▶ キーワード 問22

- □ 売上総利益
- □ 営業利益
- □ 経常利益
- □ 当期純利益

問22

□□□

損益計算書中のaに入るものはどれか。ここで，網掛けの部分は表示していない。

損益計算書 単位 億円

売上高	100
売上原価	75
	25
販売費及び一般管理費	15
	10
営業外収益	2
営業外費用	5
a	7
特別利益	0
特別損失	1
税引前当期純利益	6
法人税等	2
	4

ア 売上総利益　　イ 営業利益
ウ 経常利益　　エ 当期純利益

▶ キーワード 問23

- □ バランスシート
- □ 資産
- □ 負債
- □ 純資産

問23

□□□

企業の財務状況を明らかにするための貸借対照表の記載形式として，適切なものはどれか。

ア

借方	貸方
資産の部	負債の部
	純資産の部

イ

借方	貸方
資本金の部	負債の部
	資産の部

ウ

借方	貸方
純資産の部	利益の部
	資本金の部

エ

借方	貸方
資産の部	負債の部
	利益の部

問22 損益計算書の計算

損益計算書には，次のような項目を記載します。

損益計算書　単位 億円

売上高		100	
売上原価		75	
売上総利益	ア	25	←売上高－売上原価
販売費及び一般管理費		15	
営業利益	イ	10	←売上総利益－販売費及び一般管理費
営業外収益		2	
営業外費用		5	
経常利益	ウ	7	←営業利益＋営業外収益－営業外費用
特別利益		0	
特別損失		1	
税引前当期純利益		6	←経常利益＋特別利益－特別損失
法人税等		2	
当期純利益	エ	4	←税引前当期純利益－法人税等

×ア　「売上高－売上原価」で求められるのは**売上総利益**（**粗利益**）です。
×イ　「売上総利益－販売費及び一般管理費」で求められるのは**営業利益**です。
○ウ　正解です。「営業利益＋営業外収益－営業外費用」で求められるのは**経常利益**です。
×エ　「税引前当期純利益－法人税等」で求められるのは**当期純利益**です。

問23 貸借対照表の記載形式

貸借対照表は企業の財政状況を表示したもので，次図のように**表の左側に「資産」，右側に「負債」と「純資産」を記載**します。「資産」は会社の全ての資産のことで，銀行から借りたお金など，返済する必要がある「負債」も含んでいます。「純資産」は，「総資産」から「負債」を除いた金額です。そのため，左側の「資産」と，右側の「負債」と「純資産」の合計は必ず等しくなります。よって，正解はアです。

貸借対照表

平成○年○月○日　（単位：万円）

	資産の部		負債及び純資産の部		
	勘定科目	金額	勘定科目	金額	
資産	流動資産	3,210	流動負債	2,743	負債
資産	現金及び預金	2,240	支払手形・買掛金	1,420	負債
資産	受取手形・売掛金	675	短期借入金	722	負債
資産	有価証券	192	未払費用	539	負債
資産	棚卸資産	87	その他	62	負債
資産	その他	16	固定負債	1,745	負債
資産	固定資産	6,696	社債	850	負債
資産	有形固定資産	5,365	長期借入金	800	負債
資産	建物・構築物	1,755	退職金引当金	80	負債
資産	機械及び装置	846	その他	15	負債
資産	土地	2,414	負債合計	4,488	
資産	その他	350	資本金	3,000	純資産
資産	無形固定資産	73	法定準備金	1,200	純資産
資産	投資等	1,258	剰余金	1,218	純資産
資産	投資有価証券	308	（うち当期利益）	(1,072)	純資産
資産	子会社株式及び出資金	950	純資産合計	5,418	
	資産合計	9,906	負債及び純資産合計	9,906	

問22

対策 損益計算書の計算問題はよく出題されるよ。特に営業利益や経常利益の求め方は覚えておこう。

負債　問23

銀行からの借入金など，返済義務のあるお金のこと。返済期限が1年以内か1年を超えるかによって，「流動負債」と「固定負債」に分けられる。

問23

参考 負債のことを「他人資本」，純資産のことを「自己資本」ともいうよ。

▶ キーワード 問24

□ キャッシュフロー

問24

□□□

商品の販売による収入は，キャッシュフロー計算書のどの部分に記載されるか。

ア 営業活動によるキャッシュフロー
イ 財務活動によるキャッシュフロー
ウ 投資活動によるキャッシュフロー
エ キャッシュフロー計算書には記載されない

▶ キーワード 問25

□ ROE
□ ROA
□ 自己資本
□ 総資本

問25

□□□

ROE（Return On Equity）を説明したものはどれか。

ア 株主だけでなく，債権者も含めた資金提供者の立場から，企業が所有している資産全体の収益性を表す指標
イ 株主の立場から，企業が，どれだけ資本コストを上回る利益を生み出したかを表す指標
ウ 現在の株価が，前期実績又は今期予想の1株当たり利益の何倍かを表す指標
エ 自己資本に対して，どれだけの利益を生み出したかを表す指標

▶ キーワード 問26

□ 減価償却
□ 定額法
□ 定率法

問26

□□□

有形固定資産の減価償却を表に示した条件で行うとき，当年度の減価償却費は何円か。

取得原価	480,000円
耐用年数	4年
償却方法	定率法
償却率	0.625
前年度までに減価償却した金額	300,000円

ア 112,500　イ 120,000　ウ 180,000　エ 187,500

解説

問24 キャッシュフロー計算書

キャッシュフロー計算書は財務諸表の1つで，一定期間におけるお金の流れを表したものです。営業活動，投資活動，財務活動の3つに分けて，現金及び現金同等物の増減を記載します。

営業活動	商品販売による収入，商品の仕入れ・管理による支出，人件費や税金の支払など，企業の本業にかかわるお金の増減を記載する。
投資活動	設備投資として，工場建設や機械購入などによる固定資産の取得や売却を記載する。有価証券の取得や売却，定期預金への預け入れなど，資金運用によるお金の増減も記載する。
財務活動	社債の発行や償還，株式の発行，自己株式の取得，株主への配当金支払など，資金調達や借入金返済にかかわるお金の増減を記載する。

本問の「商品の販売による収入」は営業活動の記載項目なので，正解は ア です。

問25 ROE（Return On Equity）

ROE（Return On Equity）は，**自己資本に対してどれだけの利益を上げたかを示す，企業の収益性を見る指標**です。ROEを求める計算式は「**利益÷自己資本×100（%）**」で，数値が大きいほど，効率よく自己資本を活用して利益を上げているといえます。

× ア　ROA（Return On Asset）の説明です。ROEと同様，ROAも企業の収益性を見る指標で，「**利益÷総資本×100（%）**」で求めます。ROEが自己資本に対する利益率を求めるのに対して，ROAは総資本（自己資本と他人資本の合計）に対する利益率です。

× イ　EVA（Economic Value Added）の説明です。「税引後営業利益－資本コスト」で求められ，値がプラスであれば，株主の期待以上の利益を生み出していることになります。「経済付加価値」ともいいます。

× ウ　PER（Price Earnings Ratio）の説明です。「株価÷1株当たりの利益」で求められ，一般的に値が大きいほど，会社が儲けた利益に対して株価が割高であるといえます。「株価収益率」ともいいます。

○ エ　正解です。ROEの説明です。

問26 減価償却

建物や機械，車など，長期にわたって使う資産のことを固定資産といいます。**減価償却**は，**固定資産の取得にかかった費用を一括で処理せず，定められた年数で費用を配分する会計処理**のことです。

減価償却費を求める計算方法には，**毎年の減価償却費が固定して同額である定額法**と，**毎年一定の率で減価償却費が減っていく定率法**の2通りがあります。本問では，表の条件より定率法で減価償却費を求めます。定率法での計算は，以下の通りです。「減価償却累積額」は，前年度までに減価償却した金額にあたります。また，定率法では，「耐用年数」は計算に使用しません。

定率法での減価償却費 ＝（取得原価－減価償却累積額）× 償却率
＝（480,000 －300,000）× 0.625
＝ 180,000 × 0.625
＝ 112,500

よって，正解は ア です。

注意!! 問24

キャッシュフロー計算書には，実際にある現金の動きを記載する。たとえば，定期預金への預け入れは現金が減るのでマイナスになり，預金の解約は現金が増えるのでプラスになる。

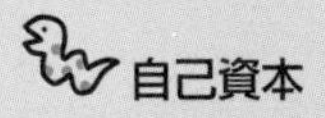

問25

株主からの出資や会社が蓄積したお金など，返済の必要がない資金のこと。自己資本に対して，返済の必要がある資金を「他人資本」という。

問25

自己資本と他人資本を合算した資金の総額。

問26

対策 減価償却の定額法，定率法の計算式を覚えておこう。

・定額法
　取得価格×償却率

・定率法
　未償却残高×償却率
　※未償却残高は，取得価格から減価償却累計額を引いた金額

大分類1 企業と法務

中分類2：法務

▶ キーワード 問27

- □ 知的財産権
- □ 著作権
- □ 産業財産権
- □ 特許権
- □ 実用新案権
- □ 意匠権
- □ 商標権

問27

知的財産権のうち，権利の発生のために申請や登録の手続を必要としないものはどれか。

ア 意匠権　　イ 実用新案権
ウ 著作権　　エ 特許権

問28

新製品の開発に当たって生み出される様々な成果のうち，著作権法による保護の対象となるものはどれか。

ア 機能を実現するために考え出された独創的な発明
イ 機能を実現するために必要なソフトウェアとして作成されたプログラム
ウ 新製品の形状，模様，色彩など，斬(ざん)新な発想で創作されたデザイン
エ 新製品発表に向けて考え出された新製品のトレードマーク

▶ キーワード 問29

- □ ビジネスモデル特許

問29

インターネットを利用した企業広告に関する新たなビジネスモデルを考案し，コンピュータシステムとして実現した。この考案したビジネスモデルを知的財産として，法的に保護するものはどれか。

ア 意匠法　イ 商標法　ウ 著作権法　エ 特許法

▶ キーワード 問30

- □ クロスライセンス

問30

自社の保有する特許の活用方法の一つとしてクロスライセンスがある。クロスライセンスにおける特許の実施権に関する説明として，適切なものはどれか。

ア 許諾した相手に，特許の独占的な実施権を与える。
イ 特許の実施権を許諾された相手が更に第三者に実施許諾を与える。
ウ 特許を有する2社の間で，互いの有する特許の実施権を許諾し合う。
エ 複数の企業が，有する特許を1か所に集中管理し，そこから特許を有しない企業も含めて参加する企業に実施権を与える。

問27 知的財産権

知的財産権は，知的な創作活動によって生み出されたものを，創作した人の財産として保護する権利です。知的財産権には著作権や特許権などの種類があり，権利ごとに法律が定められています。

著作権（著作権法）	音楽や小説，映画，ソフトウェアなどの著作物を保護。存続期間は死後70年（法人は公表後70年，映画は公表後70年）
特許権（特許法）	技術的に高度な発明やアイディアを保護。存続期間は出願から20年（一部，出願から25年）。
実用新案権（実用新案法）	物の形状・構造・組合せにかかわる考案を保護。存続期間は出願から10年。
意匠権（意匠法）	商品の形状や模様，色彩などのデザインを保護。存続期間は出願から25年。
商標権（商標法）	商品に付けた商標（トレードマーク）を保護。存続期間は登録から10年。更新できる。

著作権は，著作物を創作した時点で自動的に権利が発生します。特許権，実用新案権，意匠権，商標権は産業財産権といい，これらの権利の発生には特許庁への申請や登録の手続が必要です。よって，正解はウです。

問28 著作権法による保護の対象

× ア　**特許法**によって保護されます。
○ イ　正解です。コンピュータのソフトウェアは，著作権法により保護されます。
× ウ　**意匠法**によって保護されます。
× エ　**商標法**によって保護されます。

問29 ビジネスモデル特許

コンピュータやインターネットなどの情報技術を利用して実現した，新しいビジネスモデルを知的財産として，法的に保護するのは特許法です。このような特許をビジネスモデル特許といい，通常の特許と同様に特許庁に出願して取得します。よって，正解はエです。

問30 クロスライセンス

クロスライセンスは，特許権をもつ2つまたは複数の企業が，それぞれが保有する特許を互いに利用できるようにすることです。通常，他社の特許を利用するには使用料が必要ですが，クロスライセンスを用いると使用料がかかりません。また，他社の特許技術を利用することで，開発にかかる費用を抑えることもできます。

× ア　**専用実施権**に関する説明です。許諾を受けた者は，認められた範囲内で，その権利を独占的に実施することができます。
× イ　サブライセンスに関する説明です。
○ ウ　正解です。クロスライセンスに関する説明です。
× エ　パテントプールに関する説明です。

合格のカギ

問27

参考 知的財産権には，半導体集積回路のレイアウトの仕方を保護する「回路配置利用権」や，植物の新品種を保護する「育成者権」などもあるよ。

問27

対策 権利ごとに，その権利を使用できる存続期間が決まっているよ。商標権だけは更新することができ，永続的な権利の保有が可能だよ。試験に出題されているので，覚えておこう。

問28

対策 コンピュータに関するものについて，著作権法の保護の対象になるものと，ならないものを覚えておこう。

- 保護の対象となる
  - ソフトウェア
  - プログラム
  - 操作マニュアル
- 保護の対象とならない
  - プログラム言語
  - アルゴリズム
  - プロトコル（通信規約）

実施権　問30

特許を取得した発明を実施するための権利(ライセンス)。

▶ キーワード 問31

□ 不正競争防止法
□ 秘密保持契約（NDA）

問31

□□□

不正競争防止法の営業秘密に該当するものはどれか。

ア　インターネットで公開されている技術情報を印刷し，部外秘と表示してファイリングした資料
イ　限定された社員の管理下にあり，施錠した書庫に保管している，自社に関する不正取引の記録
ウ　社外秘としての管理の有無にかかわらず，秘密保持義務を含んだ就業規則に従って勤務する社員が取り扱う書類
エ　秘密保持契約を締結した下請業者に対し，部外秘と表示して開示したシステム設計書

▶ キーワード 問32

□ パブリックドメインソフトウェア
□ シェアウェア

問32

□□□

著作者に断ることなく，コピーや改変を自由に行うことのできる無料のソフトウェアはどれか。

ア　シェアウェア
イ　パッケージソフトウェア
ウ　パブリックドメインソフトウェア
エ　ユーティリティソフトウェア

▶ キーワード 問33

□ サイバーセキュリティ基本法

問33

□□□

我が国における，社会インフラとなっている情報システムや情報通信ネットワークへの脅威に対する防御施策を，効果的に推進するための政府組織の設置などを定めた法律はどれか。

ア　サイバーセキュリティ基本法
イ　特定秘密保護法
ウ　不正競争防止法
エ　マイナンバー法

▶ キーワード 問34

□ 不正アクセス禁止法

問34

□□□

不正アクセス禁止法において，不正アクセスと呼ばれている行為はどれか。

ア　共有サーバにアクセスし，ソフトウェアパッケージを無断で違法コピーする。
イ　他人のパスワードを使って，インターネット経由でコンピュータにアクセスする。
ウ　他人を中傷する文章をインターネット上に掲載し，アクセスを可能にする。
エ　わいせつな画像を掲載しているホームページにアクセスする。

解説

問31 不正競争防止法

不正競争防止法は，不正競争を防止し，事業者間の公正な競争を促進するための法律です。

また，不正競争防止法では，事業活動に有用な技術や営業上の情報を営業秘密として保護します。本法で営業秘密として保護されるためには，秘密管理性（秘密として管理されていること），有用性（有用な技術上または営業上の情報であること），非公知性（公然と知られていないこと）の3つの要件を全て満たしている必要があります。

× ア　インターネットで公開されている情報は，広く知られているので営業秘密に該当しません。
× イ　不正取引の記録は反社会的な行為なので，営業秘密には該当しません。
× ウ　社外秘として管理されていない場合，営業秘密には該当しません。
○ エ　正解です。機密事項として扱われているので営業秘密に該当します。

問32 パブリックドメインソフトウェア

× ア　シェアウェアは，一定の試用期間の間は無料で利用できますが，試用期間後も継続して利用するには料金を支払う必要があるソフトウェアのことです。また，このようなライセンス形態を指すこともあります。
× イ　**パッケージソフトウェア**は，店頭やインターネットで市販されている，既製のソフトウェアのことです。
○ ウ　正解です。パブリックドメインソフトウェアは，著作権が放棄されているソフトウェアのことです。ソフトウェアを無料で利用でき，コピーや改変を自由に行うことができます。
× エ　**ユーティリティソフトウェア**は，あると便利な機能を提供するソフトウェアのことです。ファイルの圧縮やファイル管理など，様々なものがあります。

問33 サイバーセキュリティ基本法

○ ア　正解です。サイバーセキュリティ基本法は，国のサイバーセキュリティに関する施策に関して基本理念を定め，国や地方公共団体の責務を明らかにし，サイバーセキュリティ戦略の策定や施策の基本事項などを定めた法律です。
× イ　**特定秘密保護法**は，我が国の安全保障に関する情報のうち，特に秘匿することが必要であるものについて，情報の漏えいを防止するために，特定秘密の指定や取扱者の制限などを定めた法律です。
× ウ　**不正競争防止法**は，不正競争を防止し，事業者間の公正な競争を促進するための法律です。
× エ　**マイナンバー法**は，日本に住民票を有する全ての人（外国人の方も含む）に割り当てられる，マイナンバー（個人番号）について定めた法律です。

問34 不正アクセス禁止法

不正アクセス禁止法は，ネットワークを通じてコンピュータに不正アクセスする行為を禁止し，罰則を定めた法律です。本法における不正アクセス行為とは，ネットワークを通じて，他人のIDやパスワード（認証情報）を無断で使ったり，セキュリティホールを攻撃したりすることにより，本来，利用する権限のないコンピュータにアクセスする行為のことをいいます。さらに，同法では，勝手に他人のIDやパスワードを第三者に教えるなどの，不正アクセスを助長する行為も禁止しています。

× ア　共有サーバへのアクセスは不正行為ではありません。ソフトウェアパッケージを違法コピーすることは，著作権法に違反する行為です。
○ イ　正解です。IDやパスワードを不正に使って，他人になりすましてアクセスするのは，不正アクセス禁止法に違反する行為です。
× ウ　不正アクセス禁止法とは関係のない行為です。
× エ　わいせつな画像を掲載しているホームページを閲覧する行為は，不正アクセス禁止法の不正アクセス行為には該当しません。

合格のカギ

秘密保持契約　問31

職務において知り得た情報を，外部に漏らさないことを約束する契約のこと。「NDA」（Non-Disclosure Agreement）ともいう。

問31

参考 不正競争防止法では，「他社の製品を模倣した類似品を販売する」「原産地や品質などを偽った表示をする」「競争関係にある会社の信用を害するニセ情報を流す」「他社の商品名や社名に類似したドメインを使用する」といった行為を規制しているよ。

問33

参考 サイバーセキュリティ基本法において，サイバーセキュリティの対象とされている情報は，「電磁的方式によって，記録，発信，伝送，受信される情報」に限られているよ。

注意!!　問34

不正アクセス禁止法での不正アクセス行為は，アクセス制御機能があるコンピュータに対して，ネットワークを通じて行われたものに限定されている。そのため，アクセス制御機能がないコンピュータは，不正アクセスの対象になり得ない。他人のコンピュータを勝手に直接操作することも，不正アクセス行為に該当しない。

大分類1 企業と法務

▶ キーワード 問35

- □ 個人情報保護法
- □ 個人情報
- □ 個人情報取扱事業者
- □ プライバシーマーク制度
- □ プライバシーマーク

問35

□□□

個人情報を他社に渡した事例のうち，個人情報保護法において，本人の同意が必要なものはどれか。

ア 親会社の新製品を案内するために，顧客情報を親会社へ渡した。
イ 顧客リストの作成が必要になり，その作業を委託するために，顧客情報をデータ入力業者へ渡した。
ウ 身体に危害を及ぼすリコール対象製品を回収するために，顧客情報をメーカへ渡した。
エ 請求書の配送業務を委託するために，顧客情報を配送業者へ渡した。

問36

□□□

個人情報に該当しないものはどれか。

ア 50音別電話帳に記載されている氏名，住所，電話番号
イ 自社の従業員の氏名，住所が記載された住所録
ウ 社員コードだけで構成され，他の情報と容易に照合できない社員リスト
エ 防犯カメラに記録された，個人が識別できる映像

▶ キーワード 問37

- □ マイナンバー
- □ マイナンバー法

問37

□□□

企業におけるマイナンバーの取扱いに関する行為a ～ cのうち，マイナンバー法に照らして適切なものだけを全て挙げたものはどれか。

a 従業員から提供を受けたマイナンバーを人事評価情報の管理番号として利用する。
b 従業員から提供を受けたマイナンバーを税務署に提出する調書に記載する。
c 従業員からマイナンバーの提供を受けるときに，その番号が本人のものであることを確認する。

ア a, b　　イ a, b, c　　ウ b　　エ b, c

問35 個人情報保護法

個人情報保護法は個人情報の取扱いについて定めた法律で，個人情報取扱事業者について，次のような義務規定が定められています。

個人情報の取得，活用に関する主な義務規定
- 本人から直接に個人情報を取得するときは，利用目的を明示して同意を得る
- 利用目的の達成に必要な範囲を超えて，個人情報を取り扱ってはならない
- 偽りや強制など，不正な手段によって個人情報を取得してはならない
- 個人情報の漏えいや盗難などが発生しないように，安全管理を行う
- 例外とする場合（法令に基づく場合など）を除き，本人の同意を得ないで，第三者に個人情報を提供してはならない

○ア　正解です。個人情報を使用できるのは，明示した利用目的の範囲内に限られています。「親会社の新製品の案内に使用する」ということが，利用目的に含まれていない場合は本人の同意が必要です。
×イ，ウ，エ　業務において個人情報の利用目的の範囲を超えていない使用なので，本人の同意は必要ありません。

問36 個人情報

個人情報保護法における個人情報とは，「生存する個人に関する情報であって，その情報に含まれる氏名，生年月日，その他の記述などにより，特定の個人を識別することができるもの」をいいます。文字による情報だけでなく，画像や音声なども，個人が特定できれば個人情報になります。

×ア　電話帳に記載されている氏名，住所，電話番号は，特定の個人を識別できるので，個人情報に該当します。
×イ　特定の個人を識別できる従業員名が記載されているので，個人情報に該当します。
○ウ　正解です。社員リストが社員コードだけで構成されている場合は，特定の個人を識別できないので個人情報に該当しません。
×エ　特定の個人を識別できる映像は，個人情報に該当します。

問37 マイナンバー

マイナンバーは，日本に住民票を有する全ての人（外国人の方も含む）に割り当てられる12桁の番号です。マイナンバーの取扱いはマイナンバー法（正式な名称は「行政手続における特定の個人を識別するための番号の利用等に関する法律」）で定められており，「社会保障」「税」「災害対策」とその他の行政分野で，法令で定められた手続においてのみ利用されます。

a～cについて，マイナンバーの取扱いに関する行為が適切かどうかを判定すると，次のようになります。

×a　適切ではありません。従業員から提供を受けたマイナンバーは，法令で定められた手続以外に使うことはできません。
○b　適切です。税の手続に，マイナンバーを利用することは適切な行為です。
○c　適切です。従業員からマイナンバーの提供を受けるときは，その番号の正しい持ち主であることを確認する必要があります。

適切な行為はbとcです。よって，正解はエです。

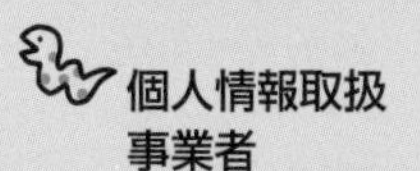

問35

個人情報データベース等（紙媒体，電子媒体を問わず，特定の個人情報を検索できるように体系的に構成したもの）を事業活動に利用している者のこと。企業だけでなく，NPOや自治会，同窓会などの非営利組織であっても個人情報取扱事業者となる。

問35

参考 個人情報の取扱いについて，適切な体制を整備し運用している事業者を認定する制度に「プライバシーマーク制度」があるよ。
認定された事業者にはプライバシーマークが与えられるよ。

注意!! 問36

社員コードだけでは個人情報にならないが，社員コードを他の情報と照合することで，個人が特定できる場合は個人情報に該当する。

▶ キーワード　問38

□ プロバイダ責任制限法
□ 特定電子メール法

問38

プロバイダ責任制限法によって，プロバイダの対応責任の対象となり得る事例はどれか。

ア 書込みサイトへの個人を誹謗(ひぼう)中傷する内容の投稿
イ ハッカーによるコンピュータへの不正アクセス
ウ 不特定多数の個人への宣伝用の電子メールの送信
エ 本人に通知した目的の範囲外での個人情報の利用

▶ キーワード　問39

□ システム管理基準
□ システム監査基準

問39

組織が経営戦略と情報システム戦略に基づいて情報システムの企画・開発・運用・保守を行うとき，そのライフサイクルの中で効果的な情報システム投資及びリスク低減のためのコントロールを適切に行うための実践規範はどれか。

ア コンピュータ不正アクセス対策基準
イ システム監査基準
ウ システム管理基準
エ 情報システム安全対策基準

▶ キーワード　問40

□ 労働基準法
□ 会社法
□ 民法

問40

従業員の賃金や就業時間，休暇などに関する最低基準を定めた法律はどれか。

ア 会社法　イ 民法
ウ 労働基準法　エ 労働者派遣法

▶ キーワード　問41

□ フレックスタイム制
□ コア時間

問41

フレックスタイム制の運用に関する説明a～cのうち，適切なものだけを全て挙げたものはどれか。

a コアタイムの時間帯は，勤務する必要がある。
b 実際の労働時間によらず，残業時間は事前に定めた時間となる。
c 上司による労働時間の管理が必要である。

ア a, b　イ a, b, c　ウ a, c　エ b

問38 プロバイダ責任制限法

プロバイダ責任制限法は，インターネット上で個人の権利が侵害されるなどの事案が発生したとき，プロバイダが負う損害賠償責任の範囲や，発信者情報の開示を請求する権利を定めた法律です。

○ア 正解です。書込みサイトへの個人を誹謗中傷する内容の投稿は，プロバイダの対応責任の対象となり得ます。
×イ ネットワーク経由の不正アクセスは，**不正アクセス禁止法**で規制されます。
×ウ 宣伝用の電子メールの送信は，**特定電子メール法**で規制されます。
×エ 個人情報の利用は，**個人情報保護法**で規制されます。

問39 システム管理基準

×ア **コンピュータ不正アクセス対策基準**は，コンピュータ不正アクセスによる被害の予防，発見，復旧，拡大及び再発防止について，企業などの組織や個人が実行すべき対策をまとめたものです。
×イ **システム監査基準**は，システム監査業務の品質を確保し，有効かつ効率的に監査を実施することを目的とした，システム監査人の行為規範です。システム監査人の独立性・客観性などに関する基準や，監査計画・監査報告などの監査全般に関する基準が規定されています。
○ウ 正解です。**システム管理基準**は，経営戦略に沿って効果的な情報システム戦略を立案し，その戦略に基づき，効果的な情報システム投資のための，またリスクを低減するためのコントロールを適切に整備・運用するための実践規範です。情報システムの利活用において留意すべき事項を体系化・一般化してまとめたもので，システム監査における監査人の判断の尺度として用いられます。
×エ **情報システム安全対策基準**は，情報システムの機密性，保全性及び可用性を確保する目的として，情報システム利用者が実施する対策をまとめたものです。

問40 労働基準法

×ア **会社法**は，会社の設立・解散，運営，管理など，会社に関する基本のルールを定めた法律です。
×イ **民法**は，売買や貸借，婚姻，相続など，身の回りの私的な取引や関係について定めた法律です。
○ウ 正解です。**労働基準法**は，労働者の賃金や就業時間，休憩など，労働条件に関する最低基準を定めた法律です。
×エ **労働者派遣法**は，労働者派遣事業に関する規則や，派遣労働者の就業規則などを定めた法律です。

問41 フレックスタイム制

フレックスタイム制は，一定期間（「清算期間」と呼びます）における総労働時間数をあらかじめ定めておき，日々の始業・終業時刻は各社員が自分で設定できる制度です。一般的なフレックスタイム制では，1日の労働時間帯を，必ず勤務すべき時間帯（コアタイム）と，出社・退社してもよい時間帯（フレキシブルタイム）とに分けています。

問題のa～cについて，フレックスタイム制の運用について適切かどうかを判定すると，次のようになります。

○a 適切です。コアタイムの時間帯は勤務する必要があります。
×b あらかじめ定めている清算期間の総労働時間数を超えて，労働した時間が残業時間になります。
○c 適切です。実労働時間の把握や過重労働による健康障害を防ぐため，上司による労働時間の管理は必要です。

適切なものはaとcです。よって，正解はウです。

合格のカギ

特定電子メール法 問38

迷惑メールを規制するための法律。営利目的で送信する電子メールに，送信者の身元の明示，受信拒否のための連絡先の明記，受信者の事前同意などを義務付けている。正式名称は「特定電子メールの送信の適正化等に関する法律」。

問39

対策 選択肢の4つの文書は，どれも経済産業省が策定して公表したものだよ。
よく出題される，システム監査人の行為規範及び監査手続の規則を規定した「システム監査基準」，システム監査人の判断の尺度を規定した「システム管理基準」は必ず覚えておこう。

問40

対策 会社法や民法も，選択肢でよく出題されているよ。何について定めた法律なのかを覚えておこう。

問41

参考 コアタイムは必ず設けなければならないものではなく，全てをフレキシブルタイムとすることもできるよ。

大分類1 企業と法務

▶ キーワード 問42

□ 労働者派遣法
□ 労働者派遣

問42

□□□

派遣先の行為に関する記述a～dのうち，適切なものだけを全て挙げたものはどれか。

a 派遣契約の種類を問わず，特定の個人を指名して派遣を要請した。
b 派遣労働者が派遣元を退職した後に自社で雇用した。
c 派遣労働者を仕事に従事させる際に，自社の従業員の中から派遣先責任者を決めた。
d 派遣労働者を自社とは別の会社に派遣した。

ア a，c　　イ a，d　　ウ b，c　　エ b，d

▶ キーワード 問43

□ 請負契約

問43

□□□

請負契約によるシステム開発作業において，法律で禁止されている行為はどれか。

ア 請負先が，請け負ったシステム開発を，派遣契約の社員だけで開発している。
イ 請負先が，請負元と合意の上で，請負元に常駐して作業している。
ウ 請負元が，請負先との合意の上で，請負先から進捗状況を毎日報告させている。
エ 請負元が，請負先の社員を請負元に常駐させ，直接作業指示を出している。

▶ キーワード 問44

□ PL法（製造物責任法）
□ 特定商取引法
□ 下請法

問44

□□□

製造物の消費者が，製造物の欠陥によって生命・身体・財産に危害や損害を被った場合，製造業者などが損害賠償責任を負うことについて定めたものはどれか。

ア 特定商取引法　　イ 下請法
ウ PL法　　エ 不正競争防止法

問42 労働者派遣

労働者派遣は，派遣会社が雇用する労働者を他の会社に派遣し，派遣先のために労働に従事させることです。派遣会社，派遣先企業，派遣労働者の間には，次のような関係があります。

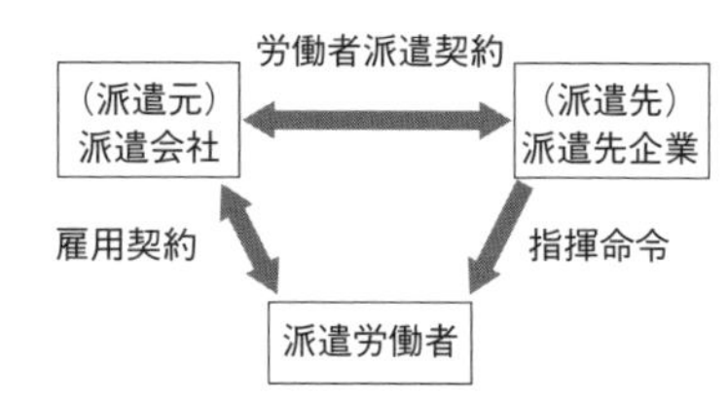

労働者派遣事業の適正な運用を確保し，派遣労働者を保護するため，**労働者派遣法**という法律があり，労働者派遣についてのルールが定められています。a～dの記述について，派遣先の行為として適切なものかどうかを判定すると，次のようになります。

× a　紹介予定派遣を除き，派遣先が派遣労働者を指名することは禁止されています。
○ b　適切です。派遣元との雇用期間が終了している場合，派遣先は派遣労働者であった者を何ら問題なく雇用することができます。
○ c　適切です。派遣先は，派遣を受け入れる事業所ごとに，自社の従業員の中から派遣先責任者を選任する必要があります。
× d　派遣労働者を別の会社に派遣し，その会社で指揮命令を受けていれば二重派遣していることになり，職業安定法に違反します。

派遣先の行為として適切なものはbとcです。よって，正解は**ウ**です。

問43 請負契約

請負契約は，請負人（請負会社）が仕事を完成することを約束し，発注者がその仕事の結果に対して報酬を支払う契約です。

請負契約では，請負会社が雇用し，請け負った仕事のために働く労働者は，請負会社の指揮命令を受けます。発注者と労働者の間に指揮命令関係はありません。注文者が労働者に指揮命令する行為は，法律で禁止されている**偽装請負**になります。

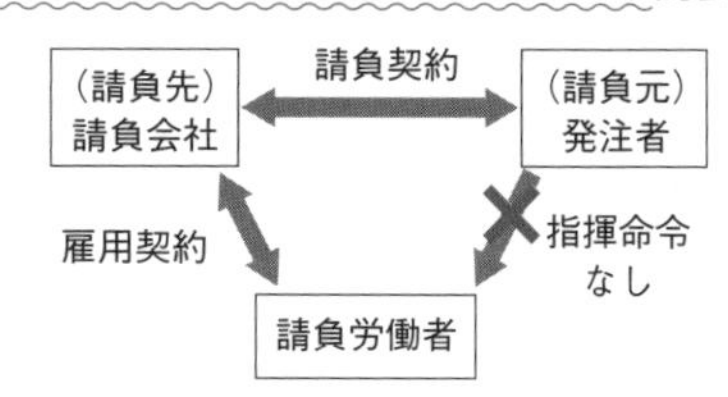

×**ア**　請負先が，請け負った仕事を派遣契約の社員に任せることは可能です。
×**イ**　請負先が，合意の上で請負元の元に常駐して作業すること自体は，法律で禁止されている行為には当たりません。
×**ウ**　請負先から，合意の上で仕事の進捗状況を報告させることは可能です。
○**エ**　正解です。請負元が請負先の社員に直接作業指示を出すのは，偽装請負です。

問44 PL法

×**ア**　**特定商取引法**は，訪問販売や通信販売など，消費者トラブルを生じやすい取引について，事業者が守るべき規則を定めた法律です。消費者の利益を守るため，消費者による契約の解除（クーリングオフ）や取り消しなども認めています。
×**イ**　**下請法**は，代金の支払遅延を防止するなど，下請事業者を保護する法律です。
○**ウ**　正解です。**PL法（製造物責任法）**は，製品の欠陥によって損害を被った場合，それを証明できれば，被害者は製造会社などに対して損害賠償を求めることができるという法律です。
×**エ**　**不正競争防止法**は，不正競争を防止し，事業者間の公正な競争を促進するための法律です。

問42

参考 労働者派遣法には，派遣元企業が労働者を派遣するには認可が必要であることや，派遣された人をさらに別会社に派遣してはならない（二重派遣の禁止）など，派遣事業に関する規則や派遣労働者の就業規則などが定められているよ。

紹介予定派遣 問42

一定の派遣期間を経て，直接雇用に移行することを念頭に行われる派遣のこと。

問43

参考 派遣契約の場合，派遣労働者と派遣先企業の間に指揮命令の関係があるよ。しかし，請負契約の場合，発注者と請負労働者の間には指揮命令の関係はないよ。発注者が請負労働者に指揮命令することは，法律で禁じられている「偽装請負」になるよ。

クーリングオフ 問44

消費者の利益を守るため，契約後，一定期間内であれば無条件で契約を解除することができる制度。クーリングオフできる取引には，訪問販売や電話勧誘販売などがある。

大分類1 企業と法務

▶ キーワード 問45

□ コンプライアンス

問45

□□□

コンプライアンスに関する事例として，最も適切なものはどれか。

ア 為替の大幅な変動によって，多額の損失が発生した。
イ 規制緩和による市場参入者の増加によって，市場シェアを失った。
ウ 原材料の高騰によって，限界利益が大幅に減少した。
エ 品質データの改ざんの発覚によって，当該商品のリコールが発生した。

▶ キーワード 問46

□ コーポレートガバナンス

問46

□□□

コーポレートガバナンスを説明したものとして，適切なものはどれか。

ア 企業が企業活動を行う上で守るべき道徳や価値規範のこと
イ 企業のメンバーが共有する価値観，思考・行動様式，信念などのこと
ウ 企業の目的に適合した経営が行われるように，経営を統治する仕組みのこと
エ 企業も社会を構成する一市民としての義務を負うべきとする考え方のこと

▶ キーワード 問47

□ 公益通報者保護法

問47

□□□

勤務先の法令違反行為の通報に関して，公益通報者保護法で規定されているものはどれか。

ア 勤務先の監督官庁からの感謝状
イ 勤務先の同業他社への転職のあっせん
ウ 通報したことを理由とした解雇の無効
エ 通報の内容に応じた報奨金

▶ キーワード 問48

□ バーコード
□ JANコード
□ ISBN

問48

□□□

POSシステムなどで商品を一意に識別するために，バーコードとして商品に印刷されたコードはどれか。

ア JAN　イ JAS　ウ JIS　エ ISBN

解説

問45 コンプライアンス

コンプライアンス（Compliance）は「法令遵守」という意味です。企業経営においては，**企業倫理に基づき，ルール，マニュアル，チェック体制などを整備し，法令や社会的規範を遵守した企業活動のこと**をいいます。

選択肢を確認すると，エの「品質データの改ざん」は違法行為であり，コンプライアンスに違反する事例です。ア～ウの事例は，いずれも市場における外的な要因による損失などです。よって，正解はエです。

問46 コーポレートガバナンス

コーポレートガバナンス（Corporate Governance）は「**企業統治」と訳され，経営管理が適切に行われているかどうかを監視し，企業活動の健全性を維持する仕組み**のことです。経営者の独断や組織的な違法行為などを防止し，健全な経営活動を行うことを目的としています。コーポレートガバナンスを実現する制度として，内部統制報告制度や公益通報者保護法などがあります。

×ア　**コンプライアンス**の説明です。
×イ　**経営理念**の説明です。
○ウ　正解です。経営を統治する仕組みのことなので，コーポレートガバナンスの説明です。
×エ　**CSR**（Corporate Social Responsibility）の説明です。

問47 公益通報者保護法

公益通報者保護法は，**公益のために事業者の法令違反行為を通報した労働者などが，解雇，降格，減給などの不利益な取扱いをされないように保護する法律**です。保護を受ける**公益通報者**は労働者（アルバイトやパートなども含む），1年以内の退職者，役員（法人の取締役，執行役，監査役など）などで，次のような規定があります。

- 公益通報をしたことを理由として，事業者が行った解雇は無効とする（第3条）
- 事業者の指揮命令の下に労働する派遣労働者である公益通報者が，公益通報をしたことを理由として，事業者が行った労働者派遣契約の解除は無効とする（第4条）
- 公益通報をしたことを理由として，当該公益通報者に対して，降格，減給その他不利益な取扱いをしてはならない（第5条）

選択肢ア～エの中で，公益通報者保護法で規定されているのは，ウの「通報したことを理由とした解雇の無効」だけです。よって，正解はウです。

問48 JANコード

バーコードは**線の太さと間隔によって情報を表すコード**です。商品を識別するコードとして，コンビニのレジにあるPOSシステムなどで広く使われています。

○ア　正解です。**JANコード**は，**商品を識別するために，バーコードとして商品に付けられているコード**です。**国コード，メーカコード，商品アイテムコード，チェックディジット**を示す数値で構成されています。**メーカコードは，どこのメーカが造っているかを区別するもので，公的機関に申請して取得します。商品アイテムコードは，各メーカが自社の商品に割り当てます。**
×イ　**JAS**（Japanese Agricultural Standards）は，日本農林規格のことです。規格に適合した飲食料品や林産物，農産物などに，JASマークを付けることができます。
×ウ　**JIS**（Japanese Industrial Standards）は，日本産業規格のことです。規格に適合した工業製品にはJISマークを付けることができます。
×エ　**ISBNコード**は，**図書を特定するために世界標準として使用されているコード**です。

内部統制報告制度 問46

健全な資本市場の維持や投資家の保護を目的として，上場企業が有価証券報告書とあわせて，財務報告の適正性を確保できる体制について評価した「内部統制報告書」を提出することを定めた制度。

問46

対策 コーポレートガバナンスを強化するための施策として，独立性の高い社外取締役の登用があるよ。出題されたことがあるので覚えておこう。

注意!! 問47

公益通報者保護法により通報者が保護を受けるには，本法が定める保護要件を満たして，「公益通報」をした公益通報者である必要がある。公益通報とは，「労働者などが，労務提供先の不正行為を，不正の目的でなく，一定の通報先に通報する」ことをいう。

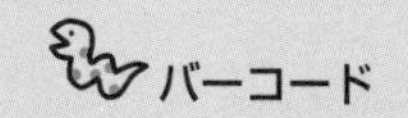

問48

チェックディジット 問48

入力の誤りなどを検出するために，付加される数値。

▶ キーワード 問49

□ QRコード

問49

QRコードの特徴として，適切なものはどれか。

ア 漢字を除くあらゆる文字と記号を収めることができる。
イ 収納できる情報量はバーコードと同等である。
ウ 上下左右どの方向からでも，コードを読み取ることができる。
エ バーコードを3層積み重ねた2次元構造になっている。

▶ キーワード 問50

□ 標準化
□ ANSI
□ ISO
□ IEC
□ IEEE
□ ITU
□ W3C
□ JIS

問50

標準化団体に関するa～dの記述に対して，適切な組合せはどれか。

a 国際標準化機構：工業及び技術に関する国際規格の策定と国家間の調整を実施している。
b 電気電子学会：米国に本部をもつ電気工学と電子工学に関する学会である。LAN，その他のインタフェース規格の制定に尽力している。
c 米国規格協会：米国国内の工業分野の規格を策定する民間の標準化団体であり，米国の代表としてISOに参加している。
d 国際電気通信連合，電気通信標準化部門：電気通信の標準化に関して勧告を行う国際連合配下の機関である。

	a	b	c	d
ア	ANSI	ISO	ITU-T	IEEE
イ	IEEE	ISO	ANSI	ITU-T
ウ	ISO	IEEE	ANSI	ITU-T
エ	ISO	ITU-T	ANSI	IEEE

▶ キーワード 問51

□ ISO 9001 (JIS Q 9001)
□ ISO 14001 (JIS Q 14001)
□ ISO 27001 (JIS Q 27001)
□ IEEE 802.3

問51

標準化規格とその対象分野の組合せのうち，適切なものはどれか。

	IEEE 802.3	ISO 9001	ISO 14001
ア	LAN	環境マネジメント	品質マネジメント
イ	LAN	品質マネジメント	環境マネジメント
ウ	環境マネジメント	LAN	品質マネジメント
エ	環境マネジメント	品質マネジメント	LAN

問49 QRコード

×ア QRコードは，漢字も含めて，ひらがな，カナ，英数字など，あらゆる文字と記号を扱えます。
×イ QRコードは，バーコードの数十倍から数百倍の情報量を扱うことができます。
○ウ 正解です。QRコードは，360度どの方向からでも読み取ることができます。
×エ QRコードは縦・横の両方向で情報を表現したもので，バーコードを積み重ねた構造ではありません。

問50 標準化団体

標準化とは，製品の規格や仕様を決めることです。たとえばパソコンと周辺装置の接続部分（インタフェース）の規格は標準化されているので，別メーカのパソコンに買い替えても，多くの周辺装置をそのまま使用できます。このように標準化を図ることで，消費者の利便性が高くなり，製品の普及や品質の向上などにつながります。

標準化は国内外の標準化団体が行っており，主な標準化団体は次の通りです。

ANSI（アンシー）：米国規格協会（American National Standards Institute）	米国の工業分野の規格
ISO（アイエスオー）：国際標準化機構（International Organization for Standardization）	工業や技術に関する国際規格
IEC（アイイーシー）：国際電気標準会議（International Electrotechnical Commission）	電気・電子関連の技術の規格
IEEE（アイトリプルイー）：電気電子学会（The Institute of Electrical and Electronics Engineers）	LANやインタフェースなどの規格
ITU（アイティーユー）：国際電気通信連合（International Telecommunication Union）	電気通信に関する国際規格
W3C（ダブルスリーシー）（World Wide Web Consortium）	HTMLやXMLなど，インターネットのWWWに関する技術の規格
JIS（ジス）：日本産業規格（Japanese Industrial Standards）	日本国内の工業製品の規格

a～dの標準化団体は，a「ISO」，b「IEEE」，c「ANSI」，d「ITU-T」（末尾の「T」は「Telecommunication Sector」のこと）です。よって，正解はウです。

問51 標準化規格

標準化とは，製品や技術，サービスなどについて，規格や仕様を決めることです。本問で出題されている標準化規格は，次の通りです。

IEEE 802.3	イーサネット型LANについて規定した規格。イーサネット型LANは，現在最も普及している有線LANの方式。
ISO 9001	品質マネジメントシステムの国際規格。品質マネジメントシステムは，製品やサービスの品質を管理する仕組みのことで，顧客満足度の向上を図ることを目的としている。国内向けは，JIS Q 9001になる。
ISO 14001	環境マネジメントシステムの国際規格。環境マネジメントは，組織や事業者が環境に関する方針や目標を設定し，環境保全に取り組む活動のことで，そのための仕組みを環境マネジメントシステムという。国内向けは，JIS Q 14001になる。

よって，正解はイです。

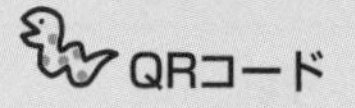

QRコード 問49

問50
対策 標準化団体を覚えるときには，英単語をヒントにするといいよ。

問50
対策 標準化団体で「ISO」「JIS」「IEEE」は頻出されているので，必ず覚えておこう。

JISマーク 問50

問51
対策 品質マネジメントシステムのISO 9001や，環境マネジメントシステムのISO 14001は頻出なので，ぜひ覚えておこう。
情報セキュリティマネジメントシステムに関する規格のISO 27001（JIS Q 27001）もあわせて覚えておこう。

問51
参考 国際規格のISOを国内向けに適合させたものを，JISとして発行しているよ。

大分類2 経営戦略

中分類3：経営戦略マネジメント

▶ キーワード 問52

- □ SWOT分析
- □ 機会と脅威
- □ 強みと弱み

問52

□□□

ある業界への新規参入を検討している企業がSWOT分析を行った。分析結果のうち，機会に該当するものはどれか。

ア 既存事業での成功体験
イ 業界の規制緩和
ウ 自社の商品開発力
エ 全国をカバーする自社の小売店舗網

▶ キーワード 問53

- □ プロダクトポートフォリオマネジメント（PPM）
- □ 花形
- □ 金のなる木
- □ 問題児
- □ 負け犬

問53

□□□

プロダクトポートフォリオマネジメントでは，縦軸に市場成長率，横軸に市場占有率をとったマトリックス図を四つの象限に区分し，製品の市場における位置付けを分析して資源配分を検討する。四つの象限のうち，市場成長率は低いが市場占有率を高く保っている製品の位置付けはどれか。

ア 金のなる木　　イ 花形
ウ 負け犬　　エ 問題児

▶ キーワード 問54

- □ アライアンス
- □ M&A
- □ MBO

問54

□□□

他社との組織的統合をすることなく，自社にない技術や自社の技術の弱い部分を他社の優れた技術で補完したい。このときに用いる戦略として，適切なものはどれか。

ア M&A　　イ MBO
ウ アライアンス　　エ スピンオフ

▶ キーワード 問55

- □ TOB

問55

□□□

TOBの説明として，最も適切なものはどれか。

ア 経営権の取得や資本参加を目的として，買い取りたい株数，価格，期限などを公告して不特定多数の株主から株式市場外で株式を買い集めること
イ 経営権の取得を目的として，経営陣や幹部社員が親会社などから株式や営業資産を買い取ること
ウ 事業に必要な資金の調達を目的として，自社の株式を株式市場に新規に公開すること
エ 社会的責任の遂行を目的として，利益の追求だけでなく社会貢献や環境へ配慮した活動を行うこと

問52 SWOT分析

SWOT分析は，企業における内部環境と外部環境を，強み（Strength），弱み（Weakness），機会（Opportunity），脅威（Threat）の4つの視点から分析する手法です。

内部環境	自社がもつ人材力や営業力，技術力など，他社より勝っている要素を「強み」，劣っている要素を「弱み」に分類する。
外部環境	政治や経済，社会情勢，市場の動きなど，企業自体では変えられないもので，自社に有利になる要素を「機会」，不利になる要素を「脅威」に分類する。

選択肢ア～エを確認すると，「機会」に該当する，外部環境で自社に有利な要素はイの「業界の規制緩和」だけです。ア，ウ，エは，内部環境で自社に有利な要素なので「強み」になります。よって，正解はイです。

問53 プロダクトポートフォリオマネジメント

プロダクトポートフォリオマネジメント（PPM）とは，「市場成長率」と「市場占有率」を横軸にとった図で，市場における自社の製品や事業の位置付けを分析する手法です。図のどの領域に位置しているかによって，それらの製品や事業に資金をどのくらい出すか，出さないかなど，経営資源の効果的な配分に役立てます。

花形	市場の成長に合わせた投資が必要。そのため，資金創出効果は大きいとは限らない。
問題児	投資して「花形」に成長させるか，撤退するかの判断が必要。資金創出効果の大きさはわからない。
金のなる木	少ない投資で，安定した利益がある。資金創出効果が大きく，企業の資金源の中心となる。
負け犬	将来性が低く，撤退または売却を検討する。

市場成長率は低いですが市場占有率が高い（大きい）のは「金のなる木」です。よって，正解はアです。

問54 アライアンス，M&A，MBO

×ア M&Aは合併や買収などによって，他社の全部または一部の支配権を取得することです。問題文の「他社との組織的統合をすることなく」に反するため，用いる戦略として適切ではありません。

×イ MBO（Management BuyOut）は，経営権の取得を目的として，経営陣や幹部職員が親会社などから株式や営業資産を買い取ることです。

○ウ 正解です。アライアンスは複数の企業が互いの利益のために連携し，協力体制を構築することです。技術提携，生産や販売の委託，合弁会社の設立など，様々な形態があり，他社と組織的統合をすることなく，自社にない経営資源を他社から得ることができます。

×エ 経営におけるスピンオフは，企業や組織の一部を切り離して独立させることです。

問55 TOB

○ア 正解です。TOB（Take-Over Bid）は，ある株式会社の株式について，買付け価格と買付け期間を公表し，不特定多数の株主から株式を買い集めることです。株式公開買付けともいいます。

×イ MBO（Management BuyOut）の説明です。

×ウ 株式公開の説明です。それまでは特定の人（社長やその家族，幹部社員など）だけが所有していた株式が，株式市場において売買され，広く一般の株主から資金を調達できるようになります。

×エ CSR（Corporate Social Responsibility）の説明です。

規制緩和 問52

産業や事業に対して，政府や自治体が定めている規制を緩和，廃止すること。民間の自由な経済活動を促進し，経済活動を活性化することを目的としている。

問53

対策 プロダクトポートフォリオマネジメントは，「PPM」という略称でも出題されるよ。どちらの用語も覚えておこう。

PPMのマトリックス図 問53

	高 ← 市場占有率 → 低	
市場成長率 高	花形	問題児
市場成長率 低	金のなる木	負け犬

問54

対策 M&A，MBO，アライアンスは頻出の用語だよ。ぜひ，覚えておこう。

問54

参考 M&Aは，合併（Mergers）と買収（Acquisitions）の頭文字をつなげた言葉だよ。

▶ キーワード 問56

- □ 垂直統合
- □ 水平統合
- □ 水平分業
- □ ファブレス

問56

□□□

企業の事業展開における垂直統合の事例として，適切なものはどれか。

ア　あるアパレルメーカは工場の検品作業を関連会社に委託した。
イ　ある大手商社は海外から買い付けた商品の販売拡大を目的に，大手小売店を子会社とした。
ウ　ある銀行は規模の拡大を目的に，M&Aによって同業の銀行を買収した。
エ　多くのPC組立メーカが特定のメーカの半導体やOSを採用した。

▶ キーワード 問57

- □ 競争地位別戦略
- □ リーダー
- □ チャレンジャ
- □ フォロワ
- □ ニッチャ
- □ ブルーオーシャン戦略
- □ コアコンピタンス

問57

□□□

業界内の企業の地位は，リーダー，チャレンジャ，フォロワ，ニッチャの四つに分類できる。フォロワのとる競争戦略として，最も適切なものはどれか。

ア　大手が参入しにくい特定の市場に焦点を絞り，その領域での専門性を極めることによってブランド力を維持する。
イ　競合他社からの報復を招かないよう注意しつつ，リーダー企業の製品を参考にして，コストダウンを図り，低価格で勝負する。
ウ　市場規模全体を拡大させるべく利用者拡大や使用頻度増加のために投資し，シェアの維持に努める。
エ　トップシェアの奪取を目標として，リーダー企業との差別化を図った戦略を展開する。

▶ キーワード 問58

- □ ニッチ戦略
- □ プッシュ戦略
- □ ブランド戦略
- □ プル戦略
- □ マーチャンダイジング

問58

□□□

商品市場での過当な競争を避け，まだ顧客のニーズが満たされていない市場のすきま，すなわち小さな市場セグメントに焦点を合わせた事業展開で，競争優位を確保しようとする企業戦略はどれか。

ア　ニッチ戦略　　イ　プッシュ戦略
ウ　ブランド戦略　エ　プル戦略

▶ キーワード 問59

- □ RFM分析

問59

□□□

顧客の購買行動を分析する手法の一つであるRFM分析で用いる指標で，Rが示すものはどれか。ここで，括弧内は具体的な項目の例示である。

ア　Reaction（アンケート好感度）
イ　Recency（最終購買日）
ウ　Request（要望）
エ　Respect（ブランド信頼度）

問56 垂直統合

×ア，エ　水平分業の事例です。水平分業は1つの事業や製品の生産を複数の企業で分業することです。

○イ　正解です。垂直統合は，自社の業務の流れ（資材の調達，生産，流通，販売など）において，上流や下流の工程を担ってもらう他社を統合し，事業領域を拡大することです。商社が商品の販売拡大のために，小売店を子会社としているので，垂直統合の事例です。

×ウ　同業の銀行を買収することは，水平統合の事例です。水平統合は同じ商品やサービスを提供している企業が統合することです。

問57 競争地位別戦略

同じ業界における企業地位をリーダー，チャレンジャ，フォロワ，ニッチャに区分し，それぞれの地位に適した戦略をとることを競争地位別戦略といいます。

地位	戦略
リーダー	市場シェアが一番大きい企業。市場拡大のために，たとえば利用者拡大や使用頻度増加などのために投資し，シェアの維持に努める。
チャレンジャ	リーダーに次いで，市場シェアが大きい企業。リーダーの地位を獲得すべく，リーダー企業との差別化を図った戦略を展開する。
フォロワ	リーダー企業の製品を模倣し，製品開発などのコスト削減を図る。シェアよりも，安定的な利益確保を優先する。
ニッチャ	競合他社が参入していない隙間市場で，独自の特色を出すことにより，その市場における優位性を確保・維持する。

×ア　ニッチャのとる戦略です。

○イ　正解です。フォロワのとる競争戦略です。

×ウ　リーダーのとる戦略です。

×エ　チャレンジャのとる戦略です。

問58 ニッチ戦略

○ア　正解です。「ニッチ」とは「すきま」という意味です。ニッチ戦略は，他の企業が参入していない，すきまとなっている市場を開拓する戦略です。

×イ　プッシュ戦略は，流通業者や販売店などに自社の製品の販売を強化してもらい，消費者に積極的に商品を売り込む戦略です。店舗への販売員の派遣や，景品や資金の供与などを行います。

×ウ　ブランド戦略は，企業や製品の信頼や知名度を高めることで，ブランドとしてのイメージや魅力を販売に活かす戦略です。

×エ　プル戦略は，広告やCMなどで顧客の購買意欲に働きかけ，顧客から商品に近づき購入してもらう戦略です。

問59 RFM分析

RFM分析は，次の3つの指標によって顧客の購買行動を分析する手法です。

- 最終購買日（Recency）　最も最近，買った日はいつか
- 累計購買回数（Frequency）　どのくらいの頻度で買っているか
- 累計購買金額（Monetary）　これまでにいくら使っているか

指標の単語の頭文字から「RFM」といい，優良顧客を選別したり，購買実績がどのくらいかなどを調べたりすることができます。

「R」が示すのは最終購買日の「Recency」なので，正解は イ です。

合格のカギ

問56

参考 自社では工場をもたずに製品の企画を行い，他の企業に生産委託する企業形態を「ファブレス」というよ。

問57

参考 新しい価値を提供することによって，他社との競争がない，新たな市場を開拓することを「ブルーオーシャン戦略」というよ。

問57

対策 他社にまねのできない，その企業独自のノウハウや技術のことを「コアコンピタンス」というよ。競争優位を実現するための戦略の1つだよ。頻出の用語なので，ぜひ覚えておこう。

問58

参考 店舗での陳列，販促キャンペーンなど，消費者のニーズに合致するような形態で商品を提供するために行う一連の活動を「マーチャンダイジング」というよ。

問59

参考 スーパーなどの買い物で，一緒によく購入されている商品は何かを分析することを「バスケット分析」というよ。

大分類2 経営戦略

▶ キーワード 問60

- マーケティングミックス
- 4P
- 4C

問60

“製品”，“価格”，“流通”，“販売促進”の四つを構成要素とするマーケティング手法はどれか。

ア ソーシャルマーケティング　イ ダイレクトマーケティング
ウ マーケティングチャネル　エ マーケティングミックス

▶ キーワード 問61

- ワントゥワンマーケティング
- マスマーケティング
- ダイレクトマーケティング
- ターゲットマーケティング
- セグメント

問61

一人一人のニーズを把握し，それを充足する製品やサービスを提供しようとするマーケティング手法はどれか。

ア ソーシャルマーケティング　イ テレマーケティング
ウ マスマーケティング　エ ワントゥワンマーケティング

▶ キーワード 問62

- レコメンデーション
- アフィリエイト
- フラッシュマーケティング

問62

インターネットショッピングにおいて，個人がアクセスしたWebページの閲覧履歴や商品の購入履歴を分析し，関心のありそうな情報を表示して別商品の購入を促すマーケティング手法はどれか。

ア アフィリエイト　イ オークション
ウ フラッシュマーケティング　エ レコメンデーション

▶ キーワード 問63

- SEO
- 検索エンジン
- SNS（ソーシャルネットワーキングサービス）

問63

インターネットで用いられるSEOの説明として，適切なものはどれか。

ア 顧客のクレジットカード番号などの個人情報の安全を確保するために，インターネット上で情報を暗号化して送受信する仕組みである。
イ 参加者がお互いに友人，知人などを紹介し合い，社会的なつながりをインターネット上で実現することを目的とするコミュニティ型のサービスである。
ウ 事業の差別化と質的改善を図ることで，組織の戦略的な競争優位を確保・維持することを目的とした経営情報システムである。
エ 利用者がインターネットでキーワード検索したときに，特定のWebサイトを一覧のより上位に表示させるようにする工夫のことである。

問60 マーケティングミックス

×ア **ソーシャルマーケティング**は，CO_2削減のための広告など，社会的問題解決を目的としたマーケティング活動のことです。
×イ **ダイレクトマーケティング**は，Webサイトや通販カタログなどを通じて直接的な形で消費者とかかわり，販売を促進するマーケティング手法です。
×ウ **マーケティングチャネル**は，商品が生産者から消費者までにたどる経路や，その経路上でかかわる卸業者や中間業者などの組織のことです。
○エ 正解です。**マーケティングミックス**は，市場でのマーケティング活動において，製品（Product），価格（Price），場所・流通（Place），販売促進（Promotion）の要素（4P）を，最も効果が得られるように組み合わせるマーケティング手法です。

問61 ワントゥワンマーケティング

×ア **ソーシャルマーケティング**は，CO_2削減のための広告など，社会的問題解決を目的としたマーケティング活動のことです。
×イ **テレマーケティング**は，電話を使って，顧客に直接，商品の販売や販売促進を行うマーケティング手法です。**ダイレクトマーケティング**の1つです。
×ウ **マスマーケティング**は，単一の製品を，全ての顧客を対象に大量生産・大量流通させるマーケティング手法です。
○エ 正解です。**ワントゥワンマーケティング**は，各顧客の好みを把握し，顧客1人ひとりのニーズに対応するマーケティング手法です。

問62 レコメンデーション

×ア **アフィリエイト**はインターネット広告手法の1つで，サイト運営者が自分のブログなどに企業の広告やWebサイトへのリンクを掲載し，その広告からリンク先のサイトを訪問したり，商品を購入したりした実績に応じて，サイト運営者に報酬が支払われる仕組みです。
×イ **オークション**は，出品された商品に金額を提示し，最高額だった人が商品を購入できる取引のことです。**インターネットを利用したオークションのことをネットオークション**といいます。
×ウ **フラッシュマーケティング**は，期間や数量を限定して，商品購入に利用できる割引クーポンや特典付きクーポンを販売するマーケティング手法です。
○エ 正解です。**レコメンデーション**は，ユーザーの購入履歴や嗜好などに合わせて，お勧めの商品を提示するマーケティング手法です。

問63 SEO

×ア **SSL**（Secure Sockets Layer）の説明です。
×イ **SNS**（Social Networking Service）の説明です。**SNS**は参加者がお互いに友人，知人などを紹介し合い，社会的なつながりをインターネット上で実現することを目的とするサービスの総称です。**ソーシャルネットワーキングサービス**ともいい，代表的なものにFacebookやTwitterなどがあります。
×ウ **SIS**（Strategic Information System）の説明です。
○エ 正解です。**SEO**（Search Engine Optimization）は検索エンジンの検索結果の上位に表示されるよう，Webページ内に適切なキーワードを盛り込んだり，HTMLやリンクの内容を工夫したりする手法のことです。

合格のカギ

問60

対策 4Pは売り手から見た要素で，買い手から見た要素を「4C」というよ。4Cの要素構成は，次の4つだよ。

- 顧客にとっての価値（Customer Value）
- 顧客の負担（Cost）
- 顧客の利便性（Convenience）
- 顧客との対話（Communication）

問61

参考 年齢や性別，地域などの基準で市場をいくつかの集団（セグメント）に分割し，特定の顧客層に焦点を当てたマーケティング活動を「ターゲットマーケティング」というよ。

問62

対策 顧客が商品を購入する際，関連する商品を勧めて，あわせて購入してもらう販売手法を「クロスセリング」というよ。レコメンデーションは，インターネットショッピングで行われているクロスセリングだよ。

検索エンジン 問63

インターネット上の情報を検索するシステムやWebサイトのこと。代表的なものとして，GoogleやYahoo!などがある。「サーチエンジン」ということもある。

大分類2 経営戦略

▶ キーワード 問64

□ プロダクトライフサイクル
□ コモディティ化

問64

プロダクトライフサイクルに関する記述のうち，最も適切なものはどれか。

ア 導入期では，キャッシュフローはプラスになる。
イ 成長期では，製品の特性を改良し，他社との差別化を図る戦略をとる。
ウ 成熟期では，他社からのマーケット参入が相次ぎ，競争が激しくなる。
エ 衰退期では，成長性を高めるため広告宣伝費の増大が必要である。

▶ キーワード 問65

□ アンゾフの成長マトリクス

問65

製品と市場が，それぞれ既存のものか新規のものかで，事業戦略を“市場浸透”，“新製品開発”，“市場開拓”，“多角化”の四つに分類するとき，“市場浸透”の事例に該当するものはどれか。

ア 飲料メーカが，保有技術を生かして新種の花を開発する。
イ カジュアル衣料品メーカが，ビジネススーツを販売する。
ウ 食品メーカが，販売エリアを地元中心から全国に拡大する。
エ 日用品メーカが，店頭販売員を増員して基幹商品の販売を拡大する。

▶ キーワード 問66

□ バランススコアカード（BSC）

問66

部品製造会社Aでは製造工程における不良品発生を減らすために，業績評価指標の一つとして歩留り率を設定した。バランススコアカードの四つの視点のうち，歩留り率を設定する視点として，最も適切なものはどれか。

ア 学習と成長　　イ 業務プロセス
ウ 顧客　　エ 財務

解説

問64 プロダクトライフサイクル

プロダクトライフサイクルは，製品を市場に投入し，やがて売れなくなって撤退するまでの流れを表したものです。**導入期**，**成長期**，**成熟期**，**衰退期**の4つの期間があり，製品がどの期間に入るかによって，それぞれに適した販売戦略を検討します。

導入期	製品を市場に投入する時期。宣伝をして製品の認知度を高める。
成長期	製品が認知され，需要が増えて売上が伸びる時期。競合製品が増えてくるので，製品の差別化を行う。
成熟期	市場に製品が行き渡り，売上が頭打ちになる時期。市場シェア（市場における製品の占有度）が高ければ，シェアを維持するための対策を行う。
衰退期	製品の需要が減り，売上が減少する時期。市場からの撤退や今後について検討する。

× ア　導入期では利益が出にくいため，キャッシュフローはマイナスです。利益が出て，キャッシュフローがプラスに転じるのは成長期です。
○ イ　正解です。他社との差別化を図る戦略をとるのは成長期です。
× ウ　他社の参入によって競争が激しくなるのは成長期です。
× エ　成長を高めるため広告宣伝費がかかるのは導入期です。

問65 アンゾフの成長マトリクス

本問で出題されている事業戦略は，**アンゾフの成長マトリクス**の手法です。「市場」と「製品」を，それぞれ「既存」と「新規」に分けて，その組合せから成長戦略を立てます。

× ア　従来の事業とは全く関係のない製品を開発することは，製品も市場も新規になるので，「**多角化**」に該当します。
× イ　新製品であるビジネススーツを，従来のカジュアル衣料品と同じ市場で販売することは，製品は新規，市場は既存になるので，「**新製品開発**」に該当します。
× ウ　既存の製品の販売エリアを拡大することは，製品は既存，市場は新規になるので，「**市場開拓**」に該当します。
○ エ　正解です。従来の市場で基幹商品（売上率の高い商品）の販売を拡大することは，製品も市場も既存になるので，「**市場浸透**」に該当します。

問66 バランススコアカード

バランススコアカード（Balanced Scorecard）は，財務，顧客，業務プロセス（内部ビジネスプロセス），学習と成長という4つの視点から企業の業績を評価・分析する手法です。BSCともいいます。

財務	売上高や収益性，経常利益など，財務目標に関することを評価する。
顧客	顧客満足度や顧客定着率，製品イメージなど，顧客や製品・サービスに関することを評価する。
業務プロセス	経費削減，在庫の品切れ率，顧客満足度や財務目標の達成など，業務内容に関することを評価する。内部ビジネスプロセスともいう。
学習と成長	従業員の資格保有率や満足度，やる気など，人材や組織に関することを評価する。

歩留り率は，生産した製品のうち，欠陥無しで製造・出荷できた製品の割合のことです。不良品が多い場合，歩留り率は低くなります。業務内容にかかわることなので，歩留り率を設定する視点は業務プロセスが適しています。よって，正解は イ です。

合格のカギ

問64

対策 競合する商品間から特性（機能や品質など）が失われて，買いやすさを基準にして商品が選択されるようになることを「コモディティ化」というよ。成熟期を迎えると，コモディティ化が始まるよ。

問64

参考 新商品を販売初期の段階で購入し，その商品に関する情報を友人や知人に伝える人を「オピニオンリーダー」というよ。

アンゾフの成長マトリクス　問65

		製品	
		既存	新規
市場	既存	市場浸透	新製品開発
市場	新規	市場開拓	多角化

問66

対策 バランススコアカードは，「BSC」という用語で出題されることもあるよ。どちらも頻出の用語なので覚えておこう。

大分類2 経営戦略

▶ キーワード 問67

- □ バリューエンジニアリング
- □ 重要成功要因（CSF）
- □ バリューチェーン

問67

□□□

製品やサービスの価値を機能とコストの関係で把握し，体系化された手順によって価値の向上を図る手法はどれか。

ア 重要成功要因
イ バリューエンジニアリング
ウ バリューチェーン
エ 付加価値分析

▶ キーワード 問68

- □ CRM

問68

□□□

CRMに必要な情報として，適切なものはどれか。

ア 顧客データ，顧客の購買履歴
イ 設計図面データ
ウ 専門家の知識データ
エ 販売日時，販売店，販売商品，販売数量

▶ キーワード 問69

- □ SCM
- □ ERP
- □ ナレッジマネジメント

問69

□□□

SCMシステムの説明として，適切なものはどれか。

ア 企業内の個人がもつ営業に関する知識やノウハウを収集し，共有することによって効率的，効果的な営業活動を支援するシステム
イ 経理や人事，生産，販売などの基幹業務と関連する情報を一元管理し経営資源を最適配分することによって，効率的な経営の実現を支援するシステム
ウ 原材料の調達から生産，販売に関する情報を，企業内や企業間で共有・管理することで，ビジネスプロセスの全体最適を目指すための支援システム
エ 個々の顧客に関する情報や対応履歴などを管理することによって，きめ細かい顧客対応を実施し，顧客満足度の向上を支援するシステム

▶ キーワード 問70

- □ TOC

問70

□□□

一連のプロセスにおけるボトルネックの解消などによって，プロセス全体の最適化を図ることを目的とする考え方はどれか。

ア CRM　イ HRM　ウ SFA　エ TOC

解説

問67 バリューエンジニアリング

×ア 重要成功要因は，経営戦略の目標や目的の達成に重大な影響を与える要因のことです。**CSF**（Critical Success Factors）とも呼ばれます。

○イ 正解です。**バリューエンジニアリング**（Value Engineering）は，製品やサービスの「価値」を「機能」と「コスト」の関係で分析し，価値の向上を図る手法です。「価値」を「価値＝機能÷総コスト」という計算式で評価し，「機能」は製品やサービスの働きや効用，効果など，「総コスト」は製品やサービスのライフサイクルの全てにわたって発生する費用です。

×ウ **バリューチェーン**（Value Chain）は，企業が提供する製品やサービスの付加価値が，事業活動のどの部分で生み出されているかを分析するための考え方です。

×エ 付加価値分析は，企業活動で生み出された成果が，どのように配分されているかを分析することです。

問68 CRM（Customer Relationship Management）

CRM（Customer Relationship Management）は，営業部門やサポート部門などで顧客情報を共有し，顧客との関係を深めることで，業績の向上を図る手法です。**顧客関係管理**ともいいます。個々の顧客に関する情報や対応履歴などを管理することによって，きめ細かい顧客対応を実現することができます。

これよりCRMに必要なのは顧客に関する情報で，選択肢を確認するとアの「顧客データ，顧客の購買履歴」が該当します。よって，正解はアです。

問69 SCM（Supply Chain Management）

×ア **ナレッジマネジメント**（Knowledge Management）に関する説明です。ナレッジマネジメントは，企業内に分散している知識やノウハウなどを企業全体で共有し，有効活用することで，企業の競争力を強化する経営手法です。

×イ **ERP**（Enterprise Resource Planning）に関する説明です。ERPは，生産や販売，会計，人事など，業務で発生するデータを統合的に管理し，経営資源の有効活用や経営の効率化を図る経営手法です。それを実現するシステムを指す場合もあります。また，ERPを実現するためのソフトウェアを**ERPパッケージ**といいます。

○ウ 正解です。**SCM**（Supply Chain Management）の説明です。SCMは資材の調達から生産，流通，販売に至る一連の流れを統合的に管理し，コスト削減や経営の効率化を図る経営手法です。**サプライチェーンマネジメント**ともいいます。SCMシステムは，SCMの実現を支援するシステムです。

×エ **CRM**(Customer Relationship Management)に関する説明です。CRMは，顧客との関係を深めることで業績の向上を図る手法です。

問70 TOC（Theory Of Constraints）

×ア **CRM**（Customer Relationship Management）は，営業部門やサポート部門などで顧客情報を共有し，顧客との関係を深めることで，業績の向上を図る手法です。

×イ **HRM**（Human Resource Management）は，企業や組織において，有効に人材を活用するための仕組みや活動のことです。**人的資源管理**ともいいます。

×ウ **SFA**（Sales Force Automation）は，コンピュータやインターネットなどのIT技術を使って，営業活動を支援するシステムのことです。顧客情報や商談内容などの営業情報を共有し，営業活動の効率化や営業力の向上を図ります。

○エ 正解です。**TOC**（Theory Of Constraints）は，プロセスにおいて制約となっている要因を解消，改善することで，プロセス全体のパフォーマンスを大きく向上させるという考え方です。「制約理論」または「制約条件の理論」ともいわれます。

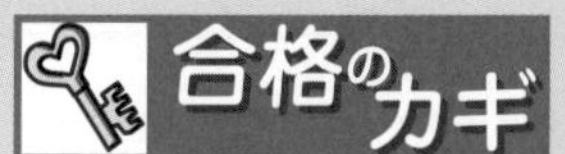

問67

参考 バリューチェーン分析では，企業の活動を，企業の価値に直結する主活動と，主活動全体を支援して全社的な機能を果たす支援活動に分けて分析するよ。

問68

対策 CRMは頻出の用語だよ。ぜひ，覚えておこう。

問69

対策 SCM，ERP，ナレッジマネジメント，CRMは，全て頻出の重要用語だよ。確実に覚えておこう。

問70

参考 ボトルネックはもともと「ビンの首」という意味で，流れをせき止めるように，全体に影響を与える制約や障害を指すよ。

中分類4：技術戦略マネジメント

▶ キーワード　問71

- □ MOT

問71

MOTの説明として，適切なものはどれか。

ア 企業が事業規模を拡大するに当たり，合併や買収などによって他社の全部又は一部の支配権を取得することである。

イ 技術に立脚する事業を行う企業が，技術開発に投資してイノベーションを促進し，事業を持続的に発展させていく経営の考え方のことである。

ウ 経営陣が金融機関などから資金調達して株式を買い取り，経営権を取得することである。

エ 製品を生産するために必要となる部品や資材の量を計算し，生産計画に反映させる資材管理手法のことである。

▶ キーワード　問72

- □ プロセスイノベーション
- □ プロダクトイノベーション

問72

イノベーションは，大きくプロセスイノベーションとプロダクトイノベーションに分けることができる。プロダクトイノベーションの要因として，適切なものはどれか。

ア 効率的な生産方式　　イ サプライチェーン管理
ウ 市場のニーズ　　エ バリューチェーン管理

▶ キーワード　問73

- □ ロードマップ（技術ロードマップ）
- □ 技術ポートフォリオ
- □ 技術のSカーブ

問73

技術開発戦略において作成されるロードマップを説明しているものはどれか。

ア 技術の競争力レベルと技術のライフサイクルを2軸としたマトリックス上に，既存の技術や新しい技術をプロットする。

イ 研究開発への投資額とその成果を2軸とした座標上に，新旧の技術の成長過程をグラフ化し，旧技術から新技術への転換状況を表す。

ウ 市場面からの有望度と技術面からの有望度を2軸としたマトリックス上に，自社が取り組んでいる技術開発プロジェクトをプロットする。

エ 横軸に時間，縦軸に市場，商品，技術などを示し，研究開発への取組みによる要素技術や求められる機能などの進展の道筋を，時間軸上に表す。

問71 MOT（Management Of Technology）

× ア M&A（Mergers and Acquisitions）の説明です。
○ イ 正解です。MOT（Management Of Technology）は，**技術に立脚する事業を行う企業が，技術革新（イノベーション）をビジネスに結び付け，経済的価値を創出していく経営の考え方**のことです。「技術経営」とも呼ばれます。
× ウ MBO（Management BuyOut）の説明です。
× エ MRP（Material Requirements Planning）の説明です。

問72 プロセスイノベーション，プロダクトイノベーション

イノベーションは「技術革新」や「経営革新」などの意味で用いられ，**今までにない技術や考え方から新たな価値を生み出し，社会的に大きな変化を起こすこと**をいいます。また，イノベーションには，**開発，製造，販売などの業務プロセスを変革するプロセスイノベーション**と，**これまで存在しなかった革新的な新製品や新サービスを開発するプロダクトイノベーション**があります。

× ア 効率的な生産方式は業務プロセスの革新につながることなので，プロセスイノベーションの要因です。
× イ **サプライチェーン管理**は，資材の調達から製造，物流，販売に至る一連の流れを統合的に管理することです。業務プロセスの革新につながることなので，プロセスイノベーションの要因です。
○ ウ 正解です。市場のニーズは，そのニーズに合わせた新商品や新サービスの開発につながります。よって，プロダクトイノベーションの要因です。
× エ **バリューチェーン管理**は，企業が提供する製品やサービスの付加価値が，事業活動のどの部分で生み出されているかを分析し，効率的に管理することです。業務プロセスの革新につながることなので，プロセスイノベーションの要因です。

問73 ロードマップ

技術開発戦略では，将来的に市場で競争優位に立つことを目的として，既存の技術を向上させるか，新たな価値のある技術を開発するかなど，技術開発の進め方を策定します。その際には，技術動向・製品動向の調査や分析，核となる技術の見極め，自社がもつ技術の評価，強化する分野の選定を行います。

× ア，ウ 技術ポートフォリオに関する説明です。**技術ポートフォリオは「技術水準」や「技術の成熟度」などを軸にしたマトリックスに，市場における自社の技術の位置付けを示したもの**です。
× イ **技術のSカーブ**に関する説明です。**技術のSカーブは，技術の進歩の過程を示すもので，当初は緩やかに進歩しますが，やがて急激に進歩し，その後，緩やかに停滞**していきます。縦軸に技術の成長，横軸に技術開発に投資した時間や費用をとったグラフで示すと，S字のような曲線になります。
○ エ 正解です。技術開発戦略において作成される**ロードマップ**の説明です。**ロードマップ（技術ロードマップ）は，技術開発戦略に基づき，時系列に将来の展望を表した図表で，横軸に時間，縦軸に市場，商品，技術などを示します。**

技術ロードマップの例　Webページにおける検索技術と分析機能の展望

	現在	1年後	2年後	3年後	4年後	5年後
検索技術	連想検索主体			セマンティック検索の利用		
分析機能	テキスト中心の分析		Webページ内の文字列に付与された意味情報による分析			

（出典：IPA ITパスポート試験　平成29年秋期　問18）

問73

参考 技術ロードマップは，技術者や研究者だけでなく，経営者や事業部門の人なども理解できる内容にする必要があるよ。

大分類2 経営戦略

中分類5：ビジネスインダストリ

▶ キーワード 問74

- □ POS
- □ ETC
- □ GPS

問74

□□□

販売時点で，商品コードや購入者の属性などのデータを読み取ったりキー入力したりすることで，販売管理や在庫管理に必要な情報を収集するシステムはどれか。

ア ETC　イ GPS　ウ POS　エ SCM

▶ キーワード 問75

- □ SFA

問75

□□□

営業活動の支援と管理強化を目的としたSFAシステムの運用において，管理すべき情報として，最も適切なものはどれか。

ア 顧客への訪問回数，商談進捗状況，取引状況などの情報
イ 社員のスキル，研修受講履歴，業務目標と達成度などの情報
ウ 商品の販売日時，販売個数，販売金額などの情報
エ 製品の生産計画，構成部品とその所要数，在庫数などの情報

▶ キーワード 問76

- □ トレーサビリティ

問76

□□□

トレーサビリティに該当する事例として，適切なものはどれか。

ア インターネットやWebの技術を利用して，コンピュータを教育に応用する。
イ 開発部門を自社内に抱えずに，開発業務を全て外部の専門企業に任せる。
ウ 個人の知識や情報を組織全体で共有し，有効に活用して業績を上げる。
エ 肉や魚に貼ってあるラベルをよりどころに生産から販売までの履歴を確認できる。

▶ キーワード 問77

- □ CAD
- □ CAM
- □ FA

問77

□□□

CADの説明として，適切なものはどれか。

ア コンピュータを利用して教育を行うこと
イ コンピュータを利用して製造作業を行うこと
ウ コンピュータを利用して設計や製図を行うこと
エ コンピュータを利用してソフトウェアの設計・開発やメンテナンスを行うこと

解説

問74 POS

×ア **ETC**（Electronic Toll Collection）は，有料道路の料金精算を自動化するシステムのことです。ETC車載器にETCカードを差し込んでおくと，料金所の通過時に無線通信が行われ，停車せずにゲートを通過できます。

×イ **GPS**（Global Positioning System）は，人工衛星からの電波を受信して，地球上でどこにいるか，位置情報を割り出すシステムのことです。「全地球測位システム」ともいい，カーナビゲーションシステムや携帯電話などで幅広く利用されています。

○ウ 正解です。**POS**（Point of Sales）は，スーパーやコンビニのレジで顧客が商品の支払いをしたとき，リアルタイムで販売情報を収集し，在庫管理や販売戦略に活用するシステムのことです。「販売時点情報管理システム」ともいいます。

×エ **SCM**（Supply Chain Management）は，資材の調達から生産，流通，販売に至る一連の流れを統合的に管理し，コスト削減や経営の効率化を図る手法です。

問75 SFA（Sales Force Automation）

SFA（Sales Force Automation）は，コンピュータやインターネットなどのIT技術を使って，営業活動を支援するシステムのことです。顧客情報や商談内容などの営業情報を営業部門内で共有し，営業活動の効率化や営業力の向上を図ります。

選択肢を確認すると，顧客情報や商談内容などの営業情報に該当するものとして，アの「顧客への訪問回数，商談進捗状況，取引状況などの情報」が適切です。よって，正解はアです。

問75
対策 SFAは頻出の用語だよ。ぜひ，覚えておこう。

問76 トレーサビリティ

×ア **e-ラーニング**に関する事例です。e-ラーニングは，パソコンやインターネットなどの情報技術を利用した学習方法です。

×イ **アウトソーシング**に関する事例です。アウトソーシングは，自社の業務を外部の企業などに委託することです。

×ウ **ナレッジマネジメント**（Knowledge Management）に関する事例です。ナレッジマネジメントは，企業内に分散している知識やノウハウなどを，企業全体で共有することによって，企業競争力を強化する手法です。

○エ 正解です。**トレーサビリティ**に関する事例です。トレーサビリティは，食品などの生産・流通にかかわる履歴情報を記録し，後から追跡できるようにすることです。トレーサビリティを実現するシステムを「**トレーサビリティシステム**」といいます。

問77 CAD

×ア CAI（Computer Assisted Instruction／Computer Aided Instruction）の説明です。

×イ **CAM**（Computer Aided Manufacturing）の説明です。CAMはコンピュータを利用して製品の製造作業を行うことです。CAMに用いるシステムやツールを指すこともあります。

○ウ 正解です。**CAD**（Computer Aided Design）は，コンピュータを利用して，工業製品や建築物などの設計や製図を行うことです。CADに用いるシステムやツールを指すこともあります。

×エ ソフトウェアの設計・開発などは，CADで行うことではありません。

問77
参考 コンピュータの制御技術によって，工場の自動化を図るシステムのことを「FA」（Factory Automation）というよ。

第1章 ストラテジ系
第2章 マネジメント系
第3章 テクノロジ系
令和6年度
模擬問題

大分類2 経営戦略

▶ キーワード 問78

- □ コンカレントエンジニアリング
- □ FMS（フレキシブル生産システム）
- □ MRP（資材所要量計画）
- □ ジャストインタイム（JIT）

□□□

問78

製造業のA社は，製品開発のリードタイムを短縮するために，工程間で設計情報を共有し，前工程が完了しないうちに，着手可能なものから後工程の作業を始めることにした。この考え方は何に基づくものか。

ア	FMS	イ	MRP
ウ	コンカレントエンジニアリング	エ	ジャストインタイム

▶ キーワード 問79

- □ BTO
- □ 受注生産方式
- □ 見込み生産方式
- □ セル生産方式
- □ OEM

□□□

問79

PCの生産などに利用されるBTOの説明として，最も適切なものはどれか。

ア 自社のロゴを取り付けた製品を他社に組み立てさせる。

イ 製品を完成品ではなく部品の形で保存しておき，顧客の注文を受けてから，注文内容に応じた製品を組み立てる。

ウ 必要な時期に必要な量の原材料や部品を調達することによって，生産工程間の在庫をできるだけもたずに生産する。

エ 一つの製品を1人の作業者だけで組み立てる。

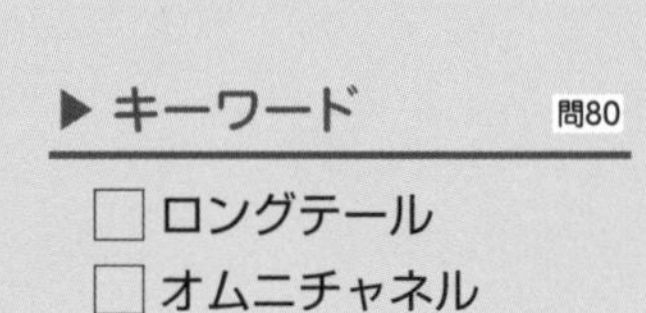

▶ キーワード 問80

- □ ロングテール
- □ オムニチャネル

□□□

問80

e-ビジネスの事例のうち，ロングテールの考え方に基づく販売形態はどれか。

ア インターネットの競売サイトに商品を長期間出品し，一番高値で落札した人に販売する。

イ 継続的に自社商品を購入してもらえるよう，実店舗で採寸した顧客のサイズの情報を基に，その顧客の体型に合う商品をインターネットで注文できるようにする。

ウ 実店舗において長期にわたって売上が大きい商品だけを，インターネットで大量に販売する。

エ 販売見込み数がかなり少ない商品を幅広く取扱い，インターネットで販売する。

問78 コンカレントエンジニアリング

×ア FMS（Flexible Manufacturing System）は，工作機械や搬送装置，倉庫などをコンピュータで集中管理し，**多品種少量の製造にも柔軟に対応できる自動化された製造システム**のことです。**フレキシブル生産システム**ともいいます。

×イ MRP（Material Requirements Planning）は生産計画や在庫管理を支援する手法です。**生産計画をもとにして，製造に必要となる部品や資材の量を算出し，在庫数や納期などの情報も織り込み，最適な発注量や発注時期を決定します。資材所要量計画**ともいいます。

○ウ 正解です。**コンカレントエンジニアリング**（Concurrent Engineering）は，**設計から製造までのいろいろな工程を同時並行で進めることにより，開発期間の短縮を図る手法**です。製品開発のリードタイムを短縮するために，「前行程が完了しないうちに，着手可能なものから後工程の作業を始める」ので，コンカレントエンジニアリングに基づく考え方です。

×エ **ジャストインタイム**（Just In Time）は，生産工程における無駄な在庫をできるだけ減らすため，**必要な物を，必要なときに，必要な量だけ生産するという生産方式**のことです。**JIT**ともいいます。

問79 BTO

×ア **OEM**（Original Equipment Manufacturer）の説明です。**提携先企業のブランド名や商標で製品を製造し，販売します。**

○イ 正解です。**BTO**（Build To Order）は，**顧客の注文を受けてから製品を製造する生産方式**です。**受注生産方式**ともいいます。顧客は自分の好みどおりにカスタマイズして注文することができ，メーカは余分な在庫を抱えるリスクが減ります。

×ウ **ジャストインタイム**（Just In Time）説明です。生産工程における無駄な在庫をできるだけ減らすため，必要な物を，必要なときに，必要な量だけ生産します。

×エ **セル生産方式**の説明です。生産品目を変更しやすく，**多品種・少量を生産するのに適しています。**

問80 ロングテール

実際の店舗では，売り場の広さや陳列棚の数など，物理的な制約によって扱える商品数が制限されるため，売れ筋の商品を選別して店頭に並べます。

対して，インターネットのオンラインショップでは，実際の店舗のような制約がないため，売れ筋の商品だけでなく，数多くのいろいろな商品を販売することができます。**ロングテール**は，**このようなインターネットでの商品販売において，販売数が少ない商品でも品数を豊富に取り揃えることで，その売上が売上全体に対して大きな割合を占める現象のこと**です。

×ア オークションに基づく販売形態です。

×イ **オムニチャネル**に基づく販売形態です。**オムニチャネルは，顧客との接点を，店頭販売やオンラインストア，テレビショッピング，カタログ販売など，チャネルを問わずに連携して統合しようとする考え**です。

×ウ パレートの法則に基づく販売形態です。パレートの法則は，たとえば「全商品のうち2割に当たる売れ筋商品が，売上全体の8割を占める」のように，全体で上位にある一部の要素が，全体の大部分を占めるという法則です。

○エ 正解です。販売見込み数が少ない商品を幅広く取り扱い，インターネットで販売するのは，ロングテールの考え方に基づく販売形態です。

問78

参考 Just In Timeを実現する代表的な手法に「かんばん方式」があるよ。「かんばん」は部品名や数量，入荷日時などを書いたもので，これを工程間で回すことによって，「いつ，どれだけ，どの部品を使った」という情報を伝えるよ。
また，ジャストインタイムやかんばん方式を取り込んだ生産方式に「リーン生産方式」があるよ。「リーン（lean）」は「ぜい肉のない」という意味だよ。

問79

参考 生産開始時の計画に基づき，見込み数量を生産する生産方式を「見込み生産方式」というよ。

問80

参考「ロングテール」と呼ばれる由来は，縦軸に販売数，横軸に販売数量の多い順に商品を並べたグラフで，右に伸びる曲線が長いしっぽのように見えるからだよ。

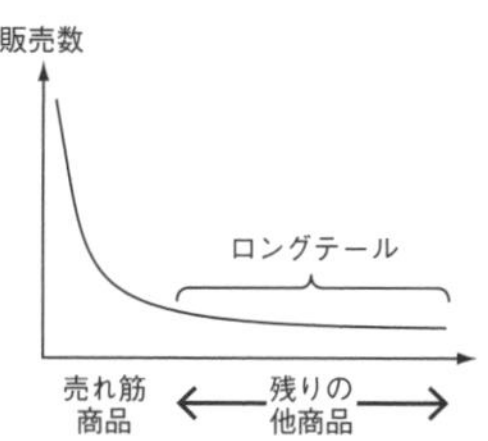

大分類2 経営戦略

▶ キーワード 問81

- □ 人工知能（AI）
- □ IoT
- □ ブロックチェーン

問81

□□□

人工知能の活用事例として，最も適切なものはどれか。

ア 運転手が関与せずに，自動車の加速，操縦，制動の全てをシステムが行う。
イ オフィスの自席にいながら，会議室やトイレの空き状況がリアルタイムに分かる。
ウ 銀行のような中央管理者を置かなくても，分散型の合意形成技術によって，取引の承認を行う。
エ 自宅のPCから事前に入力し，窓口に行かなくても自動で振替や振込を行う。

▶ キーワード 問82

- □ EDI
- □ 電子商取引
- □ B to C
- □ エスクロー

問82

□□□

受発注や決済などの業務で，ネットワークを利用して企業間でデータをやり取りするものはどれか。

ア B to C　　イ CDN
ウ EDI　　エ SNS

▶ キーワード 問83

- □ 組込みシステム
- □ 組込みソフトウェア

問83

□□□

組込みソフトウェアに該当するものはどれか。

ア PCにあらかじめインストールされているオペレーティングシステム
イ スマートフォンに自分でダウンロードしたゲームソフトウェア
ウ デジタルカメラの焦点を自動的に合わせるソフトウェア
エ 補助記憶媒体に記録されたカーナビゲーションシステムの地図更新データ

解説

問81 人工知能（AI）

○ア 正解です。人工知能は人間のように学習，認識・理解，予測・推論などを行うコンピュータシステムや，その技術のことです。AI（Artificial Intelligence）とも呼ばれます。人工知能がリアルタイムに状況を把握，対応することで，無人自動車走行を可能にします。

×イ IoT（Internet of Things）の活用事例です。IoTは自動車や家電などの様々な「モノ」をインターネットに接続し，ネットワークを通じて情報をやり取りすることで，自動制御や遠隔操作などを行う技術のことです。

×ウ ブロックチェーンの活用事例です。ブロックチェーンは，取引の台帳情報を一元管理するのではなく，ネットワーク上にある複数のコンピュータで，同じ内容のデータを保持，管理する分散型台帳技術のことです。ハッシュ値を埋め込んだデータを，各コンピュータが正当性を検証して担保することによって，矛盾なくデータを改ざんすることを困難にしています。

×エ インターネットバンキングの活用事例です。

問82 EDI

×ア B to C（Business to Consumer）は電子商取引の形態の1つで，企業と消費者間で行う取引のことです。電子商取引の形態には，**企業間のB to B**（Business to Business），**消費者間のC to C**（Consumer to Consumer），**企業とその従業員とのB to E**（Business to Employee），**政府・自治体と企業とのB to G**（Business to Government）などがあります。

×イ CDN（Contents Delivery Network）は動画やプログラムなどのファイルサイズが大きいデジタルコンテンツを，インターネット上の複数のサーバに分散して配置することで，高速かつ安定して配信するための技術やサービスのことです。

○ウ 正解です。EDI（Electronic Data Interchange）は，企業間において，商取引の見積書や注文書などのデータをネットワーク経由で相互にやり取りする仕組みのことです。

×エ SNS（Social Networking Service）は，社会的なつながりをインターネット上で実現することを目的とするサービスの総称です。

問83 組込みシステム，組込みソフトウェア

特定の機能を実現するため，機器に組み込まれているコンピュータシステムを組込みシステムといいます。たとえば，エアコンには温度制御システムが組み込まれています。他にも，炊飯器や電子レンジなどの家電製品，産業用ロボット，エレベータなど，様々な機器に組み込まれています。組込みソフトウェアは，組込みシステムに搭載されている，特定の機能を実現するためのソフトウェアです。組込みシステムのためのソフトウェアであり，機器の利用者が操作するものではありません。

×ア PCにあらかじめインストールされているオペレーティングシステムはWindowsなどの基本ソフト（OS）のことで，組込みソフトウェアには該当しません。

×イ 利用者がダウンロードして使うソフトウェアは，組込みソフトウェアに該当しません。

○ウ 正解です。デジタルカメラの機能を実現するために搭載されているソフトウェアなので，組込みソフトウェアに該当します。

×エ 補助記憶媒体に記録されており，更新されるデータなので，組込みソフトウェアには該当しません。

合格のカギ

問81

参考 ブロックチェーンは，ビットコインなど，暗号資産（仮想通貨）の基盤となる技術だよ。

電子商取引 問82

インターネットなどのネットワークを介して，契約や決済などを行う取引のこと。EC（Electronic Commerce）やeコマースともいう。

問82

参考 ネットオークションなどの電子商取引で，売り手と買い手の間を信頼できる第三者が仲介し，取引の安全性を保証する仕組みを「エスクロー」というよ。

問83

参考 多くの組込みシステムが，定められた時間の範囲内で一定の処理を完了する「リアルタイム性」を必要とするよ。

大分類3 システム戦略

中分類6：システム戦略

▶ キーワード 問84

- □ 情報システム戦略
- □ EA

問84

□□□

企業の情報システム戦略で明示するものとして，適切なものはどれか。

ア ITガバナンスの方針
イ 基幹システムの開発体制
ウ ベンダー提案の評価基準
エ 利用者の要求の分析結果

▶ キーワード 問85

- □ DFD（データフローダイアグラム）

問85

□□□

図に示す売上管理システムのDFDの中で，Aに該当する項目として，適切なものはどれか。

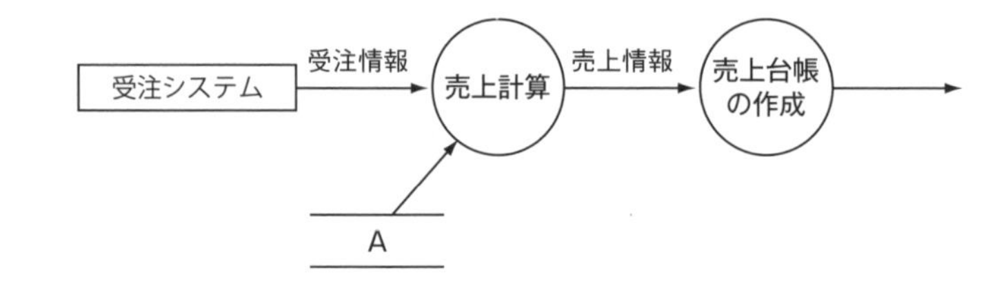

ア 売上ファイル
イ 受注ファイル
ウ 単価ファイル
エ 入金ファイル

▶ キーワード 問86

- □ UML
- □ シーケンス図
- □ E-R図
- □ エンティティ
- □ リレーションシップ

問86

□□□

業務の流れを，図式的に記述することができるものはどれか。

ア E-R図
イ UML
ウ 親和図法
エ ロジックツリー

問84 情報システム戦略

情報システム戦略は，経営戦略の実現にIT技術を活用し，中長期的な観点から企業にとって最適な情報システムを構築するための戦略です。経営戦略に基づいて策定し，情報システムのあるべき姿を明確にして，情報システム全体の最適化の方針・目標を決定します。

選択肢ア～エを確認すると，アのITガバナンスは企業が経営目標を達成するために，ITの活用を統制する考え方や仕組みのことで，情報システム戦略でその方針を明確にしておく必要があります。イ～エは，実際に情報システムを導入する場合に，イはシステム化計画，ウは情報システムの調達，エは要件定義で明らかにすることです。よって，正解はアです。

問85 DFD

DFD（Data Flow Diagram）は，データの流れに着目し，業務のデータの流れと処理の関係を図式化したものです。次表のように4つの記号で表記します。「データフローダイアグラム」ともいいます。

DFDで使う記号

記号	名称	意味
――→	データフロー	データの流れを表す。
○	プロセス	データに行われる処理を表す。
＝	ファイル（データストア）	データの保管場所を表す。
□	データ源泉／データ吸収	データが発生するところと，データが出て行くところを表す。どちらもシステム外部にある。

問題のDFDは，受注システムから送られた受注情報と，「A」ファイルのデータを用いて売上計算を行い，この結果を売上情報として売上台帳を作成しています。

売上計算では「単価×数量」を処理するため，単価と数量のデータが必要です。数量は「受注情報」データに含まれるものなので，「A」ファイルから引き当てるのは単価です。よって，正解はウです。

問86 UML

×ア E-R図は，業務におけるルールやモノ，人の関係を「実体（エンティティ）」と「関連（リレーションシップ）」によって図式化したものです。

（E-R図の例）1人の社員が複数の顧客を担当している

○イ 正解です。UMLは，オブジェクト指向のシステム開発で用いられる図の表記方法です。シーケンス図（右の「合格のカギ」参照）やユースケース図など，いろいろな種類の図が標準化されています。

×ウ 親和図法は，収集したデータを相互の親和性によってグループ化し，解決すべき問題を明確にする方法です。

×エ ロジックツリーは，問題の原因を探るなど，物事を論理的に分析する際，その考え方を樹形図で表す思考技術です。

合格のカギ

問84

対策 企業の情報戦略の策定において，最も考慮すべきことは「経営戦略との整合性」だよ。よく出題されているので覚えておこう。

問84

対策 企業の業務と情報システムの現状を把握し，理想とするべき姿を設定して，全体最適化を図る手法を「エンタープライズアーキテクチャ」というよ。「EA」（Enterprise Architecture）という略称でも出題されているので覚えておこう。

問85

参考 業務における活動やデータの流れを図式化して表したものを「業務プロセスのモデル」というよ。このようなモデルを作成することをモデリングといい，モデリングの手法にはDFDやE-R図などがあるよ。

シーケンス図 問86

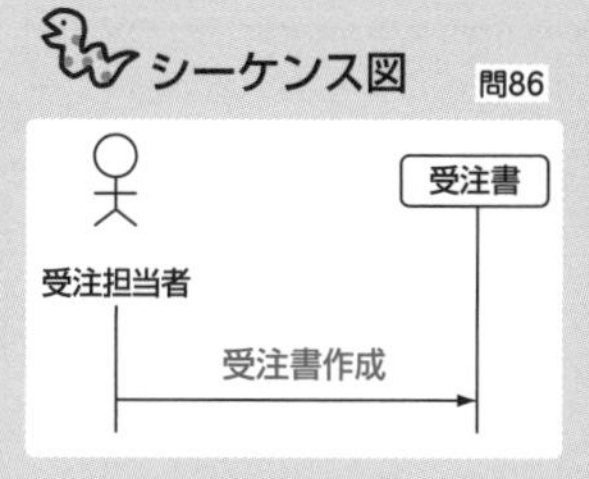

大分類3 システム戦略

▶ キーワード 問87

- □ BPM
- □ BPR

問87

□□□

BPM（Business Process Management）の特徴として，最も適切なものはどれか。

ア 業務課題の解決のためには，国際基準に従ったマネジメントの仕組みの導入を要する。
イ 業務の流れをプロセスごとに分析整理し，問題点を洗い出して継続的に業務の流れを改善する。
ウ 業務プロセスの一部を外部の業者に委託することで効率化を進める。
エ 業務プロセスを抜本的に見直してデザインし直す。

▶ キーワード 問88

- □ グループウェア
- □ ワークフローシステム

問88

□□□

グループウェアで提供されている情報共有機能を活用したサービスとして，最も適切なものはどれか。

ア スケジュール管理　　イ セキュリティ管理
ウ ネットワーク管理　　エ ユーザー管理

▶ キーワード 問89

- □ SaaS
- □ PaaS
- □ IaaS
- □ ISP

問89

□□□

SaaSの説明として，最も適切なものはどれか。

ア インターネットへの接続サービスを提供する。
イ システムの稼働に必要な規模のハードウェア機能を，サービスとしてネットワーク経由で提供する。
ウ ハードウェア機能に加えて，OSやデータベースソフトウェアなど，アプリケーションソフトウェアの稼働に必要な基盤をネットワーク経由で提供する。
エ 利用者に対して，アプリケーションソフトウェアの必要な機能だけを必要なときに，ネットワーク経由で提供する。

▶ キーワード 問90

- □ システムインテグレーション（SI）
- □ ハウジングサービス
- □ ホスティングサービス

問90

□□□

情報システムの構築に当たり，要件定義から開発作業までを外部に委託し，開発したシステムの運用は自社で行いたい。委託の際に利用するサービスとして，適切なものはどれか。

ア SaaS（Software as a Service）
イ システムインテグレーションサービス
ウ ハウジングサービス
エ ホスティングサービス

問87 BPM，BPR

×ア ISO 9001（品質マネジメントシステム）やISO 14001（環境マネジメントシステム）などの導入に関する特徴です。
○イ 正解です。BPM（Business Process Management）の特徴です。BPMは業務の流れをプロセスごとに分析・整理して問題点を洗い出し，継続的に業務の流れを改善することです。
×ウ アウトソーシングの特徴です。
×エ BPR（Business Process Reengineering）の特徴です。BPRは，企業の業務効率や生産性を改善するため，既存の組織やビジネスルールを全面的に見直し，業務プロセスを抜本的に改革することです。

問87
対策 BPMとBPRはよく似た用語だけど，BPMは「継続的」，BPRは「抜本的」というキーワードで区別しよう。

問88 グループウェア

グループウェアは，情報共有やコミュニケーションの効率化など，グループでの共同作業を支援する統合ソフトウェアです。代表的な機能は，電子掲示板や電子メール，データ共有，スケジュールの予約，会議室の予約，ワークフロー管理などです。よって，選択肢 ア ～ エ のサービスで，グループウェアで提供されている情報共有機能として最も適切なのはスケジュール管理です。よって，正解は ア です。

問88
参考 申請書や稟議書などを電子化し，その手続処理をネットワーク上で行うシステムを「ワークフローシステム」というよ。

問89 SaaS

×ア ISP（Internet Service Provider）の説明です。インターネット接続業者（プロバイダ）のことです。
×イ IaaS（Infrastructure as a Service）の説明です。インターネット経由で，システムの稼働に必要なハードウェアやネットワークなどのインフラ機能を提供するサービスです。
×ウ PaaS（Platform as a Service）の説明です。インターネット経由で，OSやデータベースソフトウェアなど，アプリケーションソフトウェアの稼働に必要な基盤（プラットフォーム）を提供するサービスです。
○エ 正解です。SaaS（Software as a Service）の説明です。インターネット経由でアプリケーションソフトウェアを提供するサービスです。利用者は，アプリケーションの必要な機能だけを必要なときに使用できます。

問89
参考 IaaS，PaaS，SaaSの順に提供するサービスが増えていくよ。このようなインターネットを通じて提供するサービスのことを「クラウドサービス」というよ。

SaaS	インフラ機能，基盤，ソフトウェア
↑	
PaaS	インフラ機能，基盤
↑	
IaaS	インフラ機能

問90 システムインテグレーション（SI）

×ア SaaS（Software as a Service）は，インターネット経由でアプリケーションソフトウェアを提供するサービスです。
○イ 正解です。情報システムの企画から構築，運用，保守までに必要な作業を一貫して行うサービスや事業のことをシステムインテグレーションやSI（System Integration）といいます。「情報システムの構築に当たり，要件定義から開発作業までを外部に委託」するとき，利用するサービスとして適切です。
×ウ ハウジングサービスは，耐震設備や回線設備が整っている施設の一定の区画を，サーバや通信機器の設置場所として提供するサービスです。利用者は所有するサーバや通信機器などを，サービス提供者事業者の施設に持ち込み，提供されたスペースに設置します。
×エ ホスティングサービスは，インターネット経由で，利用者にサーバの機能を間貸しするサービスです。利用者は，自分でサーバや通信機器などを用意したり，サーバを管理したりする必要がありません。

問90
参考 自社でハードウェアなどの設備を保有して運用することを「オンプレミス」というよ。

大分類3 システム戦略

▶ キーワード 問91

□ アウトソーシング
□ オフショアアウトソーシング

問91

□□□

アウトソーシング形態の一つであるオフショアアウトソーシングの事例として，適切なものはどれか。

ア 研究開発の人的資源として高い専門性を有する派遣社員を確保する。
イ サービスデスク機能を海外のサービス提供者に委託する。
ウ システム開発のプログラミング業務を国内のベンダー会社に委託する。
エ 商品の配送業務を異業種の会社との共同配送に変更する。

▶ キーワード 問92

□ オンプレミス
□ クラウドコンピューティング

問92

□□□

自社の情報システムを，自社が管理する設備内に導入して運用する形態を表す用語はどれか。

ア アウトソーシング
イ オンプレミス
ウ クラウドコンピューティング
エ グリッドコンピューティング

▶ キーワード 問93

□ SOA（サービス指向アーキテクチャ）

問93

□□□

SOA（Service Oriented Architecture）とは，サービスの組合せでシステムを構築する考え方である。SOAを採用するメリットとして，適切なものはどれか。

ア システムの処理スピードが向上する。
イ システムのセキュリティが強化される。
ウ システム利用者への教育が不要となる。
エ 柔軟性のあるシステム開発が可能となる。

▶ キーワード 問94

□ 情報リテラシー（デジタルリテラシー）
□ アクセシビリティ
□ デジタルディバイド

問94

□□□

情報リテラシーを説明したものはどれか。

ア PC保有の有無などによって，情報技術をもつ者ともたない者との間に生じる，情報化が生む経済格差のことである。
イ PCを利用して，情報の整理・蓄積や分析などを行ったり，インターネットなどを使って情報を収集・発信したりする，情報を取り扱う能力のことである。
ウ 企業が競争優位を構築するために，IT戦略の策定・実行をガイドし，あるべき方向へ導く組織能力のことである。
エ 情報通信機器やソフトウェア，情報サービスなどを，障害者・高齢者などすべての人が利用可能であるかを表す度合いのことである。

問91 オフショアアウトソーシング

×ア 労働者派遣の事例です。
○イ 正解です。自社の業務を外部の企業などに委託することをアウトソーシングといいます。「オフショア（offshore）」は「海外の」という意味で，オフショアアウトソーシングは海外の企業に委託するアウトソーシングのことです。
×ウ ITアウトソーシングの事例です。
×エ 共同配送の事例です。複数の荷主が同じ運送トラックに商品配送を委託することで，コスト削減を図ります。

問92 オンプレミス

×ア アウトソーシングは，業務の全部または一部を外部に委託することです。
○イ 正解です。オンプレミスは，情報システムのハードウェアなどを自社で保有し，自社が管理する設備内で機器を運用する形態のことです。
×ウ クラウドコンピューティングは，インターネットなどのネットワークを経由して，ハードウェアやソフトウェアなどのリソース（資源）を利用する形態のことです。
×エ グリッドコンピューティングは，複数のコンピュータをLANやインターネットなどのネットワークで結び，あたかも1つの高性能コンピュータとして利用できるようにする方式のことです。

問93 SOA（サービス指向アーキテクチャ）

SOA（Service Oriented Architecture）は，既存のソフトウェアやその一部の機能を部品化し，それらを組み合わせて新しいシステムを構築する設計手法のことです。部品化した機能を「サービス」という単位で扱い，サービスを組み合わせてシステム全体を構築します。「サービス指向アーキテクチャ」ともいいます。

×ア，イ SOAで構築したからといって，システムの処理スピードの向上やセキュリティの強化が図られるわけではありません。
×ウ 通常の情報システムと同様，システム利用者への教育は必要です。
○エ 正解です。サービスの組み替えや，新しいサービスの追加を容易に行うことができるので，柔軟性のあるシステム開発が可能です。

問94 情報リテラシー

×ア デジタルディバイドの説明です。デジタルディバイドは，パソコンやインターネットなどの情報通信技術を利用できる環境や能力の違いによって，経済的や社会的な格差が生じることです。
○イ 正解です。事業活動や業務遂行のためにコンピュータ，アプリケーションソフトウェアなどのデジタル技術を理解し，効果的に活用する能力のことを情報リテラシーやデジタルリテラシーといいます。たとえば，表計算ソフトで情報の整理・分析などを行ったり，インターネットなどを使って情報を収集・発信したりすることができる，という能力です。
×ウ ITガバナンスの説明です。
×エ アクセシビリティの説明です。アクセシビリティは，製品やサービスなどの利用しやすさの程度を表す用語です。たとえば，試した製品が利用しやすい場合，「アクセシビリティが高い」といいます。

合格のカギ

問91

参考 アウトソーシングには，総務や人事，経理などの業務処理を外部委託する「ビジネスプロセスアウトソーシング」（BPO）や，コンピュータに関する業務を外部委託する「ITアウトソーシング」などの種類があるよ。

問94

対策 Webサイト（ホームページ）の利用しやすさのことを，「Webアクセシビリティ」というよ。

大分類3 システム戦略

中分類7：システム企画

▶ キーワード 問95

□ ソフトウェアライフサイクル（SLCP）

問95

図のソフトウェアライフサイクルを，運用プロセス，開発プロセス，企画プロセス，保守プロセス，要件定義プロセスに分類したとき，aに当てはまるものはどれか。ここで，aと網掛けの部分には，開発，企画，保守，要件定義のいずれかが入るものとする。

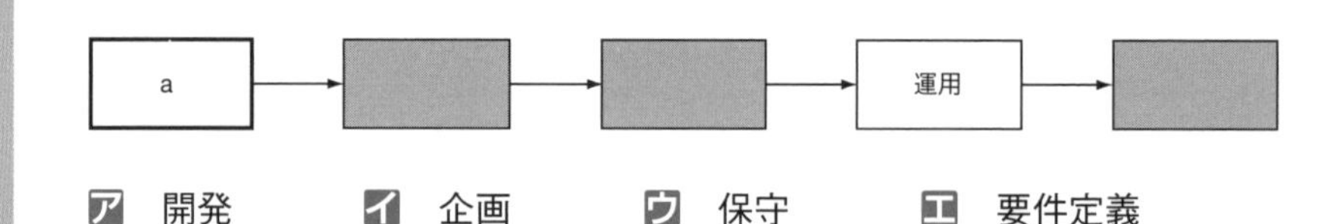

ア 開発　イ 企画　ウ 保守　エ 要件定義

▶ キーワード 問96

□ 企画プロセス
□ システム化構想の立案
□ システム化計画の立案

問96

企画プロセス，要件定義プロセス，開発プロセス，保守プロセスと続くソフトウェアライフサイクルにおいて，企画プロセスの段階で行う作業として，適切なものはどれか。

ア 機能要件と非機能要件の定義
イ 経営上のニーズと課題の確認
ウ システム方式の設計と評価
エ ソフトウェア方式の設計と評価

問97

システムのライフサイクルを，企画プロセス，要件定義プロセス，開発プロセス，運用プロセス及び保守プロセスとしたとき，企画プロセスのシステム化計画で明らかにする内容として，適切なものはどれか。

ア 新しい業務へ切り替えるための移行手順，利用者の教育手段
イ 業務上実現すべき業務手順，入出力情報及び業務ルール
ウ 業務要件を実現するために必要なシステムの機能，システム構成条件
エ システム化する機能，開発スケジュール及び費用と効果

問95 ソフトウェアライフサイクル

情報システムを構築する流れを,「企画」「要件定義」「開発」「運用」「保守」のプロセスに分けたとき,まず,**企画プロセスでシステム化計画を立案し,システムの全体像を明らかにします。**「企画」の後は,「要件定義」→「開発」→「運用」→「保守」の順になります。これより, a には「企画」が入ります。よって,正解は**イ**です。

問96 企画プロセス

ソフトウェアライフサイクルにおけるプロセスが,企画,要件定義,開発,保守という流れの場合,最初に行う**企画プロセス**では,**システム化する業務を分析し,システム化後の業務の全体像や,導入するシステムの全体イメージを明らかにします。**

また,システム開発のガイドラインである共通フレーム2013では,企画プロセス全体の目的を「**経営・事業の目的,目標を達成するために必要なシステムに関係する要件の集合とシステム化の方針,及び,システムを実現するための実施計画を得ること**」として,企画プロセスに「**システム化構想の立案**」や「**システム化計画の立案**」などの工程を定めています。

システム化構想の立案	経営上のニーズや課題を解決,実現するために,経営環境を踏まえて,新たな業務の全体像と,それを実現するためのシステム化構想及び推進体制を立案する。
システム化計画の立案	システム化構想を具現化するための,運用や効果等の実現性を考慮したシステム化計画及びプロジェクト計画を具体化し,利害関係者の合意を得る。

×**ア** **要件定義プロセス**で行う作業です。
○**イ** 正解です。**「経営上のニーズと課題の確認」は企画プロセスで行う作業**です。
×**ウ**,**エ** **開発プロセス**で行う作業です。

問97 企画プロセスのシステム化計画

企画プロセスのシステム化計画では,システム化構想に基づいてシステム化計画やプロジェクト計画などを立案します。共通フレーム2013にはシステム化計画で行う作業が記載されており,次の事項はその一部です。

- 対象業務の内容の確認
- 対象業務のシステム課題の定義
- 対象システムの分析
- 適用情報技術の調査
- 業務モデルの作成
- **システム化機能の整理とシステム方式の策定**
- プロジェクトの目標設定
- 実現可能性の検討
- **全体開発スケジュールの作成**
- システム選定方針の策定
- **費用とシステム投資効果の予測**
- プロジェクト推進体制の策定

など

×**ア** 運用プロセスで明らかにすることです。
×**イ** 「業務上実現すべき業務手順,入出力情報及び業務ルール」は,**業務要件**として**要件定義プロセス**で明らかにします。
×**ウ** 「業務要件を実現するために必要なシステムの機能,システム構成条件」は,**機能要件**や**非機能要件**として**要件定義プロセス**で明らかにします。
○**エ** 正解です。**企画プロセスのシステム化計画では,開発スケジュール,概算コスト,費用対効果,システム適用などを明らかにします。**

ソフトウェアライフサイクル 問95

システムの構想から企画,開発,運用,保守,廃棄までの一連の活動や,その内容を規定したガイドライン。SLCP(Software Life Cycle Process)ともいう。

問95

対策 企画,要件定義,開発,運用,保守のプロセスのうち,ストラテジ系で出題されるのは「企画」と「要件定義」だよ。他のプロセスは除いて,選択肢を絞り込もう。

共通フレーム 問96

システム開発の発注者とベンダー(開発を行う企業)との間で,考えや認識に差異が生じないように,用語や作業内容を定めたガイドライン。情報処理推進機構が制定した「共通フレーム2013(SLCP-JCF2013)」などがある。

問96

参考 システム化構想やシステム化の基本方針は,経営事業の目的・目標を達成するため,経営戦略や情報システム戦略に基づいて立案されるよ。

大分類3 システム戦略

▶ キーワード 問98

- □ 要件定義プロセス
- □ 業務要件
- □ 機能要件
- □ 非機能要件

問98

ソフトウェアライフサイクルを，企画プロセス，要件定義プロセス，開発プロセス，運用プロセスに分けるとき，要件定義プロセスの実施内容として，適切なものはどれか。

ア 業務及びシステムの移行　イ システム化計画の立案
ウ ソフトウェアの詳細設計　エ 利害関係者のニーズの識別

問99

連結会計システムの開発に当たり，機能要件と非機能要件を次の表のように分類した。a に入る要件として，適切なものはどれか。

機能要件	非機能要件
・国際会計基準に則った会計処理が実施できること	・最も処理時間を要するバッチ処理でも，8時間以内に終了すること
・決算処理結果は，経理部長が確認を行うこと	a
・決算処理の過程を，全て記録に残すこと	・保存するデータは全て暗号化すること

ア 故障などによる年間停止時間が，合計で10時間以内であること
イ 誤入力した伝票は，訂正用伝票で訂正すること
ウ 法定帳票以外に，役員会用資料作成のためのデータを自動抽出できること
エ 連結対象とする会社は毎年変更できること

▶ キーワード 問100

- □ RFI（情報提供依頼書）
- □ RFP（提案依頼書）

問100

システム開発に関するRFP（Request For Proposal）の提示元及び提示先として，適切なものはどれか。

ア 情報システム部門からCIOに提示する。
イ 情報システム部門からベンダーに提示する。
ウ 情報システム部門から利用部門に提示する。
エ ベンダーからCIOに提示する。

解説

問98 要件定義プロセス

要件定義プロセスでは，システムの利害関係者のニーズや要望に基づき，「業務のあり方や運用をどのように改善するか」「どのようなシステムが必要であるか」ということを明らかにし，システム化の対象とする業務の範囲や，システムに求める機能・性能を決定して**業務要件**，**機能要件**，**非機能要件**にまとめます。要件定義プロセスで行う主な作業には，次のようなものがあります。

- 利害関係者のニーズや要望を識別する
- システム化する範囲と，その機能を具体化する
- 新しい業務のあり方や運用をまとめ，業務上実現すべき要件を**業務要件**に定義する
- 業務要件の実現に必要なシステムの機能を明らかにし，**機能要件**に定義する
- システムが備えるべき品質（信頼性や効率性など），開発基準や環境など，機能要件以外の要件を**非機能要件**として定義する
- 組織やシステムに対する制約条件を定義する
- 定義された要件について，利害関係者間で合意する

×ア　運用プロセスの実施内容です。
×イ　企画プロセスの実施内容です。
×ウ　開発プロセスの実施内容です。
○エ　正解です。「利害関係者のニーズの識別」は要件定義プロセスで実施します。

問98
参考 業務要件には，システム化する業務について，業務内容（手順，入出力情報，組織，責任，権限），業務特性（ルール，制約），業務用語などを定義するよ。

問99 機能要件と非機能要件

情報システムの開発において，機能要件や非機能要件には次のことを定義します。

機能要件	業務要件を実現するのに必要なシステム機能に関する要件 ・業務を構成する機能間の情報（データ）の流れ ・システム機能として実現する範囲 ・他システムとの情報授受などのインタフェース　　など
非機能要件	システムの品質や開発環境，運用手順など，機能要件以外でシステムが備えるべき要件 ・ソフトウェアの信頼性，効率性，保守性など ・システム開発方式（言語等） ・サービス提供条件（障害復旧時間等） ・データの保存周期，量　　など

選択肢を確認すると，アはシステムのサービス提供条件に関することなので非機能要件に該当します。イ，ウ，エは，いずれも業務要件に基づいて，システムに求めることなので機能要件に該当します。よって，正解はアです。

問100 RFP（Request For Proposal）

システム開発をベンダー（システムの開発会社）に依頼する場合，依頼元の企業は次の文書を作成し，ベンダーに提示します。

RFI：情報提供依頼書 （Request For Information）	システム化の目的や業務概要を記載し，開発手段や技術動向など，システム化に関する情報提供を求める依頼書
RFP：提案依頼書 （Request For Proposal）	システムの概要や調達条件などを記載し，システムの提案書を提出してもらうための依頼書

RFPは開発を依頼する側からベンダーに提示する文書なので，正解はイです。

問100
参考 RFIの提示は，ベンダーから「技術動向調査書」を入手することが目的だよ。その後，RFPを提示して，ベンダーから「提案書」を提出してもらうよ。
この提案書の記載内容を検討・評価して，開発を依頼するベンダーを選定するよ。

第1章 ストラテジ系の必修用語

「企業と法務」「経営戦略」「システム戦略」というジャンルから出題されます。このジャンルで大切なキーワードを下にまとめました。出題されるのは基礎的な用語・概念ですが，過去に出題された用語はしっかり理解しておく必要があります。また，業務関係の知識が幅広く問われるので，新聞や雑誌によく掲載されている，企業活動に関する用語もチェックしておきましょう。色文字は，特に必修な用語です。

	企業と法務
□	企業活動に関する用語（経営理念，株主総会，CSR，ディスクロージャー，グリーンIT，コーポレートブランド，SDGsなど）
□	経営管理に関する用語（PDCA，BCP，BCM，リスクアセスメント，HRM，ワークライフバランス，ダイバーシティ，OJT，Off-JT，e-ラーニング，アダプティブラーニング，HRテックなど）
□	経営組織の種類・役職（職能別組織，事業部制，カンパニ制，プロジェクト組織，マトリックス組織，CEO，CIOなど）
□	社会におけるIT利活用に関する用語（第4次産業革命，Society 5.0，データ駆動型社会，デジタルトランスフォーメーション，国家戦略特区法，スーパーシティ法など）
□	業務分析・データ利活用に関する用語（ABC分析，パレート図，散布図，レーダーチャート，特性要因図，BIツール，データマイニング，ビッグデータ，データサイエンティスト，ブレーンストーミング，ヒストグラム，親和図法など）
□	会計・財務に関する用語（売上総利益，営業利益，経常利益，変動費，固定費，損益分岐点，財務諸表，損益計算書，貸借対照表，キャッシュフロー計算書，ROE，ROA，流動比率，減価償却など）
□	知的財産権とそれに関する法律（著作権，産業財産権，特許権，ビジネスモデル特許，実用新案権，意匠権，商標権，クロスライセンス，不正競争防止法，ソフトウェアライセンス，アクティベーション，シェアウェアなど）
□	セキュリティに関する法律（サイバーセキュリティ基本法，不正アクセス禁止法，個人情報保護法，マイナンバー法，特定電子メール法，プロバイダ責任制限法，ウイルス作成罪，システム管理基準，中小企業の情報セキュリティ対策ガイドラインなど）
□	労働·取引と企業の規範に関する法律·用語（労働基準法，フレックスタイム制，労働者派遣法，下請法，PL法，コンプライアンス，コーポレートガバナンス，公益通報者保護法，情報公開法など）
□	標準化の例（バーコード，JANコード，QRコードなど），標準化団体・規格（ISO，IEC，IEEE，JISなど），フォーラム基準
	経営戦略
□	経営戦略に関する分析手法・用語（SWOT分析，PPM，3C分析，コアコンピタンス，ジョイントベンチャ，アライアンス，M&A，MBO，TOB，アウトソーシング，OEM，ファブレス，規模の経済，垂直統合，ニッチ戦略，カニバリゼーションなど）
□	マーケティングに関する手法・用語（4P・4C，RFM分析，アンゾフの成長マトリクス，Webマーケティングなど）
□	ビジネス戦略に関する分析手法・用語（バランススコアカード，CSF，KGI，KPI，バリューエンジニアリングなど）
□	経営管理システムに関する用語（CRM，バリューチェーンマネジメント，SCM，ERP，ナレッジマネジメント，TOCなど）
□	技術開発戦略とビジネスインダストリに関する用語（MOT，プロセスイノベーション，魔の川，死の谷，ダーウィンの海，ハッカソン，デザイン思考，トレーサビリティ，GPS，スマートグリッド，AIの利活用，マイナンバーなど）
□	エンジニアリングシステム（CAD，CAM，MRP，コンカレントエンジニアリング，BTO，JIT，リーン生産方式など）
□	電子商取引に関する用語（EC，ロングテール，EDI，O2O，フィンテック，暗号資産（仮想通貨），電子マネー，インターネットバンキング，アフィリエイト，エスクローサービス，SEO，デジタルサイネージ，アカウントアグリゲーション，eKYCなど）
□	IoTを利用したシステム（自動運転，クラウドサービス，スマートファクトリー，スマートグラス，ロボットなど）
	システム戦略
□	情報システム戦略の考え方・用語（エンタープライズサーチ，EA，SoR，SoEなど）
□	業務改善や問題解決に関する手法・用語（モデリング，E-R図，DFD，UML，BPR，BPM，ワークフロー，RPAなど）
□	ITを利用した業務改善・効率化を図る方法（BYOD，IoT，テレビ会議，ブログ，SNS，シェアリングエコノミーなど）
□	ソリューションの形態（SaaS，ASP，ホスティングサービス，ハウジングサービス，オンプレミス，SIなど）
□	システム活用促進に関する用語（情報リテラシー，アクセシビリティ，デジタルディバイドなど）
□	システム化計画・要件定義に関する作業（ソフトウェアライフサイクル，企画プロセス，システム化構想の立案，システム化計画の立案，要件定義プロセス，業務要件，機能要件，非機能要件など），調達計画・実施に関する作業（RFI，RFPなど）

第 2 章

よく出る問題

マネジメント系

ここでは，iパス（IT パスポート試験）の過去問題から，繰り返し出題されている用語や内容など，重要度が高いと思われる問題を厳選して解説しています（一部，問題を改訂）。

章末（214 ページ）に，マネジメント系の必修用語を掲載しています。試験直前の対策用としてご利用ください。

大分類4 開発技術

中分類8：システム開発技術

▶ キーワード 問1

- □ システム開発のプロセス
- □ システム要件
- □ ソフトウェア要件
- □ システム設計
- □ ソフトウェア設計

問1

□□□

ソフトウェア開発の工程を実施順に並べたものはどれか。

ア システム設計，テスト，プログラミング
イ システム設計，プログラミング，テスト
ウ テスト，システム設計，プログラミング
エ プログラミング，システム設計，テスト

▶ キーワード 問2

- □ システム要件定義
- □ システム方式設計
- □ ソフトウェア要件定義
- □ ソフトウェア方式設計
- □ ソフトウェア詳細設計

問2

□□□

システム開発を，システム要件定義，システム方式設計，ソフトウェア要件定義，ソフトウェア方式設計，ソフトウェア詳細設計の順で実施するとき，ソフトウェア方式設計に含める作業として，適切なものはどれか。

ア システムの機能及び処理能力の決定
イ ソフトウェアの最上位レベルの構造とソフトウェアコンポーネントの決定
ウ ハードウェアやネットワークの構成の決定
エ 利用者インタフェースの決定

問3

□□□

システム開発会社A社はB社の販売管理システムの開発を受注した。A社はシステム要件をネットワーク機器などのハードウェアで実現するものと，業務プログラムなどのソフトウェアで実現するものに割り振っている。現在A社はどの工程を実施しているか。

ア システム方式設計　　イ システム要件定義
ウ ソフトウェア方式設計　　エ ソフトウェア要件定義

解説

問1 システム開発のプロセス

ソフトウェアを中心としたシステム開発は，一般的に次のプロセスで行います。

①要件定義	システム及びソフトウェアに求める機能や性能などを明らかにし，システム要件やソフトウェア要件を定める。
②設計	要件定義をもとに，システムを設計する。設計には，システム設計やソフトウェア設計などがある。
③プログラミング	システム設計を基にプログラムを作成し，作成した個々のプログラムについて単体テストを行う。
④結合・テスト	単体テストが済んだプログラムを結合し，システムやソフトウェアが要求どおりに動作するかどうかを検証する。
⑤導入・受入れ	システム開発の発注元にシステムを引き渡す。発注元は，実際の運用と同様の条件でシステムが正常に稼働するかを検証して受け入れる。開発側は受入れの支援を行う。
⑥保守	システムが安定稼働するように稼働状況を監視し，必要に応じて機能やプログラムの変更などを行う。

選択肢にある工程を実施順に並べると，システム設計，プログラミング，テストの順になります。よって，正解はイです。

問2 要件定義・設計のプロセス

システム開発の要件定義と設計で行う作業を，次の5つの工程にする場合があります。

システム要件定義	開発するシステムに必要な機能や性能を定義する。システム化の目標，システムの対象範囲，事業や組織及び利用者の要件，システムの信頼性やセキュリティなども定義する。
システム方式設計	システム要件定義に基づいて，システム要件を「ハードウェア構成」「ソフトウェア構成」「手作業で行うこと」に振り分け，システムの実現に必要なシステム構成を決定する。
ソフトウェア要件定義	ソフトウェアに必要な機能及び能力の仕様を定義する。利用者から見える部分（入出力画面や帳票，データベースのデータ項目など）の設計も行う。
ソフトウェア方式設計	ソフトウェア要件定義に基づいて，ソフトウェアの最上位レベルの構造などを設計する。具体的には，ソフトウェアをソフトウェアコンポーネントの単位に分割し，各コンポーネントの機能や，コンポーネント間のやり取りの方式を設計する。データベースの最上位レベルの設計も行う。
ソフトウェア詳細設計	ソフトウェア方式設計に基づいて，プログラミングが行えるように，ソフトウェアコンポーネントをモジュールの単位に分割し，モジュールの構造を設計する。データベースの詳細設計も行う。

×ア　システム要件定義に含める作業です。
○イ　正解です。ソフトウェア方式設計に含める作業です。ソフトウェア方式設計では，ソフトウェア要件をどのように実現させるかを決めます。
×ウ　システム方式設計に含める作業です。
×エ　ソフトウェア要件定義に含める作業です。

問3 システム方式設計

システム要件を，ハードウェアで実現するもの（ハードウェア構成），ソフトウェアで実現するもの（ソフトウェア構成）に割り振るのは，システム方式設計で実施することです。よって，正解はアです。

問2

参考 システム設計とソフトウェア設計は，左の表では次の工程に該当するよ。

システム設計
「システム方式設計」

ソフトウェア設計
「ソフトウェア方式設計」
「ソフトウェア詳細設計」

ソフトウェアコンポーネント 問2

ソフトウェアを機能単位などで分割した，ソフトウェアの部品となるプログラムのこと。

モジュール 問2

プログラムを機能単位で，できるだけ小さくしたもの。

大分類4 開発技術

▶ キーワード 問4

□ 共同レビュー

問4

□□□

現在5分程度掛かっている顧客検索を，次期システムでは1分以下で完了するようにしたい。この目標を設定する適切な工程はどれか。

ア システム設計
イ システムテスト
ウ システム要件定義
エ ソフトウェア受入れ

▶ キーワード 問5

□ 外部設計
□ 内部設計

問5

□□□

システム開発プロセスを，要件定義，外部設計，内部設計の順番で実施するとき，内部設計で行う作業として，適切なものはどれか。

ア 画面応答時間の目標値を定める。
イ システムをサブシステムに分割する。
ウ データベースに格納するレコードの長さや属性を決定する。
エ 入出力画面や帳票のレイアウトを設計する。

▶ キーワード 問6

□ ソフトウェアの品質特性

問6

□□□

ソフトウェアの品質特性を，機能性，使用性，信頼性，移植性などに分類した場合，機能性に該当するものはどれか。

ア 障害発生時にデータを障害前の状態に回復できる。
イ 仕様書どおりに操作ができ，適切な実行結果が得られる。
ウ 他のOS環境でも稼働できる。
エ 利用者の習熟時間が短い。

▶ キーワード 問7

□ プログラミング
□ ソースコード
□ コーディング

問7

□□□

システム開発においてソフトウェア詳細設計の次に行う作業はどれか。

ア システム方式設計
イ ソフトウェア方式設計
ウ ソフトウェア要件定義
エ プログラミング

問4 システム要件定義

×ア **システム設計**では，要件定義をもとにしてシステムを設計します。
×イ **システムテスト**では，必要な機能が全て含まれているか（**機能テスト**），処理にかかる時間が適正であるか（**性能テスト**）など，システム全体について機能や性能などを検証します。
○ウ 正解です。システムに求める機能や性能の設定は，システム要件定義の工程で行うことです。システム要件定義では，システムに求めるシステム要件を明確にしてシステム要件定義書を作成し，その内容をシステムの発注側（利用者）と開発側が一緒にレビュー（共同レビュー）します。
×エ **ソフトウェア受入れ**は，システムの発注側が実際の運用と同条件でソフトウェアが正常に稼働することを検証し，問題なければシステム納入が行われます。

問5 外部設計，内部設計

システム開発において設計のプロセスは，システムの利用者側から見える部分を設計する外部設計と，システム内部やデータの構造を設計する内部設計に分ける場合があります。

×ア システムに求める性能に関することなので，要件定義で行う作業です。
×イ システムをサブシステムに分割するのは，外部設計で行う作業です。たとえば，販売管理システムでは「受注管理」「出荷管理」「売上管理」などのサブシステムに分割します。
○ウ 正解です。データベースに格納するレコードの長さや属性を決定するのは物理データ設計であり，内部設計で行う作業です。
×エ 入出力画面や帳票のレイアウトを設計するのは，外部設計で行う作業です。

問6 ソフトウェアの品質特性

ソフトウェアの品質特性はソフトウェアの品質を評価する基準で，次のようなものがあります。

機能性	必要な機能が期待どおりに実装されている度合い
信頼性	機能が正常動作し続ける度合い，障害の起こりにくさ
使用性	ソフトウェアの使いやすさ，わかりやすさの度合い
効率性	ソフトウェアの処理能力や資源を有効利用している度合い
保守性	ソフトウェアの修正や保守のしやすさの度合い
移植性	別環境にソフトウェアを移植したとき，そのまま動作する度合い

×ア データを障害前の状態に回復できるので，信頼性に該当します。
○イ 正解です。期待どおりに操作ができ，適切な結果が得られるので，機能性に該当します。
×ウ 別環境での動作に関することなので，移植性に該当します。
×エ ソフトウェアの使いやすさに関することなので，使用性に該当します。

問7 プログラミング

ソフトウェア詳細設計は，プログラミングできるようにソフトウェアコンポーネントをモジュールの単位まで分割し，モジュールの構造を設計する工程です。
選択肢ア～ウはソフトウェア詳細設計より前の作業で，システム方式設計→ソフトウェア要件定義→ソフトウェア方式設計→ソフトウェア詳細設計の順に実施します。
エのプログラミングはプログラム（モジュール）を作成する工程で，プログラム言語で処理手順などを記述し，その処理手順に誤りがないかを検証します。つまり，ソフトウェア詳細設計の次に行う作業は，プログラミングです。よって，正解はエです。

問4

参考 システム開発においてレビューは，システム開発の各工程で，作成される成果物（要件定義書やソースコードなど）について不備や誤りがないかを確認する作業のことだよ。

問5

対策 外部設計，内部設計で行う作業を区別できるようにしておこう。主な作業には，次のようなものがあるよ。

外部設計で行う作業
・画面や帳票の設計
・論理データ設計
・サブシステムへの分割

内部設計で行う作業
・物理データ設計
・プログラム単位への機能分割

問6

参考 左の表の品質特性はJIS X 0129-1での分類だよ。後継規格のJIS X 25010では「機能適合性」「性能効率性」「互換性」「使用性」「信頼性」「セキュリティ」「保守性」「移植性」の8つに拡張されているよ。

問7

参考 プログラム言語で書かれた，プログラムになる文字列を「ソースコード」というよ。
また，仕様書に従って，ソースコードを記述する作業を「コーディング」というよ。

大分類4 開発技術

▶ キーワード 問8

- □ 単体テスト
- □ 結合テスト
- □ システムテスト
- □ 運用テスト
- □ バグ
- □ デバッグ

問8

システム開発のテストを，単体テスト，結合テスト，システムテスト，運用テストの順に行う場合，システムテストの内容として，適切なものはどれか。

ア 個々のプログラムに誤りがないことを検証する。
イ 性能要件を満たしていることを開発者が検証する。
ウ プログラム間のインタフェースに誤りがないことを検証する。
エ 利用者が実際に運用することで，業務の運用が要件どおり実施できることを検証する。

▶ キーワード 問9

- □ ブラックボックステスト
- □ ホワイトボックステスト
- □ 回帰テスト（リグレッションテスト）

問9

プログラムの品質を検証するために，プログラム内部のプログラム構造を分析し，テストケースを設定するテスト手法はどれか。

ア 回帰テスト　　イ システムテスト
ウ ブラックボックステスト　　エ ホワイトボックステスト

問10

ソフトウェアのテストで使用するブラックボックステストにおけるテストケースの作り方として，適切なものはどれか。

ア 全ての分岐が少なくとも1回は実行されるようにテストデータを選ぶ。
イ 全ての分岐条件の組合せが実行されるようにテストデータを選ぶ。
ウ 全ての命令が少なくとも1回は実行されるようにテストデータを選ぶ。
エ 正常ケースやエラーケースなど，起こり得る事象を幾つかのグループに分けて，各グループが1回は実行されるようにテストデータを選ぶ。

▶ キーワード 問11

- □ 受入れテスト

問11

自社で使用する情報システムの開発を外部へ委託した。受入れテストに関する記述のうち，適切なものはどれか。

ア 委託先が行うシステムテストで不具合が報告されない場合，受入れテストを実施せずに合格とする。
イ 委託先に受入れテストの計画と実施を依頼しなければならない。
ウ 委託先の支援を受けるなどし，自社が受入れテストを実施する。
エ 自社で受入れテストを実施し，委託先がテスト結果の合否を判定する。

問8 システム開発のテスト

システム開発の単体テスト，結合テスト，システムテスト，運用テストで実施するテスト内容は，次の通りです。

単体テスト	個々のモジュールが要求どおりに動作することを，プログラムの内部構造も含めて検証する。
結合テスト	単体テストが完了した複数のモジュールを結合し，プログラム間のインタフェースが整合していることを検証する。
システムテスト	必要な機能が全て含まれているか（機能テスト），処理にかかる時間が適正であるか（性能テスト）など，システム全体について機能や性能などを検証する。
運用テスト	実際の稼働環境において，業務と同じ条件で実施して検証する。

×ア 単体テストに関する内容です。
○イ 正解です。システムテストに関する内容です。
×ウ 結合テストに関する内容です。
×エ 運用テストに関する内容です。

問9 ブラックボックステスト，ホワイトボックステスト

×ア 回帰テストは，バグの修正や機能の追加などでプログラムを修正したとき，その変更が他の部分に影響していないかどうかを検証するテストです。リグレッションテストともいいます。
×イ **システムテスト**は，システム全体について機能や性能などを検証するテストです。
×ウ ブラックボックステストは，プログラムの内部構造は考慮せず，入力に対して仕様どおりの結果が得られるかどうかを確認するテストです。
○エ 正解です。**ホワイトボックステスト**は，プログラムの内部構造を検証するテストです。プログラムの内部構造に基づいてテストケースを用意し，入力データがプログラム内部で意図どおりに処理されるかどうかを確認します。

問10 テストケースの作り方

ブラックボックステストは，入力と出力だけに着目して，様々な入力に対して仕様書どおりの出力が得られるかどうかを確認します。ブラックボックステストのテストケースを用意するときは，出力結果が正常な場合やエラーになる場合など，起こり得る全ての事象を確認できるテストデータを用意します。よって，正解は エ です。

なお，ア～ウ はホワイトボックステストにおけるテストケースの作り方です。ホワイトボックステストでは，プログラムの内部構造を分析し，プログラム内部の命令や分岐条件が網羅されるようにテストケースを用意します。

問11 受入れテスト

受入れテストはソフトウェア受入れで実施するテストで，情報システム発注側（利用者）が実際の運用と同様の条件でシステムが正常に稼働することを検証します。

×ア 受入れテストは，情報システムが要求した機能や性能などを備えているかどうかを確認するため，必ず実施します。
×イ 受入れテストは，情報システムの発注側が主体となって実施します。
○ウ 正解です。受入れテストは，開発側の支援を受けながら，情報システムの発注側が実施します。
×エ 受入れテストの評価は，テストを実施した情報システムの発注側が行います。

問8

参考 単体テスト，結合テスト，システムテストは開発側が行うけど，運用テストは利用者が主体となって実施するよ。

問8

参考 プログラム内にある誤りや欠陥を「バグ」というよ。また，バグを見つけて，プログラムを修正することを「デバッグ」というよ。

テストケース 問9

テストの実施条件や入力するデータ，期待される出力及び結果などを組み合わせたもの。

問9

参考 ホワイトボックステストは，主に単体テストで使用されるよ。

問10

参考 （分岐の例）

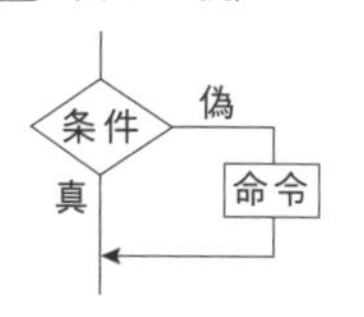

大分類4 開発技術

▶ キーワード 問12

□ ソフトウェア導入

問12

ソフトウェア，データベースなどを契約で指定された通りに初期設定し，実行環境を整備する作業はどれか。

ア ソフトウェア受入れ　　イ ソフトウェア結合
ウ ソフトウェア導入　　エ ソフトウェア保守

▶ キーワード 問13

□ ソフトウェア受入れ

問13

ソフトウェア受入れにおいて実施される事項はどれか。

ア 利用者から新たなシステム化に向けての要望などをヒアリングする。
イ 利用者ごとに割り振るアクセス権を検討し，アクセス権設定をどのように行うか設計する。
ウ 利用者にアンケートを配り，運用中のシステムの使い勝手などについて調査する。
エ 利用者マニュアルを整備し，利用者への教育訓練を実施する。

▶ キーワード 問14

□ ソフトウェア保守

問14

ソフトウェア保守に該当するものはどれか。

ア 新しいウイルス定義ファイルの発行による最新版への更新
イ システム開発中の総合テストで発見したバグの除去
ウ 汎用コンピュータで稼働していたオンラインシステムからクライアントサーバシステムへの再構築
エ プレゼンテーションで使用するPCへのデモプログラムのインストール

▶ キーワード 問15

□ ファンクションポイント法
□ 類推法
□ 積算法

問15

システム開発の見積方法として，類推法，積算法，ファンクションポイント法などがある。ファンクションポイント法の説明として，適切なものはどれか。

ア WBSによって洗い出した作業項目ごとに見積もった工数を基に，システム全体の工数を見積もる方法
イ システムで処理される入力画面や出力帳票，使用ファイル数などを基に，機能の数を測ることでシステムの規模を見積もる方法
ウ システムのプログラムステップを見積もった後，1人月の標準開発ステップから全体の開発工数を見積もる方法
エ 従来開発した類似システムをベースに相違点を洗い出して，システム開発工数を見積もる方法

解説

問12 ソフトウェア導入

× ア ソフトウェア受入れでは，システムの発注側がシステムを検証し，問題なければシステムの納入を行います。
× イ ソフトウェア結合では，単体テストが完了した複数のプログラムを結合し，テストを行います。
○ ウ 正解です。**ソフトウェア導入**では，ソフトウェアを導入する計画を作成し，発注側（利用者）の実際の環境にソフトウェアやデータベースなどを配置します。
× エ **ソフトウェア保守**では，システムの運用の開始後，システムの安定稼働などのために，プログラムの修正や変更を行います。

問13 ソフトウェア受入れ

ソフトウェア受入れでは，システムの発注側が実際の運用と同様の条件でソフトウェアを使用し，正常に稼働するかどうかを確認します（受入れテスト）。そして，問題がなければ，ソフトウェアの納入が行われます。このとき，開発側は受入れテストの支援，利用者マニュアルの整備，利用者への教育訓練などの受入れ支援を行います。

× ア 新システムを取得するにあたって，開発の初期段階で実施する事項です。
× イ システムの開発中に実施する事項です。
× ウ 完成したシステムの運用を開始してから実施する事項です。
○ エ 正解です。ソフトウェア受入れで，開発側によって実施される事項です。

問14 ソフトウェア保守

ソフトウェア保守は，システムの運用を開始した後，システムの安定稼働，情報技術の進展や経営戦略の変化に対応するため，プログラムの修正や変更などを行うプロセスです。

○ ア 正解です。ウイルス定義ファイルは，コンピュータウイルスを検出するのに使うファイルです。新種のウイルスの情報を反映するため，ウイルス定義ファイルは常に最新版に更新する必要があり，その作業はソフトウェア保守に該当します。
× イ システム開発中に行っていることなので，ソフトウェア保守に該当しません。
× ウ 新たなシステムを開発することなので，ソフトウェア保守に該当しません。
× エ 個別に使うPCへのプログラムのインストールは，ソフトウェア保守に該当しません。

問15 ファンクションポイント法

× ア **積算法**の説明です。**積み上げ法**ともいいます。
○ イ 正解です。**ファンクションポイント法**の説明です。ファンクションポイント法はシステムがもつ機能（入力画面や出力帳票，使用ファイル数など）と，難易度をもとにしてシステムの規模を見積もります。
× ウ LOC法の説明です。LOCは「Lines Of Code」の略で，プログラムのソースコードの行数を意味します。
× エ **類推法**の説明です。類推法は過去に経験した類似のシステムをもとにして，開発工数を見積ります。おおよその数値を算出するもので，他の見積り方法に比べて正確さが劣ります。**類推見積法**ともいいます。

合格のカギ

覚えよう！ 問13

ソフトウェア受入れ
といえば
- 発注側主体でシステムを検証する
- 利用者への教育訓練及び支援を提供する

問14

対策 ソフトウェア保守に該当する作業を選ぶ問題がよく出題されるよ。運用前ではなく，運用後のシステムに対して作業することがポイントだよ。

問15

対策 ファンクションポイント法は過去問題でよく出題されているので確実に覚えておこう。
類推法も「他の見積り方法より正確さでは劣る」という特徴について出題されたことがあるよ。

大分類4 開発技術

中分類9：ソフトウェア開発管理技術

▶ キーワード　問16

- □ オブジェクト指向設計
- □ データ中心アプローチ
- □ プロセス中心アプローチ
- □ DevOps
- □ アジャイル

問16

□□□

ソフトウェア開発で利用する手法に関する記述 a～cと名称の適切な組合せはどれか。

a　業務の処理手順に着目して，システム分析を実施する。
b　対象とする業務をデータの関連に基づいてモデル化し，分析する。
c　データとデータに関する処理を一つのまとまりとして管理し，そのまとまりを組み合わせて開発する。

	a	b	c
ア	オブジェクト指向	データ中心アプローチ	プロセス中心アプローチ
イ	データ中心アプローチ	オブジェクト指向	プロセス中心アプローチ
ウ	プロセス中心アプローチ	オブジェクト指向	データ中心アプローチ
エ	プロセス中心アプローチ	データ中心アプローチ	オブジェクト指向

▶ キーワード　問17

- □ クラス
- □ 継承
- □ メソッド

問17

□□□

次のa～dのうち，オブジェクト指向の基本概念として適切なものだけを全て挙げたものはどれか。

a　クラス
b　継承
c　データの正規化
d　ホワイトボックステスト

ア　a, b　　イ　a, c　　ウ　b, c　　エ　c, d

▶ キーワード　問18

- □ ユースケース
- □ UML

問18

□□□

システムの開発プロセスで用いられる技法であるユースケースの特徴を説明したものとして，最も適切なものはどれか。

ア　システムで，使われるデータを定義することから開始し，それに基づいてシステムの機能を設計する。
イ　データとそのデータに対する操作を一つのまとまりとして管理し，そのまとまりを組み合わせてソフトウェアを開発する。
ウ　モデリング言語の一つで，オブジェクトの構造や振る舞いを記述する複数種類の表記法を使い分けて記述する。
エ　ユーザーがシステムを使うときのシナリオに基づいて，ユーザーとシステムのやり取りを記述する。

問16 ソフトウェア開発手法

オブジェクト指向はデータと，データに関する操作を1つのまとまり（オブジェクト）として管理し，これらのオブジェクトを組み合わせて開発する手法です。また，データ中心アプローチは業務で扱うデータの構造や流れ，プロセス中心アプローチは業務の流れや処理手順に着目してシステムを分析，設計します。

a～cと名称の組合せは，aがプロセス中心アプローチ，bがデータ中心アプローチ，cがオブジェクト指向になります。よって，正解は エ です。

問17 オブジェクト指向の基本概念

a～dについて適切かどうかを判定すると，次のようになります。

○a 正しい。**クラス**は，複数のオブジェクトに共通する「**属性**」と「**メソッド（操作や動作）**」を定義したものです。

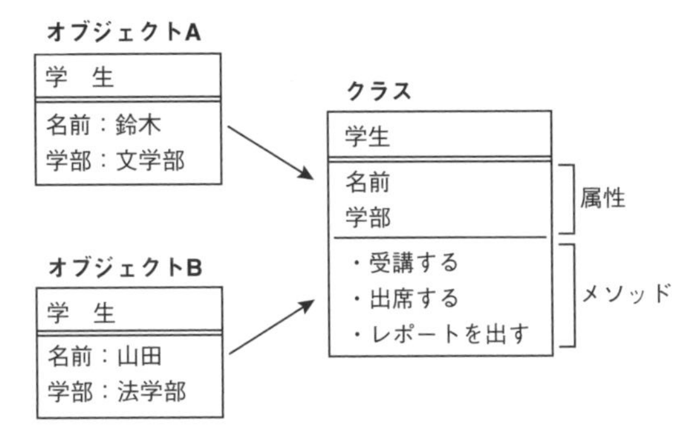

○b 正しい。**継承**は，複数のクラスに共通する特性（属性・メソッド）を定義しておき，上階層にあるクラスから下階層のクラスに引き継ぐことです。

×c **正規化**は，関係データベースで適切にデータを管理できるように，整理された構造の表を作成することです。

×d **ホワイトボックステスト**は，作成したプログラムを検証するテストです。

よって，正解は ア です。

問18 ユースケース

×ア **データ中心アプローチ**に関する説明です。

×イ **オブジェクト指向**に関する説明です。

×ウ UMLに関する説明です。UMLはオブジェクト指向のシステム開発で用いられる図の表記方法です。代表的な図には，クラス図やユースケース図などがあります。

○エ 正解です。**ユースケース**は，ユーザーなど外部からの要求に対し，システムがどのような振る舞いをするかを把握するための技法です。たとえば，顧客管理システムに顧客を登録するといった，利用者がシステムを使うときのシナリオに基づいて，ユーザーとシステムのやり取りを明確に記述します。

問16

対策 開発手法について，次の語句も確認しておこう。

・DevOps
Development（開発）とOperations（運用）を組み合わせた造語で，ソフトウェア開発において，開発担当者と運用担当者が連携・協力する手法や考えのこと。

・アジャイル
迅速かつ適応的にソフトウェア開発を行う軽量な開発手法の総称。代表的な手法として，「XP（エクストリームプログラミング）」や「スクラム」がある。

問18

参考 人型や楕円などの図で，ユースケースを表現したものを「ユースケース図」というよ。

問18

参考 システムの振る舞いとは，システムを外部から見たときの，システムの動作や反応のことだよ。

大分類4 開発技術

▶ キーワード 問19

- □ウォーターフォールモデル
- □スパイラルモデル
- □プロトタイピングモデル
- □RAD

問19 □□□

要件定義，システム設計，プログラミング，テストをこの順番で実施し，次工程からの手戻りが発生しないように，各工程が終了する際に綿密にチェックを行うという進め方をとるソフトウェア開発モデルはどれか。

ア RAD（Rapid Application Development）
イ ウォーターフォールモデル
ウ スパイラルモデル
エ プロトタイピングモデル

▶ キーワード 問20

- □リバースエンジニアリング

問20 □□□

リバースエンジニアリングの説明として，適切なものはどれか。

ア 確認すべき複数の要因をうまく組み合わせることによって，なるべく少ない実験回数で効率的に実験を実施する手法
イ 既存の製品を分解し，解析することによって，その製品の構造を解明して技術を獲得する手法
ウ 事業内容は変えないが，仕事の流れや方法を根本的に見直すことによって，最も望ましい業務の姿に変革する手法
エ 製品の開発から生産に至る作業工程において，同時にできる作業を並行して進めることによって，期間を短縮する手法

▶ キーワード 問21

- □共通フレーム
- □SLCP

問21 □□□

共通フレーム（Software Life Cycle Process）で定義されている内容として，最も適切なものはどれか。

ア ソフトウェア開発とその取引の適正化に向けて，基本となる作業項目を定義し標準化したもの
イ ソフトウェア開発の規模，工数，コストに関する見積手法
ウ ソフトウェア開発のプロジェクト管理において必要な知識体系
エ 法律に基づいて制定された情報処理用語やソフトウェア製品の品質や評価項目

▶ キーワード 問22

- □CMMI

問22 □□□

システム開発組織におけるプロセスの成熟度を5段階のレベルで定義したモデルはどれか。

ア CMMI　イ ISMS　ウ ISO 14001　エ JIS Q 15001

問19 ソフトウェア開発モデル

×ア RAD（Rapid Application Development）は，開発ツールや既存の用意された部品を利用するなどして，従来よりも短期間で開発を進める手法です。
○イ 正解です。ウォーターフォールモデルはシステム開発の工程を段階的に分け，上流から下流に開発を進める手法です。進捗を管理しやすい反面，次の工程に進んだら原則として後戻りしないので，各工程で綿密な検証を行います。
×ウ スパイラルモデルは，システムをいくつかのサブシステムに分割し，サブシステム単位で設計，プログラミング，テストを繰り返して，徐々に完成させていく手法です。
×エ プロトタイピングモデルは，開発の初期段階で試作品（プロトタイプ）を作成し，それをユーザーなどに確認してもらいながら開発を進める手法です。

問20 リバースエンジニアリング

×ア 実験計画法に関する説明です。
○イ 正解です。リバースエンジニアリングは，既存のソフトウェアやハードウェアなどの製品を分解・解析することによって，その製品の構成要素や仕組みなどを明らかにし，技術を獲得する手法です。
×ウ BPR（Business Process Reengineering）に関する説明です。
×エ コンカレントエンジニアリングに関する説明です。

問21 共通フレーム

Software Life Cycle Process（ソフトウェアライフサイクルプロセス）はシステムの構想から企画，開発，運用，保守，廃棄までの一連の活動や，その内容を規定したガイドラインです。略して，SLCPと呼ばれることもあります。

共通フレームは国際規格のSLCPを日本独自に拡張したもので，ソフトウェアを中心としたシステム開発と取引について，基本となる作業項目や用語を定義し，標準化したガイドラインです。

○ア 正解です。共通フレームという「共通の物差し（尺度）」をもつことで，ソフトウェア開発の発注者（顧客）と開発会社（ベンダー）の間で行き違いや誤解が生じるのを防ぎ，開発や取引が適正に行われることを目的としています。
×イ 共通フレームに，ソフトウェア開発の規模や工数，コストの見積手法は定義されていません。
×ウ プロジェクトマネジメントで用いる，PMBOK（Project Management Body of Knowledge）で定義されている内容です。
×エ JIS（日本産業規格）で定義されている内容です。

問22 CMMI

○ア 正解です。CMMI（Capability Maturity Model Integration）は，ソフトウェア開発を行う組織が，プロセスをどのくらい厳正に管理しているかを5段階のレベル（成熟度レベル）で定義したもので，組織の開発能力の評価やプロセス改善に用います。
×イ ISMSは「Information Security Management System」の略で，情報セキュリティマネジメントシステムのことです。
×ウ ISO 14001は，環境マネジメントシステムに関する国際規格です。
×エ JIS Q 15001は，個人情報保護マネジメントシステムに関する日本産業規格です。

問19

対策 どの開発モデルが出題されても，解答できるようにしておこう。特にウォーターフォールモデルはよく出題されているので，しっかり確認しておこう。

問21

対策「SLCP」はよく出題されているので，共通フレームと合わせて覚えておこう。ソフトウェアライフサイクルの一連の活動を示す場合もあるよ。

中分類10：プロジェクトマネジメント

▶ キーワード　問23

□ プロジェクト
□ プロジェクト憲章

問23

プロジェクトの特徴として，適切なものはどれか。

ア　期間を限定して特定の目標を達成する。
イ　固定したメンバーでチームを構成し，全工程をそのチームが担当する。
ウ　終了時点は決めないで開始し，進捗状況を見ながらそれを決める。
エ　定常的な業務として繰り返し実行される。

▶ キーワード　問24

□ プロジェクトマネジメント
□ プロジェクトの制約条件

問24

プロジェクトマネジメントでは，コスト，時間，品質などをマネジメントすることが求められる。プロジェクトマネジメントに関する記述のうち，適切なものはどれか。

ア　コスト，時間，品質は制約条件によって優先順位が異なるので，バランスをとる必要がある。
イ　コスト，時間，品質はそれぞれ独立しているので，バランスをとる必要はない。
ウ　コストと品質は正比例するので，どちらか一方に注目してマネジメントすればよい。
エ　コストと時間は反比例するので，どちらか一方に注目してマネジメントすればよい。

▶ キーワード　問25

□ プロジェクトマネージャ
□ プロジェクトマネジメント計画書

問25

プロジェクトが発足したときに，プロジェクトマネージャがプロジェクト運営を行うために作成するものはどれか。

ア　提案依頼書
イ　プロジェクト実施報告書
ウ　プロジェクトマネジメント計画書
エ　要件定義書

▶ キーワード　問26

□ ステークホルダ
□ 成果物

問26

システム開発プロジェクトにおけるステークホルダの説明として，最も適切なものはどれか。

ア　開発したシステムの利用者や，開発部門の担当者などのプロジェクトに関わる個人や組織
イ　システム開発の費用を負担するスポンサ
ウ　プロジェクトにマイナスの影響を与える可能性のある事象又はプラスの影響を与える可能性のある事象
エ　プロジェクトの成果物や，成果物を作成するために行う作業

問23 プロジェクト

プロジェクトは，**特定の目的を達成するため，一定の期間だけ行う活動**のことです。たとえば，新しい情報システムの開発や新規事業の立上げなど，独自の製品やサービスなどを創造するために行われます。

○ア　正解です。プロジェクトの特徴として適切です。
×イ　プロジェクトの目標を達成するために，必要な人材を集めてチームを編成します。工程によって要員数や求める能力が異なるため，全工程を固定したメンバーで，担当するとは限りません。
×ウ　**プロジェクトには明確な始まりと終わりがあり**，プロジェクトの開始時に終了時点も決まっています。
×エ　**プロジェクトは，同様の作業を繰り返す定常的な業務ではありません。**

問24 プロジェクトマネジメント

プロジェクトマネジメントは，**プロジェクトを円滑に推進して成功させるために，プロジェクト活動を管理する手法**です。プロジェクトの実施においては，コスト，時間，品質など，複数の制約条件があり，これらの制約条件内でプロジェクトの目標を達成しなければなりません。そのために，プロジェクトマネジメントでは制約条件を調整することが求められます。

選択肢の制約条件は，たとえば品質を追求するとコストやスケジュールが増える，といったトレードオフの関係にあります。そのため，いずれかの制約条件を注目するのではなく，優先順位に応じて制約条件のバランスをとることが重要です。よって，正解はアです。

問25 プロジェクトマネージャ

プロジェクトマネージャは，**プロジェクト目標の達成に責任を負う，プロジェクト全体の管理者**です。プロジェクトマネジメント活動を主導する人で，プロジェクトの進捗を把握し，問題が起こらないように適切な処置を施します。

プロジェクトが発足したとき，**プロジェクトマネージャはプロジェクトマネジメント計画書を作成し，これにしたがってプロジェクトの運営を行います。**よって，正解はウです。

問26 ステークホルダ

プロジェクトにおいて**ステークホルダ**は，顧客やスポンサ，協力会社，株主など，**プロジェクトの実施や結果によって影響を受ける全ての利害関係者のこと**です。プロジェクトチームのメンバーやプロジェクトマネージャも，ステークホルダに含まれます。

○ア　正解です。ステークホルダの説明として適切です。
×イ　ステークホルダは，費用を負担するスポンサだけではありません。
×ウ　プロジェクトにおけるリスクの説明です。
×エ　プロジェクトにおける**スコープ**の説明です。

問23

参考 プロジェクトを立ち上げるときには，「プロジェクト憲章」というプロジェクトの概要や目的などを記載した文書を作成するよ。プロジェクト憲章が承認されることによって，プロジェクトは認められて公式なものになるよ。

トレードオフ　問24

1つを追求すると，他が犠牲になるような関係のこと。

問24

対策 「スコープ（対象範囲）」「スケジュール（納期）」「コスト（予算）」は，どのプロジェクトにもある制約条件だよ。「制約条件の組合せとして適切なものはどれか」という問題では，この3つを選ぼう。

問25

参考 プロジェクトマネージャの任命は，プロジェクトを立ち上げるときに行うよ。そのとき，プロジェクトマネージャの責任や権限も明確にしておくよ。

成果物　問26

プロジェクトで作成する製品やサービス。ソフトウェア開発の場合，プログラム，ユーザーマニュアル，作業の過程で作成されるデータや設計書なども含まれる。

▶ キーワード 問27

□ PMBOK
□ プロジェクトマネジメントオフィス

問27

□□□

PMBOKについて説明したものはどれか。

ア システム開発を行う組織がプロセス改善を行うためのガイドラインとなるものである。
イ 組織全体のプロジェクトマネジメントの能力と品質を向上し，個々のプロジェクトを支援することを目的に設置される専門部署である。
ウ ソフトウェアエンジニアリングに関する理論や方法論，ノウハウ，そのほかの各種知識を体系化したものである。
エ プロジェクトマネジメントの知識を体系化したものである。

▶ キーワード 問28

□ 知識エリア

問28

□□□

プロジェクトの目的を達成するために，プロジェクトで作成する必要のある成果物と，成果物を作成するために必要な作業を細分化した。この活動はプロジェクトマネジメントのどの知識エリアの活動か。

ア プロジェクトコストマネジメント
イ プロジェクトスコープマネジメント
ウ プロジェクトタイムマネジメント
エ プロジェクトリスクマネジメント

▶ キーワード 問29

□ 立上げプロセス群
□ 計画プロセス群
□ 実行プロセス群
□ 監視・コントロールプロセス群
□ 終結プロセス群

問29

□□□

プロジェクト管理のプロセス群に関する記述のうち，適切なものはどれか。

ア 監視コントロールでは，プロジェクトの開始と資源投入を正式に承認する。
イ 計画では，プロジェクトで実行する作業を洗い出し，管理可能な単位に詳細化する作業を実施する。
ウ 実行では，スケジュールやコストなどの予実管理やプロジェクト作業の変更管理を行う。
エ 立上げでは，プロジェクト計画に含まれるアクティビティを実行する。

問27 PMBOK

PMBOK（Project Management Body of Knowledge）は，プロジェクトマネジメントに必要な知識を体系化したものです。プロジェクトマネジメントの基本的な考えや手順などがまとめられており，幅広いプロジェクトで利用されています。

×ア CMMI（Capability Maturity Model Integration）の説明です。
×イ プロジェクトマネジメントオフィスの説明です。
×ウ SWEBOKの説明です。
○エ 正解です。PMBOKの説明です。

問28 プロジェクトマネジメントの知識エリア

プロジェクトマネジメントで管理する対象群として，次のようなものがあります。PMBOKでは**知識エリア**と呼びます。

プロジェクト統合マネジメント	プロジェクトマネジメント活動の各エリアを統合的に管理，調整する。
プロジェクトスコープマネジメント	プロジェクトで作成する成果物や作業内容を定義する。
プロジェクトスケジュールマネジメント	プロジェクトのスケジュールを作成し，監視・管理する。
プロジェクトコストマネジメント	プロジェクトにかかるコストを見積もり，予算を決定してコストを管理する。
プロジェクト品質マネジメント	プロジェクトの成果物の品質を管理する。
プロジェクト資源マネジメント	プロジェクトメンバーを確保し，チームを編成・育成する。物的資源（装置や資材など）を確保する。
プロジェクトコミュニケーションマネジメント	プロジェクトにかかわるメンバー（ステークホルダも含む）間において，情報のやり取りを管理する。
プロジェクトリスクマネジメント	プロジェクトで発生が予想されるリスクへの対策を行う。
プロジェクト調達マネジメント	プロジェクトに必要な物品やサービスなどの調達を管理し，発注先の選定や契約管理など行う。
プロジェクトステークホルダマネジメント	ステークホルダの特定とその要求の把握，利害の調整を行う。

プロジェクトで作成する必要ある成果物や，そのために必要な作業を細分化する活動は，プロジェクトスコープマネジメントで行うことです。よって，正解はイです。

問29 プロジェクトマネジメントのプロセス群

プロジェクトマネジメントで行う作業は，作業の位置付けから次のプロセス群に分類されています。

立上げ	プロジェクトや新しいフェーズを開始することを明確にする。
計画	プロジェクトの目標を達成するための作業計画を立てる。
実行	プロジェクトに必要な人員や資材を確保し，計画に基づき作業を実行する。
監視・コントロール	作業の進捗や実施状況を監視し，必要に応じて対策を講じる。
終結	プロジェクトやフェーズを公式に完結する。

×ア 「監視」ではなく，「立上げ」に関する記述です
○イ 正解です。プロセス群の「計画」に関する記述です。
×ウ 「実行」ではなく，「監視・コントロール」に関する記述です。
×エ 「立上げ」ではなく，「実行」に関する記述です。

プロジェクトマネジメントオフィス 問27

プロジェクトのマネジメント支援を専門に行う組織のこと。プロジェクトマネージャの支援，複数のプロジェクト間の調整などを行う。

問28

参考 日本産業規格が制定した「JIS Q 21500:2018（プロジェクトマネジメントの手引）」では，PMBOKの知識エリアに該当するものを「対象群」と呼び，同じ10の分類があるよ。

問28

対策 PMBOKは数年ごとに改訂され，最新の第7版では「知識エリア」という区分はなくなったけど，試験対策として覚えておこう。

フェーズ 問29

プロジェクトを構成する工程や段階。ある一定の活動，たとえば計画書やプログラムを作成したり，テストを行ったりするタイミングなどでフェーズを区切る。

問29

参考 知識エリアごとに，プロセス群の該当の作業をするよ。たとえば，プロジェクト統合マネジメントでは，立上げプロセス群の「プロジェクト憲章作成」，計画プロセス群の「プロジェクトマネジメント計画書作成」を実施するよ。このように知識エリアとプロセス群の結びつきは，いわば縦糸と横糸のような関係だよ。

▶ キーワード 問30

□ スコープ

□□□

問30 プロジェクト開始後，プロジェクトへの要求事項を収集してスコープを定義する。スコープを定義する目的として，最も適切なものはどれか。

ア プロジェクトで実施すべき作業を明確にするため
イ プロジェクトで発生したリスクの対応策を検討するため
ウ プロジェクトの進捗遅延時の対応策を作成するため
エ プロジェクトの目標を作成するため

▶ キーワード 問31

□ 成果物スコープ
□ プロジェクトスコープ

□□□

問31 プロジェクトのスコープにはプロジェクトの成果物の範囲を表す成果物スコープと，プロジェクトの作業の範囲を表すプロジェクトスコープがある。受注したシステム開発のプロジェクトを推進中に発生した事象a～cのうち，プロジェクトスコープに影響が及ぶものだけを全て挙げたものはどれか。

a 開発する機能要件の追加
b 担当するシステムエンジニアの交代
c 文書化する操作マニュアルの追加

ア a, b　イ a, c　ウ b　エ b, c

▶ キーワード 問32

□ WBS

□□□

問32 プロジェクトチームが実行する作業を，階層的に要素分解した図表はどれか。

ア DFD
イ WBS
ウ アローダイアグラム
エ マイルストーンチャート

□□□

問33 プロジェクトマネジメントにおけるWBSの作成に関する記述のうち，適切なものはどれか。

ア 最下位の作業は1人が必ず1日で行える作業まで分解して定義する。
イ 最小単位の作業を一つずつ積み上げて上位の作業を定義する。
ウ 成果物を作成するのに必要な作業を分解して定義する。
エ 一つのプロジェクトでは全て同じ階層の深さに定義する。

解説

問30 スコープ

プロジェクトマネジメントにおいてスコープは，プロジェクトを達成させるために作成する成果物や，成果物を得るために必要な作業のことです。スコープを定義することにより，成果物や作業範囲を過不足なく洗い出し，プロジェクトで何を作成し，何を実施するのかを明確にします。よって，正解は㋐です。

問31 プロジェクトスコープに影響が及ぶもの

プロジェクトのスコープは，成果物の範囲を表すスコープを成果物スコープ，作業の範囲についてはプロジェクトスコープに分けることがあります。問題のa～cについて，プロジェクトスコープに影響があるものかどうかを判定すると，次のようになります。

○ a　機能要件を追加すると，それを反映させる作業が必要となるため，プロジェクトスコープに影響があります。
× b　システムエンジニアが交代しても作業内容に変更はないため，プロジェクトスコープに影響はありません。
○ c　追加した操作マニュアルを作成する作業が必要となるため，プロジェクトスコープに影響があります。

よって，正解は㋑です。

問32 WBS

×㋐　**DFD（データフローダイアグラム）**は，データの流れに着目し，データの処理と流れを図式化したものです。
○㋑　正解です。**WBS**（Work Breakdown Structure）はプロジェクト全体を細分化し，作業項目を階層的に表現した図やその手法です。プロジェクトで作成する成果物や作業は，管理可能な大きさに細分化して，階層的にWBSにまとめます。

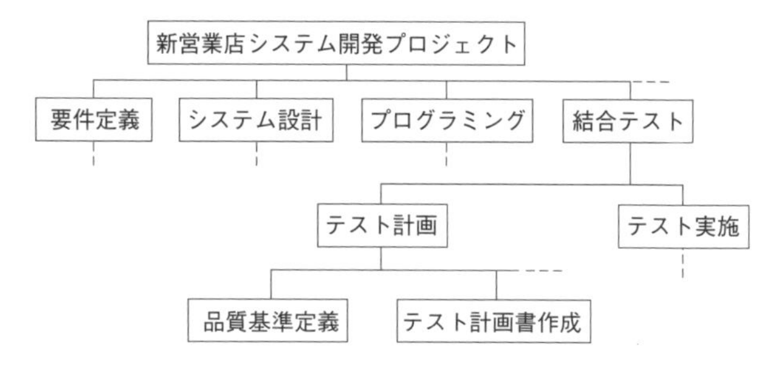

×㋒　**アローダイアグラム**は，作業の順序関係と所要時間を表した図です。作業の進捗管理に用いられ，**PERT図**（日程計画図）ともいいます。
×㋓　時間を横軸にして，作業の所要時間を横棒で表した図を**ガントチャート**といいます。マイルストーンチャートはガントチャートにマイルストーンを書き込んだもので，工程管理に使用します。

問33 WBSの作成

×㋐　最下位の作業は，所要時間や必要なコストなどを見積ることができ，それらを管理しやすいレベルまで分解します。
×㋑　上位から下位に向かって，段階的に作業を分解して定義します。
○㋒　正解です。WBSではプロジェクトにおいて作成すべき成果物を明確にし，そのために必要な作業を分解して定義します。
×㋓　成果物や行う作業によって分解できる階層の深さは異なり，それを同じ深さに揃えて定義する必要はありません。

合格のカギ

問30

参考 スコープ（scope）は，直訳すると「範囲」という意味だよ。

問32

対策 WBSは頻出の用語だよ。絶対，覚えておこう。

問33

参考 WBSの最下位の構成要素を「ワークパッケージ」といい，ワークパッケージに対して実際に行う具体的な作業や担当者の割り当てなどが行われるよ。

▶ キーワード 問34

□ マイルストーン

問34

プロジェクト管理においてマイルストーンに分類されるものはどれか。

ア 結合テスト工程　　イ コーディング作業
ウ 設計レビュー開始日　　エ 保守作業

▶ キーワード 問35

□ アローダイアグラム
□ クリティカルパス

問35

図のアローダイアグラムにおいて，作業Bが3日遅れて完了した。全体の遅れを1日にするためには，どの作業を何日短縮すればよいか。

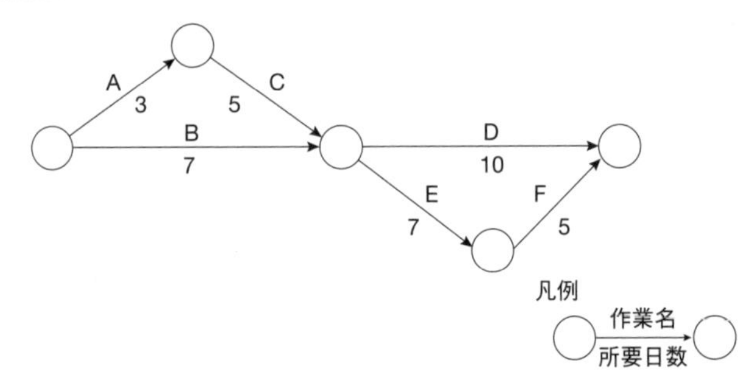

ア 作業Cを1日短縮する　　イ 作業Dを1日短縮する
ウ 作業Eを1日短縮する　　エ どの作業も短縮する必要はない

▶ キーワード 問36

□ ガントチャート

問36

プロジェクトマネジメントのために作成する図のうち，進捗が進んでいたり遅れていたりする状況を視覚的に確認できる図として，最も適切なものはどれか。

ア WBS　　イ ガントチャート
ウ 特性要因図　　エ パレート図

解説

問34 マイルストーン

マイルストーンは，**プロジェクトの節目となる重要な時点のこと**です。たとえば，設計やテストなどの開始日，終了予定日がマイルストーンになり，プロジェクトの進捗状況を把握する目印として用いられます。選択肢のうち，ウの設計レビュー開始日はマイルストーンになりますが，ア，イ，エは期間のある工程や作業なのでマイルストーンになりません。よって，正解はウです。

問35 アローダイアグラム

アローダイアグラムは作業とその流れを矢印（→）で表した図で，作業の日程管理に用いられます。

まず，プロジェクト全体を何日で完了する予定だったかを調べます。次のようにプロジェクトの4つの経路について日数を求めると，日数が一番かかるのは経路A→C→E→Fで，この経路が**クリティカルパス（最も日数がかかる工程の経路）**になります。これより，プロジェクトは20日で完了する予定だったことがわかります。

経路A→C→D	3+5+10=18日	
経路A→C→E→F	3+5+7+5=20日	←── クリティカルパス
経路B→D	7+10=17日	
経路B→E→F	7+7+5=19日	

次に，作業Bが3日遅れたときの日数を求めると，クリティカルパスが経路B→E→Fに変わり，プロジェクトが完了するのに22日かかります。

経路A→C→D	3+5+10=18日	
経路A→C→E→F	3+5+7+5=20日	
経路B→D	10+10=20日	
経路B→E→F	10+7+5=22日	←── クリティカルパス

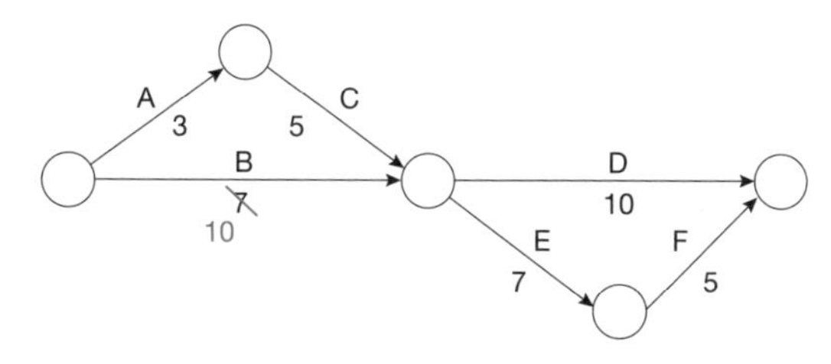

全体の遅れを減らすには，クリティカルパス上にある作業を短縮します。選択肢を確認すると，クリティカルパス上にある作業を短縮しているのは，ウの「作業Eを1日短縮する」だけです。作業Eを1日短縮すれば，プロジェクトは21日で完了することになり，全体の遅れを1日にできます。よって，正解はウです。

問36 ガントチャート

×ア **WBS**は，プロジェクトで必要となる作業を洗い出し，管理しやすいレベルまで細分化して，階層的に表現した図表やその手法のことです。

○イ 正解です。**ガントチャート**は，**横軸に時間，縦軸にタスク（作業工程など）を取って，所要期間の長さを横棒で表した工程管理図**です。

×ウ **特性要因図**は「原因」と「結果」の関係を体系的にまとめた図で，不具合がどのような原因によって起きているのかを調べるときに使用します。

×エ **パレート図**は，数値の大きい順に並べた棒グラフと，棒グラフの数値の累積比率を表した折れ線グラフを組み合わせた図です。重点管理する事項や商品などを調べるときに利用します。

合格のカギ

問35

参考 アローダイアグラムは「PERT図」という呼び方で出題されることもあるよ。

問35

対策 全作業が終了するのは，最も日数がかかる工程の作業が終わったとき。一番早く終わる工程の日数ではないので注意しよう。

問35

対策 アローダイアグラムはよく出題されるよ。特にクリティカルパスの経路の調べ方は覚えておこう。

ガントチャート 問36

工程
4月
5月
6月
7月
A
予定
実績
B
予定
実績

大分類5 プロジェクトマネジメント

□□□

問37 プロジェクトの進捗を管理する場合の留意事項として，適切なものはどれか。

- ア 進捗遅れの状況は管理者の判断で訂正することができる。
- イ 進捗管理の管理項目には，定性的な項目を設定する。
- ウ 進捗状況を定量的に判断するために，数値化できる項目を選び，目標値を設定する。
- エ 進捗を把握しやすくするためには，レーダーチャートを用いる。

▶ キーワード　問38

- □ リスク対応
- □ リスク回避
- □ リスク転嫁
- □ リスク軽減
- □ リスク受容

□□□

問38 あるシステム開発プロジェクトでは，システムを構成する一部のプログラムが複雑で，そのプログラムの作成には高度なスキルを保有する特定の要員を確保する必要があった。そこで，そのプログラムの開発の遅延に備えるために，リスク対策を検討することにした。リスク対策を，回避，軽減，受容，転嫁に分類するとき，軽減に該当するものはどれか。

- ア 高度なスキルを保有する要員が確保できない可能性は低いと考え，特別な対策は採らない。
- イ スキルはやや不足しているが，複雑なプログラムの開発が可能な代替要員を参画させ，大きな遅延にならないようにする。
- ウ 複雑なプログラムの開発を外部委託し，期日までに成果物を納品する契約を締結する。
- エ 複雑なプログラムの代わりに，簡易なプログラムを組み合わせるように変更し，高度なスキルを保有していない要員でも開発できるようにする。

□□□

問39 プロジェクトチームのメンバーがそれぞれ1対1で情報の伝達を行う必要がある。メンバーが10人から15人に増えた場合に，情報の伝達を行うために必要な経路は幾つ増加するか。

ア 5　　イ 10　　ウ 60　　エ 105

問37 プロジェクトの進捗管理

×ア 進捗の遅れに対するスケジュールの更新は，管理者の判断ではなく，公式な承認の下に行います。
×イ 進捗状況を明確に判断するため，定性的ではなく，数値化している定量的な項目を設定します。
○ウ 正解です。プロジェクトの進捗を管理するには，開始日や作業日数など，具体的な目標を設定しておく必要があります。
×エ 進捗の管理には**ガントチャート**が適しています。

問38 リスクの対応策

PMBOKにおいてマイナスのリスクへの対応策として，次の4つがあります。

●マイナスのリスクへの対応策

回避	リスクの原因を排除して，リスクが発生しない状態にする。
転嫁	リスクによるマイナスの影響を第三者に移転する。
軽減	リスクの発生確率や影響度を許容できるレベルまで下げる。
受容	特段の対策は行わず，リスクを受け入れる。

×ア 特別な対策を採らないので，リスクの受容に該当します。
○イ 正解です。スキルはやや不足しているが代替要員を参加させ，大きな遅延にならないようにしているので，リスクの軽減に該当します。
×ウ プログラムの開発を外部委託しているので，リスクの転嫁に該当します。
×エ 複雑なプログラムを簡易なプログラムの組み合わせに変更し，高度なスキルを保有する要員の確保を避けているので，リスクの回避に該当します。

なお，プロジェクトのリスクには，「マイナスのリスク」と「プラスのリスク」があります。プラスのリスクは，プロジェクトによい影響を及ぼすもので，次の4つの対応策を行います。

●プラスのリスクへの対応策

活用	好機が確実に発生するようにする。
共有	好機を発生させることができる第三者にリスクを割り当てる。
強化	好機の発生確率やプラスの影響度を高める。
受容	積極的に利益を追求せず，好機が発生したら受け入れる。

問39 情報の伝達に必要な経路の数の算出

1対1の経路の数は，メンバーがx人のときは「$x\times(x-1)\div2$」という計算式で求めることができます。この計算式でメンバーが10人のとき，15人のときについて，それぞれ必要な経路の数を求めると，次のようになります。

メンバーが10人のとき

$10\times(10-1)\div2=10\times9\div2=45$

メンバーが15人のとき

$15\times(15-1)\div2=15\times14\div2=105$

これより，10人から15人に増えた場合に，必要な経路の数は105－45＝60になります。よって，正解はウです。

問37

参考「定量的」とは数値化して表される情報のことだよ。定性的と定量的の違いを理解しておこう。
例 定性的：少しの遅れ
定量的：1日の遅れ

問38

対策 4つのリスク対応策のどれが出題されても回答できるようにしておこう。

問39

参考 本問で紹介した1対1の経路を求める計算式は，次の順列の公式を活用したものだよ。

$${}_nC_r=\frac{n!}{r!(n-r)!}$$

たとえば，5人の場合，次のように計算するよ。

$${}_5C_2=\frac{5!}{2!(5-2)!}=\frac{5\times4\times3\times2\times1}{2\times1\times3\times2\times1}=10$$

□□□

問40

プロジェクトの人的資源の割当てなどを計画書にまとめた。計画書をまとめる際の考慮すべき事項に関する記述のうち，最も適切なものはどれか。

ア 各プロジェクトメンバーの作業時間の合計は，プロジェクト全期間を通じて同じになるようにする。

イ プロジェクト開始時の要員確保が目的なので，プロジェクト遂行中のメンバーの離任時の対応は考慮しない。

ウ プロジェクトが成功することが最も重要なので，各プロジェクトメンバーの労働時間の上限は考慮しない。

エ プロジェクトメンバー全員が各自の役割と責任を明確に把握できるようにする。

□□□

問41

ある作業を6人のグループで開始し，3か月経過した時点で全体の50%が完了していた。残り2か月で完了させるためには何名の増員が必要か。ここで，途中から増員するメンバーの作業効率は最初から作業している要員の70%とし，最初の6人のグループの作業効率は残り2か月も変わらないものとする。

ア 1　　イ 3　　ウ 4　　エ 5

□□□

問42

プログラムの開発作業で担当者A～Dの4人の工程ごとの生産性が表の通りのとき，4人同時に見積りステップ数が12kステップのプログラム開発を開始した場合に，最初に開発を完了するのはだれか。

単位 kステップ／月

担当者	設計	プログラミング	テスト
A	3	3	6
B	4	4	4
C	6	4	2
D	3	4	5

ア A　　イ B　　ウ C　　エ D

問40 プロジェクトの人的資源の割当て

×ア　プロジェクトメンバーの作業時間を同じにする必要はなく，メンバーや作業内容によって適切に設定します。
×イ　プロジェクト遂行中のメンバーの離任も考慮し，プロジェクト開始時だけでなく，全期間で必要な要員を確保するように計画します。
×ウ　プロジェクトメンバーの労働時間の上限は考慮する必要があります。
○エ　正解です。プロジェクトメンバー各自の役割や責任を設定し，責任分担表などにまとめます。

問41 増員する人数の算出

「6人のグループで開始し，3か月経過した時点で全体の50%が完了していた」ので，50%の作業に延べ18人（6人/月×3か月）かかり，残りの作業にも延べ18人が必要です。
残りの作業は2か月で完成させるので，ひと月当たりに必要な人数を求めると，

18人÷2か月＝9人

になります。最初から作業している人数は6人なので，あと3人足りません。
ただし，「増員するメンバーの作業効率は最初から作業している要員の70%」なので，足りない人数をそのまま増やすのではなく，増員する人数を次のように計算して求めます。

3人÷70%＝4.285…人

よって，増員する人数は5人です。正解は エ です。

問42 担当者のプログラム開発にかかる月数の算出

まず，表内のそれぞれの工程について，12kステップのプログラムを開発するのに必要な月数を調べます。表の単位が「kステップ／月」なので，表内の数値は1か月当たりの作業量（ステップ数）です。
たとえば，担当者Aの場合，「設計」は1か月に3kステップできるので，12kステップには12÷3＝4か月かかります。同様に「プログラミング」や「テスト」も計算すると，プログラミングには4か月，テストには2か月かかることがわかります。担当者B，C，Dについても計算した結果を下の表に記載しました。

12÷3＝4

単位　kステップ／月

担当者	設計	プログラミング	テスト
A	3　4	3　4	6　2
B	4　3	4　3	4　3
C	6　2	4　3	2　6
D	3　4	4　3	5　2.4

次に，担当者ごとに3つの工程にかかる月数を合計します。

担当者A　4+4+2＝10
担当者B　3+3+3＝9
担当者C　2+3+6＝11
担当者D　4+3+2.4＝9.4

月数の合計が一番小さいのは担当者Bです。よって，正解は イ です。

問41

対策 作業人員数は，作業全体にかかる延べ人数を使って求めることが多いよ。延べ人数の求め方を覚えておこう。たとえば1日当たり6人が3日間働いたときの延べ人数は「6人/日×3日」で，延べ18人というよ。

問42

対策 表やグラフがある問題は，その中にヒントが記載されている場合があるよ。じっくり目を通そう。本問の場合は，表の右上にある「単位　kステップ／月」がヒントになるよ。

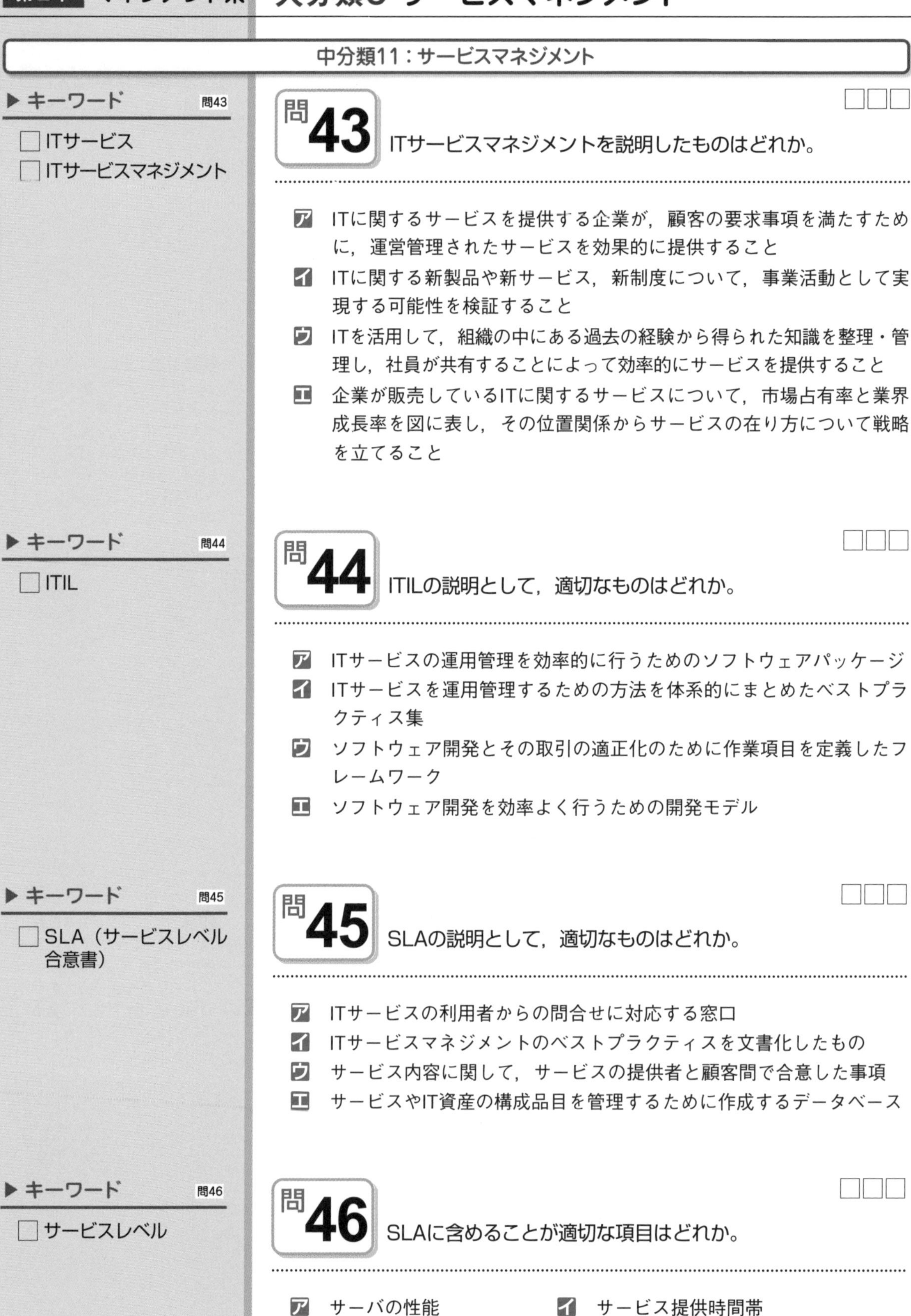

中分類11：サービスマネジメント

▶ キーワード 問43

□ ITサービス
□ ITサービスマネジメント

問43

ITサービスマネジメントを説明したものはどれか。

ア ITに関するサービスを提供する企業が，顧客の要求事項を満たすために，運営管理されたサービスを効果的に提供すること

イ ITに関する新製品や新サービス，新制度について，事業活動として実現する可能性を検証すること

ウ ITを活用して，組織の中にある過去の経験から得られた知識を整理・管理し，社員が共有することによって効率的にサービスを提供すること

エ 企業が販売しているITに関するサービスについて，市場占有率と業界成長率を図に表し，その位置関係からサービスの在り方について戦略を立てること

▶ キーワード 問44

□ ITIL

問44

ITILの説明として，適切なものはどれか。

ア ITサービスの運用管理を効率的に行うためのソフトウェアパッケージ

イ ITサービスを運用管理するための方法を体系的にまとめたベストプラクティス集

ウ ソフトウェア開発とその取引の適正化のために作業項目を定義したフレームワーク

エ ソフトウェア開発を効率よく行うための開発モデル

▶ キーワード 問45

□ SLA（サービスレベル合意書）

問45

SLAの説明として，適切なものはどれか。

ア ITサービスの利用者からの問合せに対応する窓口

イ ITサービスマネジメントのベストプラクティスを文書化したもの

ウ サービス内容に関して，サービスの提供者と顧客間で合意した事項

エ サービスやIT資産の構成品目を管理するために作成するデータベース

▶ キーワード 問46

□ サービスレベル

問46

SLAに含めることが適切な項目はどれか。

ア サーバの性能
イ サービス提供時間帯
ウ システムの運用コスト
エ 新規サービスの追加手順

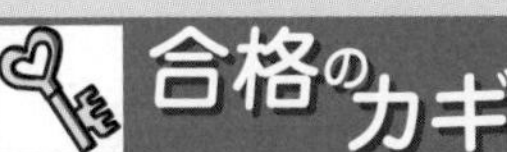

問43 ITサービスマネジメント

情報システムの開発や運用, 管理など, IT部門の業務を**ITサービス**といいます。**ITサービスマネジメント（ITSM）**は，情報システムの安定的かつ効率的な運用を図り，顧客に提供するITサービスの品質を維持・向上させるための管理方法です。

なお，シラバスVer.4.1では，ITサービスは「サービス」，ITサービスマネジメントは「サービスマネジメント」に変更されました。また，**サービスマネジメントを管理する活動をサービスマネジメントシステム**といいます。

○ア　正解です。**ITサービスマネジメントは，顧客のニーズに合致したサービスを提供するために，組織が情報システムの運用の維持管理及び継続的な改善を行っていく取組み**です。
×イ　フィージビリティスタディ（Feasibility Study）の説明です。
×ウ　**ナレッジマネジメント**（Knowledge Management）の説明です。
×エ　**プロダクトポートフォリオマネジメント**（**PPM**）の説明です。

注意!! 問43
シラバス Ver.4.1 において，「IT サービスマネジメント」は「サービスマネジメント」，「IT サービス」は「サービス」に用語が変更された（2020年10月以降の試験から適用）。今後は「サービスマネジメント」や「サービス」と表現される場合がある。

問44 ITIL

ITIL（Information Technology Infrastructure Library）は，**ITサービスの運用・管理に関するベストプラクティスを体系的にまとめた書籍**です。情報システムの運用管理を適切に実施していくための，**ITサービスマネジメントのフレームワーク**（枠組み）として利用されています。

×ア　ITILはソフトウェアパッケージ（製品）ではありません。
○イ　正解です。ITILの説明です。
×ウ　**共通フレーム**の説明です。
×エ　ITILはソフトウェアの開発モデルではありません。**ソフトウェア開発モデルには，ウォーターフォールモデルやプロトタイピングモデルなど**があります。

ベストプラクティス 問44
最も優れている技法や手法，進め方などのこと。ITIL では成功事例や最良事例という意味をもつ。

問44
対策 ITILの説明では，「ベストプラクティス」という用語がよく使われるよ。

問45 SLA

ITサービスの提供者と利用者は，あらかじめITサービスの範囲や品質を取り決め，文書にまとめておきます。この文書を **SLA**（Service Level Agreement：**サービスレベル合意書**）といいます。

×ア　**サービスデスク**の説明です。
×イ　**ITIL**の説明です。
○ウ　正解です。**SLAは，ITサービスの提供者と利用者（顧客）間でITサービスについて合意しておくことや，合意した事項**を指すこともあります。
×エ　構成管理データベースの説明です。

問45
対策 SLAは頻出の用語なので，ぜひ覚えておこう。「サービスレベル合意書」という用語で出題されることもあるよ。

問46 SLAに含める項目

SLAには，ITサービスの範囲や品質（**サービスレベル**）を明確にするため，次のような事項を記載します。

- 可用性（サービス時間，サービス稼働率，障害回復時間，障害通知時間など）
- パフォーマンス（オンライン応答時間，バッチ処理時間など）
- 保全性（バックアップ頻度，データやログの保持期間など）
- ヘルプデスク（問合せの受付時間など）

選択肢を確認すると，このようなITサービスを具体的に提示する項目はイの「サービス提供時間帯」だけです。よって，正解はイです。

問46
参考 SLAには，契約事項を守れなかった場合の罰則や補償についても記載するよ。

大分類6 サービスマネジメント

▶ キーワード 問47

□ SLM（サービスレベル管理）

問47

□□□

サービスレベル管理において，サービス提供者と利用者の間で合意した応答時間について，図に示す工程で継続的に改善活動を行う。モニタリングで実施するものはどれか。

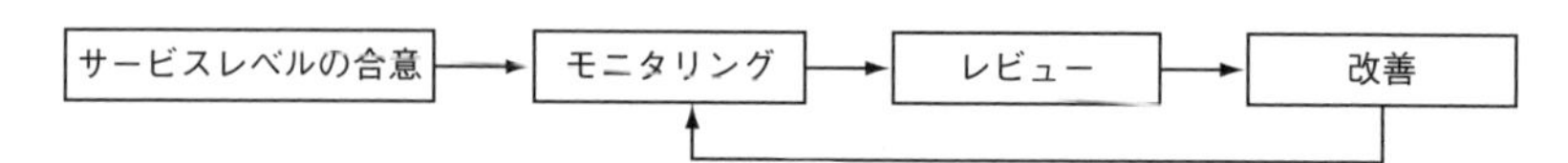

ア 応答時間の監視
イ 応答時間の実績の評価
ウ 応答時間の短縮
エ 応答時間の目標の設定・変更

問48

□□□

サービスデスクの顧客満足度に関するサービスレベル管理において，PDCAサイクルのAに当たるものはどれか。

ア 計画に従い顧客満足度調査を行った。
イ 顧客満足度の測定方法と目標値を定めた。
ウ 測定した顧客満足度と目標値との差異を分析した。
エ 目標未達の要因に対して改善策を実施した。

▶ キーワード 問49

□ 可用性

問49

□□□

ITサービスにおいて，合意したサービス時間中に実際にサービスをどれくらい利用できるかを表す用語はどれか。

ア 応答性　イ 可用性　ウ 完全性　エ 機密性

▶ キーワード 問50

□ サービスサポート
□ インシデント管理
□ 問題管理
□ 構成管理
□ 変更管理
□ リリース及び展開管理

問50

□□□

インシデント管理の目的について説明したものはどれか。

ア ITサービスで利用する新しいソフトウェアを稼働環境へ移行するための作業を確実に行う。
イ ITサービスに関する変更要求に基づいて発生する一連の作業を管理する。
ウ ITサービスを阻害する要因が発生したときに，ITサービスを一刻も早く復旧させて，ビジネスへの影響をできるだけ小さくする。
エ ITサービスを提供するために必要な要素とその組合せの情報を管理する。

解説

問47 SLM

ITサービスの品質を維持・向上させるための活動をサービスレベル管理（SLM：Service Level Management）といいます。サービスレベル管理を実施するにあたって，ITサービスの提供者と利用者は，まず，たとえば「応答時間は3秒以内とする」といったサービスレベルについて合意しておきます。合意できたら，それを満たすためにモニタリングを行い，その結果をレビューして，必要に応じて改善を行います。

この活動の流れに基づいて，図の工程に選択肢を当てはめると，「サービスレベルの合意」は**エ**の「応答時間の目標の設定・変更」，「モニタリング」は**ア**の「応答時間の監視」，「レビュー」は**イ**の「応答時間の実績の評価」，「改善」は**ウ**の「応答時間の短縮」になります。よって，正解は**ア**です。

問48 サービスレベル管理におけるPDCAサイクル

SLMは，PDCAサイクルによって，継続的にサービスレベルの維持や向上を図ります。PDCAサイクルは，「Plan（計画）」「Do（実行）」「Check（評価）」「Act（改善）」というサイクルを繰り返し，継続的な業務改善を図る管理手法です。「PDCA」は4段階の頭文字をつなげたもので，たとえば「A」は「Act」を示しています。

×**ア** 計画に従い顧客満足度調査を行うことは，「Do（実行）」に該当します。
×**イ** 顧客満足度の測定方法と目標値を定めることは，「Plan（計画）」に該当します。
×**ウ** 測定した顧客満足度と目標値の差異を分析することは，「Check（評価）」に該当します。
○**エ** 正解です。改善策を実施することは，「Act（改善）」に該当します。

問49 ITサービスの可用性

×**ア** 応答性は，処理要求に対して，回答がどれくらいで戻るかということです。
○**イ** 正解です。可用性は，利用者が必要なときに，使える状態であることです。情報システムの可用性は稼働率で表されます。
×**ウ** 完全性は，内容が正しく，完全な状態で維持されていることです。
×**エ** 機密性は，許可された人だけがアクセスできるようにすることです。

問50 サービスサポート

ITサービスマネジメントにおいて，日常的なシステムの運用に関する活動（サービスサポート）として，次のような管理があります。

インシデント管理	インシデントの検知，問題発生時におけるサービスの迅速な復旧
問題管理	発生した問題の原因の追求と対処，再発防止の対策
構成管理	IT資産の把握・管理
変更管理	システムの変更要求の受付，変更の承認，変更手順の確立
リリース及び展開管理	変更管理で承認・計画された変更の実装

×**ア** 稼働環境へ移行するための変更作業は，リリース及び展開管理の目的です。
×**イ** 変更要求に関連する一連の作業は，変更管理の目的です。
○**ウ** 正解です。インシデントは，ITサービスを阻害する現象や事案のことです。ITサービスを阻害する問題が発生したとき，一刻も早くITサービスを復旧させることがインシデント管理の目的です。
×**エ** ITサービス提供のための要素と組合せの情報の管理は，構成管理の目的です。

合格のカギ

問47

参考 一般的に「モニタリング」は監視や測定，「レビュー」は再検査や評価という意味だよ。

PDCAサイクル 問48

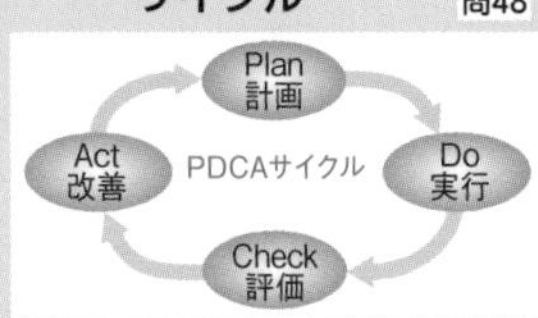

問48

参考 PDCAサイクルは，生産管理や品質管理など，いろいろなマネジメントで利用されるよ。

問49

参考 可用性を確保するための活動を「可用性管理」というよ。可用性管理の目的は，ITサービスを提供するうえで，目標とする稼働率を達成することだよ。

問50

対策 シラバスVer.4.1で，リリース管理は「リリース及び展開管理」という用語に変更されたよ。活動内容は同じだよ。

大分類6 サービスマネジメント

問51

インシデント管理に関する記述のうち，適切なものはどれか。

ア SLAで定められた時間内で解決できないインシデントは，問題管理へ引き継ぐ。
イ インシデントの再発防止のための対策を実施する。
ウ インシデントの原因追究よりも正常なサービス運用の回復を優先させる。
エ 解決方法が分かっているインシデントの発生は記録する必要はない。

▶ キーワード 問52
- サービスデスク
- ヘルプデスク

問52

サービスデスクに関する説明として，適切なものはどれか。

ア サービスデスクは自動応答する仕組みでなければならない。
イ 自社内に設置するものであり，当該業務をアウトソースすることはない。
ウ システムの操作方法などの問合せを電子メールや電話で受け付ける。
エ 受注などの電話を受けるインバウンドと，セールスなどの電話をかけるアウトバウンドに分類できる。

問53

サービスデスクがシステムの利用者から障害の連絡を受けた際の対応として，インシデント管理の観点から適切なものはどれか。

ア 再発防止を目的とした根本的解決を，復旧に優先して実施する。
イ システム利用者の業務の継続を優先し，既知の回避策があれば，まずそれを伝える。
ウ 障害対処の進捗状況の報告は，連絡を受けた先だけに対して行う。
エ 障害の程度や内容を判断し，適切な連絡先を紹介する。

▶ キーワード 問54
- チャットボット
- FAQ
- エスカレーション
- RPA

問54

利用者からの問合せの窓口となるサービスデスクでは，電話や電子メールに加え，自動応答技術を用いてリアルタイムで会話形式のコミュニケーションを行うツールが活用されている。このツールとして，最も適切なものはどれか。

ア FAQ　　イ RPA
ウ エスカレーション　　エ チャットボット

解説

問51 インシデント管理

インシデントは，ITサービスを阻害する，または阻害する恐れのある出来事のことです。たとえば，「プリンターのインクがない」「ネットワークに接続できない」「コンピュータウイルスに感染した」など，通常の業務を妨げることがインシデントです。

×ア SLAで定められた時間内で解決できなくても，ITサービスを早急に回復するための作業を実施します。
×イ インシデントの再発防止のための根本的対策を実施するのは，問題管理プロセスです。
○ウ 正解です。インシデント管理では，インシデントの根本的な原因追究よりも，業務への支障を最小限に抑えるようにITサービスの回復を優先させます。
×エ 解決方法がわかっている，わかっていないにかかわらず，発生したインシデントは記録します。

問51
対策 インシデント管理と問題管理の目的の違いに注意しよう。インシデント管理は「ITサービスの速やかな復旧」，問題管理は「インシデントの根本的な原因解決」であることを覚えておこうね。

問52 サービスデスク（ヘルプデスク）

サービスデスク（ヘルプデスク）は，情報システムの利用者からの問合せに対応する窓口です。使用方法やトラブルへの対処方法，苦情への対応など，様々な問合せに対応します。問合せの記録や管理，他の部署への問合せの引継ぎなども行います。

×ア 利用者の問合せに対して，自動応答する仕組みである必要はありません。
×イ サービスデスクの業務は，外部に委託してもかまいません。
○ウ 正解です。システムの操作方法などの問合せに電子メールや電話で対応することは，サービスデスクの業務です。
×エ 受注の電話を受けたり，セールスなどの電話をかけたりすることは，サービスデスクの業務ではありません。

問53 サービスデスクの対応

×ア インシデント管理ではITサービスの復旧を優先します。再発防止のための根本的解決を図るのは問題管理です。
○イ 正解です。インシデント管理では，トラブルが発生した際，システム利用者の業務の継続を優先し，業務への影響を最小限に抑える対応策をとります。
×ウ インシデントやその対応策などは，サービスデスク及び関係部署で共有するようにします。
×エ 適切な部署への引継ぎはサービスデスクの役割です。ただし，選択肢イのように，障害によってはサービスデスクで対応します。

問54 チャットボット

×ア FAQ（Frequently Asked Questions）は，よくある質問とその回答を集めたものです。
×イ RPA（Robotic Process Automation）は，認知技術（ルールエンジン，AI，機械学習など）を活用した，ソフトウェアで実現されたロボットに，これまで人が行っていた定型的な事務作業を代替させ，業務の自動化や効率化を図ることです。
×ウ エスカレーションは，対応が困難な問合せがあったとき，上位の担当者や管理者などに対応を引き継ぐことです。
○エ 正解です。チャットボットは，人工知能を活用した，人と会話形式のやり取りができる自動会話プログラムのことです。自動応答技術を用いて，リアルタイムで会話形式のコミュニケーションをとることができます。

問54
対策 どの用語も過去に出題されたことがあるよ。特にRPAやチャットボットは頻出なのでしっかり確認しておこう。

▶ キーワード 問55

□ ファシリティマネジメント

問55

□□□

情報システムのファシリティマネジメントの対象範囲はどれか。

ア IT関連設備について，最適な使われ方をしているかを常に監視し改善すること

イ 工場の生産ラインの制御にコンピュータやネットワークを利用して，総合的に管理すること

ウ 顧客データベースで顧客に関する情報を管理することによって，企業が顧客と長期的な関係を築くこと

エ 取引先との受発注，資材の調達から在庫管理，製品の配送などといった事業活動にITを使用して，総合的に管理すること

▶ キーワード 問56

□ セキュリティワイヤー

問56

□□□

情報システムで管理している機密情報について，ファシリティマネジメントの観点で行う漏えい対策として，適切なものはどれか。

ア ウイルス対策ソフトウェアの導入

イ コンピュータ室のある建物への入退館管理

ウ 情報システムに対するIDとパスワードの管理

エ 電子文書の暗号化の採用

▶ キーワード 問57

□ 無停電電源装置（UPS）

□ 自家発電装置

□ サージ防護

問57

□□□

無停電電源装置（UPS）の導入に関する記述として，適切なものはどれか。

ア UPSに最優先で接続すべき装置は，各PCが共有しているネットワークプリンターである。

イ UPSの容量には限界があるので，電源異常を検出した後，数分以内にシャットダウンを実施する対策が必要である。

ウ UPSは発電機能をもっているので，コンピュータだけでなく，照明やテレビなども接続すると効果的である。

エ UPSは半永久的に使用できる特殊な蓄電池を用いているので，導入後の保守費用は不要である。

問55 ファシリティマネジメント

ファシリティマネジメントは，費用の面も含めて，建物や設備などが最適な状態であるように，保有，運用，維持していく手法です。情報システムのファシリティマネジメントにおいては，データセンターなどの施設，コンピュータやネットワークなどの設備が最適な使われ方をしているかなどを監視し，改善を図ります。

○ア 正解です。IT関連設備の使われ方を監視，改善することは，情報システムのファシリティマネジメントの対象範囲に含まれます。
×イ CAM（Computer Aided Manufacturing）の説明です。
×ウ CRM（Customer Relationship Management）の説明です。
×エ SCM（Supply Chain Management）の説明です。

問56 ファシリティマネジメントの観点で行う漏えい対策

情報システムにおけるファシリティマネジメントの目的は，情報処理関連の設備や環境の総合的な維持です。具体的には，次のような対策を行います。

- 耐震や免震対策を行う
- スプリンクラーや消火器などの消火設備を備える
- 落雷や停電対策として，UPS（無停電電源装置）や自家発電装置を備える
- 部外者が立ち入らないように，出入り口に鍵を設置し，入退室管理を行う
- ノートPCなどにセキュリティワイヤーを取り付ける　　など

ファシリティマネジメントの観点で行う機密情報の漏えい対策として，選択肢の中で情報システムの設備や環境に関するものは，イの「コンピュータ室のある建物への入退館管理」だけです。よって，正解はイです。

問57 無停電電源装置（UPS）

無停電電源装置（UPS）は，急な停電や電圧低下などが起きたとき，自動的に作動し，電力の供給が途切れるのを防ぐ装置です。UPSが電力を供給できる時間には制限があるため，UPSが作動したら，速やかにデータの保存やシステムの終了などの措置をとります。

×ア UPSには，データを保存するディスク装置など，電力供給が途切れると大きな被害が生じる機器から優先して接続します。印刷はやり直せるので，プリンターは最優先で接続すべき装置ではありません。
○イ 正解です。UPSが対応できる停電時間には制限があるため，UPSによって電力が供給されている間に機器を安全に終了させます。
×ウ UPSは停電などのトラブルに備えるものであり，照明やテレビなどを接続するのは適切ではありません。
×エ UPSに使用しているバッテリの交換など，UPSを長期的に安心して運用するには定期的な保守・点検が必要です。そのため，UPSの導入後の保守費用はかかります。

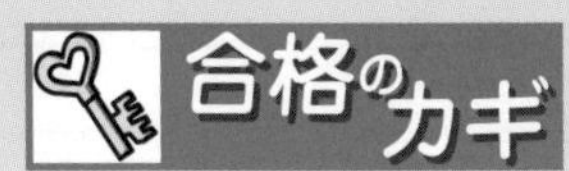

データセンター 問55

サーバやネットワーク機器などを設置するための施設や建物。地震や火災などが発生しても，コンピュータを安全稼働させるための対策がとられている。

セキュリティワイヤー 問56

盗難や不正な持ち出しを防止するため，ノートPCなどのハードウェアを柱や机などに固定するための器具。

問57

参考 電力に関するトラブルを防ぐ装置には，次のようなものもあるよ。

・自家発電装置
停電時などに，発電して電力供給を行う装置。始動して電力供給までに，一定の時間がかかる。UPSと併用すると有用性が高まる。

・サージ防護
落雷などによって異常な高電圧が流れ込み，機器が故障するのを防ぐ機能や装置。

中分類12：システム監査

▶ キーワード 問58

- ☐ 会計監査
- ☐ 業務監査
- ☐ 情報セキュリティ監査

問58

☐☐☐

監査役が行う監査を，会計監査，業務監査，システム監査，情報セキュリティ監査に分けたとき，業務監査に関する説明として，最も適切なものはどれか。

- ア 財務状態や経営成績が財務諸表に適正に記載されていることを監査する。
- イ 情報資産の安全対策のための管理・運用が有効に行われていることを監査する。
- ウ 情報システムを総合的に点検及び評価し，ITが有効かつ効率的に活用されていることを監査する。
- エ 取締役が法律及び定款に従って職務を行っていることを監査する。

▶ キーワード 問59

- ☐ システム監査

問59

☐☐☐

システム監査に関する説明として，適切なものはどれか。

- ア ITサービスマネジメントを実現するためのフレームワークのこと
- イ 情報システムに関わるリスクに対するコントロールが適切に整備・運用されているかどうかを検証すること
- ウ 品質の良いソフトウェアを，効率よく開発するための技術や技法のこと
- エ プロジェクトの要求事項を満足させるために，知識，スキル，ツール及び技法をプロジェクト活動に適用させること

▶ キーワード 問60

- ☐ システム監査人
- ☐ システム監査基準
- ☐ システム監査計画
- ☐ 予備調査
- ☐ 本調査
- ☐ 監査証拠
- ☐ 監査調書
- ☐ システム監査報告書

問60

☐☐☐

システム監査の実施に関する記述として，適切なものはどれか。

- ア 監査計画を立案することなく監査を実施する。
- イ 監査の結果に基づき改善指導を行うことはない。
- ウ 監査報告書の作成に先立って事実確認を行うことはない。
- エ 本調査に先立って予備調査を実施する。

問58 監査業務

ある対象や活動などについて監督し検査することを**監査**といいます。監査にはいろいろな種類があります。本問で出題されている監査とその内容は，次の通りです。

会計監査	財務諸表が，その組織の財産や損益の状況などを適切に表示しているかを評価する。
業務監査	製造や販売など，会計以外の業務全般について，その遂行状況を評価する。
情報セキュリティ監査	情報セキュリティ対策が，適切に整備・運用されているかを評価する。
システム監査	情報システムについて，信頼性，安全性，有効性，効率性などを総合的に評価する。

×ア　財務諸表に記載されていることを監査するのは，会計監査です。
×イ　情報資産の安全対策などを監査するのは，情報セキュリティ監査です。
×ウ　情報システムを点検，評価するのは，システム監査です。
○エ　正解です。取締役がどのように職務を行っているかを監査するのは，業務監査です。

問59 システム監査

システム監査は，情報システムについて「問題なく動作しているか」「正しく管理されているか」「期待した効果が得られているか」など，**情報システムの信頼性や安全性，有効性，効率性などを総合的に検証・評価すること**です。

×ア　ITIL（Information Technology Infrastructure Library）の説明です。
○イ　正解です。**システム監査は，情報システムにかかわるリスクに対するコントロールが適切に整備・運用されているかどうかを検証すること**です。
×ウ　システム監査はソフトウェアを開発するための技術や技法ではありません。
×エ　**プロジェクトマネジメント**の説明です。この選択肢の文章は，PMBOKでプロジェクトマネジメントの定義として記されているものです。

問60 システム監査の実施

システム監査を実施するときは，情報システムを客観的に評価できるように，独立的な立場で専門性を備えた人に監査を依頼します。この依頼を受けて監査を行う人を**システム監査人**といい，システム監査人は次の流れでシステム監査を行います。

①計画の策定	監査の目的や対象，時期などを記載した**システム監査計画**を立てる。
②予備調査	資料の確認やヒアリングなどを行い，監査対象の実態を把握する。
③本調査	予備調査で得た情報を踏まえて，監査対象の調査・分析を行い，**監査証拠**を確保する。
④評価・結論	実施した監査のプロセスを記録した**監査調書**を作成し，それに基づいて監査の結論を導く。
⑤意見交換	監査対象部門と意見交換会や監査講評会を通じて事実確認を行う。
⑥監査報告	**システム監査報告書**を完成させて，監査の依頼者に提出する。
⑦フォローアップ	監査報告書で改善勧告した事項について，適切に改善が行われているかを確認，評価する。

×ア　システム監査を実施するときは，必ずシステム監査計画書を立案します。
×イ　システム監査報告書には，発見された不備への改善勧告や助言を記載します。
×ウ　システム監査報告書を作成するに当たり，監査対象部門との間で事実確認を行います。
○エ　正解です。予備調査，本調査の順に実施します。

合格のカギ

問58

対策 どの監査が出題されてもよいように，それぞれの目的を確認しておこう。

問59

対策 シラバスVer.6.1の改訂は，システム監査基準の改訂を踏まえ，表記の変更が行われたよ。試験で問う知識・技能の範囲そのものに変更はないよ。

問59

対策 経済産業省が公表しているシステム監査基準（令和5年 改訂版）には，「システム監査とは，専門性と客観性を備えた監査人が，一定の基準に基づいてITシステムの利活用に係る検証・評価を行い，監査結果の利用者にこれらのガバナンス，マネジメント，コントロールの適切性等に対する保証を与える，又は改善のための助言を行う監査である。」と記載されているよ。

問60

対策「システム監査報告書の提出先はどこか」という問題が出題されるよ。もし，システム監査の依頼者が「経営者」の場合，提出先は経営者になるよ。

大分類6 サービスマネジメント

▶ キーワード 問61

□ システム監査人の独立性

問61

情報システムの運用状況を監査する場合，監査人として適切な立場の者はだれか。

ア 監査対象システムにかかわっていない者
イ 監査対象システムの運用管理者
ウ 監査対象システムの運用担当者
エ 監査対象システムの運用を指導しているコンサルタント

問62

システム監査における被監査部門の役割として，適切なものはどれか。

ア 監査に必要な資料や情報を提供する。
イ 監査報告書に示す指摘事項や改善提案に対する改善実施状況の報告を受ける。
ウ システム監査人から監査報告書を受領する。
エ 予備調査を実施する。

▶ キーワード 問63

□ 内部統制

問63

内部統制の構築に関して，次の記述中のa，bに入れる字句の適切な組合せはどれか。

内部統制の構築には，[a]，職務分掌，実施ルールの設定及び[b]が必要である。

	a	b
ア	業務のIT化	業務効率の向上
イ	業務のIT化	チェック体制の確立
ウ	業務プロセスの明確化	業務効率の向上
エ	業務プロセスの明確化	チェック体制の確立

▶ キーワード 問64

□ 職務分掌

問64

内部統制における相互けん制を働かせるための職務分掌の例として，適切なものはどれか。

ア 営業部門の申請書を経理部門が承認する。
イ 課長が不在となる間，課長補佐に承認権限を委譲する。
ウ 業務部門と監査部門を統合する。
エ 効率化を目的として，業務を複数部署で分担して実施する。

問61 システム監査人として適切な立場の者

システム監査人は，客観的な立場で公正な判断を行うために，監査対象から独立した立場であることが求められます（システム監査人の独立性）。つまり，情報システム部門の人やシステムの利用者など，監査対象のシステムとかかわりのある人はシステム監査人になれません。情報システムの運用状況を監査する場合，選択肢の中で監査人として適切な立場であるのは「監査対象システムにかかわっていない者」になります。よって，正解はアです。

問62 被監査部門（監査対象部門）の役割

○ア 正解です。被監査部門は，システム監査を受ける側の部門（監査対象部門）のことです。被監査部門にも，監査に必要な資料や情報を提供したり，監査対象システムの運用ルールを説明したりなどの役割があります。

×イ 監査報告書に示された指摘事項や改善提案について，被監査部門は改善計画書を作成して改善を図り，その改善実施状況をシステム監査人に報告します。よって，改善実施状況の報告を受けるのは，システム監査人です。

×ウ システム監査人が監査報告書を提出する相手は，システム監査の依頼者です。よって，監査報告書を受領するのはシステム監査の依頼人であり，被監査部門ではありません。

×エ 予備調査を実施するのは，システム監査人です。

問63 内部統制

内部統制は，健全かつ効率的な組織運営のための体制を，企業などが自ら構築し，運用する仕組みです。違法行為や不正，ミスやエラーなどが起きるのを防ぎ，組織が健全で効率的に運営されるように基準や業務手続を定めて，管理・監視を行います。

こうした内部統制を構築するには，業務プロセスの明確化，職務分掌，実施ルールの設定，チェック体制の確立が必要です。したがって，［a］は「業務プロセスの明確化」，［b］は「チェック体制の確立」が入ります。よって，正解はエです。

問64 職務分掌

職務分掌は職務の役割を整理，配分することです。業務を複数人で担当することで，相互けん制を働かせ，業務における不正や誤りのリスクを減らすことができます。

○ア 正解です。申請した部門と承認する部門を分けることで，不正が起きにくくなるので，職務分掌の例として適切です。

×イ 課長が不在となる間だけ，課長補佐に承認権限を委譲することは，職務の役割を分担しておらず，職務分掌ではありません。

×ウ 業務部門と監査部門を統合すると，公正な監査が実施されないおそれがあります。

×エ 単に業務を複数部署で分担して業務量を減らしているだけなので，職務分掌ではありません。

問61

対策「システム監査人として適切な者はだれか」という問題がよく出題されるよ。監査対象とかかわりがなく，独立した立場にある人を見つけよう。

問62

対策 本問のようなシステム監査人や被監査部門の役割を問う問題では，うっかり間違わないように「誰が，何を行うのか」を注意して確認するようにしよう。

問63

参考 内部統制の整備や運用に，責任をもつのは経営者だよ。

問63

参考 会社法や金融商品取引法には，内部統制の整備を要請する規定があるよ。

▶ キーワード　問65

- □ IT統制
- □ 全般統制
- □ 業務処理統制

□□□

問65 IT統制は，ITに係る全般統制や業務処理統制などに分類される。全般統制はそれぞれの業務処理統制が有効に機能する環境を保証する統制活動のことをいい，業務処理統制は業務を管理するシステムにおいて承認された業務が全て正確に処理，記録されることを確保するための統制活動のことをいう。統制活動に関する記述のうち，業務処理統制に当たるものはどれか。

ア　外部委託を統括する部門による外部委託先のモニタリング
イ　基幹ネットワークに関するシステム運用管理
ウ　人事システムの機能ごとに利用者を限定するアクセス管理の仕組み
エ　全社的なシステム開発・保守規程

▶ キーワード　問66

- □ ITガバナンス

□□□

問66 ITガバナンスの説明として，適切なものはどれか。

ア　ITサービスの運用を対象としたベストプラクティスのフレームワーク
イ　IT戦略の策定と実行をコントロールする組織の能力
ウ　ITや情報を活用する利用者の能力
エ　各種手続にITを導入して業務の効率化を図った行政機構

▶ キーワード　問67

- □ コーポレートガバナンス

□□□

問67 企業におけるガバナンスには，ITガバナンスとコーポレートガバナンスなどがある。ITガバナンスの位置付けとして適切な説明はどれか。

ア　ITガバナンスとコーポレートガバナンスは同じ概念である。
イ　ITガバナンスとコーポレートガバナンスは対立する概念である。
ウ　ITガバナンスの構成要素の一つとして，コーポレートガバナンスがある。
エ　ITガバナンスはコーポレートガバナンスにとって，不可欠な要素の一つである。

問65 IT統制

IT統制は，情報システムを利用した**内部統制**のことです。業務における違法行為や不正などの防止に情報システムを役立てるとともに，情報システム自体が健全かつ有効に運営されているかどうかを管理，監視します。

IT統制には**IT業務処理統制**や**IT全般統制**があり，それぞれ次のような統制活動を実施します。

IT業務処理統制	個々の業務システムにおける統制活動 ・入力情報の完全性，正確性，正当性の確保 ・例外処理（エラー）の修正と再処理 ・マスタデータの維持管理 ・システム利用に関する認証，アクセス管理
IT全般統制	業務処理統制が有効に機能する，基盤・環境を保証する統制活動 ・ITの開発，保守に係る管理 ・システムの運用，管理 ・内外からのアクセス管理 ・外部委託に関する契約の管理

× ア 「外部委託に関する契約の管理」なので，全般統制に該当します。
× イ 「システムの運用管理」なので，全般統制に該当します。
○ ウ 正解です。「システム利用に関する認証，アクセス管理」なので，業務処理統制に当たります。
× エ 「ITの開発，保守に係る管理」なので，全般統制に該当します。

問66 ITガバナンス

ITガバナンスは，**経営目標を達成するために，情報システム戦略を策定し，戦略の実行を統制すること**です。適切なITへの投資やITの効果的な活用を行い，事業を成功に導くことが，ITガバナンスの目的です。そのため，経営陣が主体となってITに関する原則や方針を定め，組織全体において方針に沿った活動を実施します。

× ア **ITIL**（Information Technology Infrastructure Library）の説明です。
○ イ 正解です。**IT戦略の策定と実行をコントロールする組織の能力**は，ITガバナンスの説明として適切です。
× ウ **情報リテラシー**の説明です。情報リテラシーは，パソコンやインターネットなどの情報技術を利用し，情報を活用することのできる能力のことです。
× エ **電子政府**の説明です。電子政府は，行政手続にITを導入し，業務の効率化を図った行政機構やその取組みのことです。

問67 ITガバナンスとコーポレートガバナンスの位置付け

コーポレートガバナンスは**「企業統治」という意味で，経営管理が適切に行われているかどうかを監視する仕組み**のことです。経営者の独断や組織的な違法行為などを防止し，健全な経営活動を行うことを目的としています。

一方，**ITガバナンス**はコーポレートガバナンスから派生した概念で，**企業経営におけるIT戦略の策定と実行を統制すること**です。

コーポレートガバナンスの対象は企業経営全体で，ITガバナンスは企業経営のうちITに関することだけなので，コーポレートガバナンスがITガバナンスを包含する位置付けなります。

× ア，イ ITガバナンスとコーポレートガバナンスは同じ概念でも，対立する概念でもありません。
× ウ ITガバナンスの構成要素としてコーポレートガバナンスがあるのではなく，その反対です。
○ エ 正解です。ITガバナンスは，コーポレートガバナンスの構成要素です。

合格のカギ

問66
対策 シラバスVer.6.1の改訂では，システム管理基準の改訂を踏まえ，ITガバナンスについて表記の変更が行われたよ。試験で問う知識・技能の範囲そのものに変更はないよ。

問66
対策 経済産業省が公表しているシステム管理基準（令和5年 改訂版）には，「ITガバナンスとは，組織体のガバナンスの構成要素で，取締役会等がステークホルダのニーズに基づき，組織体の価値及び組織体への信頼を向上させるために，組織体におけるITシステムの利活用のあるべき姿を示すIT戦略と方針の策定及びその実現のための活動である。」と定義されているよ。

問66
対策 ITガバナンスは頻出の用語だよ。ITガバナンスの説明として，次の文章も覚えておこう。
「企業が競争優位性の構築を目的としてIT戦略の策定及び実行をコントロールし，あるべき方向へと導く組織能力」

問66
参考 ガバナンス(Governance)は，「統治」という意味だよ。

第2章

マネジメント系の必修用語

「開発技術」「プロジェクトマネジメント」「サービスマネジメント」というジャンルから出題されます。このジャンルで大切なキーワードを下にまとめました。これまで，ソフトウェア開発の要件定義・システム設計における作業内容，テストの種類や特徴，アジャイル開発，ITサービスマネジメントのサービスサポート，システム監査に関する問題がよく出題されています。また，アローダイアグラムはよく出題されるので，クリティカルパスや作業日数の出し方についてしっかり理解しておきましょう。リスクの対応策についても，対応策の種類と対策内容を確認しておきましょう。色文字は，特に必修な用語です。

開発技術	
□	システム開発のプロセスと見積り （要件定義，システム要件定義，ソフトウェア要件定義，システム設計，外部設計，内部設計，プログラミング，テスト，ソフトウェア受入れ，ソフトウェア保守，ファンクションポイント法）
□	ソフトウェアライフサイクルプロセスにおける要件定義・システム設計の作業項目 （システム要件定義，システム方式設計，ソフトウェア要件定義，ソフトウェア方式設計，ソフトウェア詳細設計など）
□	テストの種類 （単体テスト，結合テスト，システムテスト，運用テスト，ブラックボックステスト，ホワイトボックステスト，受入れテストなど）
□	ソフトウェア開発手法（オブジェクト指向，ユースケース，UML，DevOpsなど）
□	ソフトウェア開発モデル （ウォーターフォールモデル，スパイラルモデル，プロトタイピングモデル，RAD，リバースエンジニアリングなど）
□	アジャイル開発の特徴・用語 （アジャイル，XP，テスト駆動開発，ペアプログラミング，リファクタリング，スクラム，イテレーション）
□	開発プロセスに関するフレームワーク（共通フレーム，CMMI）
プロジェクトマネジメント	
□	プロジェクトマネジメントに関する基本的な知識や用語 （プロジェクト憲章，プロジェクトマネージャの役割，スコープ，WBS，マイルストーン，ステークホルダなど）
□	アローダイアグラム，ガントチャート
□	プロジェクトマネジメントの知識エリア （PMBOK，プロジェクト統合マネジメント，プロジェクトタイムマネジメント，プロジェクト調達マネジメントなど）
□	リスクの対応策（回避，軽減，受容，転嫁）
サービスマネジメント	
□	ITサービスマネジメントに関する用語 （ITサービスマネジメント，ITIL，SLA，SLMなど）
□	ITILのサービスサポートの役割・機能 （インシデント管理，問題管理，構成管理，変更管理，リリース管理，インシデント）
□	サービスデスクの役割・用語（サービスデスク，ヘルプデスク，エスカレーション，FAQ，チャットボット）
□	ファシリティマネジメントに関する考え方・用語 （UPS，セキュリティワイヤー，ファシリティマネジメント，グリーンITなど）
□	システム監査に関する考え方・用語 （システム監査，システム監査の対象・目的，システム監査のプロセス，システム監査人，監査証拠など）
□	内部統制に関する用語（内部統制，職務分掌，モニタリング，ITガバナンスなど）

第 3 章

よく出る問題

テクノロジ系

ここでは，iパス（IT パスポート試験）の過去問題から，繰り返し出題されている用語や内容など，重要度が高いと思われる問題を厳選して解説しています（一部，問題を改訂）。

章末（302 ページ）に，テクノロジ系の必修用語を掲載しています。試験直前の対策用としてご利用ください。

大分類7 基礎理論

中分類13：基礎理論

▶ キーワード 問1

- □ 2進数
- □ 2進数の足し算

問 1

□□□

2進数1111と2進数101を加算した結果の2進数はどれか。

ア 1111　イ 1212　ウ 10000　エ 10100

▶ キーワード 問2

- □ ベン図
- □ 論理演算

問 2

□□□

次のベン図の網掛けした部分の検索条件はどれか。

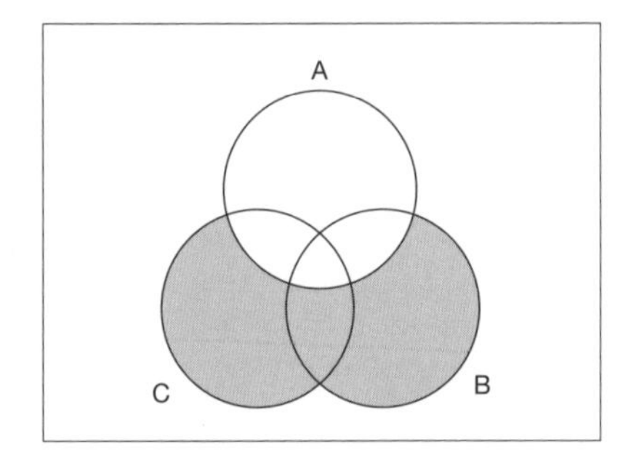

ア (not A) and (B and C)　イ (not A) and (B or C)
ウ (not A) or (B and C)　エ (not A) or (B or C)

▶ キーワード 問3

- □ 順列

問 3

□□□

a，b，c，d，e，f の6文字を任意の順で一列に並べたとき，aとbが両端になる場合は，何通りか。

ア 24　イ 30　ウ 48　エ 360

解説

問 1 2進数

2進数は，下表のように「0」と「1」だけで数値を表します。そのため，10進数では「1+1=2」ですが，2進数では桁上がりして「1+1=10」になります。

10 進数	0	1	2	3	4	5	6	7	8	9	10
2 進数	0	1	10	11	100	101	110	111	1000	1001	1010

1の次は桁が上がる

よって，2進数の足し算は次のように計算します。正解は エ です。

```
  1111         1           1           1
+  101  →    1111   →    1111   →    1111   →    1111
             + 101       + 101       + 101       + 101
                 0          00         100       10100
```

問 2 ベン図

選択肢 ア～エ の論理式をベン図で表すと，次のようになります。「and」は「かつ」，「or」は「または」，「not」は「～ではない」を意味します。また，（ ）で囲まれている場合，その部分が優先されます。

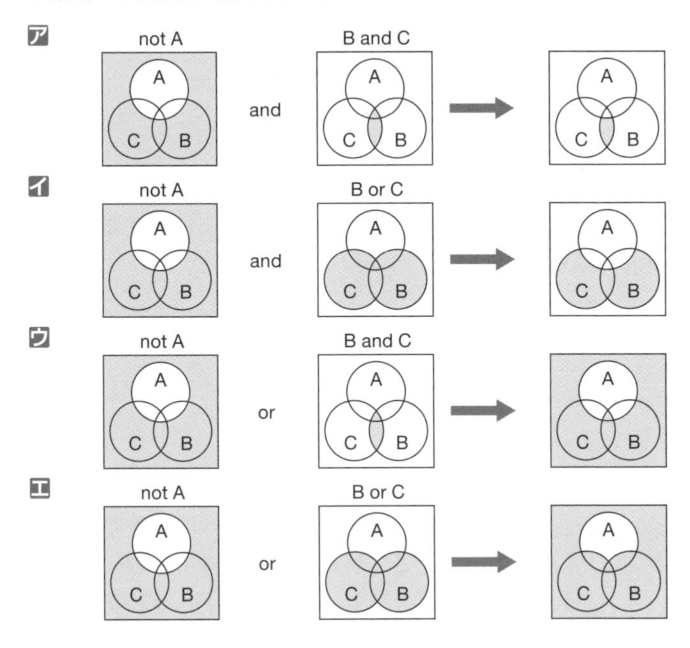

問題と同じベン図になるのは イ です。よって，正解は イ です。

問 3 順列

aとbの文字は両端になることが決まっています。そこで，c，d，e，fの4つの文字について，何通りの並べ方があるかを調べます。順列の計算式で求めると，4つの文字の並べ方は24通りあります。

$$ {}_4P_4 = 4\times(4-1)\times(4-2)\times(4-3) = 4\times3\times2\times1 = 24 $$

さらに，aが先頭でbが末尾，bが先頭でaが末尾になる2通りがあるので，24×2=48通りです。よって，正解は ウ です。

合格のカギ

問1

参考 102ページの「計算問題必修テクニック」も参考にしてね。

問2

対策 検索条件ごとに，ベン図での表し方を覚えておこう。

・A and B（AかつB）

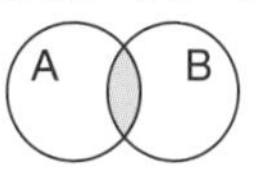

・A or B（AまたはB）

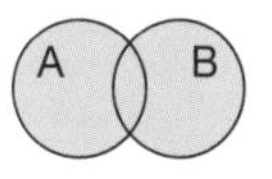

・not A（Aではない）

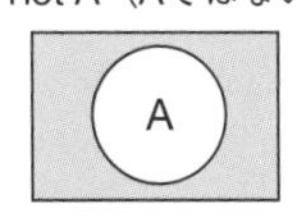

順列 問3

あるデータの中から任意のデータを取り出して並べるとき，何通りの並べ方があるか，ということ。並べ方の総数。

問3

参考 順列は，次の計算式で求めることができるよ。

$ {}_nP_r = n\times(n-1)\times(n-2)\times\cdots\times(n-r+1) $

たとえば，1，2，3，4，5，6という6枚のカードから4枚を取り出して，4桁の数を作る場合，次のように計算するよ。

$ {}_6P_4 = 6\times5\times4\times3 = 360 $

▶ キーワード 問4

□ 分散

問4

横軸を点数（0～10点）とし，縦軸を人数とする度数分布のグラフが，次の黒い棒グラフになった場合と，グレーの棒グラフになった場合を考える。二つの棒グラフを比較して言えることはどれか。

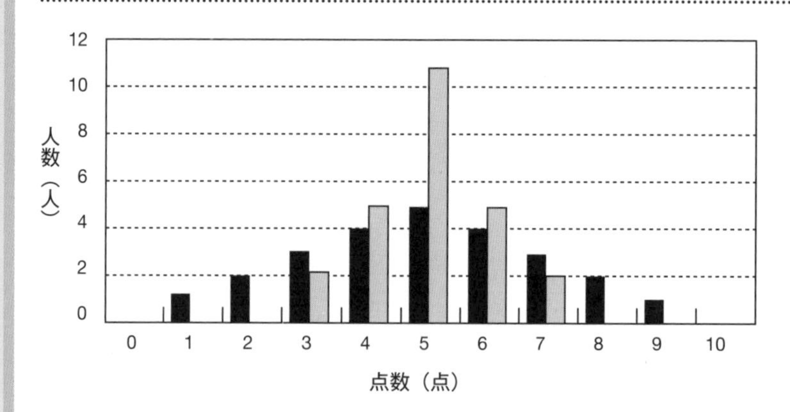

ア 分散はグレーの棒グラフが，黒の棒グラフより大きい。
イ 分散はグレーの棒グラフが，黒の棒グラフより小さい。
ウ 分散はグレーの棒グラフと，黒の棒グラフで等しい。
エ 分散はこのグラフだけで比較することはできない。

▶ キーワード 問5

□ ビット
□ バイト
□ 文字コード

問5

A～Zの26種類の文字を表現する文字コードに最小限必要なビット数は幾つか。

ア 4　イ 5　ウ 6　エ 7

▶ キーワード 問6

□ ワイルドカード

問6

ワイルドカードを使って“*A*.te??”の表現で文字列を検索するとき，①～④の文字列のうち，検索条件に一致するものだけを全て挙げたものはどれか。ここで，ワイルドカードの“?”は任意の1文字を表し，“*”は0個以上の任意の文字から成る文字列を表す。

① A.text
② AA.tex
③ B.Atex
④ BA.Btext

ア ①　イ ①，②
ウ ②，③，④　エ ③，④

解説

問 4 分散

分散は**データのばらつき具合を表すもので，平均値から離れたデータが多いほど，分散は大きくなります。**計算式で分散を算出した場合，その値が大きいほど，データ全体の散らばりが大きいことを意味します。

問題のグラフを確認すると，黒の棒グラフとグレーの棒グラフはどちらも中心の位置は同じですが，黒の棒グラフに対してグレーの棒グラフはデータが中心に集まっています。これより，グレーの棒グラフの方が，黒の棒グラフよりも分散が小さいといえます。よって，正解は**イ**です。

問 5 データの表現に必要なビット数

コンピュータが扱うデータ量の最小の単位を「ビット」といいます。コンピュータでは全ての情報が「0」と「1」の2進数で処理されていて，**nビットでは2^n通り**の情報を表現できます。たとえば，1ビットで表現できる情報は2通り，2ビットなら4通り，3ビットなら8通りです。

ビット数	表現できる情報	表現できる情報量
1ビット	0, 1	2^1=2通り
2ビット	00, 01, 10, 11	2^2=4通り
3ビット	000, 001, 010, 011, 100, 101, 110, 111	2^3=8通り

選択肢**ア**～**エ**のビット数について，表現できる情報量は次のようになります。

ア 4ビット $2^4 = 2\times2\times2\times2=16$ 16通り
イ 5ビット $2^5 = 2\times2\times2\times2\times2=32$ 32通り
ウ 6ビット $2^6 = 2\times2\times2\times2\times2\times2=64$ 64通り
エ 7ビット $2^7 = 2\times2\times2\times2\times2\times2\times2=128$ 128通り

イの5ビットで32通りの情報を表現できるので，26種類の文字を表現するのに最小限必要なビット数は5ビットです。よって，正解は**イ**です。

問 6 ワイルドカード

ワイルドカードは**任意の文字の代わりに使う記号**です。「*A*.te??」の場合，「"?"は任意の1文字」を表すことより，「.」の後ろは「te」で始まる4文字に限られます。①～④の文字列を確認すると，①の「A.text」だけが該当します。よって，正解は**ア**です。

なお，「.」の前は「A」という文字があれば一致します。「"*" は0個以上の任意の文字」なので，「A」だけでもかまいません。

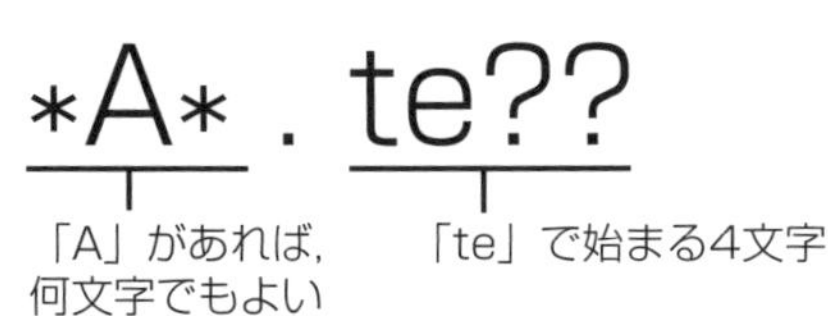

合格のカギ

問4
参考 度数分布を表すときには，「ヒストグラム」という棒グラフを使うよ。

問5
対策 nビットで「2^n通り」の情報を表現できること覚えておこう。

問5
参考 8ビットのまとまりを「1バイト」というよ。「8ビット=1バイト」と覚えておこう。

問5
参考 コンピュータで漢字やひらがな，カタカナなどを表現するため，1つひとつの文字に2進数の番号を割り当てたものを「文字コード」というよ。文字コードの種類として，「Unicode」「ASCIIコード」「シフトJIS」「EUC」などがあるよ。

問6
対策 ワイルドカードに一致する文字列を探すときは，「?」（任意の1文字を表す記号）から考えるようにしよう。文字数を限定できるので，見つけやすいよ。

▶ キーワード 問7

- □ k（キロ）
- □ M（メガ）
- □ G（ギガ）
- □ T（テラ）
- □ 接頭辞（接頭語）

問7

データ量の大小関係のうち，正しいものはどれか。

ア 1kバイト＜1Mバイト＜1Gバイト＜1Tバイト
イ 1kバイト＜1Mバイト＜1Tバイト＜1Gバイト
ウ 1kバイト＜1Tバイト＜1Mバイト＜1Gバイト
エ 1Tバイト＜1kバイト＜1Mバイト＜1Gバイト

▶ キーワード 問8

- □ デジタル化
- □ 標本化
- □ 量子化
- □ 符号化
- □ サンプリングレート
- □ サンプリング周期

問8

アナログ音声信号をデジタル化する場合，元のアナログ信号の波形に，より近い波形を復元できる組合せはどれか。

	サンプリング周期	量子化の段階数
ア	長い	多い
イ	長い	少ない
ウ	短い	多い
エ	短い	少ない

問 7 データ量の大小関係

「kバイト」や「Mバイト」などの「k」や「M」を接頭辞（接頭語）といい，桁数の大きな数字や小さな数字を表すために付ける記号です。たとえば，1,000バイトを「1kバイト」のように表します。接頭辞の種類や，表す大きさは次の通りです。

大きな数を表す接頭辞

k（キロ）	10^{3}
M（メガ）	10^{6}
G（ギガ）	10^{9}
T（テラ）	10^{12}
P（ペタ）	10^{15}

小さな数を表す接頭辞

m（ミリ）	10^{-3}
μ（マイクロ）	10^{-6}
n（ナノ）	10^{-9}
p（ピコ）	10^{-12}

これより，選択肢のデータ量の大小関係は「1kバイト＜1Mバイト＜1Gバイト＜1Tバイト」となります。よって，正解は ア です。

問 8 アナログ音声信号のデジタル化

アナログ音声信号をデジタル化するには，**標本化（サンプリング）→量子化→符号化**という手順で行います。

①標本化（サンプリング）：アナログデータから値を取り出す
連続しているアナログデータから，一定間隔でそのときの値を測定します。
1秒間に測定する回数を**サンプリングレート**といい，サンプリングレートが高いほど，元のデータの再現性が高くなり，デジタルデータのデータ量が増えます。

②量子化：標本化で得た値をはっきりした数値にする
デジタルデータを表現するビット数を決めて，8ビットであれば256段階，16ビットであれば65,536段階などの段階を設け，それを基準として最も近い値に変換します。
量子化するビット数が大きいほど，元のデータの再現性が高くなり，デジタルデータのデータ量が増えます。

③符号化：量子化したデータを「0」と「1」のデータに変換する
量子化したデータを2進数のデジタルデータに変換し，量子化で定めたビット数の桁数で表現します。たとえば8ビットであれば「00101010」のように8桁，16ビットであれば16桁になります。

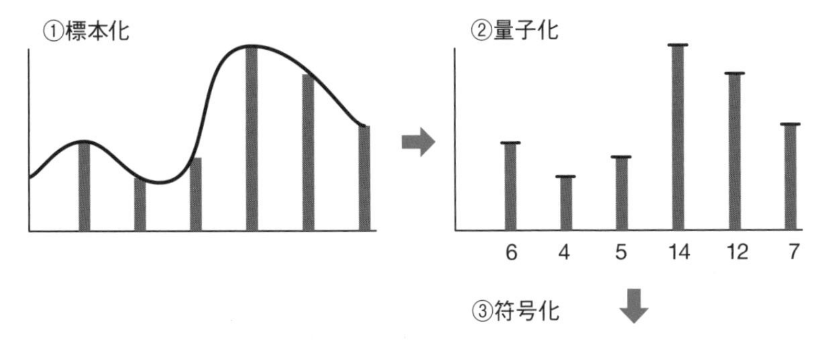

サンプリング周期は，標本化でアナログデータを測定する間隔のことです。サンプリング周期が短いほど，測定する回数（サンプリングレート）が多くなるので，元のデータの再現性が高くなります。また，量子化の段階数も多いほど，元のデータの再現性が高くなります。よって，正解は ウ です。

合格のカギ

問7

参考 小さな数は小数になるよ。たとえば，10^{-3}=0.001だよ。

問7

参考 kバイトやGバイトなどの関係は，次のようになるよ。

1,000バイト　= 1kバイト
1,000kバイト = 1Mバイト
1,000Mバイト = 1Gバイト
1,000Gバイト = 1Tバイト

なお，コンピュータでは2進数を主に扱うため，次のように表記することもあるよ。

1,024バイト　= 1kバイト
1,024kバイト = 1Mバイト
1,024Mバイト = 1Gバイト
1,024Gバイト = 1Tバイト

問8

参考 アナログデータをデジタル化する方法は幾つかあり，ここで紹介している変換方法は「PCM方式」というよ。

覚えよう！ 問8

PCM　といえば
①標本化（サンプリング）
②量子化
③符号化

大分類7 基礎理論

中分類14：アルゴリズムとプログラミング

▶ キーワード 問9

- □ データ構造
- □ 木構造（ツリー構造）
- □ キュー
- □ スタック
- □ リスト

問9

□□□

データ構造の一つである木構造の特徴はどれか。

ア 階層の上位から下位に節点をたどることによって，データを取り出すことができる。
イ 格納した順序でデータを取り出すことができる。
ウ 格納した順序とは逆の順序でデータを取り出すことができる。
エ データ部と一つのポインタ部で構成されるセルをたどることによって，データを取り出すことができる。

▶ キーワード 問10

- □ アルゴリズム

問10

□□□

コンピュータを利用するとき，アルゴリズムは重要である。アルゴリズムの説明として，適切なものはどれか。

ア コンピュータが直接実行可能な機械語に，プログラムを変換するソフトウェア
イ コンピュータに，ある特定の目的を達成させるための処理手順
ウ コンピュータに対する一連の動作を指示するための人工言語の総称
エ コンピュータを使って，建築物や工業製品などの設計をすること

▶ キーワード 問11

- □ フローチャート

問11

□□□

プログラムの処理手順を図式を用いて視覚的に表したものはどれか。

ア ガントチャート　イ データフローダイアグラム
ウ フローチャート　エ レーダーチャート

問9 データ構造

コンピュータは，メモリにあるデータを取り出して処理します。その際，メモリにあるデータ同士の関係やデータを処理する順番の形式を**データ構造**といいます。

○ア 正解です。**木構造**は，上から下に枝分かれした階層型のデータ構造です（右図を参照）。**ツリー構造**ともいいます。

×イ **キュー**の説明です。キューは，先に入れたデータから先に取り出すデータ構造です。

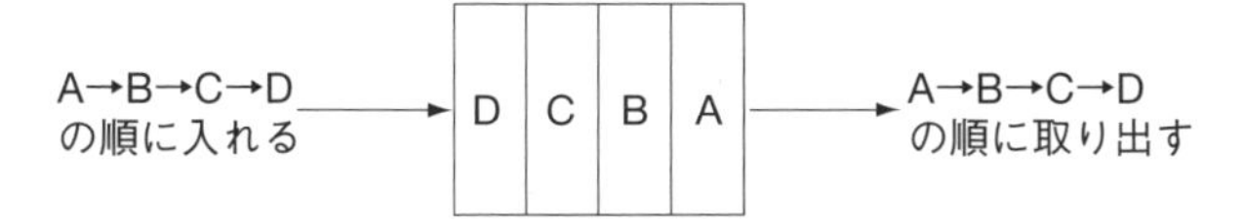

×ウ **スタック**の説明です。スタックは，最後に入れたデータから先に取り出すデータ構造です。

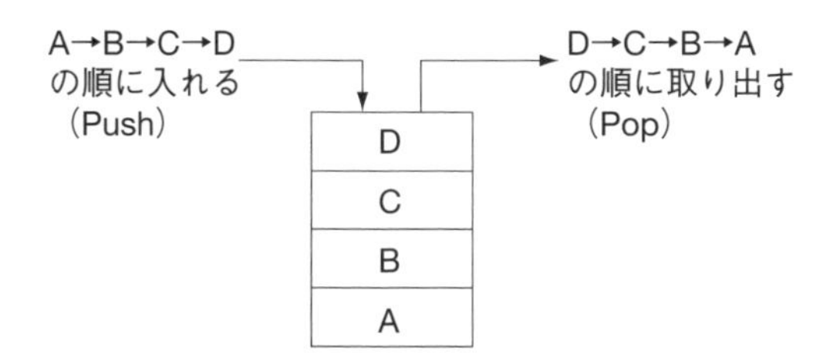

×エ **リスト**の説明です。データ同士をつなげたデータ構造で，ポインタによって，どの位置にもデータの追加や削除ができます。

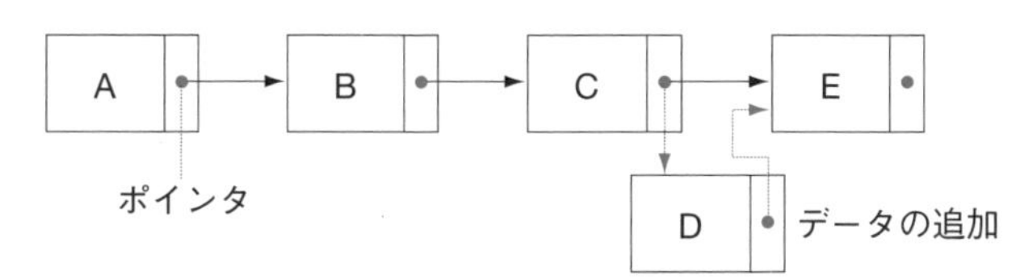

問10 アルゴリズム

×ア **言語プロセッサ**の説明です。言語プロセッサは，人間がプログラム言語で記述したプログラムを，機械語に変換するソフトウェアの総称です。

○イ 正解です。**アルゴリズム**は**問題を解決するための手順**のことです。コンピュータに特定の目的を達成させるための処理手順であり，これをプログラム言語で記述したものがプログラムになります。

×ウ **プログラム言語**の説明です。C言語など，いろいろな種類があります。

×エ **CAD**（Computer Aided Design）の説明です。

問11 フローチャート

×ア **ガントチャート**は，工程管理に用いる作業の所要時間を横棒で表した図です。

×イ **データフローダイアグラム**は，データの流れに着目し，データの処理と流れを図式化したものです。

○ウ 正解です。**フローチャート**は，仕事の流れや処理の手順を図式化したもので，プログラムの処理手順を表す代表的な手法です。**流れ図**ともいいます。

×エ **レーダーチャート**は，項目間のバランスを表現するのに適した図です。

合格のカギ

木構造 問9

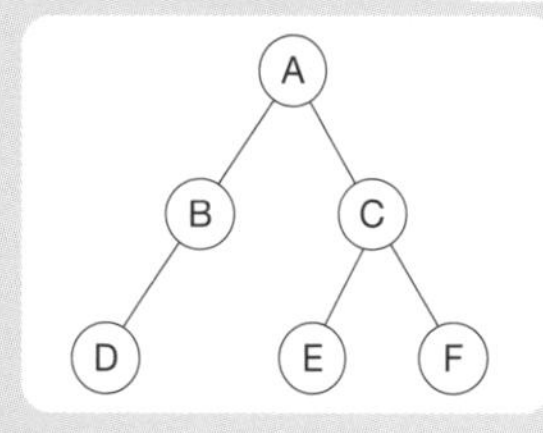

問9

対策 キューやスタックについて，よく出題されているよ。データの入れ方，取り出し方を覚えておこう。

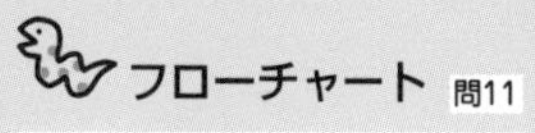

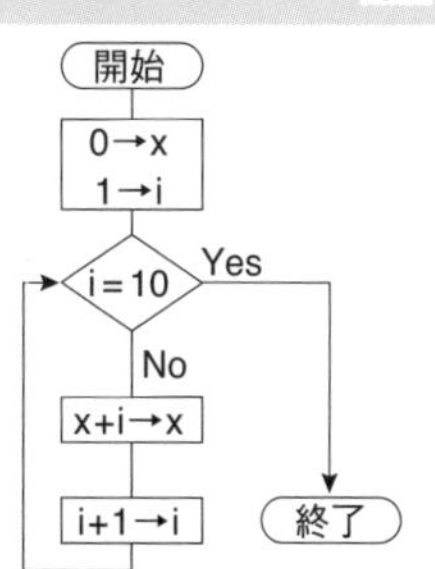

▶ キーワード 問12

□ 決定表

問12

受注に対する報奨金を次の決定表に基づいて決めるとき，受注額が200万円で，かつ，納期が10日の受注に対する報奨金は何円になるか。

受注額200万円未満	Y	Y	N	N
納期１週間未満	Y	N	Y	N
報奨金　500円支給	×	−	−	−
報奨金1,000円支給	−	×	×	−
報奨金3,000円支給	−	−	−	×

ア 500円　イ 1,000円　ウ 2,000円　エ 3,000円

▶ キーワード 問13

□ プログラム言語
□ C言語
□ Java
□ Javaアプレット

問13

プログラム言語の役割として，適切なものはどれか。

ア コンピュータが自動生成するプログラムを，人間が解読できるようにする。
イ コンピュータに対して処理すべきデータの件数を記述する。
ウ コンピュータに対して処理手続を記述する。
エ 人間が記述した不完全なプログラムを完全なプログラムにする。

▶ キーワード 問14

□ 機械語

問14

機械語に関する記述のうち，適切なものはどれか。

ア FortranやC言語で記述されたプログラムは，機械語に変換されてから実行される。
イ 機械語は，高水準言語の一つである。
ウ 機械語は，プログラムを10進数の数字列で表現する。
エ 現在でもアプリケーションソフトの多くは，機械語を使ってプログラミングされている。

問12 決定表

決定表は，ある事項について起こり得る条件と，その条件に対応する行動を表にまとめたものです。下図のように4つの部分から構成され，条件記入欄には条件に該当する場合は「Y」，該当しない場合は「N」を記入します。また，行動記入欄で条件に合う行動は「×」，合わない行動には「−」を記入します。

条件表題欄	条件記入欄			
受注額200万円未満	Y	Y	N	N
納期１週間未満	Y	N	Y	N
報奨金　500円支給	×	−	−	−
報奨金1,000円支給	−	×	×	−
報奨金3,000円支給	−	−	−	×
行動表題欄	行動記入欄			

本問の場合，「受注額が200万円で，かつ，納期が10日」という記載より，次のように条件をそれぞれ選択します。

「受注額が200万円」…　条件「受注額200万円未満」で「N」を選択
「納期が10日」…………　条件「納期１週間未満」で「N」を選択

2つの条件を両方満たすときの報奨金は3,000円です。よって，正解は エ です。

問13 プログラム言語

コンピュータを動作させるには，どのような処理をどのような手続で行うかを記述したプログラムが必要です。**プログラム言語**は，プログラムを記述するための言語で，C言語やJavaなどの種類があります。

C言語	多くのOSやアプリケーションソフトウェアの開発に利用されている。
Java	Webサーバ上で動作するWebアプリケーションソフトの開発に利用されている。オブジェクト指向のプログラム言語で，コンピュータの機種やOSに依存しないソフトウェアを開発できる。

×ア，エ　問題文のような処理はソフトウェアが実行することであり，プログラム言語の役割ではありません。
×イ　一般的にプログラム言語の役割ではありません。
○ウ　正解です。コンピュータへの処理手続は，プログラム言語によって記述されます。

問14 機械語

○ア　正解です。コンピュータが直接解読して実行できるのは，「0」と「1」で表現した**機械語**だけです。C言語やFortranなどのプログラム言語で記述したプログラム（**ソースコード**）はそのままでは実行することができず，言語プロセッサで機械語に変換します。
×イ　高水準言語は人間が理解しやすい規則で書くことができるプログラム言語で，機械語は高水準言語ではありません。
×ウ　機械語は「0」と「1」の2進数で表現します。
×エ　アプリケーションソフトの多くは，高水準言語を使ってプログラミングされています。

合格のカギ

問12
参考 複雑な条件判定のあるアルゴリズムを示すとき，決定表を使って表現するよ。

問13
参考 Java言語で作成したプログラムで，Webサーバからダウンロードしてブラウザ上で実行するものを「Javaアプレット」というよ。

言語プロセッサ 問14

C言語などで記述したプログラムを，機械語に変換するソフトウェアの総称。代表的なものにコンパイラやインタプリタがある。

▶ キーワード 問15

□ ソースコード
□ バイナリコード

問15

コンピュータに対する命令を，プログラム言語を用いて記述したものを何と呼ぶか。

ア PINコード　イ ソースコード
ウ バイナリコード　エ 文字コード

▶ キーワード 問16

□ インタプリタ
□ コンパイラ
□ 目的プログラム

問16

プログラムの実行方式としてインタプリタ方式とコンパイラ方式がある。図は，データを入力して結果を出力するプログラムの，それぞれの方式でのプログラムの実行の様子を示したものである。a，bに入れる字句の適切な組合せはどれか。

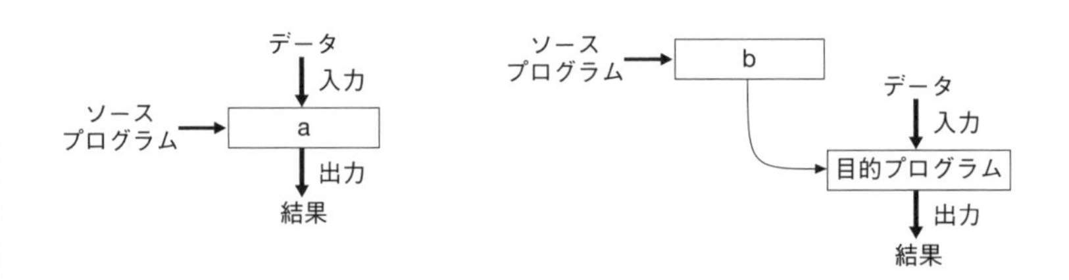

	a	b
ア	インタプリタ	インタプリタ
イ	インタプリタ	コンパイラ
ウ	コンパイラ	インタプリタ
エ	コンパイラ	コンパイラ

▶ キーワード 問17

□ ロードモジュール
□ テキストデータ

問17

コンピュータで実行可能な形式の機械語プログラムを何と呼ぶか。

ア オブジェクトモジュール　イ ソースコード
ウ テキストデータ　エ ロードモジュール

解説

問15 ソースコード

×ア **PINコード**は，パソコンやスマートフォンなどを使用するとき，個人認証のために用いられる暗証番号です。
○イ 正解です。**ソースコード**は，人間がプログラム言語を使って，コンピュータへの命令を記述したテキスト形式の文書です。
×ウ **バイナリコード**は，コンピュータが理解できる，2進数で表したコードのことです。
×エ **文字コード**は，コンピュータで漢字やひらがな，カタカナなどを表現するため，1つひとつの文字に2進数の番号を割り当てたものです。

問16 インタプリタ，コンパイラ

コンピュータが実行できるのは，「0」と「1」で表した機械語だけです。人間がプログラム言語で記述した**ソースプログラム**（ソースコード）は，そのままでは実行することができないため，**言語プロセッサ**というソフトウェアを使って機械語に変換します。言語プロセッサには幾つかの種類があり，代表的なのが**コンパイラ**や**インタプリタ**です。

インタプリタ	ソースプログラムを1命令ずつ機械語に変換して実行する。
コンパイラ	ソースプログラムを一括して機械語に変換し，目的プログラム（オブジェクトモジュール）を作成する。

問題の図を確認すると，[b]は目的プログラムへの矢印があるのでコンパイラが入ります。反対に[a]には目的プログラムがないので，インタプリタが入ります。よって，正解はイです。

問17 ロードモジュール

×ア **オブジェクトモジュール**は，ソースコードをコンパイラによって機械語に変換したプログラムのことです。**目的プログラム**ともいいます。
×イ **ソースコード**は，人間がプログラム言語を使って，コンピュータへの命令を記述したテキスト形式の文書です。
×ウ **テキストデータ**は文字情報だけで構成されたデータのことです。
○エ 正解です。ソースプログラムをコンパイラで変換すると，目的プログラムが作成されます。目的プログラムはそのままではコンピュータで実行することができず，共通利用するプログラムと連係することによって，コンピュータで実行可能になります。この実行可能なプログラムを**ロードモジュール**といいます。

プログラム実行の手順

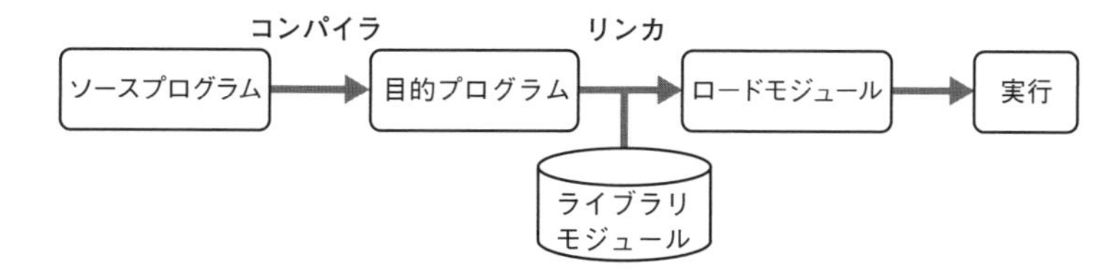

合格のカギ

問15

対策 ソースコードは「ソースプログラム」ともいうよ。どちらの用語でも出題されているので覚えておこう。

注意!! 問16

コンパイラによって作成した目的プログラムは，そのままではコンピュータで実行できない。共通利用するプログラムと連係することで実行可能になり，この実行可能となったプログラムを「ロードモジュール」という。

問16

参考 コンパイラを使ってソースコードを変換する作業のことを「コンパイル」というよ。

問17

参考 目的プログラムと連係する，いろいろなプログラムで共通利用するプログラムは「ライブラリモジュール」として保管されているよ。また，連係に使うプログラムを「リンカ」というよ。

大分類7 基礎理論

▶ キーワード 問18

- □ スクリプト言語
- □ Perl
- □ CGI
- □ SQL

問18

Webサーバでクライアントからの要求に応じて適切なプログラムを動作させるための仕組みにCGIがある。CGIを経由して実行されるプログラムを作成できるスクリプト言語はどれか。

ア CASL　　イ Fortran
ウ Perl　　エ SQL

▶ キーワード 問19

- □ マークアップ言語
- □ HTML
- □ SGML
- □ XML

問19

HTMLに関する記述のうち，適切なものはどれか。

ア HTMLで記述されたテキストをブラウザに転送するためにFTPが使われる。
イ SGMLの文法の基になった。
ウ Webページを記述するための言語であり，タグによって文書の論理構造などを表現する。
エ XMLの機能を縮小して開発された。

▶ キーワード 問20

- □ CSS（スタイルシート）

問20

Webページの作成・編集において，Webサイト全体の色調やデザインに統一性をもたせたい場合，HTMLと組み合わせて利用すると効果的なものはどれか。

ア CSS（Cascading Style Sheets）
イ SNS（Social Networking Service）
ウ SQL（Structured Query Language）
エ XML（Extensible Markup Language）

解説

問18 スクリプト言語

スクリプト言語は，簡易的なプログラム言語です。本格的なプログラム言語に比べて簡単な構造で，用途は限定されます。代表的なスクリプト言語として，Perl，JavaScript，Python，PHP，Rubyなどがあります。

× ア CASLはアセンブリ言語で，スクリプト言語ではありません。
× イ Fortranは科学技術計算向けのプログラム言語です。
○ ウ 正解です。PerlはCGIの作成に使われるスクリプト言語です。
× エ SQLは関係データベースでデータの検索や更新，削除などのデータ操作を行うための言語です。

問19 HTML

HTMLは，「< >」で囲んだタグによってレイアウトや文書の構造を定義するマークアップ言語の1つです。マークアップ言語には，HTMLの他にも，XML，SGMLなどの種類があります。

HTML	Webページを記述するためのマークアップ言語。HTMLで作成した文書は文字だけのテキストだが，Webブラウザで閲覧すると，レイアウトした文書として表示される。 「HTML」はHyperText Markup Languageの略。
XML	ユーザーが独自のタグを定義できるマークアップ言語。データの共有化や再利用がしやすく，企業間のデータ交換などで利用されている。 「XML」はeXtensible Markup Languageの略。
SGML	HTMLやXMLのもとになった汎用的なマークアップ言語。電子出版物や文書データベースなどで利用されている。 「SGML」はStandard Generalized Markup Languageの略。

× ア HTMLで記述されたテキストをブラウザに転送するときは，HTTPが使われます。
× イ HTMLのもとになったのがSGMLです。選択肢の内容は逆です。
○ ウ 正解です。HTMLはWebページを記述するためのマークアップ言語で，タグによって文書の論理構造などを表現します。
× エ HTMLは，XMLより先に開発されました。

問20 CSS（スタイルシート）

○ ア 正解です。CSS（Cascading Style Sheets）は，Webページのデザインを統一して管理するための機能です。WebページをHTMLで記述する際，文字のフォントや色，箇条書き，画像の表示位置など，Webページの見栄えはCSSを使って定義します。スタイルシートともいいます。
× イ SNS（Social Networking Service）は，人と人とのつながりや交流を，インターネット上で構築，提供するサービスの総称です。
× ウ SQL（Structured Query Language）は，関係データベースでデータの検索や更新，削除などのデータ操作や表の作成を行うときに使う言語です。
× エ XML（eXtensible Markup Language）はマークアップ言語の1つです。

合格のカギ

アセンブリ言語 問18

プログラム言語の1つ。機械語に近い，代表的な低水準言語。

問18

参考 CGIは，ホームページの掲示板やアクセスカウンターなどでよく使われるよ。

タグ 問19

<title>や<body>など，「< >」で囲まれているのがタグ。たとえば，<b>は太字を指示するタグで，<b>と</b>の間の文字が太字で表示される。

```
<html>
<head>
<title>IT パスポート </title>
</head>
<body>
ようこそ <br>
まずは <b> ガイド </b> を見てね
</body>
</html>
```

問19

参考 HTMLもXMLも，SGMLから派生したものだよ。

中分類15：コンピュータ構成要素

▶ キーワード 問21

- □ 入力装置
- □ 出力装置
- □ 演算装置
- □ 制御装置
- □ 記憶装置

問21

□□□

コンピュータを構成する一部の機能の説明として，適切なものはどれか。

ア 演算機能は制御機能からの指示で演算処理を行う。
イ 演算機能は制御機能，入力機能及び出力機能とデータの受渡しを行う。
ウ 記憶機能は演算機能に対して演算を依頼して結果を保持する。
エ 記憶機能は出力機能に対して記憶機能のデータを出力するように依頼を出す。

▶ キーワード 問22

- □ CPU
- □ クロック周波数
- □ マルチコアプロセッサ
- □ デュアルコアプロセッサ
- □ クアッドコアプロセッサ

問22

□□□

CPUの性能に関する記述のうち，適切なものはどれか。

ア 32ビットCPUと64ビットCPUでは，32ビットCPUの方が一度に処理するデータ長を大きくできる。
イ CPU内のキャッシュメモリの容量は，少ないほど処理速度が向上する。
ウ 同じ構造のCPUにおいて，クロック周波数を上げると処理速度が向上する。
エ デュアルコアCPUとクアッドコアCPUでは，デュアルコアCPUの方が同時に実行する処理の数を多くできる。

▶ キーワード 問23

- □ ターボブースト

問23

□□□

CPUのクロック周波数に関する記述のうち，適切なものはどれか。

ア 32ビットCPUでも64ビットCPUでも，クロック周波数が同じであれば同等の性能をもつ。
イ 同一種類のCPUであれば，クロック周波数を上げるほどCPU発熱量も増加するので，放熱処置が重要となる。
ウ ネットワークに接続しているとき，クロック周波数とネットワークの転送速度は正比例の関係にある。
エ マルチコアプロセッサでは，処理能力はクロック周波数には依存しない。

問21 コンピュータの基本構成

コンピュータは，入力，出力，演算，制御，記憶という5つの装置で構成されています。

入力装置	データをコンピュータに入力する。
出力装置	データを表示，印刷する。
演算装置	データを計算する。
制御装置	他のハードウェアを制御する。
記憶装置	プログラムやデータを保存する。

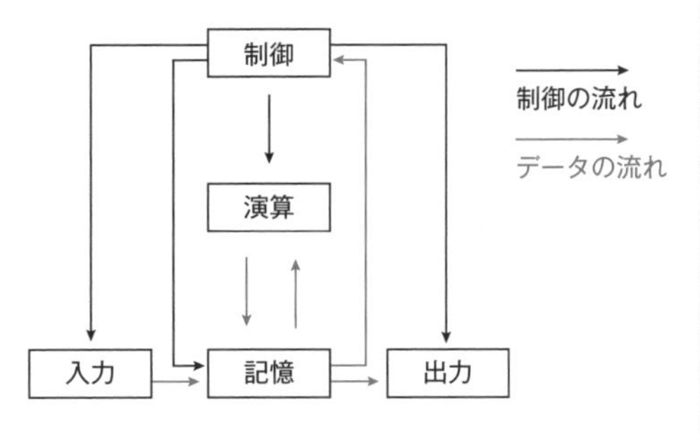

○ア 正解です。演算機能は制御機能からの指示で演算処理を行い，記憶機能に結果を送ります。
×イ 制御機能，入力機能，出力機能とデータの受渡しを行うのは，記憶機能です。
×ウ 演算機能に対して演算を依頼するのは，制御機能です。
×エ 出力機能に対して記憶機能のデータを出力するように依頼するのは，制御機能です。

問22 CPU

CPU（Central Processing Unit）は制御装置と演算装置をまとめた，人間における頭脳に当たる重要な装置です。**中央処理装置**や**プロセッサ**とも呼びます。

×ア 32ビットCPUと64ビットCPUでは，64ビットCPUの方が一度に処理するデータ長を大きくできます。
×イ キャッシュメモリは，容量が少ないと処理速度が低下する場合があります。
○ウ 正解です。CPUがコンピュータ内部で処理の同期をとるため，周期的に発生させている信号を「クロック」といい，クロック周波数は1秒間に発生させているクロックの回数のことです。クロック周波数が大きいほど，CPUの処理速度が速いといえます。
×エ 1つのCPU内に複数のコア（演算などを行う処理回路）を装備しているものをマルチコアプロセッサといいます。それぞれのコアが別の処理を同時に実行することによって，システム全体の処理能力の向上を図ります。2つのコアをもつものをデュアルコアプロセッサ（デュアルコアCPU），4つのコアをもつものをクアッドコアプロセッサ（クアッドコアCPU）といい，デュアルコアよりクアッドコアの方が同時に実行する処理の数を多くできます。

問23 クロック周波数

コンピュータ内部で処理の同期をとるため，CPUが信号を発生させる回数を**クロック周波数**といいます。クロック周波数の単位は「Hz(ヘルツ)」で，たとえば，「3.20GHz」だと，1秒間に約32億回の動作をします。

×ア CPUの性能はビット数によっても異なります。クロック周波数が同じでも，64ビットCPUは32ビットCPUよりも一度に多くのデータを処理することができます。
○イ 正解です。クロック周波数が高いほど，CPUの発熱量も増加するので，それに応じた冷却装置が必要となります。
×ウ クロック周波数とネットワークの転送速度とは関係はありません。
×エ マルチコアプロセッサも，クロック周波数によって処理能力が異なります。

問21

参考 三次元グラフィックスの画像処理などを，CPUに代わって高速に実行する演算装置を「GPU」（Graphics Processing Unit）というよ。

問21

参考 CPUとメモリの間や，CPUと入出力装置の間などで，データを受け渡す役割をするものを「バス」というよ。

問22

対策 デュアルコアCPUは「デュアルコアプロセッサ」，クアッドコアCPUは「クアッドコアプロセッサ」ともいうよ。こちらの用語で出題されることも多いので，覚えておこう。

問23

参考 コンピュータの処理性能を向上させる技術に「ターボブースト」があるよ。CPUの発熱量や消費電力量などを監視し，これらに余裕があるとき，クロック周波数を自動的に上げて処理能力の向上を図るよ。

▶ キーワード　問24

□ 主記憶装置
□ キャッシュメモリ

問24

□□□

CPUのキャッシュメモリに関する説明のうち，適切なものはどれか。

ア　キャッシュメモリのサイズは，主記憶のサイズよりも大きいか同じである。
イ　キャッシュメモリは，主記憶の実効アクセス時間を短縮するために使われる。
ウ　主記憶の大きいコンピュータには，キャッシュメモリを搭載しても効果はない。
エ　ヒット率を上げるために，よく使うプログラムを利用者が指定して常駐させる。

▶ キーワード　問25

□ レジスタ

問25

□□□

データの読み書きが高速な順に左側から並べたものはどれか。

ア　主記憶，補助記憶，レジスタ
イ　主記憶，レジスタ，補助記憶
ウ　レジスタ，主記憶，補助記憶
エ　レジスタ，補助記憶，主記憶

▶ キーワード　問26

□ SRAM
□ DRAM
□ 半導体メモリ
□ リフレッシュ

問26

□□□

PCに利用されるDRAMの特徴に関する記述として，適切なものはどれか。

ア　アクセスは，SRAMと比較して高速である。
イ　主記憶装置に利用される。
ウ　電力供給が停止しても記憶内容は保持される。
エ　読出し専用のメモリである。

▶ キーワード　問27

□ フラッシュメモリ

問27

□□□

フラッシュメモリの説明として，適切なものはどれか。

ア　紫外線を利用してデータを消去し，書き換えることができるメモリである。
イ　データ読出し速度が速いメモリで，CPUと主記憶の性能差を埋めるキャッシュメモリによく使われる。
ウ　電気的に書換え可能な，不揮発性のメモリである。
エ　リフレッシュ動作が必要なメモリで，主記憶によく使われる。

問24 キャッシュメモリ

CPUは処理を行うとき，必要なデータを主記憶装置にアクセスして読み出します。キャッシュメモリは，CPUと主記憶装置の間にある記憶装置で，CPUと主記憶装置とのアクセス時間の短縮化を図るものです。

CPUは頻繁にアクセスするデータをキャッシュメモリに保存しておき，処理を行う際，まず，キャッシュメモリで目的のデータを探して，キャッシュメモリにデータがなかった場合は主記憶装置に探しに行きます。このようにCPUから近いキャッシュメモリからデータを読み出すことで，主記憶装置へのアクセス時間が見かけ上で短縮されます。また，キャッシュメモリには，主記憶装置よりもデータの読書きが高速なメモリが使用されます。

×ア　キャッシュメモリの容量のサイズは，主記憶装置よりもずっと小さいです。
○イ　正解です。キャッシュメモリの記述として適切です。
×ウ　主記憶装置の大きさとは関係なく，キャッシュメモリを搭載する効果はあります。
×エ　キャッシュメモリは，利用者が，直接，操作できる記憶装置ではありません。

問25 データの読み書きの速度

レジスタは，CPUの内部にある，高速な記憶装置です。他にも主記憶装置やキャッシュメモリなど，コンピュータにはいろいろな記憶装置があり，これらをデータの読み書きが高速な順に並べると「レジスタ→キャッシュメモリ→主記憶装置→補助記憶装置」になります。よって，正解はウです。

問26 DRAM，SRAM

主記憶装置にはDRAM，キャッシュメモリにはSRAMという半導体メモリが使用されます。これらのメモリの特徴は，次の通りです。DRAMは電力供給があっても，少しずつデータが消えてしまうため，定期的に電荷を補充するリフレッシュという動作が必要になります。

種類	価格	容量	リフレッシュ	速度	用途
DRAM	安い	大きい	必要	SRAMより遅い	主記憶装置
SRAM	高い	小さい	不要	DRAMより速い	キャッシュメモリ

×ア　DRAMは，SRAMと比較して低速です。
○イ　正解です。DRAMは主記憶装置に使われます。
×ウ　DRAMは，電源が切れると記憶内容が消えます。
×エ　DRAMは読出し専用ではなく，読み書きが可能なメモリです。

問27 フラッシュメモリ

×ア　フラッシュメモリは電気的にデータを消去，書換えを行い，紫外線は利用しません。
×イ　キャッシュメモリで使われるのはSRAMです。
○ウ　正解です。フラッシュメモリは，電気的にデータの消去や書換えを行う，半導体メモリの一種です。電源を切っても内容が消えない不揮発性で，USBメモリ，SDカード，SSDなどに使われます。
×エ　主記憶（主記憶装置）に使われるのはDRAMです。

主記憶装置 問24

CPUが実行する命令やデータが一時的に保存され，CPUが直接読み書きをする記憶装置。「メインメモリ」や「メモリ」とも呼ばれる。

問24

参考 1次キャッシュ，2次キャッシュと複数のキャッシュメモリがあるときは，CPUは1次，2次の順にアクセスするよ。なお，記憶容量は，1次キャッシュよりも，2次キャッシュの方が大きいよ。

問24

参考 PCのディスプレイに表示する，文字や図形などのデータを格納する専用のメモリを「グラフィックスメモリ」というよ。

問26

参考 半導体は，電気を通しやすい「導体」と，電気を通しにくい「絶縁体」との中間の性質をもつ物質のことだよ。

大分類8 コンピュータシステム

▶ キーワード 問28

- □ RAM
- □ ROM
- □ 揮発性
- □ 不揮発性

問28

□□□

DRAM，ROM，SRAM，フラッシュメモリのうち，電力供給が途絶えても内容が消えない不揮発性メモリはどれか。

ア DRAMとSRAM
イ DRAMとフラッシュメモリ
ウ ROMとSRAM
エ ROMとフラッシュメモリ

▶ キーワード 問29

- □ 光ディスク
- □ CD
- □ DVD
- □ BD

問29

□□□

次の記憶媒体のうち，記録容量が最も大きいものはどれか。ここで，記憶媒体の直径は12cmとする。

ア BD-R
イ CD-R
ウ DVD-R
エ DVD-RAM

▶ キーワード 問30

- □ SSD
- □ HDD

問30

□□□

機械的な可動部分が無く，電力消費も少ないという特徴をもつ補助記憶装置はどれか。

ア CD-RWドライブ
イ DVDドライブ
ウ HDD
エ SSD

▶ キーワード 問31

- □ NFC

問31

□□□

NFCに関する記述として，適切なものはどれか。

ア 10cm程度の近距離での通信を行うものであり，ICカードやICタグのデータの読み書きに利用されている。
イ 数十mのエリアで通信を行うことができ，無線LANに利用されている。
ウ 赤外線を利用して通信を行うものであり，携帯電話のデータ交換などに利用されている。
エ 複数の人工衛星からの電波を受信することができ，カーナビの位置計測に利用されている。

問28 揮発性，不揮発性

半導体メモリは**RAM**（Random Access Memory）と**ROM**（Read Only Memory）の2種類に大別することができます。**RAMはコンピュータの電源を切ると保存していたデータが消える揮発性**，**ROMはデータが消えない不揮発性**です。

選択肢を確認すると，RAMの種類であるDRAMやSRAMは揮発性です。ROMとフラッシュメモリは不揮発性です。よって，正解は エ です。

問29 光ディスク

光ディスクは，薄い円盤状の記憶媒体にレーザ光を照射し，データを読み書きする補助記憶装置です。光ディスクには，次のような種類があります。

ディスク	記憶容量	特徴
CD	650または700MB	DVDやBDより，各段に記憶容量が小さい。
DVD	4.7GB（片面1層） 8.5GB（片面2層）	データのバックアップ，画像や動画の保存など，汎用的に使用される。
BD	25GB（片面1層） 50GB（片面2層）	DVDより記憶容量が大きい。 映像や音声を高品質で保存することができる。

上記の記憶容量から確認すると，**光ディスクのCD，DVD，BDのうち，記憶容量が最も大きいのはBD**です。よって，正解は ア です。

なお，これらの光ディスクには追記型と書換え型があります。「BD-R」や「DVD-R」など，「R」が付く追記型はディスクに書き込んだデータを削除することができません。一方，書換え型はハードディスクと同じようにデータを操作することができ，「BD-RW」「DVD-RW」「DVD-RAM」「CD-RW」などの種類があります。

問30 SSD

× ア，イ　CD-RWドライブやDVDドライブは，データを利用するときにCDやDVDなどのディスクを回転させます。「RW」はデータの読出しだけでなく，書込みや消去も行えることを示す表記です。

× ウ　**HDD**は「Hard Disk Drive」（ハードディスクドライブ）の略です。ハードディスクは装置内にある磁気ディスクを駆動して，データの読書きや削除を行います。

○ エ　正解です。**SSD**（Solid State Drive）は**ハードディスクの代わりとして使用される，半導体メモリを使った補助記憶装置**です。物理的な作動がないので，ハードディスクより読書きが高速で耐震性が高く，消費電力も少なくて済みます。

問31 NFC

○ ア　正解です。**NFC**（Near Field Communication）の説明です。**NFCは10cm程度の距離でデータ通信する近距離無線通信**のことです。

× イ　**Wi-Fi**に関する記述です。**Wi-FiはIEEE 802.11伝送規格に準拠し，無線LAN対応製品について相互接続性が認証されていることを示すブランド**です。「Wireless Fidelity」の略で，「ワイファイ」と読みます。

× ウ　**IrDA**に関する記述です。**IrDAは赤外線を使った無線通信のインタフェース**です。

× エ　**GPS**（Global Positioning System）受信機に関する記述です。**GPS受信機は人工衛星からの電波を受信し，現在位置を取得することができる装置**です。

合格のカギ

問28

参考 ROMには読出し専用という特徴もあるよ。

問29

参考 BDは「Blu-ray Disc」の略称で，「ブルーレイディスク」のことだよ。

問29

参考 ハードディスクのように，磁気を利用した記憶装置を「磁気ディスク」というよ。

問30

参考 CDやDVDなどの光ディスクを使うドライブを「光学ドライブ」というよ。

問31

参考 NFCの特徴は，「かざす」という動作でデータを送受信できることだよ。

問31

参考 無線通信で電子タグの情報を読み書きする技術を「RFID」というよ。NFCはRFIDの技術の一種だよ。

▶ キーワード 問32

- □ インタフェース
- □ USB
- □ IEEE 1394
- □ Bluetooth
- □ IrDA
- □ HDMI
- □ DVI

問32

PCと周辺機器の接続インタフェースのうち，信号の伝送に電波を用いるものはどれか。

ア Bluetooth　イ IEEE 1394
ウ IrDA　エ USB 2.0

問33

HDMIの説明として，適切なものはどれか。

ア 映像，音声及び制御信号を1本のケーブルで入出力するAV機器向けのインタフェースである。
イ 携帯電話間での情報交換などで使用される赤外線を用いたインタフェースである。
ウ 外付けハードディスクなどをケーブルで接続するシリアルインタフェースである。
エ 多少の遮蔽物があっても通信可能な，電波を利用した無線インタフェースである。

問34

USBに関する記述のうち，適切なものはどれか。

ア PCと周辺機器の間のデータ転送速度は，幾つかのモードからPC利用者自らが設定できる。
イ USBで接続する周辺機器への電力供給は，全てUSBケーブルを介して行う。
ウ 周辺機器側のコネクタ形状には幾つかの種類がある。
エ パラレルインタフェースであり，複数の信号線でデータを送る。

▶ キーワード 問35

- □ デバイスドライバ
- □ プラグアンドプレイ
- □ ホットプラグ

問35

PCに接続された周辺機器を，アプリケーションプログラムから利用するために必要なものはどれか。

ア コンパイラ　イ デバイスドライバ
ウ プラグアンドプレイ　エ ホットプラグ

解説

問32 インタフェース

パソコンと周辺機器をつなぐ規格を**インタフェース**といいます。インタフェースにはいろいろな規格があります。代表的な規格は次の通りです。

USB	キーボードやマウス，プリンターなど，最も使われているシリアルインタフェース。USBハブにより最大127台の機器を接続できる。
IEEE 1394	シリアルインタフェースで，データ量の多いデジタルカメラやビデオなどの接続に使用する。最大63台の機器を接続できる。
Bluetooth	電波を使った無線インタフェース。多少の障害物があっても通信できる。
IrDA	赤外線を使った無線インタフェース。障害物があると通信できない。
HDMI	家電やAV機器向けのデジタル映像や音声入出力インタフェース。
DVI	コンピュータとディスプレイを接続するためのインタフェース。

本問の「信号の伝送に電波を用いる」のはBluetoothです。よって，正解はアです。

問33 HDMI

○ア 正解です。HDMIの説明です。**HDMIは，映像，音声，制御信号を1本のケーブルで伝送する，AV機器向けのインタフェース**です。
×イ **IrDA**の説明です。
×ウ HDMIは，外付けハードディスクの接続には使用しません。
×エ **Bluetooth**の説明です。

問34 USB

×ア データの転送モードは自動的に設定されるもので，PC利用者が設定することはできません。
×イ 消費電力が大きいプリンターや外付けハードディスクなどは，USBケーブルではなく，電源から電力を供給します。
○ウ 正解です。**USBの周辺機器側のコネクタ形状には，主にプリンターやスキャナーで採用されているものや，スマートフォンやタブレットで採用されている小型のものなど，複数の種類があります。**
×エ USBは，1本の信号線でデータを送るシリアルインタフェースです。

問35 デバイスドライバ

×ア **コンパイラ**は，C言語などで記述したプログラムを，機械語に変換するソフトウェアの総称です。
○イ 正解です。デバイスドライバは**PCに接続されている周辺装置を管理，制御するためのソフトウェア**です。周辺装置ごとにデバイスドライバが必要で，たとえばプリンターをPCに接続して使うには，そのプリンターの機種・型番に合ったデバイスドライバをPCにインストールします。
×ウ プラグアンドプレイは，**PCに周辺機器を接続したとき，自動的にデバイスドライバの組込みや設定が行われる機能**のことです。
×エ ホットプラグは，**PCの電源を入れたままで周辺機器の着脱が行える機能のこと**です。

問32

対策 IEEE 1394は，シラバスVer.6.3では用語例から削除されたよ。試験対策や過去問題を解くため，さらっと確認しておこう。

問33

対策 無線インタフェースについて,赤外線といえば「IrDA」,電波といえば「Bluetooth」と覚えておこう。

問34

対策 USBケーブルから電力供給する方式を「バスパワー」，ACアダプタや電源コードを使って電力供給する方式を「セルフパワー」というよ。

問35

参考 デバイスドライバは，単に「ドライバ」と呼ぶこともあるよ。

中分類16：システム構成要素

▶ キーワード　問36

- □ スタンドアロン
- □ クライアントサーバシステム
- □ ピアツーピア
- □ デュアルシステム
- □ デュプレックスシステム
- □ ホットスタンバイ
- □ コールドスタンバイ
- □ シンプレックスシステム

問36

□□□

通常使用される主系と，その主系の故障に備えて待機しつつ他の処理を実行している従系の二つから構成されるコンピュータシステムはどれか。

ア　クライアントサーバシステム
イ　デュアルシステム
ウ　デュプレックスシステム
エ　ピアツーピアシステム

▶ キーワード　問37

- □ シンクライアント

問37

□□□

シンクライアントの特徴として，適切なものはどれか。

ア　端末内にデータが残らないので，情報漏えい対策として注目されている。
イ　データが複数のディスクに分散配置されるので，可用性が高い。
ウ　ネットワーク上で，複数のサービスを利用する際に，最初に1回だけ認証を受ければすべてのサービスを利用できるので，利便性が高い。
エ　パスワードに加えて指紋や虹(こう)彩による認証を行うので機密性が高い。

▶ キーワード　問38

- □ 仮想化
- □ レプリケーション
- □ NAS

問38

□□□

1台のコンピュータを論理的に分割し，それぞれで独立したOSとアプリケーションソフトを実行させ，あたかも複数のコンピュータが同時に稼働しているかのように見せる技術として，最も適切なものはどれか。

ア　NAS
イ　拡張現実
ウ　仮想化
エ　マルチブート

▶ キーワード　問39

- □ バッチ処理
- □ リアルタイム処理
- □ 対話型処理
- □ 分散処理
- □ 集中処理

問39

□□□

バッチ処理の説明として，適切なものはどれか。

ア　一定期間又は一定量のデータを集め，一括して処理する方式
イ　データの処理要求があれば即座に処理を実行して，制限時間内に処理結果を返す方式
ウ　複数のコンピュータやプロセッサに処理を分散して，実行時間を短縮する方式
エ　利用者からの処理要求に応じて，あたかも対話をするように，コンピュータが処理を実行して作業を進める処理方式

問36 システム構成

×ア クライアントサーバシステムは，ネットワークに接続しているコンピュータにサービスを提供する側（サーバ）と，サービスを要求する側（クライアント）に役割が分かれているシステムです。

×イ デュアルシステムは，2つのシステムで常に同じ処理を行い，結果を相互にチェックすることによって処理の正しさを確認する方式です。

○ウ 正解です。デュプレックスシステムは主系と従系のシステムを準備しておき，通常使用する主系に障害が発生したら従系に切り替えます。従系のシステムを動作可能な状態で待機させるホットスタンバイと，予備機を停止した状態で待機させるコールドスタンバイがあります。

×エ ピアツーピアシステムは，ネットワークに接続しているコンピュータ同士がサーバの機能を提供し合い，対等な関係でデータ処理を行うシステムです。

合格のカギ

問36

参考 PCをネットワークに接続せずに利用することを「スタンドアロン」というよ。

問36

参考 処理装置が二重化されているデュアルシステムやデュプレックスシステムに対して，1系統だけのシステムを「シンプレックスシステム」というよ。

問37 シンクライアント

○ア 正解です。シンクライアントの特徴です。シンクライアントはユーザーが使うクライアント側のコンピュータには必要最低限の機能しかもたせず，アプリケーションソフトの実行やデータの管理などの主な処理はサーバで行うシステムのことです。ユーザーが使う端末内にはデータが残らないので，情報漏えい対策として有効です。

×イ RAIDの特徴です。RAIDは複数のハードディスクにデータを分散して書き込むことによって，耐障害性を向上させる技術です。

×ウ シングルサインオンの特徴です。

×エ バイオメトリクス認証の特徴です。

問37

対策 シンクライアントは頻出の用語だよ。ぜひ，覚えておこう。

問38 仮想化

×ア NAS（Network Attached Storage）は，LANに直接接続して使うファイルサーバ専用機です。

×イ 拡張現実は，実際に存在するものに，コンピュータが作り出す情報を重ね合わせて表示する技術のことで，AR（Augmented Reality）とも呼ばれます。

○ウ 正解です。仮想化は1台のコンピュータ上で，仮想的に複数のコンピュータを実現させる技術のことです。実在するのは1台のコンピュータですが，仮想化を行うと，あたかも複数のコンピュータが稼働しているかのように見せることができます。

×エ マルチブートは，1台のコンピュータに複数のOSを組み込んだ状態のことです。コンピュータを起動するときにOSを選択したり，あらかじめ特定のOSが起動するように設定しておくこともできます。

問38

対策 ネットワーク上の別のコンピュータに，データの複製（レプリカ）を作成して同期をとる仕組みを「レプリケーション」というよ。

問39 システムの利用形態

○ア 正解です。バッチ処理の説明です。バッチ処理は，データを一定期間または一定量貯めてから一括して処理する方式です。

×イ リアルタイム処理の説明です。リアルタイム処理は，データの処理要求が発生したら，直ちに処理を実行して結果を返す方式です。

×ウ 分散処理の説明です。分散処理は，1つの処理を複数のコンピュータやプロセッサで分散して行う処理形態です。

×エ 対話型処理の説明です。対話型処理は，あたかも対話するように，人との応答を繰り返して処理を進める方式です。

問39

参考 分散処理に対して，1台のコンピュータ（ホストコンピュータ）が集中して処理を行う形態を「集中処理」というよ。

▶ キーワード 問40

- □ RAID
- □ ストライピング
- □ ミラーリング

問40

RAIDの利用目的として，適切なものはどれか。

ア 複数のハードディスクに分散してデータを書き込み，高速性や耐故障性を高める。

イ 複数のハードディスクを小容量の筐(きょう)体に収納し，設置スペースを小さくする。

ウ 複数のハードディスクを使って，大量のファイルを複数世代にわたって保存する。

エ 複数のハードディスクを，複数のPCからネットワーク接続によって同時に使用する。

問41

4台のHDDを使い，障害に備えるために，1台分の容量をパリティ情報の記録に使用するRAID5を構成する。1台のHDDの容量が500Gバイトのとき，実効データ容量はおよそ何バイトか。

ア 500G　イ 1T　ウ 1.5T　エ 2T

▶ キーワード 問42

- □ スループット
- □ レスポンスタイム
- □ ターンアラウンドタイム

問42

コンピュータシステムが単位時間当たりに処理できるジョブやトランザクションなどの処理件数のことであり，コンピュータの処理能力を表すものはどれか。

ア アクセスタイム　イ スループット

ウ タイムスタンプ　エ レスポンスタイム

問40 RAID（レイド）

RAIDは複数のハードディスクをあたかも1つのハードディスクのように扱う技術です。複数のハードディスクにデータを保存し，高速化や耐障害性を高めます。RAIDには複数の種類があり，主な種類や特徴は次の通りです。よって，正解は ア です。

RAID0	2台以上のハードディスクに，1つのデータを分割して書き込むことで，書込みの高速化を図る。ハードディスクが1台でも故障すると，全てのデータが使えなくなる。ストライピングとも呼ばれる。
RAID1	2台以上のハードディスクに，同じデータを並列して書き込むことで，信頼性の向上を図る。いずれかのハードディスクが故障しても，他のハードディスクからデータを読み出せる。ミラーリングとも呼ばれる。
RAID5	3台以上のハードディスクに，データを分散して書き込むと同時に，誤りを訂正するためのパリティ情報も分散して保存する。1台のハードディスクが故障しても，それ以外のハードディスクにあるデータとパリティ情報からデータを復旧できる。

問41 RAID5

RAID5では，複数のハードディスクに，データとパリティ情報を分割して保存します。本問では，4台のHDD（ハードディスク）のうち，1台分の容量をパリティ情報の記録に使用しているので，保存可能なデータ容量はHDD3台分です。1台のHDDの容量が500Gバイトなので，次のように計算します。

500Gバイト×3台 ＝ 1,500Gバイト ＝ 1.5Tバイト
※1,000Gバイト＝1Tバイトで換算します。

よって，正解は ウ です。

問42 スループット

× ア　アクセスタイムは，CPUが記憶装置にデータを読み書きするときにかかる時間のことです。
○ イ　正解です。スループットは，システムが単位時間当たりに処理できる仕事量のことです。
× ウ　タイムスタンプは，ファイルの作成日時や更新日時などを記録した情報のことです。
× エ　レスポンスタイムは，システムへの処理依頼を終えてから，その結果の出力が始まるまでの時間です。また，システムへ最初に処理依頼したときから，結果が全て返ってくるまでの時間をターンアラウンドタイムといいます。

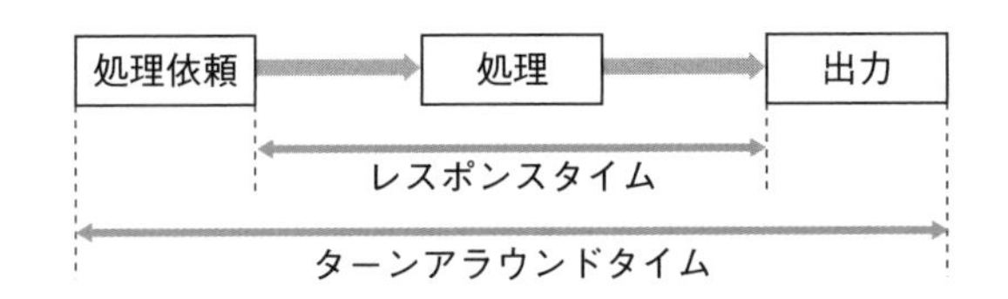

合格のカギ

問40
対策「ストライピング」や「ミラーリング」という用語もよく出題されているので覚えておこう。

問42
参考 システムの性能を評価するための指標を「ベンチマーク」というよ。標準的な処理を設定して実際にコンピュータ上で動作させて，処理にかかった時間などの情報を取得して性能を評価するよ。

▶キーワード 問43

- □稼働率
- □MTBF（平均故障間隔）
- □MTTR（平均修復時間）

□□□

問43 MTBFが600時間，MTTRが12時間である場合，稼働率はおおよそ幾らか。

ア 0.02　イ 0.20　ウ 0.88　エ 0.98

▶キーワード 問44

- □直列システム
- □並列システム

□□□

問44 2台の処理装置からなるシステムがある。両方の処理装置が正常に稼働しないとシステムは稼働しない。処理装置の稼働率がいずれも0.90であるときのシステムの稼働率は幾らか。ここで，0.90の稼働率とは，不定期に発生する故障の発生によって運転時間の10%は停止し，残りの90%は正常に稼働することを表す。2台の処理装置の故障には因果関係はないものとする。

ア 0.81　イ 0.90　ウ 0.95　エ 0.99

▶キーワード 問45

- □フェールセーフ
- □フェールソフト
- □フールプルーフ
- □フォールトトレランス
- □フォールトアボイダンス

□□□

問45 システムや機器の信頼性に関する記述のうち，適切なものはどれか。

ア 機器などに故障が発生した際に，被害を最小限にとどめるように，システムを安全な状態に制御することをフールプルーフという。

イ 高品質・高信頼性の部品や素子を使用することで，機器などの故障が発生する確率を下げていくことをフェールセーフという。

ウ 故障などでシステムに障害が発生した際に，システムの処理を続行できるようにすることをフォールトトレランスという。

エ 人間がシステムの操作を誤らないように，又は，誤っても故障や障害が発生しないように設計段階で対策しておくことをフェールソフトという。

▶キーワード 問46

- □TCO

□□□

問46 TCO（Total Cost of Ownership）の説明として，最も適切なものはどれか。

ア システム導入後に発生する運用・管理費の総額

イ システム導入後に発生するソフトウェア及びハードウェアの障害に対応するために必要な費用の総額

ウ システム導入時に発生する費用と，導入後に発生する運用費・管理費の総額

エ システム導入時に発生する費用の総額

問43 稼働率

稼働率はシステムがどのくらい正常に稼働しているかを表す指標で，稼働率が高いほど，信頼できるシステムといえます。故障から故障までのシステムが稼働していた時間の平均値であるMTBF（Mean Time Between Failure）と，システムが故障して修理にかかった時間の平均値であるMTTR（Mean Time To Repair）から，次の計算式で求めます。

MTBF÷（MTBF+MTTR） ＝ 600÷（600+12）
＝ 600÷612
≒ 0.98

よって，正解は エ です。

問44 直列システム，並列システムの稼働率

複数の処理装置からなるシステムでは，装置のつなぎ方が直列または並列かによって，次のような違いがあり，稼働率を求める計算式も異なります。

直列システム	システム全体が稼働するには，全ての装置が稼働していなければならない。
並列システム	少なくとも1台の装置が稼働していれば，システム全体が稼働する。

本問では「両方の処理装置が正常に稼働しないとシステムは稼働しない」という記載から，2台の処理装置は直列に接続されていることがわかります。

装置が直列につながっている場合，システム全体の稼働率は，装置の稼働率をそのまま乗算して求めます。1台の稼働率が0.90なので，システム全体の稼働率は0.90×0.90＝0.81になります。よって，正解は ア です。

問45 システムの信頼設計

システムの信頼性を向上させるため，システムの信頼設計には次のような考え方があります。

フェールセーフ	障害が発生したとき，安全性を重視し，被害を最小限にとどめるようにする。システムを停止することもある。
フェールソフト	障害が発生したとき，システムが稼働し続けることを重視し，必要最小限の機能を維持する。
フールプルーフ	ユーザーが誤った操作をしても，システムに異常が起こらないようにする。
フォールトトレランス（フォールトトレラント）	構成する装置を二重化するなどして，障害が発生した場合でも，システムが稼働し続けるようにしておく。
フォールトアボイダンス	故障が発生したときに対処するのではなく，品質管理などを通じて，故障が発生しないようにシステム構成要素の信頼性を高めておく。

× ア　フェールセーフに関する記述です。
× イ　フォールトアボイダンスに関する記述です。
○ ウ　正解です。フォールトトレランスに関する記述です。
× エ　フールプルーフに関する記述です。

問46 TCO

TCO（Total Cost of Ownership）は，システムの導入から，運用や保守，管理，教育など，導入後にかかる費用まで含めた総額のことです。よって，正解は ウ です。ア，イ，エ のように，導入時や導入後にだけかかる費用ではありません。

問43

対策 MTBFは「平均故障間隔」，MTTRは「平均修復時間」ともいうよ。これらの用語も出題されることがあるので覚えておこう。

問44

対策 どのようにシステムを接続しているか，図で出題されることがあるよ。稼働率の求め方と合わせて，直列，並列を示す図も覚えておこう。

・直列システム

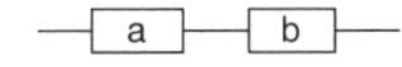

aの稼働率×bの稼働率

・並列システム

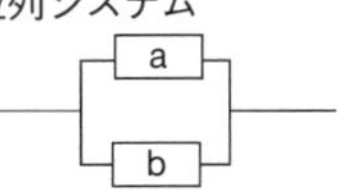

1－（1－aの稼働率）×（1－bの稼働率）

中分類17：ソフトウェア

▶ キーワード　問47

□ OS（基本ソフト）

問47

OSに関する記述のうち，適切なものはどれか。

ア　1台のPCに複数のOSをインストールしておき，起動時にOSを選択できる。

イ　OSはPCを起動させるためのアプリケーションプログラムであり，PCの起動後は，OSは機能を停止する。

ウ　OSはグラフィカルなインタフェースをもつ必要があり，全ての操作は，そのインタフェースで行う。

エ　OSは，ハードディスクドライブだけから起動することになっている。

▶ キーワード　問48

□ BIOS

問48

利用者がPCの電源を入れてから，そのPCが使える状態になるまでを四つの段階に分けたとき，最初に実行される段階はどれか。

ア　BIOSの読込み

イ　OSの読込み

ウ　ウイルス対策ソフトなどの常駐アプリケーションソフトの読込み

エ　デバイスドライバの読込み

▶ キーワード　問49

□ マルチスレッド
□ 仮想記憶
□ 並列処理

問49

マルチスレッドの説明として，適切なものはどれか。

ア　CPUに複数のコア（演算回路）を搭載していること

イ　ハードディスクなどの外部記憶装置を利用して，主記憶よりも大きな容量の記憶空間を実現すること

ウ　一つのアプリケーションプログラムを複数の処理単位に分けて，それらを並列に処理すること

エ　一つのデータを分割して，複数のハードディスクに並列に書き込むこと

▶ キーワード　問50

□ マルチタスク

問50

Webサイトからファイルをダウンロードしながら，その間に表計算ソフトでデータ処理を行うというように，1台のPCで，複数のアプリケーションプログラムを少しずつ互い違いに並行して実行するOSの機能を何と呼ぶか。

ア　仮想現実　　イ　デュアルコア

ウ　デュアルシステム　　エ　マルチタスク

問47 OS (Operating System)

OS (Operating System) は基本ソフトとも呼ばれ，コンピュータの基本的な動作やハードウェアやアプリケーションソフトを管理するソフトウェアです。

○ア 正解です。ハードディスクの領域を分けて，領域ごとにOSをインストールしておくと，起動時にどのOSを使うかを選択できます。
×イ OSには，ユーザー管理，ファイル管理，入出力管理，資源管理など，いろいろな機能があり，PCを終了するまで動作します。
×ウ OSの操作は，キーボードからコマンドを入力して実行するものもあります。グラフィカルなインタフェースをもつ必要はありません。
×エ 起動に必要なファイルが保存されているDVDやCD-ROMなどからも，OSを起動することができます。

問48 PCの起動時に実行されるプログラム

パソコンに電源を入れると，最初にBIOS (Basic Input Output System) が実行されます。BIOSは周辺装置の基本的な入出力を制御するプログラムで，周辺装置が正常であることを確認したら，次にOSが実行されます。OSが実行されたら，デバイスドライバが読み込まれ，周辺装置が使用可能になります。最後に，常駐アプリケーションプログラムが読み込まれます。

これより，読込みが実行される順は「BIOS→OS→デバイスドライバ→常駐アプリケーションプログラム」となります。よって，正解はアです。

問49 マルチスレッド

×ア マルチコアプロセッサの説明です。
×イ 仮想記憶の説明です。仮想記憶は主記憶（メインメモリ）が不足するとき，ハードディスクなどの外部記憶装置の一部を，主記憶の代用として使う技術です。仮想記憶によって，主記憶の容量よりも大きいメモリを必要とする，プログラムの実行が可能になります。
○ウ 正解です。マルチスレッドは，1つのアプリケーションプログラムにおいて並列処理ができる部分を「スレッド」という単位に分割し，それらを並列に処理する方式です。
×エ ストライピングの説明です。ストライピングは2台以上のハードディスクに1つのデータを分割して書き込むことによって，書込みの高速化を図る技術です。

問50 マルチタスク

×ア 仮想現実はバーチャルリアリティのことで，現実感をともなった仮想的な世界をコンピュータで作り出す技術です。
×イ デュアルコアは，2つの集積回路（コア）を搭載しているCPUのことです。
×ウ デュアルシステムは，2つのシステムで常に同じ処理を行い，結果を相互にチェックすることによって処理の正しさを確認する方式です。
○エ 正解です。マルチタスクは，複数のプロセスにCPUの処理時間を順番に割り当てて，プロセスが同時に実行されているように見せる方式です。たとえば，実際はWebサイトからのファイルのダウンロードと，表計算ソフトのデータ処理を切り替えながら実行していますが，利用者からは同時に実行しているように見えます。

問47

参考 人がコンピュータに命令を行うユーザインタフェースには，アイコンなどによって直感的に操作できる「GUI」(Graphical User Interface) と，キーボードからコマンドを入力する「CUI」(Character User Interface) があるよ。

常駐アプリケーションプログラム 問48

OSを起動している間，ずっと実行状態にあるプログラム。基本的にPCに電源を入れると自動的に起動する。

並列処理 問49

一連の処理を同時に実行できる処理単位に分け，複数のCPUで実行すること。

▶ キーワード　問51

- □ ディレクトリ
- □ ルートディレクトリ
- □ サブディレクトリ
- □ カレントディレクトリ

問51

□□□

木構造を採用したファイルシステムに関する記述のうち，適切なものはどれか。

- ア　階層が異なれば同じ名称のディレクトリが作成できる。
- イ　カレントディレクトリは常に階層構造の最上位を示す。
- ウ　相対パス指定ではファイルの作成はできない。
- エ　ファイルが一つも存在しないディレクトリは作成できない。

▶ キーワード　問52

- □ 相対パス
- □ 絶対パス

問52

□□□

あるファイルシステムの一部が図のようなディレクトリ構造であるとき，＊印のディレクトリ（カレントディレクトリ）D3から矢印が示すディレクトリD4の配下のファイルaを指定するものはどれか。ここで，ファイルの指定は，次の方法によるものとする。

[指定方法]

(1) ファイルは，“ディレクトリ名¥…¥ディレクトリ名¥ファイル名”のように，経路上のディレクトリを順に“¥”で区切って並べた後に“¥”とファイル名を指定する。
(2) カレントディレクトリは“.”で表す。
(3) 1階層上のディレクトリは“..”で表す。
(4) 始まりが“¥”のときは，左端にルートディレクトリが省略されているものとする。
(5) 始まりが“¥”，“.”，“..”のいずれでもないときは，左端にカレントディレクトリ配下であることを示す“.¥”が省略されているものとする。

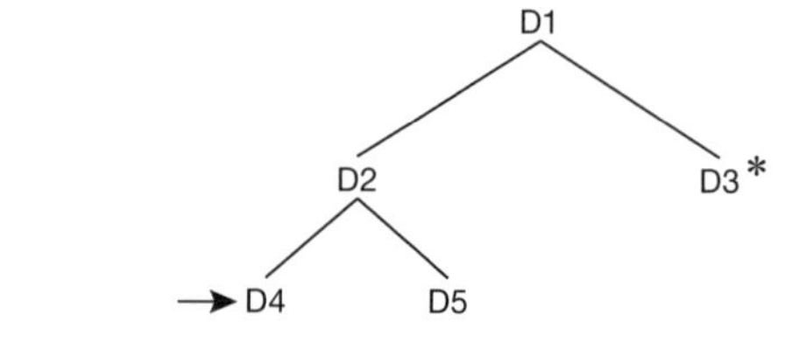

- ア　..¥..¥D2¥D4¥a
- イ　..¥D2¥D4¥a
- ウ　D1¥D2¥D4¥a
- エ　D2¥D4¥a

問51 木構造のファイルシステム

ファイルシステムは，ハードディスクなどの記憶装置に保存しているデータを管理するための仕組みです。**木構造（ツリー構造）**のファイルシステムは**ディレクトリ**を用いた階層構造で，階層の最上位にあるディレクトリを**ルートディレクトリ**，下にあるものを**サブディレクトリ**と呼びます。

○ア　正解です。同じ階層に同名のディレクトリは作成できませんが，異なる階層であれば作成できます。
×イ　**カレントディレクトリ**は，現在，作業対象となっているディレクトリのことです。
×ウ　相対パス指定，絶対パス指定にかかわらず，ファイルは作成できます。
×エ　ファイルがないディレクトリも作成できます。

問52 相対パス

ハードディスクなどに保存されているファイルについて，その保存場所を表す指定をパスといいます。パスの指定方法には，ルートディレクトリを起点として目的のファイルまでの経路を表す**絶対パス**と，任意のディレクトリを起点として経路を表す**相対パス**があります。

本問は，＊のあるディレクトリD3からファイルaを指定する相対パスです。1階層上のディレクトリを「..」で表し，ディレクトリD1の配下はディレクトリ名と¥を順に並べます。D3からファイルaの相対パスは「..¥D2¥D4¥a」になるので，正解はイです。

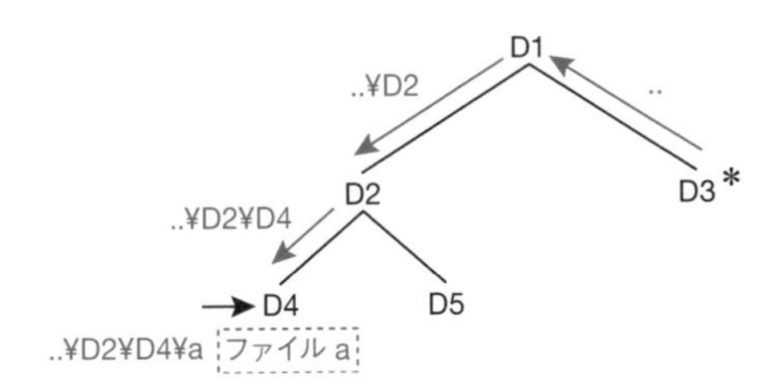

問51

参考「ディレクトリ」はファイルを分類，収納する箱のようなものと考えよう。WindowsやMacでは「フォルダ」と呼ぶよ。

問52

参考 ディレクトリD1をルートディレクトリとして，絶対パスでファイルaを表すと「¥D2¥D4¥a」となるよ。

問52

対策「カレントディレクトリ」「ルートディレクトリ」「絶対パス」「相対パス」という用語を選ぶ問題も出題されるよ。これらの用語と意味を覚えておこう。

大分類8 コンピュータシステム

▶ キーワード 問53

□ 相対参照
□ 絶対参照

問53

□□□

ワークシートの列Aの値を基準として，列Bの値との差を列Dに，列Cの値との差を列Eにそれぞれ求める。次の表ではセルD1には5が，セルE1には−5が表示される。セルD1に入れるべき式はどれか。ここで，セルD1に入力する式は，セルD1 ～ E5の範囲に複写する。

	A	B	C	D	E
1	65	70	60		
2	128	80	76		
3	78	118	56		
4	85	78	98		
5	96	97	95		

ア B1−$A1　イ B1−A$1　ウ $B1−A1　エ B$1−A1

▶ キーワード 問54

□ 関数

問54

□□□

三つの学校で実施した小遣い金額調査の集計結果を用いて，3校生徒全体の一人当たりの平均小遣いを求めるとき，セルC5に入れる式はどれか。

	A	B	C
1		人数	学校平均小遣い
2	M校	150	1,250
3	N校	250	850
4	P校	60	1,530
5	生徒平均小遣い		

ア (B2*B3*B4) ／ (C2*C3*C4)
イ (B2*C2+B3*C3+B4*C4) ／合計 (B2 ～ B4)
ウ 合計 (C2 ～ C4) ／合計 (B2 ～ B4)
エ 平均 (C2 ～ C4)

▶ キーワード 問55

□ プラグイン
□ マクロ

問55

□□□

次のような特徴をもつソフトウェアを何と呼ぶか。

(1)ブラウザなどのアプリケーションソフトウェアに組み込むことによって，アプリケーションソフトウェアの機能を拡張する。
(2)個別にバージョンアップが可能で，不要になればアプリケーションソフトウェアに影響を与えることなく削除できる。

ア スクリプト　イ パッチ
ウ プラグイン　エ マクロ

問53 表計算ソフト（相対参照・絶対参照）

計算式が入力されているセルをコピーすると，計算式のセル番地が自動調整されます。このようなセル番地の指定方法を**相対参照**といいます。コピーしてもセル番地を変えたくない場合は，次のように行番号や列番号の前に「$」を付けます。「$A$1」のように行と列とも固定することを**絶対参照**といいます。

A1…行，列ともに固定。コピーしても，A1のまま変わらない
$A1…列のみ固定。コピーすると，列Aはそのままだが，行番号は変化する
A$1…行のみ固定。コピーすると，列番号は変化するが，行1はそのまま

本問では，D1に「B1－A1」という式を入力し，D列やE列のセルにコピーします。D列やE列に入力すべき式を確認すると（下表を参照），「B1－**$A1**」の「A」を固定しておく必要があります。よって，正解はアです。

最初に入力する式

	A	B	C	D	E
1	65	70	60	B1－$A1	C1－A1
2	128	80	76	B2－A2	C2－A2
3	78	118	56		
4	85	78	98		
5	96	97	95		

参考 関数の範囲のセル番地にも，合計（A$1 ～ A10）のように，「$」を付けることができるよ。

問54 表計算ソフト（関数を使った計算式）

3校全体の平均を算出するには，各校の合計金額を算出し，3校の合計金額を3校の合計人数で割り算します。

（M校人数 × M校平均小遣い ＋ N校人数 × N校平均小遣い ＋ P校人数 × P校平均小遣い）÷（M校人数＋N校人数＋P校人数）

これより，セルに入力する計算式は次のようになります。掛け算は「＊」，割り算は「／」で表します。

(B2＊C2＋B3＊C3＋B4＊C4) ／ (B2＋B3＋B4)

さらに，3校の合計人数は**合計関数**で求めることができます。

(B2＊C2＋B3＊C3＋B4＊C4) ／合計 (B2 ～ B4)

よって，正解はイです。

対策 合計以外の関数についても，機能や使い方を確認しておこう。

問55 プラグイン

×ア **スクリプト**は，PerlやPHP，Rubyなどのスクリプト言語で記述された簡易プログラムの総称です。
×イ **パッチ**は，ソフトウェアの不具合を修正するためのプログラムです。
○ウ 正解です。**プラグイン**はアプリケーションの機能を拡張するために追加するソフトウェアです。**アドイン**や**アドインソフト**とも呼ばれます。
×エ **マクロ**は，アプリケーションの一連の操作を自動化する機能です。

大分類8 コンピュータシステム

▶ キーワード 問56

□ 差込み印刷

問56

□□□

ワープロの“差込み印刷”機能の説明として，適切なものはどれか。

ア 後から印刷を指示した文書を先に印刷するために，印刷待ち行列内での順番を変更すること

イ 作業効率をあげるために，入力作業と並行して文書を印刷すること

ウ 表計算ソフトで作成したグラフ又はイメージデータを取り込んだ文書を印刷すること

エ 文書の一部にほかのファイルのデータを取り込み，その部分だけを変更した文書を印刷すること

▶ キーワード 問57

□ OSS（オープンソースソフトウェア）

問57

□□□

オープンソースソフトウェアに関する記述として，適切なものはどれか。

ア 一定の試用期間の間は無料で利用することができるが，継続して利用するには料金を支払う必要がある。

イ 公開されているソースコードは入手後，改良してもよい。

ウ 著作権が放棄されている。

エ 有償のサポートサービスは受けられない。

問58

□□□

OSS（Open Source Software）であるメールソフトはどれか。

ア Android　イ Firefox　ウ MySQL　エ Thunderbird

問56 差込み印刷

ワープロ（文書作成ソフト）の差込み印刷は，宛名の印刷によく使われる機能です。文書の特定の位置に，他のファイルのデータを自動的に挿入して印刷します。たとえば，住所のファイルを作成し，はがきの表面にその住所ファイルのデータを取り込んで印刷できます。よって，正解は エ です。

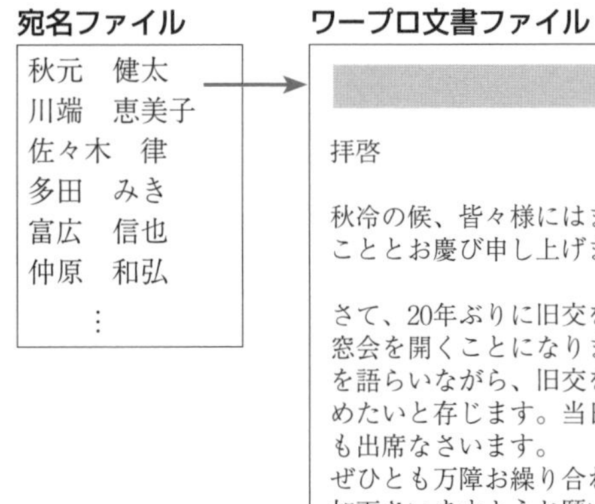

宛名ファイル
秋元　健太
川端　恵美子
佐々木　律
多田　みき
富広　信也
仲原　和弘
⋮
ワープロ文書ファイル
様
拝啓
秋冷の候、皆々様にはますます御健勝のこととお慶び申し上げます。
さて、20年ぶりに旧交を温めるべく、同窓会を開くことになりました。近況などを語らいながら、旧交を温め、親睦を深めたいと存じます。当日は恩師の先生方も出席なさいます。
ぜひとも万障お繰り合わせのうえ、ご参加下さいますようお願い申し上げます。
⋮

問57 OSS（オープンソースソフトウェア）

OSS（Open Source Software）は，ソフトウェアのソースコードが無償で公開され，ソースコードの改変や再配布も認められているソフトウェアのことです。オープンソースソフトウェアともいいます。

×ア　シェアウェアの説明です。
○イ　正解です。オープンソースソフトウェアでは，ソースコードの改変や再配布が認められています。なお，OSSには様々なライセンス形態があり，利用する際には示されたライセンスに従う必要があります。
×ウ　オープンソースソフトウェアの著作権は著作者に帰属し，著作権は放棄されていません。
×エ　オープンソースソフトウェアは無償で提供されるので，基本的にサポートサービスを受けることはできませんが，企業が有償のサポートサービスを提供している場合もあります。

問57

参考 OSSの配布に当たっては，配布先となる個人やグループ，分野を制限してはならない，というルールがあるよ。

問58 OSSのメールソフト

代表的なOSSには，次のようなものがあります。

分野	OSSの種類
プログラム言語	Java　Ruby　Perl　PHP　など
OS（Operating System）	Linux　FreeBSD　Android など
Webサーバソフトウェア	Apache　など
データベース管理システム	MySQL　PostgreSQL　など
アプリケーションソフトウェア	Firefox（Webブラウザ） Thunderbird（電子メールソフト）

×ア　Androidは，携帯情報端末向けのOSSであるOSです。
×イ　Firefoxは，OSSであるブラウザです。
×ウ　MySQLは，OSSであるデータベース管理システムです。
○エ　正解です。Thunderbirdは，OSSであるメールソフトです。

大分類8 コンピュータシステム

中分類18：ハードウェア

▶ キーワード 問59

- □ スーパコンピュータ
- □ 汎用コンピュータ
- □ メインフレーム
- □ マイクロコンピュータ
- □ ウェアラブル端末

問59

□□□

地球規模の環境シミュレーションや遺伝子解析などに使われており，大量の計算を超高速で処理する目的で開発されたコンピュータはどれか。

ア 仮想コンピュータ
イ スーパコンピュータ
ウ 汎用コンピュータ
エ マイクロコンピュータ

▶ キーワード 問60

- □ テンキー
- □ ファンクションキー
- □ Enter（エンター）キー
- □ ショートカットキー

問60

□□□

PCのキーボードのテンキーの説明として，適切なものはどれか。

ア 改行コードの入力や，日本語入力変換で変換を確定させるときに押すキーのこと
イ 数値や計算式を素早く入力するために，数字キーと演算に関連するキーをまとめた部分のこと
ウ 通常は画面上のメニューからマウスなどで選択して実行する機能を，押すだけで実行できるようにした，特定のキーの組合せのこと
エ 特定機能の実行を割り当てるために用意され，F1，F2，F3というような表示があるキーのこと

▶ キーワード 問61

- □ イメージスキャナー
- □ ディジタイザ
- □ タブレット
- □ タッチパネル
- □ OCR

問61

□□□

スキャナーの説明として，適切なものはどれか。

ア 紙面を走査することによって，画像を読み取ってデジタルデータに変換する。
イ 底面の発光器と受光器によって移動の量・方向・速度を読み取る。
ウ ペン型器具を使って盤面上の位置を入力する。
エ 指で触れることによって画面上の位置を入力する。

▶ キーワード 問62

- □ インパクトプリンター
- □ レーザプリンター
- □ インクジェットプリンター

問62

□□□

印刷時にカーボン紙やノンカーボン紙を使って同時に複写が取れるプリンターはどれか。

ア インクジェットプリンター　イ インパクトプリンター
ウ 感熱式プリンター　エ レーザプリンター

問59 コンピュータの種類

×ア 仮想コンピュータは，実際のコンピュータ上に，ソフトウェアの機能によって仮想的に構築されたコンピュータのことです。

○イ 正解です。スーパコンピュータは大規模で高度な科学技術計算に用いる超高性能なコンピュータです。宇宙開発や天文学，気象予測，海洋研究など，様々な研究・開発分野で利用されています。

×ウ 汎用コンピュータは，企業などにおいて，基幹業務を主対象として，事務処理から技術計算までの幅広い用途に利用されている大型コンピュータです。メインフレームとも呼ばれます。

×エ マイクロコンピュータは，CPUと主記憶，インタフェース回路などを1つのチップに組み込んだ超小型コンピュータのことです。自動車や家電製品などの電子機器に組み込んで使用されます。

問59
参考「汎用」は「多方面に広く用いる」という意味だよ。

問59
参考 腕時計や眼鏡など，身体に装着して利用する情報端末を「ウェアラブル端末」というよ。

問60 PCのキーボードのキー

×ア Enter（エンター）キーの説明です。

○イ 正解です。テンキーの説明です。まとまった量の数値や計算式を入力するときに便利です。

×ウ ショートカットキーの説明です。複数のキーを組み合わせて押すことで，特定の機能を実行することができます。たとえば，WindowsのPCではCtrlキーとCキーはコピー，CtrlキーとVキーは貼り付けです。

×エ ファンクションキーの説明です。

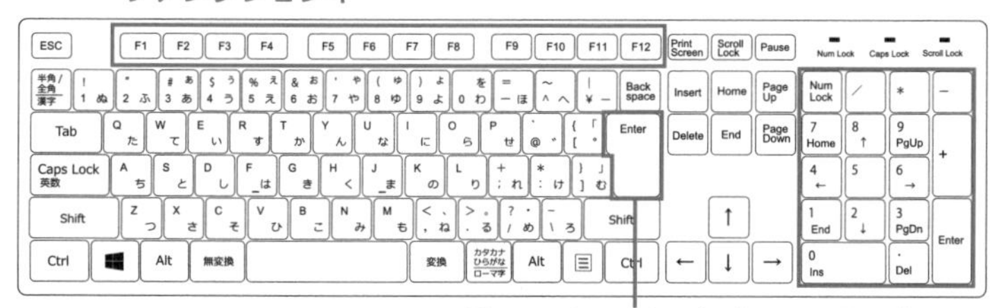

問61 イメージスキャナー

○ア 正解です。スキャナー（イメージスキャナー）の説明です。イメージスキャナーは，印刷物，写真，絵などをデジタルデータとして取り込む装置です。

×イ 光学式のマウスの説明です。

×ウ ペン型器具を使う入力装置には，デジタイザやタブレットがあります。

×エ タッチパネルの説明です。タッチパネルは，画面を直接，指などで触れて操作する入力装置です。

問61
対策 紙面上に書かれた文字を読み取り，文字コードに変換する装置を「OCR」（Optical Character Reader）というよ。

問62 プリンターの種類

×ア インクジェットプリンターは，ノズルからインクの粒子を紙に吹き付けて印刷します。

○イ 正解です。インパクトプリンターは，インクリボンをピンで打ち付けることによって印刷します。カーボン紙による複写が可能なのは，インパクトプリンターだけです。

×ウ 感熱式プリンターは，熱で変色する感熱紙を使って印刷します。

×エ レーザプリンターは，レーザ光と静電気により，粉末インク（トナー）を紙に付着させて印刷します。

問62
参考 ハードディスクに全ての出力データを一時的に書き込み，プリンターの処理速度に合わせて少しずつ出力処理をさせることを「スプール」というよ。

中分類19：情報デザイン

▶ キーワード　問63

- □ ポインティングデバイス
- □ GUI
- □ ラジオボタン
- □ チェックボックス
- □ リストボックス
- □ プルダウンメニュー
- □ ツールチップ
- □ ホバー(ロールオーバー)

問63

複数の選択肢から一つを選ぶときに使うGUI（Graphical User Interface）部品として，適切なものはどれか。

ア　スクロールバー　　イ　プッシュボタン
ウ　プログレスバー　　エ　ラジオボタン

▶ キーワード　問64

- □ Webデザイン

問64

利用のしやすさに配慮してWebページを作成するときの留意点として，適切なものはどれか。

ア　各ページの基本的な画面構造やボタンの配置は，Webサイト全体としては統一しないで，ページごとに分かりやすく表示・配置する。
イ　選択肢の数が多いときは，選択肢をグループに分けたり階層化したりして構造化し，選択しやすくする。
ウ　ページのタイトルは，ページ内容の更新のときに開発者に分かりやすい名称とする。
エ　利用者を別のページに移動させたい場合は，移動先のリンクを明示し選択を促すよりも，自動的に新しいページに切り替わるようにする。

▶ キーワード　問65

- □ ユニバーサルデザイン
- □ Webアクセシビリティ

問65

ユニバーサルデザインの考え方として，適切なものはどれか。

ア　一度設計したら，長期間にわたって変更しないで使えるようにする。
イ　世界中どの国で製造しても，同じ性能や品質の製品ができるようにする。
ウ　なるべく単純に設計し，製造コストを減らすようにする。
エ　年齢，文化，能力の違いや障害の有無によらず，多くの人が利用できるようにする。

解説

問63 GUI

画面上の位置情報を入力する装置の総称を**ポインティングデバイス**といいます。GUI（Graphical User Interface）は，画面に表示されたアイコンやボタンなどを，マウスなどのポインティングデバイスを使って操作するインタフェースです。GUI部品には，文字を入力するためのテキストボックスや，チェックの有無で項目を選択するチェックボックスなど，いろいろな種類があり，入力するデータに適したGUI部品を組み合わせて画面を設計します。

× ア　スクロールバーは，画面をスクロールするときに使います。
× イ　プッシュボタンは，クリックして命令を実行するときに使います。
× ウ　プログレスバーは，実行中の処理の進捗状況を表示します。
○ エ　正解です。ラジオボタンは，複数の選択肢から1つだけを選ぶときに使います。

画面の一例

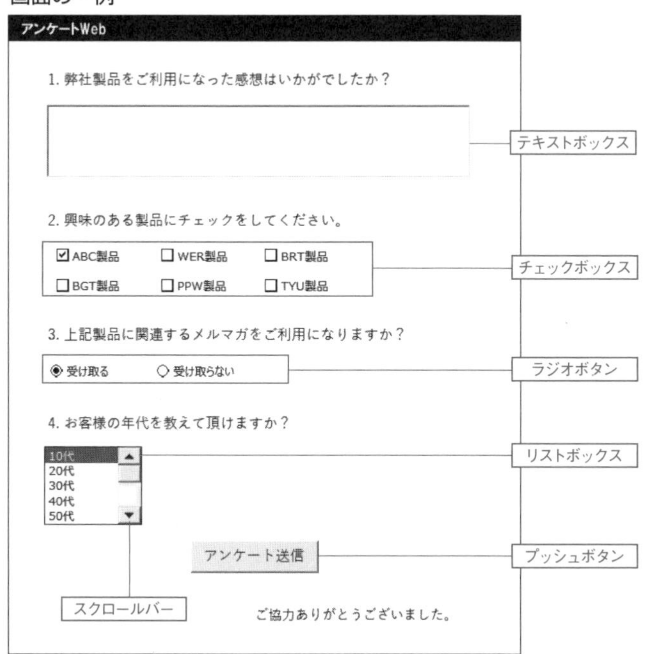

問64 Webページ作成時の留意点

× ア　画面構成やボタンのデザインは，基本的にWebサイト全体で統一します。
○ イ　正解です。選択肢の数が多いときは，関連する項目をまとめると利用しやすくなります。
× ウ　Webページのタイトルは，利用者がわかりやすい名称にします。
× エ　Webページを移動するタイミングは利用者に任せます。

問65 ユニバーサルデザイン

ユニバーサルデザイン（Universal Design）とは，国や文化，年齢，性別，障害の有無などにかかわらず，あらゆる人が使用可能であるようなデザインにすることです。ITに関するユニバーサルデザインの具体例としては，キーの文字を大きくして読み取りやすくする，音声読み上げブラウザに対応したWebサイトにする，などがあります。正解は エ です。

合格のカギ

問63

参考 項目を選択するときは，「リストボックス」や「プルダウンメニュー」を使うよ。プルダウンメニューは特定の箇所をクリックすると，メニューが表示され，その中から項目を選択するよ。

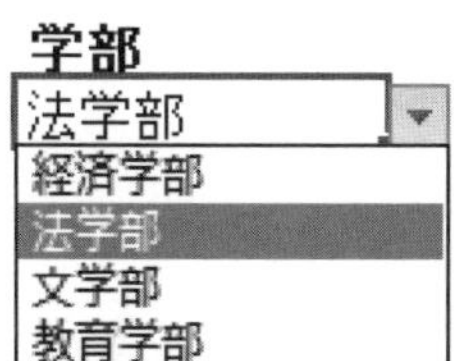

問63

参考 マウスポインターを合わせたときに小さく表示する補足説明を「ツールチップ」というよ。
また，色や画像などが切り替わることを「ホバー（ロールオーバー）」というよ。

問64

参考 Webデザインではユーザビリティ（使いやすさ）に配慮する必要があるよ。

問65

参考 年齢や身体的条件にかかわらず，誰もがWebサイトで情報を受発信できる度合いを「Webアクセシビリティ」というよ。

中分類20：情報メディア

▶ キーワード　問66

- DRM
- CPRM

問66

デジタルコンテンツで使用されるDRM（Digital Rights Management）の説明として，適切なものはどれか。

ア 映像と音声データの圧縮方式のことで，再生品質に応じた複数の規格がある。
イ コンテンツの著作権を保護し，利用や複製を制限する技術の総称である。
ウ デジタルテレビでデータ放送を制御するXMLベースの記述言語である。
エ 臨場感ある音響効果を再現するための規格である。

▶ キーワード　問67

- ストリーミング

問67

ストリーミングを利用した動画配信の特徴に関する記述のうち，適切なものはどれか。

ア サーバに配信データをあらかじめ保持していることが必須であり，イベントやスポーツなどを撮影しながらその映像を配信することはできない。
イ 受信データの部分的な欠落による画質の悪化を完全に排除することが可能である。
ウ 動画再生の開始に準備時間を必要としないので，瞬時に動画の視聴を開始できる。
エ 動画のデータが全てダウンロードされるのを待たず，一部を読み込んだ段階で再生が始まる。

▶ キーワード　問68

- JPEG
- PNG
- GIF
- BMP
- MPEG
- AVI
- MP3
- MIDI
- 可逆圧縮
- 非可逆圧縮

問68

イラストなどに使われている，最大表示色256色である静止画圧縮のファイル形式はどれか。

ア GIF　　イ JPEG
ウ MIDI　　エ MPEG

問66 DRM（Digital Rights Management）

×ア　MPEGの説明です。MPEGは映像と音声データの圧縮方式です。
○イ　正解です。DRM（Digital Rights Management）は，デジタルデータとして表現されるコンテンツの著作権を保護し，利用や複製を制限する技術の総称です。
×ウ　BML（Broadcast Markup Language）の説明です。データ放送で配信される情報，たとえばリモコンの「dボタン」を押すと表示されるニュースや天気予報などは，BMLを使って制作されています。
×エ　音響効果の規格には，ドルビーデジタルなどがあります。

問67 ストリーミング

ストリーミングは，インターネット上から動画や音声などのコンテンツをダウンロードしながら，順に再生することです。選択肢の内容を確認すると，次のようになります。

×ア　イベントやスポーツなどを撮影しながら，その映像をリアルタイムに配信することもできます。このような配信をライブ配信といいます。
×イ　ストリーミングでは，リアルタイム性を重視します。そのため，データの部分的な欠落による画質の悪化より，データの遅延の方が問題視されます。
×ウ　ストリーミングで動画を再生する際には，一定量のデータを蓄えてから再生を開始します。そのため，瞬時に動画の視聴を開始できるわけではありません。
○エ　正解です。動画のデータが全てダウンロードされるのを待たず，再生できるのがストリーミングのメリットです。

問68 マルチメディアのファイル形式

マルチメディアのファイル形式にはいろいろな種類があります。代表的なファイル形式は，次の通りです。

項目名	種類	特徴
画像	JPEG	フルカラー（1,677万色）で，写真データなどで使用される。Webページに掲載することも可能。
	PNG	フルカラー（1,677万色）で，Webページに掲載する画像などで使用される。
	GIF	256色しか表示できないので，イラストやロゴなど，色数が少なくてよい画像に使われる。
	BMP	Windowsが標準でサポートしている画像形式。ほとんど圧縮していないので，他のファイル形式に比べてデータ容量が大きい。
動画	MPEG	デジタル放送やDVD-Videoで利用されている。
	AVI	Windowsで標準として使用されている動画ファイルの形式。
音声	WAV	Windowsで標準として使用されている音声ファイルの形式。圧縮されていないので，データ容量が大きい。
	MP3	インターネットでの音楽データ配信や，ポータブルプレイヤー用の音楽データに利用されている。
	MIDI	実際の楽器などの音ではなく，電子楽器の演奏情報のデータ形式。

イラストなどに使われている静止画のファイル形式で，最大表示色が256色なのはGIFです。よって，正解はアです。

問66

参考 DRMの手法として「CPRM」（Content Protection for Recordable Media）があるよ。コピーワンス（1度だけ録画可能）の番組を，DVDなどに記録するとき，複製を制御する技術だよ。

問67

参考 ストリーミングによる配信には，「オンデマンド配信」と「ライブ配信」の2つがあるよ。オンデマンド配信は，すでに録画・録音されたデータを配信することだよ。

問68

対策 ファイル形式はよく出題されるよ。ファイル形式の種類と特徴を覚えておこう。

問68

参考 圧縮の技術には，もとと同じデータに復元できる「可逆圧縮」と，完全にはもとのデータに復元できない「非可逆圧縮」があるよ。

・可逆圧縮のファイル形式
GIF　PNG

・非可逆圧縮のファイル形式
JPEG　MPEG　MP3

▶ キーワード 問69
- □ 色の三原色
- □ 光の三原色

問69 □□□

プリンターなどの印刷において表示される色について，シアンとマゼンタとイエローを減法混色によって混ぜ合わせると，理論上は何色になるか。

ア 青　イ 赤　ウ 黒　エ 緑

▶ キーワード 問70
- □ 解像度
- □ dpi
- □ pixel
- □ fps
- □ ppm

問70 □□□

スキャナーで写真や絵などを読み込むときの解像度を表す単位はどれか。

ア dpi　イ fps　ウ pixel　エ ppm

▶ キーワード 問71
- □ ペイント系ソフトウェア
- □ ラスターグラフィックス
- □ ドロー系ソフトウェア

問71 □□□

ペイント系ソフトウェアで用いられ，グラフィックスをピクセルと呼ばれる点の集まりとして扱う方法であるラスターグラフィックスの説明のうち，適切なものはどれか。

ア CADで広く用いられている。
イ 色の種類や明るさが，ピクセルごとに調節できる。
ウ 解像度の高低にかかわらずファイル容量は一定である。
エ 拡大しても図形の縁などにジャギー（ギザギザ）が生じない。

▶ キーワード 問72
- □ 拡張現実（AR）
- □ 仮想現実（VR，バーチャルリアリティー）
- □ 複合現実（MR）

問72 □□□

拡張現実（AR）に関する記述として，適切なものはどれか。

ア 実際に搭載されているメモリの容量を超える記憶空間を作り出し，主記憶として使えるようにする技術
イ 実際の環境を捉えているカメラ映像などに，コンピュータが作り出す情報を重ね合わせて表示する技術
ウ 人間の音声をコンピュータで解析してデジタル化し，コンピュータへの命令や文字入力などに利用する技術
エ 人間の推論や学習，言語理解の能力など知的な作業を，コンピュータを用いて模倣するための科学や技術

問69 色の表現

プリンターなどの印刷で色を表現する場合，**色の三原色**と呼ばれる，**シアン，マゼンタ，イエロー**の3色を混ぜ合わせて，様々な色を表現します。減法混色では，色を何も置いていない状態が白で，色を混ぜ合わせるほどに暗さが増し，**理論上は3色を全て100%で混ぜ合わせると黒になります**。よって，正解は**ウ**です。

なお，実際の印刷では，3色のインクを混ぜても純粋な黒にならないため，さらに黒のインクを加えます。

問70 解像度

○**ア** 正解です。dpi（dots per inch）は**1インチ当たりのドット（点）の数を表す単位**です。たとえば600dpiの場合，1インチ（約2.54cm）の幅に600個の点が並んでいます。**スキャナーやプリンターの解像度を表すときに使い**，値が大きいほど解像度が高く，精細な表示になります。

×**イ** fps（frames per second）は，**動画の再生において，1秒間に表示するフレーム数（静止画の枚数）を表す単位**です。

×**ウ** pixel（ピクセル）は**画像データを構成する点**のことで，**画素**ともいわれます。たとえばピクセル数が「1,024×768」の場合，横に1,024個，縦に768個の画素が碁盤の目のように並んでいます。

×**エ** ppm（page per minute）は，**ページプリンターが1分間に印字できる枚数を表す単位**です。

問71 ラスターグラフィックス

ペイント系ソフトウェアは，紙やキャンバスに絵を描くように，コンピュータで画像を描画するソフトウェアです。作成した図は**ラスターグラフィックス**として保存されます。

×**ア** CADは，製図や設計作業に使うコンピュータシステムやソフトウェアのことです。**ラスターグラフィックスが適しているのは写真や絵画**などで，製図や設計図には向いていません。

○**イ** 正解です。**ラスターグラフィックスは，点ごとに色や明るさを変えることができ，これらの点を集めて画像を表現します。**

×**ウ** 解像度が高いほど，ファイル容量は大きくなります。

×**エ** ラスターグラフィックスで画像を拡大すると，1つ1つの点が目立つようになり，画像の輪郭にギザギザ（ジャギー）が生じます。

問72 拡張現実（AR）

×**ア** 仮想記憶に関する記述です。

○**イ** 正解です。**拡張現実**（Augmented Reality：**AR**）に関する説明です。**拡張現実（AR）は，実際に存在するものに，コンピュータが作り出す情報を重ね合わせて表示する技術**です。拡張現実の技術を利用することで，たとえば，衣料品を仮想的に試着したり，過去の建築物を3次元CGで実際の画像上に再現したりすることができます。
また，ARをさらに拡張し，ゴーグル型の端末（ヘッドマウントディスプレイ）などを使って，現実と仮想を重ね合わせた世界を体験できる技術を**複合現実**（Mixed Reality：**MR**）といいます。

×**ウ** 音声認識技術に関する記述です。音声によって，コンピュータへの命令や文字入力などを行う技術です。

×**エ** **人工知能**（Artificial Intelligence：AI）に関する記述です。人工知能（AI）は，人間のように学習，認識・理解，予測・推論などを行うコンピュータシステムや，その技術のことです。

問69

参考 ディスプレイ画面の表示では，「光の三原色」と呼ばれる，赤，緑，青の3色を組み合わせて様々な色を表現するよ。たとえば赤と緑を合わせると黄色になり，明るさの調整によって，橙色や黄緑色などの関連する色も表現でき，3色を均等に合わせた場合は白色になるよ。

問70

参考 画素数が多くて解像度が高いほど，画面の表示が精細になり，広い範囲が表示されるよ。

問71

参考 図を描くソフトウェアは「ペイント系」と「ドロー系」に大別されるよ。ドロー系では線や円などを結んで図を描き，こうして表現された図を「ベクターグラフィックス」というよ。ベクター形式では図を拡大しても，ジャギーが生じずに滑らかに表示されるよ。

問72

対策 拡張現実は，バーチャルリアリティ（Virtual Reality：VR）とよく一緒に取り上げられるよ。拡張現実は実在する世界を拡張するのに対して，バーチャルリアリティは仮想的な世界を作り出すよ。

中分類21：データベース

▶ キーワード　問73

- □ データベース管理システム（DBMS）

問73

データベース管理システムが果たす役割として，適切なものはどれか。

- ア　データを圧縮してディスクの利用可能な容量を増やす。
- イ　ネットワークに送信するデータを暗号化する。
- ウ　複数のコンピュータで磁気ディスクを共有して利用できるようにする。
- エ　複数の利用者で大量データを共同利用できるようにする。

▶ キーワード　問74

- □ 関係データベース
- □ テーブル
- □ フィールド
- □ レコード
- □ 主キー
- □ 外部キー

問74

関係データベースにおける主キーに関する記述のうち，適切なものはどれか。

- ア　主キーに設定したフィールドの値に1行だけならNULLを設定することができる。
- イ　主キーに設定したフィールドの値を更新することはできない。
- ウ　主キーに設定したフィールドは他の表の外部キーとして参照することができない。
- エ　主キーは複数フィールドを組み合わせて設定することができる。

▶ キーワード　問75

- □ インデックス
- □ 参照制約

問75

DBMSにおけるインデックスに関する記述として，適切なものはどれか。

- ア　検索を高速に使う目的で，必要に応じて設定し，利用する情報
- イ　互いに関連したり依存したりする複数の処理を一つにまとめた，一体不可分の処理単位
- ウ　二つの表の間の参照整合性制約
- エ　レコードを一意に識別するためのフィールド

問73 データベース管理システム

データベース管理システム（DataBase Management System:DBMS）は，データベースを管理・運用するためのソフトウェアです。データベースを安全かつ効率よく利用するための様々な機能を備えており，たとえば，データに矛盾が生じないようにする排他制御機能や，発生した障害を迅速に復旧するリカバリ機能などがあります。
データベース管理システムを使用すると，大量データを一元的に管理し，複数の利用者がデータの一貫性を確保しながら情報を共有できます。アクセス権を設定し，利用者によって利用できる操作を制限することもできます。よって，正解は エ です。
ア，イ，ウ はいずれもデータベース管理システムの役割ではありません。

問74 主キー

関係データベースはデータを複数の表で管理するデータベースで，表をテーブル，列（項目）をフィールド，行をレコードといいます。主キーは，テーブルの中でレコードを1件ずつ識別するためのフィールドのことです。
また，他のテーブルの主キーを参照するフィールドのことを外部キーといい，必要に応じて設定します。

社員表

社員番号	社員名	部署番号
1001	佐藤　花子	8
1002	鈴木　一郎	5
1003	高橋　二郎	4

主キー：社員番号　外部キー：部署番号（→部署表の部署番号を参照）

部署表

部署番号	部署名
4	総務
8	営業
5	製造

主キー：部署番号

× ア 「NULL」とは空白のことです。主キーを設定したフィールドには必ず値を入力し，空白にすることはできません。
× イ 主キーに設定したフィールドの値は，フィールド内で重複しない値に変えるのであれば更新できます。
× ウ 主キーであるフィールドの値は，別の表の外部キーから参照されます。
○ エ 正解です。複数フィールドを組み合わせてレコードを一意に特定できるようにして，これらの複数フィールドを主キーに設定します。たとえば，下の「成績表」では「学生番号」と「履修科目」を組み合わせると成績を特定できます。

学生表

学生番号	氏名
s12001	赤木高志
s12002	池永はるか
s12003	岡田りえ

主キー：学生番号

履修表

履修科目	科目名
T-01	財政学
T-02	会計学入門
T-03	日本経済史

主キー：履修科目

成績表

学生番号	履修科目	成績
s12001	T-01	80
s12001	T-02	65
s12002	T-01	70

主キー：学生番号＋履修科目

問75 インデックス

○ ア 正解です。DBMSにおけるインデックスとは，表内のデータを高速に検索するための設定や情報のことです。書籍の索引に当たるもので，データベースで大量のデータを格納している場合，インデックスを設定しておくことで，目的のデータを高速に検索することができます。
× イ 「複数の処理を一つにまとめた，一体不可分（分けて切り離すことができない）の処理単位」は，**トランザクション**に関する記述です。
× ウ 参照制約に関する記述です。参照制約は，テーブルの間でデータの整合性を保つための制約です。たとえば，問74の「社員表」の「部署番号」には，「部署表」の「部署番号」に存在する値しか，入力することができません。
× エ 「レコードを一意に識別するためのフィールド」は**主キー**に関する記述です。

問73

対策 データベース管理システムは「DBMS」という略称で出題されることもあるので，どちらの用語も覚えておこう。

覚えよう！ 問74

主キー といえば
- 表の中からレコードを一意に特定する項目
- 重複する値や空白をもたない

外部キー といえば
他の表の主キーを参照する項目

問75

参考 インデックスは，必要に応じて設定するものだよ。1つの表内で，複数のフィールドに設定することもできるよ。

大分類9 技術要素

▶ キーワード 問76

□ 正規化

問76

□□□

ある学校では，学生の授業履修に関する情報を，次のようなレコード形式で記録してきた。これをデータベース化するに当たり，データの重複などの問題を避けるために，レコードを分割することにした。学生は複数の授業を履修し，授業は複数の学生が履修する。さらに，どの学生も一つの授業を1回だけ履修する。このときの，最も適切な分割はどれか。

学生コード	学生名	授業コード	授業名	履修年度	成績

ア

学生コード	学生名

授業コード	授業名

学生コード	授業コード	履修年度	成績

イ

学生コード	学生名	成績

授業コード	授業名	履修年度

ウ

学生コード	学生名

授業コード	授業名

履修年度	成績

エ

学生コード	授業コード

学生名	授業名	履修年度	成績

問77

□□□

事務室が複数の建物に分散している会社で，パソコンの設置場所を管理するデータベースを作ることになった。“資産”表，“部屋”表，“建物”表を作成し，各表の関連付けを行った。新規にデータを入力する場合は，参照される表のデータが先に存在している必要がある。各表へのデータの入力順序として，適切なものはどれか。ここで，各表の下線部の項目は，主キー又は外部キーである。

資産

<u>パソコン番号</u>	<u>建物番号</u>	<u>部屋番号</u>	機種名

部屋

<u>建物番号</u>	<u>部屋番号</u>	部屋名

建物

<u>建物番号</u>	建物名

ア “資産”表 → “建物”表 → “部屋”表
イ “建物”表 → “部屋”表 → “資産”表
ウ “部屋”表 → “資産”表 → “建物”表
エ “部屋”表 → “建物”表 → “資産”表

解説

問76 表の正規化

関係データベースの表（テーブル）を作成するときには，重複するデータを取り除いて，整理された構造にするため，表を分割する**正規化**を行います。たとえば下図の「商品仕入表」を正規化して「商品一覧表」と「仕入先一覧表」に分割すると，仕入先の重複をなくすことができます。

正規化するときには，分割した表を後から結合できるように，共通の項目を設けておきます。表ごとに，表内のレコードを一意に特定できる項目（主キー）も必要です。

商品仕入表

商品No	商品名	単価	仕入先No	仕入先	連絡先
H103	ハンドタオル	300	110	市川商事	03-****-****
H104	タオル	800	110	市川商事	03-****-****
B266	エコバッグ	600	126	ナガノ物産	048-****-****
H115	ふろしき	1,000	110	市川商事	03-****-****
C317	マグカップ	250	126	ナガノ物産	048-****-****

正規化…表を分割し，重複データを取り除く

商品一覧表

商品No	商品名	単価	仕入先No
H103	ハンドタオル	300	110
H104	タオル	800	110
B266	エコバッグ	600	126
H115	ふろしき	1,000	110
C317	マグカップ	250	126

仕入先一覧表

仕入先No	仕入先	連絡先
110	市川商事	03-****-****
126	ナガノ物産	048-****-****

共通の項目によって，表の連結もできる

選択肢を確認すると，ア は，学生と授業のデータをそれぞれの表で重複せずに保存できます。また，履修年度と成績のデータも，学生コードと授業コードを組み合わせることで特定できます。イ，ウ，エ は，分割した表を結合するための項目がなく正しくありません。よって，正解は ア です。

問77 データベースの表への入力順序

問題文より，新規にデータを入力する場合は，参照される表のデータが先に存在している必要があります。各表のフィールドと関連付けを確認し，次の①，②の順序で入力します（次の図を参照）。

① “資産” 表や “部屋” 表の「建物番号」より先に，“建物” 表の「建物番号」を入力する
② “資産” 表の「部屋番号」より先に，“部屋” 表の「部屋番号」を入力する

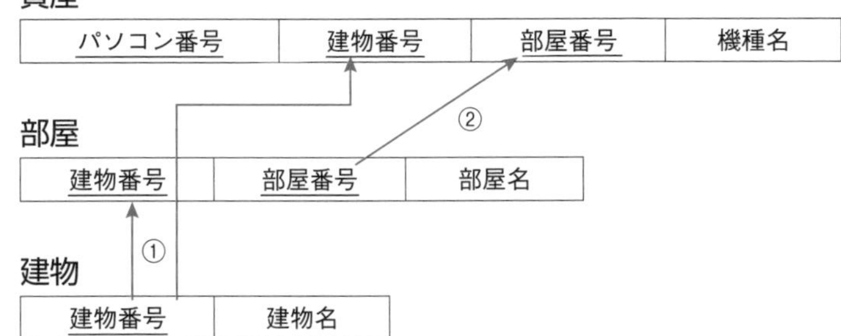

よって，データの入力順は “建物” 表 → “部屋” 表 → “資産” 表となります。よって，正解は イ です。

問76

対策 正規化を行う目的は，データの重複や矛盾を排除することによって，データベースの保守性を高めることだよ。よく出題されているので覚えておこう。

問76

対策 正規化で表を分割するときには，次の3つのポイントを覚えておこう。

- 重複するデータがないように表を分割する
- 複数の表を結合できるように，共通のフィールドを設ける
- 表ごとに，表内のレコードを一意に識別できる主キーがある

問77

対策 関係データベースの設計では，E-R図を使って，実体（人，物，場所，事象など）と実体間の関連を表現するよ。よく出題されているので覚えておこう。

▶ キーワード　問78

- □ 選択
- □ 射影
- □ 結合

問78

□□□

関係データベースで管理している“販売明細”表と“商品”表がある。ノートの売上数量の合計は幾らか。

販売明細

伝票番号	商品コード	売上数量
H001	S001	20
H001	S003	40
H002	S002	60
H002	S003	80

商品

商品コード	商品名
S001	鉛筆
S002	消しゴム
S003	ノート

ア 40　イ 80　ウ 120　エ 200

問79

□□□

関係データベースの“成績”表から学生を抽出するとき，選択される学生数が最も多い抽出条件はどれか。ここで，“%”は0文字以上の任意の文字列を表すものとする。また，数学及び国語は，それぞれ60点以上であれば合格とする。

成績

学籍番号	氏名	数学の点数	国語の点数
H001	佐藤　花子	50	90
H002	鈴木　二郎	55	70
H003	金子　一郎	90	95
H004	高橋　春子	70	55
H005	子安　三郎	95	60

ア 国語が合格で，かつ，氏名が“%子”に該当する学生

イ 国語が合格で，かつ，氏名が“子%”に該当する学生

ウ 数学，国語ともに合格の学生

エ 数学が合格で，かつ，氏名が“%子%”に該当する学生

▶ キーワード　問80

- □ トランザクション処理
- □ ログファイル

問80

□□□

データベースの処理に関する次の記述中のa，bに入れる字句の適切な組合せはどれか。

データベースに対する処理の一貫性を保証するために，関連する一連の処理を一つの単位にまとめて処理することを［ a ］といい，［ a ］が正常に終了しなかった場合に備えて［ b ］にデータの更新履歴を取っている。

	a	b
ア	正規化	バックアップファイル
イ	正規化	ログファイル
ウ	トランザクション処理	バックアップファイル
エ	トランザクション処理	ログファイル

問78 表の結合操作

関係データベースは，複数の表でデータを蓄積，管理しています。これらの表について，行（レコード）を抽出する操作を選択，列を取り出す操作を射影，複数の表を結びつけることを結合といいます。

本問の場合，「販売明細」と「商品」の表を「商品コード」で結合することができます。結合した表でノートの売上数量を確認すると，40＋80＝120になります。よって，正解は ウ です。

販売明細

伝票番号	商品コード	売上数量
H001	S001	20
H001	S003	40
H002	S002	60
H002	S003	80

商品

商品コード	商品名
S001	鉛筆
S002	消しゴム
S003	ノート

伝票番号	商品コード	商品名	売上数量
H001	S001	鉛筆	20
H001	S003	ノート	40
H002	S002	消しゴム	60
H002	S003	ノート	80

問79 データの抽出操作

× ア　氏名が「"%子"」に該当するのは「佐藤花子」「高橋春子」ですが，このうち国語が合格であるのは「佐藤花子」だけです。よって，選択される学生数は1人です。

× イ　氏名が「"子%"」に該当するのは「子安三郎」で，国語にも合格しています。よって，選択される学生数は1人です。

× ウ　数学，国語ともに合格であるのは「金子一郎」「子安三郎」です。よって，選択される学生数は2人です。

○ エ　正解です。氏名が「"%子%"」に該当するのは「佐藤花子」「金子一郎」「高橋春子」「子安三郎」ですが，このうち数学が合格であるのは「金子一郎」「高橋春子」「子安三郎」だけです。よって，**選択される学生数は3人**で，選択される学生数が最も多い抽出条件です。

問80 トランザクション処理

まず，［ a ］には，「関連する一連の処理を一つの単位にまとめて処理すること」なのでトランザクション処理が入ります。トランザクション処理は，互いに関連したり依存したりする，切り離すことのできない一連の処理を1つにまとめた処理単位のことです。データベースを更新するときには，データの整合性を保持するため，トランザクション処理を行います。

［ b ］は「データの更新履歴」を取っているものなのでログファイルです。ログファイルはデータベースで行われたレコードの更新履歴を記録したファイルで，更新前と更新後の情報が保存されています。よって，正解は エ です。

問78

対策 表の操作方法は頻出の問題だよ。「選択」「射影」「結合」という用語と，それぞれの操作方法を覚えておこう。

問78

参考 関係データベースの操作を行う言語として「SQL」があるよ。

問80

参考 ログファイルは「ジャーナルファイル」ともいうよ。トランザクション処理が正常に終了しなかった場合は，ログファイルを使ってデータベースの復旧が行われるよ。

大分類9 技術要素

▶ キーワード 問81

- □ 排他制御
- □ 同時実行制御
- □ ロック
- □ アンロック
- □ デッドロック

問81

□□□

DBMSにおいて，データへの同時アクセスによる矛盾の発生を防止し，データの一貫性を保つための機能はどれか。

ア 正規化　　イ デッドロック
ウ 排他制御　　エ リストア

▶ キーワード 問82

- □ ロールバック
- □ ロールフォワード
- □ コミット

問82

□□□

トランザクション処理におけるロールバックの説明として，適切なものはどれか。

ア あるトランザクションが共有データを更新しようとしたとき，そのデータに対する他のトランザクションからの更新を禁止すること
イ トランザクションが正常に処理されたときに，データベースへの更新を確定させること
ウ 何らかの理由で，トランザクションが正常に処理されなかったときに，データベースをトランザクション開始前の状態にすること
エ 複数の表を，互いに関係付ける列をキーとして，一つの表にすること

▶ キーワード 問83

- □ レプリケーション

問83

□□□

DBMSにおいて，あるサーバのデータを他のサーバに複製し，同期をとることで，可用性や性能の向上を図る手法のことを何というか。

ア アーカイブ　　イ ジャーナル
ウ 分散トランザクション　　エ レプリケーション

解説

問81 排他制御

×ア　**正規化**は，関係データベースを構築する際，データの重複がなく，整理されたデータ構造の表を作成することです。

×イ　**デッドロック**は，**複数のプロセスが共通の資源を排他的に利用する場合に，お互いに相手のプロセスが占有している資源が解放されるのを待っている状態**のことです。たとえば処理Aが資源xを占有し，処理Bが資源yを占有している場合，処理Aは資源yの解放を，処理Bは資源xの解放を待ち続けます。

○ウ　正解です。**排他制御**は，DBMSで**データ更新などの操作中，別の利用者が同じデータを使用するのを制限して，データの整合性を保持する機能**です。利用者がデータを更新しているとき，別の利用者も同じデータを更新しようとすると，誤った値に更新されてしまうおそれがあります。こういったことを防ぐため，**ロックをかけて別の利用者がデータを利用するのを制限します**。また，**ロックを解放することをアンロック**といいます。

×エ　**リストア**は，バックアップしたデータを使って，もとの状態に復旧することです。

問82 ロールバック

×ア　**排他制御機能**の説明です。

×イ　**コミット**の説明です。トランザクション処理において**コミットは，トランザクションが成功したとき，データベースの更新を確定すること**です。

○ウ　正解です。トランザクション処理における**ロールバック**の説明です。トランザクションが正常に処理されなかったとき，**ロールバックは，更新前ログを使って，そのトランザクションが行われる前の状態に戻します**。なお，データベースを復旧する方法には**ロールフォワード**もあります。**バックアップファイルで一定の時点まで復元した後，更新後ログを使って，障害が発生する直前の状態まで戻します**。
ロールバックは**バックワードリカバリ**，ロールフォワードは**フォワードリカバリ**ともいいます。

×エ　複数の表を「キー」と呼ぶ列を介して1つの表にすることは，表の結合についての説明です。

問83 レプリケーション

×ア　**アーカイブ**は，複数のファイルを1つにまとめる処理のことです。まとめたファイルを指すこともあります。

×イ　**ジャーナル**は，**ジャーナルファイル（ログファイル）に記録されている更新前後の情報（ログ）**のことです。

×ウ　**分散トランザクション**は，1つのトランザクション処理を，ネットワークでつながっている複数のコンピュータで実行する方式です。

○エ　正解です。**レプリケーション**は，**別のサーバにデータの複製を作成し，同期をとる機能**です。もとのサーバに障害が起きても別サーバで運用を継続することができ，もとのサーバと別のサーバで処理を分散させることもできます。

問81
参考 排他制御は，トランザクション処理におけるデータベースの整合性を維持するための機能だよ。

問81
対策 排他制御は「同時実行制御」ともいわれるよ。シラバスでは「同時実行制御（排他制御）」と記載されているので，どちらの用語も覚えてこう。

問82
参考 更新前ログや更新後ログは，ログファイルに記録されている情報のことだよ。

問83
対策 レプリケーション（Replication）は，複製という意味だよ。

中分類22：ネットワーク

▶ キーワード 問84

- WAN
- LAN
- インターネット
- イントラネット
- Wi-Fi

問84 WANの説明として，最も適切なものはどれか。

ア インターネットを利用した仮想的な私的ネットワークのこと
イ 国内の各地を結ぶネットワークではなく，国と国を結ぶネットワークのこと
ウ 通信事業者のネットワークサービスなどを利用して，本社と支店のような地理的に離れた地点間を結ぶネットワークのこと
エ 無線LANで使われるIEEE 802.11規格対応製品の普及を目指す業界団体によって，相互接続性が確認できた機器だけに与えられるブランド名のこと

▶ キーワード 問85

- 広域イーサネット
- IP-VPN
- PoE
- VLAN

問85 通信事業者が自社のWANを利用して，顧客の遠く離れた複数拠点のLAN同士を，ルーターを使用せずに直接相互接続させるサービスはどれか。

ア VLAN
イ PoE（Power over Ethernet）
ウ インターネット
エ 広域イーサネット

▶ キーワード 問86

- ESSID
- アクセスポイント
- LTE

問86 無線LANのネットワークを識別するために使われるものはどれか。

ア Bluetooth　イ ESSID　ウ LTE　エ WPA2

▶ キーワード 問87

- テザリング
- アドホックモード

問87 無線LANに関する記述として，適切なものだけを全て挙げたものはどれか。

a ESSIDは，設定する値が無線LANの規格ごとに固定値として決められており，利用者が変更することはできない。
b 通信規格の中には，使用する電波が電子レンジの電波と干渉して，通信に影響が出る可能性のあるものがある。
c テザリング機能で用いる通信方式の一つとして，使用されている。

ア a　イ a，b　ウ b，c　エ c

解説

問84 ネットワークの種類

× ア VPN（Virtual Private Network）の説明です。VPNは，公衆ネットワークなどを利用して構築された，専用ネットワークのように使える仮想的なネットワークのことです。また，インターネットは，世界各地のネットワークを結んだ，世界規模のネットワークのことです。

× イ WANは，「国内の各地を結ぶネットワーク」と「国と国を結ぶネットワーク」を区別したものではありません。

○ ウ 正解です。WAN（Wide Area Network）の説明です。WANは電話回線や専用回線を使って，本社と支店間のような地理的に離れたLAN同士を結んだネットワークのことです。WANに対して，同じ建物や敷地内など，限定された範囲のコンピュータを結んだネットワークをLAN（Local Area Network）といいます。

× エ Wi-Fiの説明です。Wi-FiはIEEE 802.11伝送規格に準拠し，無線LAN対応製品について相互接続性が認証されていることを示すブランドです。

問84

参考 インターネットの技術を利用して構築された組織内ネットワークを「イントラネット」というよ。

問85 広域イーサネット

× ア VLAN（Virtual LAN）は，実際の接続形態とは別に，機器をグループ化して仮想的なLANを構築する技術です。

× イ PoE（Power Over Ethernet）はLANケーブルを通して，ネットワーク機器に電力を供給する技術です。

× ウ インターネットは，世界中のネットワークを相互に接続した通信網のことです。

○ エ 正解です。広域イーサネットは，通信事業者のWANを利用して，地理的に離れたLAN同士を，ルーターを使用せずに直接相互接続させるサービスです。

問85

参考 広域イーサネットに似たサービスに「IP-VPN」があるよ。IP-VPNはインターネットで用いているのと同じネットワークプロトコルを使って，地理的に離れたLAN同士を接続させるよ。広域イーサネットはルーターを使用しないけど，IP-VPNはルーターを使うよ。

問86 ESSID

× ア Bluetoothは無線通信のインタフェースです。電波を使って，パソコンとプリンター，スマートフォンなどを無線で接続することができます。

○ イ 正解です。ESSIDは無線LANでネットワークを識別する文字列（識別子）です。無線LANを使うとき，接続するアクセスポイントをESSIDで識別します。

× ウ LTEは，スマートフォンや携帯電話などで使われている，データ通信技術の名称です。携帯電話の無線通信規格にはLTEや3G（第3世代の通信規格）などがあり，LTEは3Gをさらに高速化させたものです。

× エ WPA2は無線LANの暗号化方式です。端末とアクセスポイントとの間で通信するデータを暗号化します。

アクセスポイント 問86

ノートPCやスマートフォンなどの無線端末をネットワークに接続するときの接続先となる機器や場所のこと。

問87 無線LAN

a～cの記述について，適切かどうかを確認すると，次のようになります。

× a ESSIDは無線LANのネットワークの識別子で，利用者（ネットワークの管理者）が変更することができます。

○ b 適切です。電子レンジと同じ周波数帯を使う無線LANでは，電波が干渉して，接続できなかったり，通信速度が遅くなったりすることがあります。

○ c 適切です。テザリング機能は，スマートフォンや携帯電話などを介して，パソコンやタブレット，ゲーム機などをインターネットに接続する機能です。

よって，正解は ウ です。

問87

参考 無線LANには，アクセスポイントを経由しないで，端末同士が1対1で通信を行うモード（アドホックモード）もあるよ。

大分類9 技術要素

▶ キーワード 問88

- □ルーター
- □リピータ
- □ブリッジ
- □アナログモデム
- □パケット
- □ルーティング機能

問88

ルーターの説明として，適切なものはどれか。

ア LANと電話回線を相互接続する機器で，データの変調と復調を行う。
イ LANの端末を相互接続する機器で，受信データのMACアドレスを解析して宛先の端末に転送する。
ウ LANの端末を相互接続する機器で，受信データを全ての端末に転送する。
エ LANやWANを相互接続する機器で，受信データのIPアドレスを解析して適切なネットワークに転送する。

▶ キーワード 問89

- □デフォルトゲートウェイ
- □ネットワークインタフェースカード
- □ハブ
- □ポートリプリケータ

問89

あるネットワークに属するPCが，別のネットワークに属するサーバにデータを送信するとき，経路情報が必要である。PCが送信相手のサーバに対する特定の経路情報をもっていないときの送信先として，ある機器のIPアドレスを設定しておく。この機器の役割を何と呼ぶか。

ア デフォルトゲートウェイ　イ ネットワークインタフェースカード
ウ ハブ　エ ファイアウォール

▶ キーワード 問90

- □ハブ
- □スター型
- □バス型
- □リング型
- □メッシュ型

問90

ハブと呼ばれる集線装置を中心として，放射状に複数の通信機器を接続するLANの物理的な接続形態はどれか。

ア スター型　イ バス型
ウ メッシュ型　エ リング型

解説

問88 ルーター

×ア アナログモデムの説明です。アナログモデムはアナログ信号とデジタル信号を変換する機器で，データを変換することを変調や復調といいます。
×イ ブリッジの説明です。ブリッジはLANの端末同士を接続する機器で，MACアドレスをもとに，もう一方のLANの端末にデータを流すかどうかを判断します。
×ウ リピータの説明です。リピータは伝送距離を延長するため，受信した信号を増幅して送り出す機器です。
○エ 正解です。ルーターの説明です。ルーターはLANやWANを接続する機器で，パケットに含まれるIPアドレスをもとに，送信先までの最適な経路を選択してパケットを転送します。

問89 デフォルトゲートウェイ

○ア 正解です。デフォルトゲートウェイは，所属しているネットワークの内部から，別のネットワークに通信するとき，出入り口の役割を果たすものです。同じネットワーク内のPCからPCには，直接，データを送ることができますが，別のネットワークにはデフォルトゲートウェイを経由して送信します。一般的には，ルーターがデフォルトゲートウェイの役割を果たします。
×イ ネットワークインタフェースカード（Network Interface Card）は，ネットワークに接続するため，PCなどに装着する機器です。LANカードやNICなどともいいます。
×ウ ハブは，コンピュータなどの機器をネットワークに接続する集線装置です。LANケーブルの差込み口（LANポート）が複数あり，そこにケーブルを差し込むことで，ネットワークに接続する機器の台数を増やすことができます。
×エ ファイアウォールは，インターネットと組織のネットワークとの間に設置し，外部からの不正な侵入を防ぐものです。

問90 LANの接続形態

○ア 正解です。スター型は，「ハブ」と呼ぶ集線装置を中心として，放射線状に通信機器を接続する形態です。
×イ バス型は，1本のケーブルに通信機器を接続する形態です。
×ウ メッシュ型は，網の目状に通信機器を接続する形態です。
×エ リング型は，リング状に通信機器を接続する形態です。

スター型

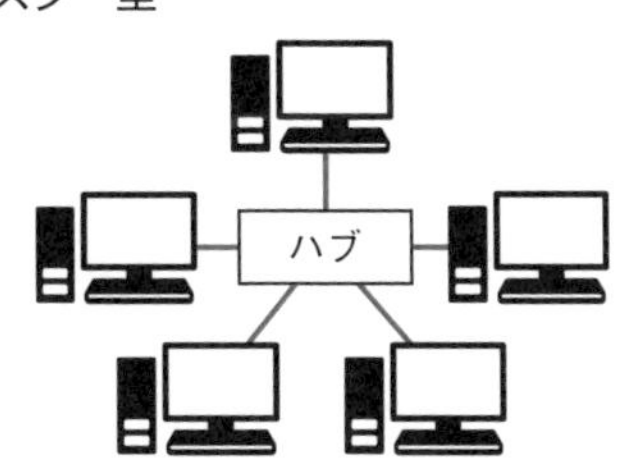

バス型

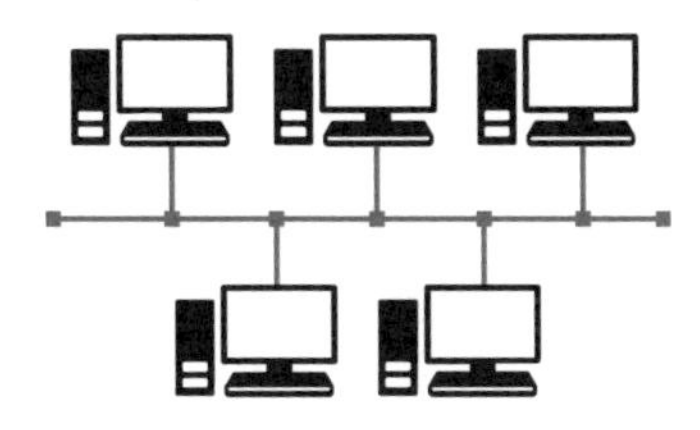

メッシュ型

リング型

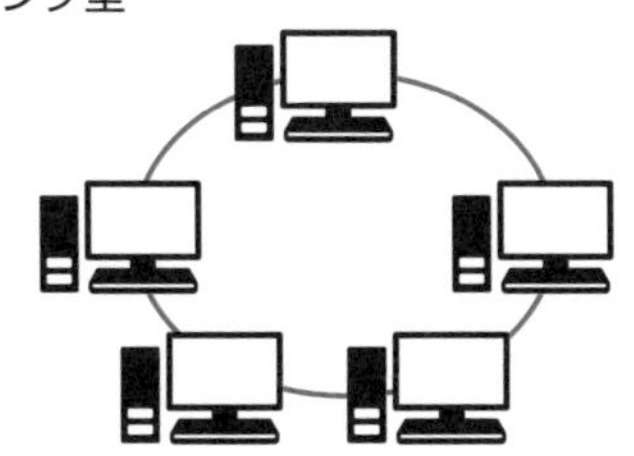

合格のカギ

パケット 問88

ネットワークで通信するデータを一定の大きさに分割したもの。各パケットには，宛先，分割した順序などを記した情報も付加されている。

問88

参考 パケットの送信先までの最適な経路を選ぶことを「ルーティング機能」というよ。

問89

参考 LANやHDMIなど，複数種類の差込み口を備え，ノートPCやタブレットなどに取り付ける拡張機器を「ポートリプリケータ」というよ。

▶ キーワード 問91

□ プロトコル

問91

通信プロトコルに関する記述のうち，適切なものはどれか。

ア アナログ通信で用いられる通信プロトコルはない。

イ 国際機関が制定したものだけであり，メーカが独自に定めたものは通信プロトコルとは呼ばない。

ウ 通信プロトコルは正常時の動作手順だけが定義されている。

エ メーカやOSが異なる機器同士でも，同じ通信プロトコルを使えば互いに通信することができる。

▶ キーワード 問92

□ SMTP
□ POP3
□ IMAP

問92

図のメールの送受信で利用されるプロトコルの組合せとして，適切なものはどれか。

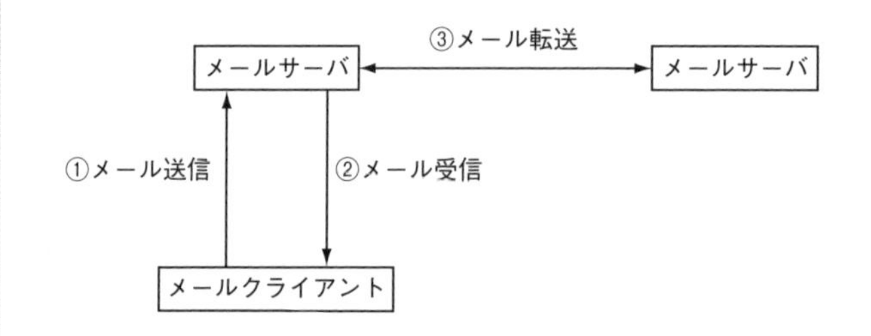

	①	②	③
ア	POP3	POP3	POP3
イ	POP3	SMTP	POP3
ウ	SMTP	POP3	SMTP
エ	SMTP	SMTP	SMTP

▶ キーワード 問93

□ ポート番号
□ MACアドレス
□ スイッチングハブ

問93

インターネットのプロトコルで使用されるポート番号の説明として，適切なものはどれか。

ア コンピュータやルーターにおいてEthernetに接続する物理ポートがもつ固有の値

イ スイッチングハブにおける物理的なポートの位置を示す値

ウ パケットの送受信においてコンピュータやネットワーク機器を識別する値

エ ファイル転送や電子メールなどのアプリケーションごとの情報の出入口を示す値

問91 プロトコル

ネットワーク上でコンピュータ同士がデータをやり取りするときの取決め（通信規約）のことをプロトコル（通信プロトコル）といいます。コンピュータ間でデータをやり取りするときは，あらかじめ双方でプロトコルを決めておく必要があります。

×ア　アナログ通信で使われる通信プロトコルもあります。
×イ　国際機関が制定したプロトコルだけでなく，業界標準やメーカが独自に定めた通信プロトコルもあります。
×ウ　通信時にエラーが発生した場合の回復手順なども定義されています。
○エ　正解です。同じ通信プロトコルを使えば，メーカやOSが異なる機器同士でも，互いに通信することができます。

問91

対策 数多くのプロトコルがあり，試験では次のプロトコルが出題されているので覚えておこう。

・NTP
時刻の同期

・FTP
ファイルの転送

・HTTP
Webサーバとブラウザ間の通信

・HTTPS　SSL/TLS
Webサーバとブラウザ間の暗号化通信

・MIME
添付ファイルを電子メールで送る

・MIME/S
MIMEにセキュリティ機能を追加したもの

問92 メールで使用されるプロトコル

電子メールの送受信では，SMTPとPOP3というプロトコルが使われます。

SMTP（Simple Mail Transfer Protocol）
電子メールの送信や，メールサーバ間でのメールの転送に使われるプロトコル

POP3（Post Office Protocol Version 3）
届いたメールを，メールサーバから読み出すときに使われるプロトコル

問題の図を見ると①はSMTP，②はPOP3，③はSMTPとなります。したがって，正解はウです。

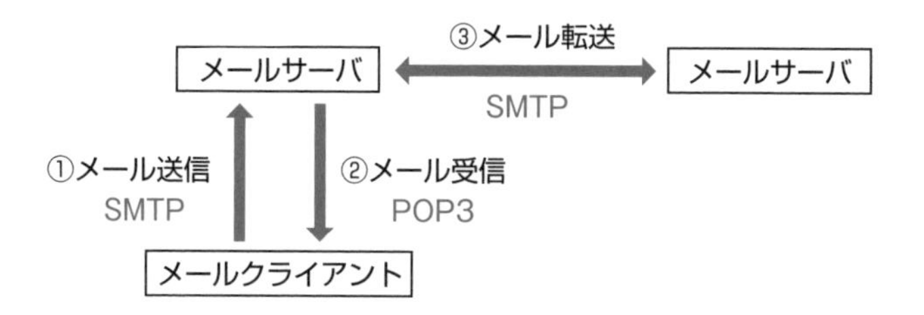

問92

参考 電子メールの受信に使われるプロトコルとしてPOP3とIMAPがあるよ。POP3は，PCやスマートフォンの端末ごとに，メールをダウンロードして管理するよ。IMAPでは，メールサーバ上でメールを保管し管理するので，どの端末からでも同一の状態でメールを扱えるよ。

問93 ポート番号

×ア　MACアドレスの説明です。MACアドレスはネットワークに接続する機器に個別に付けられている番号で，LAN内で機器を識別するのに使用されます。機器を製造するとき1台1台に異なる番号が割り振られ，世界中で同じ番号をもつ製品は存在しません。
×イ　スイッチングハブのLANケーブルの差込み口（LANポート）に付けられている値の説明です。スイッチングハブは，パケットを転送する機能をもったハブのことです。
×ウ　IPアドレスの説明です。
○エ　正解です。ポート番号の説明です。ポート番号は，インターネットでデータをやり取りするとき，各アプリケーションの情報の出入り口を示す値です。通信先のコンピュータをIPアドレスで特定し，そこで稼働しているアプリケーションをポート番号で識別します。一般的に使用されるポート番号には，HTTPプロトコル「80」，SMTPプロトコル「25」，POP3プロトコル「110」などがあります。

大分類9 技術要素

▶ キーワード 問94

□ IPアドレス
□ グローバルIPアドレス
□ プライベートIPアドレス

問94

□□□

IPアドレスに関する記述のうち，適切なものはどれか。

ア 192.168.1.1のように4バイト表記のIPアドレスの数は，地球上の人口（約70億）よりも多い。
イ IPアドレスは，各国の政府が管理している。
ウ IPアドレスは，国ごとに重複のないアドレスであればよい。
エ プライベートIPアドレスは，同一社内などのローカルなネットワーク内であれば自由に使ってよい。

▶ キーワード 問95

□ DNS

問95

□□□

DNSの説明として，適切なものはどれか。

ア インターネット上で様々な情報検索を行うためのシステムである。
イ インターネットに接続された機器のホスト名とIPアドレスを対応させるシステムである。
ウ オンラインショッピングを安全に行うための個人認証システムである。
エ メール配信のために個人のメールアドレスを管理するシステムである。

▶ キーワード 問96

□ URL

問96

□□□

インターネットでURLが“http://srv01.ipa.go.jp/abc.html”のWebページにアクセスするとき，このURL中の“srv01”は何を表しているか。

ア “ipa.go.jp”がWebサービスであること
イ アクセスを要求するWebページのファイル名
ウ 通信プロトコルとしてHTTP又はHTTPSを指定できること
エ ドメイン名“ipa.go.jp”に属するコンピュータなどのホスト名

問94 IPアドレス

IPアドレスは，ネットワークに接続しているコンピュータや通信機器などに割り振られる識別番号です。ネットワーク上での住所に当たるもので，1台1台に重複しない番号が付けられます。

× ア 「192.168.1.1」といった表記のIPアドレスをIPv4といいます。nビットで表現可能なデータ数は2^n通りです。IPv4では，32ビットでIPアドレスを表現するため，使用可能な数は2^{32}＝約43億個です。
× イ IPアドレスの管理はIPアドレス管理団体が行っています。国や地域ごとに分かれていて，たとえば，日本国内のIPアドレスは「JPNIC」(Japan Network Information Center) という団体が管理しています。
× ウ インターネットに接続するコンピュータや通信機器には，国に関係なく，世界中で異なるIPアドレスを割り振る必要があります。
○ エ 正解です。プライベートIPアドレスは，LANなどの組織内のネットワークだけで有効なIPアドレスのことです。対して，インターネットで有効なIPアドレスをグローバルIPアドレスといいます。

問95 DNS

DNS (Domain Name System) は，IPアドレスとドメイン名を対応付けて，管理する仕組みのことです。この機能をもつサーバをDNSサーバといいます。

インターネットに接続しているコンピュータには，1台1台異なる番号のIPアドレスが割り振られています。また，ドメイン名は，数字の羅列であるIPアドレスを，人間が扱いやすいような文字に置き換えたものです。Webブラウザや電子メールで接続先や宛先を指定するとき，IPアドレスではなく，ドメイン名で利用できるのは，DNSの働きによるものです。ホスト名は，インターネットに接続しているコンピュータに付けられている名前で，ドメイン名を構成するものです。よって，正解はイです。

問96 URL

URLは，インターネット上に存在する文書や画像，音声などの情報資源がどこにあるかを示すものです。URLの構造は，次の通りです。

http://srv01. ipa.go.jp / abc.html

http://	srv01.	ipa.go.jp	/ abc.html
プロトコル	ホスト名	ドメイン名	ファイル名

× ア 「ipa.go.jp」はドメイン名です。ドメイン名はインターネット上でネットワークを識別するための名称です。インターネット上の住所に当たるもので，IPアドレスと対応付けて使われます。
× イ アクセスを要求するWebページのファイル名は「abc.html」です。
× ウ 通信プロトコルにHTTPを使った場合は「http」，HTTPSを使った場合は「https」になります。なお，HTTPSは，HTTPにSSLの暗号化通信機能を付加したものです。
○ エ 正解です。「srv01」はドメイン名に属するコンピュータなどに付けられたホスト名です。ホスト名は同じネットワーク内にあるコンピュータを識別するための名称です。たとえば「https://www.impress.co.jp/index.html」のように，よく使われているホスト名に「www」があります。

問94

参考 IPv4で使えるIPアドレスは約43億個あるけど，インターネットの利用増加によって足りなくなった。そこで，IPアドレス不足を解消するため，128ビットに増やしたIPv6の導入が図られ，使用可能な数は約340澗(かん)（340兆の1兆倍の1兆倍）個と無限に近いよ。

問94

対策 組織内のネットワークをインターネットに接続する際，プライベートIPアドレスとグローバルIPアドレスを相互変換する機能を「NAT」というよ。頻出の用語なので覚えておこう。

問95

参考 ネットワークに接続するコンピュータに，IPアドレスなどの必要な情報を自動的に割り当てる仕組みやプロトコルを「DHCP」(Dynamic Host Configuration Protocol)というよ。そして，この機能をもつサーバを「DHCPサーバ」と呼ぶよ。

▶ キーワード 問97

□ メーリングリスト

問97

あらかじめ定められた多数の人に同報メールを送る際，送信先の指定を簡易に行うために使われるものはどれか。

ア bcc　　イ メーリングリスト
ウ メール転送　　エ メールボックス

▶ キーワード 問98

□ to
□ cc
□ bcc

問98

AさんはBさんにメールを送る際に“cc”にCさんを指定，“bcc”にDさんとEさんを指定した。このときの説明として，適切なものはどれか。

ア Bさんは，AさんからのメールがDさんとEさんに送られているのは分かる。
イ Cさんは，AさんからのメールがDさんとEさんに送られているのは分かる。
ウ Dさんは，AさんからのメールがEさんに送られているのは分かる。
エ Eさんは，AさんからのメールがCさんに送られているのは分かる。

▶ キーワード 問99

□ Webメール

問99

Webメールに関する記述①～③のうち，適切なものだけを全て挙げたものはどれか。

① Webメールを利用して送られた電子メールは，Webブラウザでしか閲覧できない。
② 電子メールをPCにダウンロードして保存することなく閲覧できる。
③ メールソフトの代わりに，Webブラウザだけあれば電子メールの送受信ができる。

ア ①，②　　イ ①，②，③　　ウ ①，③　　エ ②，③

▶ キーワード 問100

□ RSS

問100

ブログやニュースサイト，電子掲示板などのWebサイトで，効率の良い情報収集や情報発信を行うために用いられており，ページの見出しや要約，更新時刻などのメタデータを，構造化して記述するためのXMLベースの文書形式を何と呼ぶか。

ア API　　イ OpenXML
ウ RSS　　エ XHTML

問97 メーリングリスト

× ア　bccは，本来の宛先（to）以外にも同じメールを送信するときに使うもので，送信先を知られることなく複数の相手に送信できます。

○ イ　正解です。1つのメールアドレスを指定するだけで，**メーリングリスト**に登録している複数のユーザーにメールを同時に送信できます。メールを送るユーザーが決まっている場合に適した方法です。

× ウ　メール転送は，送信されてきたメールを別のアドレスに転送するときに使います。

× エ　メールボックスは，受信したメールを貯めておく場所のことです。

問98 メールのccやbcc

ccやbccを指定すると，本来の宛先（to）以外にも，メールを同時に送信できます。**toやccに指定したメールアドレスは，メールの受信者全員に公開されます**。そして，その公開されたメールアドレスを見れば，誰が受け取ったのかがわかります。一方，**bccに指定したメールアドレスは，他の受信者に公開されません。**

本問では，Dさん，Eさんには“bcc”でメールが送信されています。そのため，Dさん，Eさんにメールが送られているのがわかるのは，送信者のAさんだけで，他の人はわかりません。よって，ア，イ，ウは正しくありません。また，Cさんには“cc”でメールが送信されているので，メールを受信した人は全員，Cさんにメールが送られていることがわかります。よって，正解はエです。

問99 Webメール

Webメールは，**Webブラウザ上から操作できるメールサービス**のことです。Webブラウザが動作し，インターネットに接続できるPCがあれば，電子メール機能を利用することができます。Webメールに関する記述①～③について，適切かどうかを判断すると，次のようになります。

× ①　Webメールを利用して送られてきた電子メールは，メールソフトでも受信して閲覧することができます。

○ ②　適切です。メールのデータは，Webメールのサービス提供者のサーバで管理されています。そのため，電子メールをPCにダウンロードして保存しなくても閲覧できます。

○ ③　適切です。Webブラウザがあれば，メールソフトの代わりにWebメールを使って電子メールを送受信することができます。

適切なものは②と③です。よって，正解はエです。

問100 RSS

× ア　API（Application Programming Interface）は，ソフトウェアを開発するときに使用できる，あらかじめOSに用意されている命令や関数です。規約に従って呼び出すだけで特定の機能が利用できるため，プログラミングの手間が省けます。

× イ　Open XMLは，マイクロソフト社がthe 2007 Office system（Word 2007やExcel 2007など）で採用したXMLベースの標準ファイル形式です。

○ ウ　正解です。**RSS**は，Webサイトの見出しや要約などのメタデータを記述するためのXMLベースのファイル形式で，ブログやニュースサイト，電子掲示板などで用いられています。

× エ　**XHTML**（eXtensible HyperText Markup Language）はマークアップ言語の1つで，HTMLをXMLの文法に適合するように再定義したものです。

合格のカギ

問98

対策 不特定多数の人にメールを送る際，受信者間でメールアドレスがわからないようにするには，全員をbccに指定して送信するよ。

問98

参考 ccはカーボンコピー，bccはブラインドカーボンコピーの略だよ。

問99

参考 Webメールの代表的なものにGmailやYahoo!メールなどがあるよ。

問100

参考 メタデータとはデータの定義情報のことだよ。たとえば，データの作成日時や作成者，データ形式，タイトル，注釈などだよ。

問100

参考 RSSのデータを提供しているWebページには，フィードアイコン（下図）が表示されていることがあるよ。

大分類9 技術要素

▶ キーワード 問101

- □ Cookie
- □ CGI
- □ オンラインストレージ

問101

Webサーバに対するアクセスがどのPCからのものであるかを識別するために，Webサーバの指示によってブラウザに利用者情報などを保存する仕組みはどれか。

ア CGI
イ Cookie
ウ SSL
エ URL

▶ キーワード 問102

- □ キャリアアグリゲーション
- □ FTTH
- □ ハンドオーバー
- □ ローミング

問102

複数の異なる周波数帯の電波を束ねることによって，無線通信の高速化や安定化を図る手法はどれか。

ア FTTH
イ ローミング
ウ キャリアアグリゲーション
エ ハンドオーバー

▶ キーワード 問103

- □ 仮想移動体通信事業者（MVNO）
- □ SIMカード
- □ eSIM

問103

仮想移動体通信事業者（MVNO）が行うものとして，適切なものはどれか。

ア 移動体通信事業者が利用する移動体通信用の周波数の割当てを行う。
イ 携帯電話やPHSなどの移動体通信網を自社でもち，自社ブランドで通信サービスを提供する。
ウ 他の事業者の移動体通信網を借用して，自社ブランドで通信サービスを提供する。
エ 他の事業者の移動体通信網を借用して通信サービスを提供する事業者のために，移動体通信網の調達や課金システムの構築，端末の開発支援サービスなどを行う。

▶ キーワード 問104

- □ パケット交換方式
- □ 回線交換方式

問104

通信方式に関する記述のうち，適切なものはどれか。

ア 回線交換方式は，適宜，経路を選びながらデータを相手まで送り届ける動的な経路選択が可能である。
イ パケット交換方式はデジタル信号だけを扱え，回線交換方式はアナログ信号だけを扱える。
ウ パケット交換方式は複数の利用者が通信回線を共有できるので，通信回線を効率良く使用することができる。
エ パケット交換方式は無線だけで利用でき，回線交換方式は有線だけで利用できる。

解説

問101 Cookie

× ア　CGIは，Webサーバと外部プログラムが連携し，動的にWebページを生成する仕組みです。
○ イ　正解です。Cookie（クッキー）は，Webサイトにアクセスした際，訪問者のコンピュータにファイルを保存する仕組みです。保存したファイルは，Webサイトにアクセスしたコンピュータを識別するのに利用されます。
× ウ　SSLは，インターネット上で情報を暗号化して送受信する仕組みのことです。
× エ　URLは，インターネット上にある情報の所在地を示すものです。

問102 キャリアアグリゲーション

× ア　FTTH（Fiber to the Home）は，通信業者の基地局から家庭までを光ファイバケーブルで結んだ通信サービスです。
× イ　ローミングは，契約している通信事業者のサービスエリア外でも，他の事業者の設備によってサービスを利用できるようにすることや，このようなサービスのことです。
○ ウ　正解です。キャリアアグリゲーションは，複数の異なる周波数帯の電波を束ねることによって，無線でのデータ通信の高速化や安定化を図る技術です。
× エ　ハンドオーバーは，携帯電話などで通信しながら移動しているときに，交信する基地局が切り替わる動作のことです。

問103 仮想移動体通信事業者（MVNO）

× ア　移動体通信事業者が利用するモバイル通信網の周波数の割当ては，総務省が行います。
× イ　移動体通信事業者（MNO）が行うものです。MNOは「Mobile Network Operator」の略で，主なMNOには，NTTドコモやKDDIなどがあります。
○ ウ　正解です。仮想移動体通信事業者（MVNO）は，自社ではモバイル回線網をもたず，他の事業者のモバイル回線網で，自社ブランドで通信サービスを提供する事業者です。MVNOは「Mobile Virtual Network Operator」の略です。
× エ　仮想移動体サービス提供者（MVNE）が行うものです。仮想移動体通信事業者のために，モバイル回線網の調達や課金システムの構築，端末の開発支援サービスなどを行う事業者です。MVNEは「Mobile Virtual Network Enabler」の略です。

問104 通信方式

通信方式には，大きく分けると「回線交換方式」と「パケット交換方式」の2種類があります。回線交換方式は，通信相手との間に1対1で接続する回線を確保し，通信中は回線を占有します。一方，パケット交換方式は，データを「パケット」という一定の大きさに分割し，宛先や分割した順序などを記した情報を付加して送り出します。

パケット交換方式 概念図

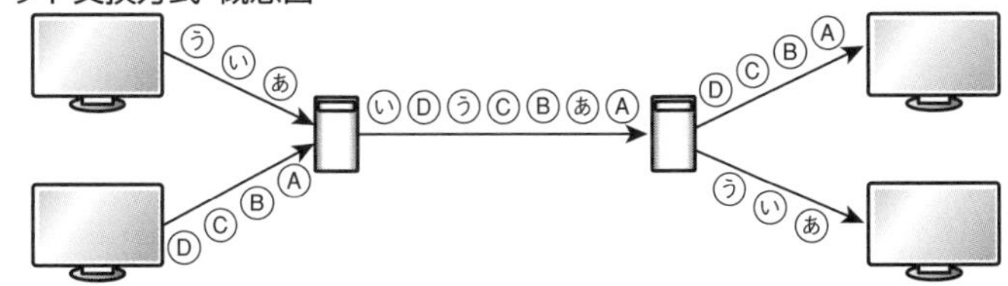

× ア　パケット交換方式に関する記述です。
× イ　回線交換方式は，アナログ信号とデジタル信号のどちらも扱えます。
○ ウ　正解です。パケット交換方式では，複数の利用者が通信回線を共有できるので，通信回線を効率よく使用することができます。
× エ　どちらの方式も，無線，有線のどちらでも利用できます。

合格のカギ

問101

参考 インターネット上でファイルを保存できる領域やそのサービスのことを「オンラインストレージ」というよ。

問103

参考 MVNOは，格安SIMのサービスを提供している事業者だよ。

問103

参考 スマートフォンなどの携帯端末に差し込んで使用する，電話番号や契約者IDなどが記録されたものを「SIMカード」というよ。
また，SIMカードの一種で，端末にあらかじめ埋め込まれているものを「eSIM」というよ。利用者が自分で契約者情報などを書き換えることができ，一般のSIMカードのように端末から抜き差しすることはないよ。

問104

参考 回線交換方式の代表的なものは電話だよ。パケット交換方式は，インターネットでのデータ通信で広く利用されているよ。

中分類23：セキュリティ

▶ キーワード 問105

- □ 情報セキュリティ
- □ 情報資産
- □ 情報セキュリティマネジメントシステム
- □ ISMS
- □ PDCAサイクル

問105

□□□

情報セキュリティマネジメントシステム（ISMS）のPDCA（計画・実行・点検・処置）において，処置フェーズで実施するものはどれか。

ア ISMSの維持及び改善
イ ISMSの確立
ウ ISMSの監視及びレビュー
エ ISMSの導入及び運用

問106

□□□

組織の活動に関する記述a～dのうち，ISMSの特徴として，適切なものだけを全て挙げたものはどれか。

a 一過性の活動でなく改善と活動を継続する。
b 現場が主導するボトムアップ活動である。
c 導入及び活動は経営層を頂点とした組織的な取組みである。
d 目標と期限を定めて活動し，目標達成によって終了する。

ア a，b　　イ a，c　　ウ b，d　　エ c，d

▶ キーワード 問107

- □ 情報セキュリティ基本方針
- □ 情報セキュリティ対策基準
- □ 情報セキュリティ実施手順

問107

□□□

組織で策定する情報セキュリティポリシーに関する記述のうち，最も適切なものはどれか。

ア 情報セキュリティ基本方針だけでなく，情報セキュリティに関する規則や手順の策定も経営者が行うべきである。
イ 情報セキュリティ基本方針だけでなく，情報セキュリティに関する規則や手順も社外に公開することが求められている。
ウ 情報セキュリティに関する規則や手順は組織の状況にあったものにすべきであるが，最上位の情報セキュリティ基本方針は業界標準の雛形（ひな）をそのまま採用することが求められている。
エ 組織内の複数の部門で異なる情報セキュリティ対策を実施する場合でも，情報セキュリティ基本方針は組織全体で統一させるべきである。

問105 情報セキュリティマネジメントシステム（ISMS）

情報セキュリティは，企業や組織が保有する**情報資産（顧客情報や営業情報，人事情報など）の安全を確保，維持すること**です。ネットワーク社会において，情報の漏えいや紛失などの事故を防ぐには，情報セキュリティが欠かせません。

情報セキュリティマネジメントシステム（Information Security Management System）は情報セキュリティを確保，維持する取組みで，綴りの頭文字から**ISMS**ともいいます。**PDCAサイクル**はPlan（計画）→Do（実行）→Check（点検・評価）→Act（処置・改善）を繰り返して管理・運営を行う手法で，ISMSでの取組みは下図の通りです。出題の処置フェーズはPDCAの「Act」にあたり，ISMSの維持及び改善を行います。よって，正解は ア です。

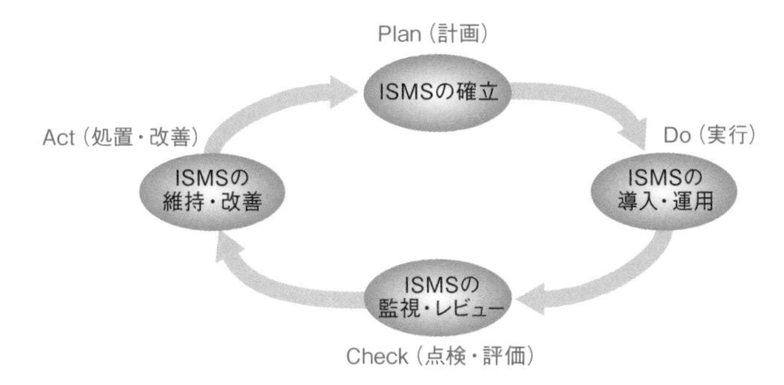

問106 ISMSの特徴

記述a～dについてISMSの特徴として適切かどうかを判定すると，**ISMSはPDCAサイクルを用いて継続的に行う活動**なので，aは適切ですが，dは適切ではありません。また，**ISMSは経営陣を頂点とした組織的な取組み**であることから，cは適切ですが，bは適切ではありません。適切な組合せはaとcなので，よって正解は イ です。

問107 情報セキュリティポリシー

情報セキュリティポリシーは，**組織における情報セキュリティの方針や行動指針を明確にしたもの**です。構成や名称に正確な決まりはありませんが，一般的に次の3つの文書で構成し，このうちの「情報セキュリティ基本方針」と「情報セキュリティ対策基準」を情報セキュリティポリシーと呼びます。

情報セキュリティ基本方針	情報セキュリティの目標や目標達成のためにとるべき行動などを規定する。
情報セキュリティ対策基準	基本方針で定めた事項に基づいて，実際に適用する規則やその適用範囲，対象者などを規定する。
情報セキュリティ実施手順	対策基準で規定した事項を実施するに当たって，「どのように実施するか」という具体的な手順を記載する。

× ア 情報セキュリティ実施手順は部署や部門ごとに作成され，基本的に経営者が行う必要はありません。

× イ 規則や手順には実際に行っているセキュリティ対策が含まれるので，攻撃のヒントとならないように公開しません。

× ウ 情報セキュリティ基本方針は，経営陣が中心となって組織にあったものを作成します。

○ エ 正解です。情報セキュリティ基本方針には，組織全体としての統一した基本方針や考え方を示します。

合格のカギ

問105

参考 情報資産とはデータ類だけでなく，業務活動で価値のあるもの全てだよ。たとえばパソコンなどのハードウェア，設計書や報告書などのドキュメントも含まれるよ。

問105

対策 ISMSのPDCAサイクルは頻出されているので，各段階でどういう取組みを行うのか，ぜひ覚えておこう。

- Plan：ISMSの確立
- Do：ISMSの導入・運用
- Check：ISMSの監視・レビュー
- Act：ISMSの維持・改善

問107

対策 3つの文書の階層構造が出題されることもあるよ。特に最上位が「基本方針」であることは覚えておこう。

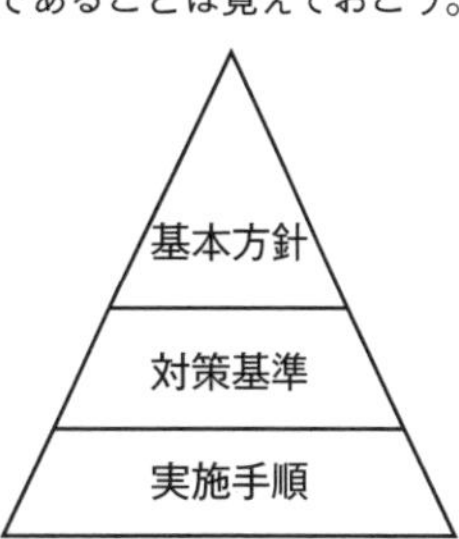

▶ キーワード 問108

□ 情報セキュリティの3要素
□ 機密性
□ 完全性
□ 可用性

問108

a～cは情報セキュリティ事故の説明である。a～cに直接関連する情報セキュリティの3要素の組合せとして，適切なものはどれか。

a 営業情報の検索システムが停止し，目的とする情報にアクセスすることができなかった。
b 重要な顧客情報が，競合他社へ漏れた。
c 新製品の設計情報が，改ざんされていた。

	a	b	c
ア	可用性	完全性	機密性
イ	可用性	機密性	完全性
ウ	完全性	可用性	機密性
エ	完全性	機密性	可用性

問109

情報の“機密性”や“完全性”を維持するために職場で実施される情報セキュリティの活動a～dのうち，適切なものだけをすべて挙げたものはどれか。

a PCは，始業時から終業時までロックせずに常に操作可能な状態にしておく。
b 重要な情報が含まれる資料やCD-Rなどの電子記録媒体は，利用時以外は施錠した棚に保管する。
c ファクシミリで送受信した資料は，トレイに放置せずにすぐに取り去る。
d ホワイトボードへの書き込みは，使用後直ちに消す。

ア a，b　イ a，b，d　ウ b，d　エ b，c，d

▶ キーワード 問110

□ リスクマネジメント
□ リスクアセスメント

問110

情報セキュリティにおけるリスクマネジメントに関する記述のうち，最も適切なものはどれか。

ア 最終責任者は，現場の情報セキュリティ管理担当者の中から選ぶ。
イ 組織の業務から切り離した単独の活動として行う。
ウ 組織の全員が役割を分担して，組織全体で取り組む。
エ 一つのマネジメントシステムの下で各部署に個別の基本方針を定め，各部署が独立して実施する。

解説

問108 情報セキュリティの3要素

情報セキュリティの主な特性として次の3つの要素があり，これらを**情報セキュリティの3要素**といいます。これらの要素を確保することによって，企業や組織の情報資産を守ります。

機密性	許可された人のみがアクセスできる状態のこと。 機密性を損なう事例には，不正アクセスや情報漏えいがある。
完全性	内容が正しく，完全な状態で維持されていること。 完全性を損なう事例には，データの改ざんや破壊，誤入力がある。
可用性	可用性は必要なときにいつでもアクセスして使用できること。 可用性を損なう事例には，システムの故障や障害の発生がある。

a，b，cの事故に情報セキュリティの3要素を当てはめると，aは可用性，bは機密性，cは完全性に該当します。よって，正解は**イ**です。

問108

対策 要素が個別に出題されることもあるので，各要素の特徴を理解しておこう。

問109 情報セキュリティの適切な活動

情報セキュリティの3要素の機密性と完全性に基づいて，a～dを判定すると，次のようになります。

×a　誰でもPCを使うことができる状態は，データの盗難や破壊などが起きる可能性があります。
○b　正しい。利用時以外は施錠した棚に置かれるので，利用者が限定され，機密性，完全性が維持されます。
○c　正しい。ファクシミリで送受信した資料をそのまま放置しておくと，他の人に見られる可能性があります。放置しないことで，機密性が維持されます。
○d　正しい。ホワイトボードへの書き込みをそのままにしておくと，関係者以外の人に見られる可能性があります。使用後すぐに消すことで，機密性が維持されます。

適切なものは，b，c，dです。よって，正解は**エ**です。

問110 情報セキュリティにおけるリスクマネジメント

リスクマネジメントは，企業活動におけるリスクを組織的に管理し，リスクの回避や低減を図る取組みです。下表のプロセスの順で発生し得るリスクを洗い出して分析し，発生頻度と発生時の被害の大きさの観点から評価して，それに応じた対策を講じます。

①リスク特定	リスクを発見，認識及び記述する。
②リスク分析	リスク因子（脅威と脆弱性）を特定し，リスクを算定する。
③リスク評価	リスクの重大さを決定するために，算定されたリスクを，与えられたリスク評価基準と比較する。
④リスク対応	リスク分析・リスク評価の結果に基づいて，最適な対応策を決定する。

×**ア**　リスクマネジメントの最終責任者をCRO（Chief Risk Officer）といい，一般的には経営陣（経営会議メンバー及び取締役会メンバー）の中から選任します。
×**イ**　リスクマネジメントは，業務活動の一環の中で行います。
○**ウ**　正解です。リスクマネジメントは組織全体の取組みで，セキュリティ管理体制を構築して実施します。
×**エ**　組織全体で統一した基本方針を策定し，各部署ではそれを実現するための具体的なルールや対策などを規定します。

問110

参考 左の表内のうち，「リスク特定」「リスク分析」「リスク評価」を網羅するプロセス全体のことを「リスクアセスメント」というよ。

▶ キーワード　問111

□ リスク移転
□ リスク回避
□ リスク受容
□ リスク低減

問111

□□□

情報セキュリティリスクへの対応には，リスク移転，リスク回避，リスク受容及びリスク低減がある。リスク受容に該当する記述はどれか。

ア　セキュリティ対策を行って，問題発生の可能性を下げること
イ　特段の対応は行わずに，損害発生時の負担を想定しておくこと
ウ　保険などによってリスクを他者などに移すこと
エ　問題の発生要因を排除してリスクが発生する可能性を取り去ること

▶ キーワード　問112

□ CSIRT
□ デジタルフォレンジックス

問112

□□□

情報の漏えいなどのセキュリティ事故が発生したときに，被害の拡大を防止する活動を行う組織はどれか。

ア　CSIRT　　イ　ISMS
ウ　MVNO　　エ　デジタルフォレンジックス

問113

□□□

JPCERTコーディネーションセンターと情報処理推進機構(IPA)が共同運営するJVN(Japan Vulnerability Notes)で，“JVN#12345678”などの形式の識別子を付けて管理している情報はどれか。

ア　OSSのライセンスに関する情報
イ　ウイルス対策ソフトの定義ファイルの最新バージョン情報
ウ　工業製品や測定方法などの規格
エ　ソフトウェアなどの脆(ぜい)弱性関連情報とその対策

問111 情報セキュリティリスクへの対応

情報セキュリティリスクについて，「リスク移転」「リスク回避」「リスク受容」「リスク低減」では次のような対策をとります。

リスク移転	リスクを第三者に移す。 (例)・保険で損失が充当されるようにする ・情報システムの運用を他社に委託する
リスク回避	リスクが発生する可能性を取り去る。 (例)・リスク要因となる業務を廃止する ・インターネットからの不正アクセスを防ぐため，インターネット接続を止める
リスク受容（リスク保有）	リスクのもつ影響が小さい場合などに，特にリスク対策を行わない。 (例)・リスクの発生率が小さく，損失額も少なければ，特に対策を講じない
リスク低減	リスクが発生する可能性を下げる。 (例)・保守点検を徹底し，機器の故障を防ぐ ・不正侵入できないように，入退室管理を行う

×ア　問題発生の可能性を下げることは，リスク低減に該当します。
○イ　正解です。特段の対応を行わないので，リスク受容に該当します。
×ウ　保険などによってリスクを他者などに移すことは，リスク移転に該当します。
×エ　問題の発生要因を排除してリスクが発生する可能性を取り去ることは，リスク回避に該当します。

問112 CSIRT

○ア　正解です。CSIRT（Computer Security Incident Response Team）は，国レベルや企業・組織内に設置され，コンピュータセキュリティインシデントに関する報告を受け取り，調査し，対応活動を行う組織の総称です。
×イ　ISMS（Information Security Management System）は情報セキュリティマネジメントシステムの略称で，情報セキュリティを確保，維持するための組織的な取組みのことです。
×ウ　MVNO（Mobile Virtual Network Operator）は，大手通信事業者から携帯電話などの通信基盤を借りて，サービスを提供する事業者（仮想移動体通信事業者）のことです。
×エ　デジタルフォレンジックスは，不正アクセスやデータ改ざんなどに対して，犯罪の法的な証拠を確保できるように，原因究明に必要なデータの保全，収集，分析をすることです。

問113 JVNで管理している情報

JVN（Japan Vulnerability Notes）は，日本で使用されているソフトウェアなどの脆弱性関連情報と，その対策情報を提供しているポータルサイトです。

公開している脆弱性関連情報には，「JVN#12345678」や「JVNVU#12345678」などの形式の，脆弱性情報を特定するための識別番号が割り振られています。たとえば，「JVN#」で始まる8桁の番号は，「情報セキュリティ早期警戒パートナーシップ」制度に基づいて調整・公表した脆弱性情報です。よって，正解はエです。

コンピュータセキュリティインシデント 問112

セキュリティを脅かす事象や問題。情報システムへの不正侵入などによる外部からの攻撃だけでなく，組織が定めるセキュリティポリシーや利用規定への違反行為，標準的なセキュリティ活動への違反行為も含まれる。

問113

参考 JPCERTコーディネーションセンター（JPCERT/CC）は，インターネット上で発生する侵入やサービス妨害などのセキュリティインシデントについて，国内サイトの報告受付や状況を把握して，分析，再発防止などの助言や対策の検討をしている組織だよ。

大分類9 技術要素

▶ キーワード 問114

□ 物理的脅威
□ 技術的脅威
□ 人的脅威

問114

□□□

セキュリティ事故の例のうち，原因が物理的脅威に分類されるものはどれか。

ア 大雨によってサーバ室に水が入り，機器が停止する。
イ 外部から公開サーバに大量のデータを送られて，公開サーバが停止する。
ウ 攻撃者がネットワークを介して社内のサーバに侵入し，ファイルを破壊する。
エ 社員がコンピュータを誤操作し，データが破壊される。

▶ キーワード 問115

□ マルウェア
□ コンピュータウイルス
□ ワーム
□ トロイの木馬
□ ボット
□ スパイウェア
□ ガンブラー
□ バックドア

問115

□□□

ボットの説明はどれか。

ア Webサイトの閲覧や画像のクリックだけで料金を請求する詐欺のこと
イ 攻撃者がPCへの侵入後に利用するために，ログの消去やバックドアなどの攻撃ツールをパッケージ化して隠しておく仕組みのこと
ウ 多数のPCに感染して，ネットワークを通じた指示に従ってPCを不正に操作することで一斉攻撃などの動作を行うプログラムのこと
エ 利用者の意図に反してインストールされ，利用者の個人情報やアクセス履歴などの情報を収集するプログラムのこと

▶ キーワード 問116

□ ソーシャルエンジニアリング

問116

□□□

ソーシャルエンジニアリングに該当するものはどれか。

ア Webサイトでアンケートをとることによって，利用者の個人情報を収集する。
イ オンラインショッピングの利用履歴を分析して，顧客に売れそうな商品を予測する。
ウ 宣伝用の電子メールを多数の人に送信することを目的として，Webサイトで公表されている電子メールアドレスを収集する。
エ パスワードをメモした紙をごみ箱から拾い出して利用者のパスワードを知り，その利用者になりすましてシステムを利用する。

問114 情報セキュリティの脅威

情報セキュリティの脅威は，次の3つに大きく分けられます。

物理的脅威	物理的に損害を受ける脅威。地震や火災などの災害，停電，機器の故障，侵入者による機器の破壊や盗難など。
技術的脅威	コンピュータ技術を使った脅威。マルウェアやDoS攻撃，データの盗聴・改ざん，スパムメール，フィッシング，クロスサイトスクリプティングなど。
人的脅威	人が原因である脅威。誤操作でデータを削除，ノートPCやUSBメモリの紛失，ソーシャルエンジニアリングなど。

○ア　正解です。大雨による浸水は物理的脅威に含まれます。
×イ，ウ　技術的脅威に分類されます。
×エ　人的脅威に分類されます。

問115 ボット

コンピュータに侵入してファイルを破壊するなど，悪質なプログラムをマルウェアといいます。マルウェアには次のような種類があり，ボットもその1つです。

種類	特徴
コンピュータウイルス	「自己伝染」「潜伏」「発病」のいずれか1つ以上の機能をもつ，悪質なプログラム。コンピュータ内に侵入してファイルを破壊したり，関係のないものを画面に表示したりなど，不正な動作を引き起こす。代表的なものに，ワープロソフトや表計算ソフトのデータファイルに感染する**マクロウイルス**がある。
ワーム	コンピュータウイルスの一種だが，ネットワークで接続されたコンピュータ間を自己増殖しながら移動する。
トロイの木馬	問題のないプログラムを装ってコンピュータに侵入し，データの破壊やファイルの外部流出などを行う。
ボット（BOT）	ワームの一種で多数のコンピュータに感染し，攻撃者は遠隔地からネットワークを通じて不正にコンピュータを操り，攻撃などの動作を行える。
スパイウェア	利用者に気付かれないようにコンピュータ内に常駐し，個人情報やアクセス履歴などの情報を収集して外部に送信する。代表的なものに，キーボードから入力したパスワードや暗証番号などを盗む**キーロガー**がある。
ガンブラー	正規のWebサイトを改ざんし，そのWebサイトを閲覧したコンピュータにウイルスを感染させる。

×ア　**ワンクリック詐欺**の説明です。
×イ　**ルートキット**（rootkit）の説明です。
○ウ　正解です。ボット（BOT）の説明です。
×エ　スパイウェアの説明です。

問115

対策 マルウェアはよく出題されるので，代表的なものを確認しておこう。

バックドア　問115

侵入したコンピュータに作っておく，不正な入り口のこと。後からバックドアを通じて，容易に侵入できる。

問116 ソーシャルエンジニアリング

ソーシャルエンジニアリングは，人間の習慣や心理などの隙を突いて，パスワードや機密情報を不正に入手することです。たとえば，他人のパスワードを盗み見たり，ごみ箱からパスワードに関する情報を入手したり，他人になりすましてパスワードの情報を聞き出すなどの手口があります。

×ア　Webアンケートに関することです。
×イ　データマイニングに関することです。
×ウ　メールアドレス検索ロボットに関することです。
○エ　正解です。ソーシャルエンジニアリングに該当する行為です。

問116

対策 ソーシャルエンジニアリングは頻出の用語だよ。ぜひ，覚えておこう。

大分類9 技術要素

▶ キーワード 問117

- □ マクロウイルス
- □ アドウェア

問117

□□□

マクロウイルスに関する記述として，適切なものはどれか。

ア PCの画面上に広告を表示させる。
イ ネットワークで接続されたコンピュータ間を，自己複製しながら移動する。
ウ ネットワークを介して，他人のPCを自由に操ったり，パスワードなど重要な情報を盗んだりする。
エ ワープロソフトや表計算ソフトのデータファイルに感染する。

▶ キーワード 問118

- □ キーロガー
- □ ショルダーハッキング
- □ クラッキング
- □ ウォードライビング
- □ セキュリティホール

問118

□□□

情報セキュリティの脅威であるキーロガーの説明として，適切なものはどれか。

ア PC利用者の背後からキーボード入力とディスプレイを見ることで情報を盗み出す。
イ キーボード入力を記録する仕組みを利用者のPCで動作させ，この記録を入手する。
ウ セキュリティホールからコンピュータに不正侵入し，プログラムの改ざんやデータの破壊を行う。
エ 無線LANの電波を検知できるPCを持って街中を移動し，不正に利用が可能なアクセスポイントを見つけ出す。

▶ キーワード 問119

- □ DoS攻撃
- □ ゼロデイ攻撃
- □ 辞書攻撃
- □ 総当たり攻撃
- □ パスワードクラック
- □ 標的型攻撃
- □ なりすまし
- □ 盗聴
- □ ポートスキャン

問119

□□□

DoS（Denial of Service）攻撃の説明として，適切なものはどれか。

ア 他人になりすまして，ネットワーク上のサービスを不正に利用すること
イ 通信経路上で他人のデータを盗み見ること
ウ 電子メールやWebリクエストなどを大量に送りつけて，ネットワーク上のサービスを提供不能にすること
エ TCP/IPのプロトコルのポート番号を順番に変えながらサーバにアクセスし，侵入口と成り得る脆弱なポートがないかどうかを調べること

問117 マクロウイルス

×ア アドウェアに関する説明です。アドウェアは，画面上に強制的に広告を表示させるなど，宣伝や広告を目的とした動作を行うプログラムです。
×イ ワームに関する説明です。コンピュータウイルスの一種で，自己増殖するという特徴があります。
×ウ ボット（BOT）やスパイウェアに関する説明です。
○エ 正解です。マクロウイルスは，ワープロソフトや表計算ソフトなどのマクロ機能を利用したコンピュータウイルスです。マクロウイルスに感染したデータファイルを開くと，マクロウイルスが実行されて，パソコンにマクロウイルスが感染してしまいます。

問118 キーロガー

×ア ショルダーハッキングの説明です。ショルダーハッキングは技術的な手段ではなく，人的な手段で情報を盗み出すソーシャルエンジニアリングの1つです。ショルダーハックともいいます。
○イ 正解です。キーロガーの説明です。キーロガーはスパイウェアの1つで，キーボードからの入力を監視して記録し，ユーザーが入力したパスワードやクレジットカードなどの情報を盗みます。
×ウ クラッキングの説明です。
×エ ウォードライビングの説明です。

問119 DoS（Denial of Service）攻撃

情報セキュリティを脅かす攻撃には，目的や手法によって，いろいろな種類があります。次の表は，名称に「～攻撃」が付く代表的なものです。

DoS（Denial of Service）攻撃	大量のデータを送りつけてサーバに過剰な負荷をかけ，サーバがサービスを提供できないようにする攻撃。
ゼロデイ攻撃	ソフトウェアに欠陥や不具合があることがわかり，その修正プログラムが提供される前に，判明したソフトウェアの脆弱性に対して行われる攻撃。
辞書攻撃	辞書データにある用語を順に試して，パスワードを破る攻撃。辞書データには，一般の辞書にある単語や，情報システムでよく使われる文字列などを大量に登録しておく。
総当たり攻撃	文字の組合せを順に試して，パスワードを破る攻撃。パスワードを探り当てるまで，考えられる文字と数値の組合せを試す。ブルートフォース攻撃ともいう。
標的型攻撃	特定の組織や団体などを狙って，情報を盗み出す攻撃。取引先や関係者を装ったメール（標的型攻撃メール）を送るなどして，相手を騙して情報を盗む。

×ア なりすましの説明です。
×イ 盗聴の説明です。
○ウ 正解です。DoS（Denial of Service）攻撃の説明です。コンピュータやルーターなどの複数の機器からDoS攻撃を仕掛けることをDDoS（Distributed Denial of Service）攻撃といいます。
×エ ポートスキャンの説明です。

セキュリティホール 問118

プログラムの欠陥や不具合などによって存在する，セキュリティ上の弱点。

問119

参考 DoSの「Denial of Service」は，「サービス妨害」とか「サービス拒否」などと訳されるよ。

ポート番号 問119

サーバにおいて，ファイル転送や電子メールなど，アプリケーションソフトごとの情報の出入り口を示す値。

問119

対策 攻撃手法として，マルウェアやクロスサイトスクリプティング，フィッシングなども確認しておこう。

問119

参考 辞書攻撃や総当たり攻撃のように，パスワードを破るための攻撃を「パスワードクラック」というよ。

▶キーワード 問120

- □ クロスサイトスクリプティング
- □ SQLインジェクション
- □ セッションハイジャック
- □ スパムメール

□□□

問120 クロスサイトスクリプティングの特徴に関する記述として，適切なものはどれか。

ア Webサイトに入力されたデータに含まれる悪意あるスクリプトを，そのままWebブラウザに送ってしまうという脆(ぜい)弱性を利用する。
イ データベースに連携しているWebページのユーザー入力領域に悪意のあるSQLコマンドを埋め込み，サーバ内のデータを盗み出す。
ウ サーバとクライアント間の正規のセッションに割り込んで，正規のクライアントに成りすますことで，サーバ内のデータを盗み出す。
エ 受信者の承諾なしに，無差別にメールを送りつける。

▶キーワード 問121

- □ ランサムウェア
- □ APT
- □ BYOD

□□□

問121 PCに格納されているファイルを勝手に暗号化して，戻すためのパスワードを教えることと引換えに金銭を要求するソフトウェアはどれか。

ア APT　　イ CSIRT
ウ BYOD　　エ ランサムウェア

▶キーワード 問122

- □ フィッシング

□□□

問122 a～cのうち，フィッシングへの対策として，適切なものだけを全て挙げたものはどれか。

a Webサイトなどで，個人情報を入力する場合は，SSL接続であること，及びサーバ証明書が正当であることを確認する。
b キャッシュカード番号や暗証番号などの送信を促す電子メールが届いた場合は，それが取引銀行など信頼できる相手からのものであっても，念のため，複数の手段を用いて真偽を確認する。
c 電子商取引サイトのログインパスワードには十分な長さと複雑性をもたせる。

ア a，b　　イ a，b，c　　ウ a，c　　エ b，c

問120 クロスサイトスクリプティング

クロスサイトスクリプティングは，Webアプリケーションの脆弱性を利用した攻撃です。利用者が入力したデータをそのまま表示する機能がWebページにあるとき，その機能の脆弱性を突いて悪意のあるスクリプトを埋め込むことで，そのページにアクセスした利用者の情報などを盗み出します。

○ア 正解です。クロスサイトスクリプティングの説明です。
×イ **SQLインジェクション**に関する説明です。
×ウ **セッションハイジャック**に関する説明です。
×エ **スパムメール**に関する説明です。スパムメールは，特定電子メール法（迷惑メール防止法）によって規制されています。

問120

参考 SQLは，関係データベースでデータ操作などに使う言語だよ。

問121 ランサムウェア

×ア **APT**（Advanced Persistent Threats）は，攻撃者は特定の目的をもち，標的となる組織の防御策に応じて複数の手法を組み合わせて，気付かれないよう執拗に繰り返す攻撃です。**標的型攻撃**ともいいます。
×イ **CSIRT**（Computer Security Incident Response Team）は，企業内・組織内や政府機関に設置され，情報セキュリティインシデントに関する報告を受け取り，調査し，対応活動を行う組織の総称です。
×ウ **BYOD**（Bring Your Own Device）は，従業員が私物の情報端末などを会社に持ち込み，業務で使用することです。
○エ 正解です。**ランサムウェア**は感染したコンピュータ内のファイルやシステムを使用不能にし，元に戻すための代金を要求するソフトウェアです。ランサムウェアへの感染原因には，ウイルスが仕込まれたメールの添付ファイルを開くことや，ウイルスに感染する細工が施されているWebサイトを閲覧することなどがあります。

問121

参考 ランサムウェアを感染させる攻撃手法として，PCでWebサイトを閲覧しただけで，PCにウイルスを感染させる「ドライブバイダウンロード」があるよ。

問122 フィッシングへの対策

フィッシングは，銀行やクレジット会社などを装ったWebサイトに誘導し，暗証番号やクレジットカード番号などの情報を盗み取る行為です。a～cの記述について適切かどうかを判定すると，次のようになります。

○a 正しい。SSL接続によって，通信内容を暗号化して送信することができます。また，サーバ証明書が正当であることの確認は，なりすましによる情報漏えいを防止できます。
○b 正しい。キャッシュカード番号や暗証番号などの送信を求める電子メールは，フィッシング詐欺の疑いがあります。すぐに返信のメールを出さず，真偽を確認する必要があります。
×c ログインパスワードに十分な長さと複雑性をもたせることは，電子商取引サイトのログインへの対策であり，フィッシングの対策にはなりません。

よって，正解はアです。

大分類9 技術要素

▶ キーワード 問123
□ アクセス権

□□□

問123

セキュリティ対策の目的①～④のうち，適切なアクセス権を設定することによって効果があるものだけを全て挙げたものはどれか。

① DoS攻撃から守る。
② 情報漏えいを防ぐ。
③ ショルダハッキングを防ぐ。
④ 不正利用者による改ざんを防ぐ。

ア ①，②　イ ①，③　ウ ②，④　エ ③，④

▶ キーワード 問124
□ BIOSパスワード

□□□

問124

盗難にあったPCからの情報漏えいを防止するための対策として，最も適切なものはどれか。ここで，PCのログインパスワードは十分な強度があるものとする。

ア BIOSパスワードの導入
イ IDS（Intrusion Detection System）の導入
ウ パーソナルファイアウォールの導入
エ ハードディスクの暗号化

▶ キーワード 問125
□ 情報セキュリティ教育

□□□

問125

社内の情報セキュリティ教育に関する記述のうち，適切なものはどれか。

ア 再教育は，情報システムを入れ替えたときだけ実施する。
イ 新入社員へは，業務に慣れた後に実施する。
ウ 対象は，情報資産にアクセスする社員だけにする。
エ 内容は，社員の担当業務，役割及び責任に応じて変更する。

解説

問123 アクセス権の設定で有効なセキュリティ対策

情報システムやデータベースなどに**アクセス権**を設定することで，ユーザーやユーザーが属するグループ単位で，システムやファイルなどの利用を制限できます。

①～④の記述について，アクセス権の設定に対するセキュリティ対策として有効かどうかを判定すると，②や④は一定の効果は見込めますが，①と③は明らかに効果がありません。

× ① **DoS**（Denial of Service）**攻撃**は，大量のデータを送りつけるなどして，サーバがサービスを提供できないようにする攻撃です。アクセス権の設定は機密性を高めることなので，このような攻撃には効果がありません。

× ③ **ショルダーハッキング**は，PC利用者の背後からキーボード入力とディスプレイを見て，情報を盗み出すことです。アクセス権を設定しても，このような不正行為は防ぐことができません。

選択肢を確認すると，①と③を含まないのはウだけです。よって，正解はウです。

問124 盗難にあったPCからの情報漏えい防止技術

PCの盗難にあった場合，PC自体の損害だけでなく，PC内に保存している情報が漏えいするおそれがあります。PCにログインパスワードを設定していれば，パスワードを知らない人はそのPCを使用することができません。しかし，PCからハードディスクを取り外して別のコンピュータに接続すれば，データを読み出すことができます。このような情報漏えいを防ぐには，ハードディスクからの読み出し自体を阻止する対策が必要です。

× ア BIOSパスワードを設定すると，PCに電源を入れた際，すぐにパスワードが要求され，パスワードを入力しないとPCを起動することができません。しかし，PCからハードディスクを取り外した場合，データの読み出しは可能なので，PC盗難時の情報漏えいの対策としては十分ではありません。

× イ IDS（Intrusion Detection System）は，不正アクセスなど，ネットワークに対する不正行為を検出し，管理者に通報するシステムです。

× ウ パーソナルファイアウォールは個人向けのファイアウォールのことで，盗難時のPCからの情報漏えいは防止できません。

○ エ 正解です。ハードディスクを暗号化しておくと，PCが盗難にあっても，ハードディスクからデータを読み出すことはできません。

問125 社内の情報セキュリティ教育

× ア 社内の情報セキュリティ教育は定期的に実施します。また，セキュリティ違反者に対してセキュリティの再教育を実施し，違反の再発防止に努めます。

× イ 新入社員は，入社時にセキュリティ教育を実施します。

× ウ 全社員が対象となります。役員や管理職，正社員だけでなく，派遣社員やアルバイトも対象となります。また，業務委託先の委託業務担当者に対しても，情報セキュリティ教育が行われるように留意します。

○ エ 正解です。教育の内容は，社員の担当業務，役割や責任に応じて変更します。

合格のカギ

アクセス権 問123

ファイルやシステムなどを利用するための権限。利用者ごとに，参照，更新，追加，削除といった操作を制限できる。

BIOS（Basic Input/Output System） 問124

周辺装置の基本的な入出力を制御するプログラム。コンピュータに電源を入れたとき，最初に実行される。

問125

参考 情報資産はデータ類だけでなく，業務活動で価値のあるもの全てだよ。たとえば，顧客情報や経営情報なども含まれるよ。

▶ キーワード 問126

□ 電子透かし技術

問126

□□□

電子透かし技術によってできることとして，最も適切なものはどれか。

ア 解読鍵がなければデータが利用できなくなる。
イ 作成日や著作権情報などを，透けて見える画像として元の画像に重ねて表示できる。
ウ データのコピーの回数を制限できる。
エ 元のデータからの変化が一見して分からないように作成日や著作権情報などを埋め込むことができる。

▶ キーワード 問127

□ シングルサインオン
□ バイオメトリクス認証
□ ワンタイムパスワード

問127

□□□

システムの利用者認証技術に関する記述のうち，適切なものはどれか。

ア 一度の認証で，許可されている複数のサーバやアプリケーションなどを利用できる仕組みをチャレンジレスポンス認証という。
イ 指紋や声紋など，身体的な特徴を利用して本人認証を行う仕組みをシングルサインオンという。
ウ 特定の数字や文字の並びではなく，位置についての情報を覚え，認証時には画面に表示された表の中で，自分が覚えている位置に並んでいる数字や文字をパスワードとして入力する方式をバイオメトリクス認証という。
エ 認証のために一度しか使えないパスワードのことをワンタイムパスワードという。

▶ キーワード 問128

□ 検疫ネットワーク
□ ペネトレーションテスト
□ IDS

問128

□□□

セキュリティに問題があるPCを社内ネットワークなどに接続させないことを目的とした仕組みであり，外出先で使用したPCを会社に持ち帰った際に，ウイルスに感染していないことなどを確認するために利用するものはどれか。

ア ペネトレーションテスト　　イ IDS
ウ 検疫ネットワーク　　エ ファイアウォール

解説

問126 電子透かし技術

電子透かし技術は，画像，動画，音声などのデータに，作成日や著作者名などの情報を埋め込む技術です。

×ア 電子透かし技術は，データを暗号化する機能ではありません。
×イ 作成日や著作権情報はデータに埋め込んで，もとのデータにほとんど影響を与えないようにします。
×ウ データのコピー回数を直接制限する機能ではありません。
○エ 正解です。表面上は見えなくても，埋め込んだ情報は専用のソフトウェアで確認できます。

問126
参考 電子透かし技術は，データの改ざんや著作権侵害を防止するために利用されるよ。

問127 システムの利用者認証技術

システムの利用者認証技術には，次のような種類があります。

シングルサインオン	一度の認証で，許可されている複数のサーバやアプリケーションなどを利用できる仕組み。ネットワーク上で複数のサービスを利用するとき，シングルサインオンだと，認証のためのユーザーIDやパスワードの入力が1回で済む。
バイオメトリクス認証	指紋や静脈のパターン，網膜，虹彩，声紋など，人の身体的特徴によって本人確認を行う。
マトリクス認証	マス目状の表で数字・文字を取り出す位置と順番を決めておき，認証時，値が異なる表で同じ位置にある数字・文字を決めた順にパスワードとして入力する。認証のたびに表内の値は変化するので，入力するパスワードも毎回変わる。
チャレンジレスポンス認証	サーバから送られてくる「チャレンジ」というデータを受け取り，それを基に演算した「レスポンス」をサーバに返すことで認証を行う。チャレンジは毎回ランダムに生成され，暗号化して送信される。

×ア チャレンジレスポンス認証ではなく，シングルサインオンの説明です。
×イ シングルサインオンではなく，バイオメトリクス認証の説明です。
×ウ バイオメトリクス認証ではなく，マトリクス認証の説明です。
○エ 正解です。ワンタイムパスワードは，1回使用すると，次回は使用できなくなるパスワードです。その都度，異なるパスワードを入力するので，安全度を高められます。

問127
参考 マトリクス認証，チャレンジレスポンス認証は，どちらもワンタイムパスワードを使った認証方法だよ。

問128 検疫ネットワーク

×ア ペネトレーションテストはコンピュータやネットワークのセキュリティ上の脆弱性を発見するために，システムを実際に攻撃して侵入を試みる手法です。
×イ IDS（Intrusion Detection System）は，不正アクセスなど，ネットワークに対する不正行為を検出し，管理者に通報するシステムです。
○ウ 正解です。検疫ネットワークは，外出先から社内にパソコンを持ち帰った際，ウイルスに感染していないことを確認する仕組みです。持ち帰ったパソコンを社内ネットワークに接続しようとすると，いったん検査専用のネットワークに接続され，検査で問題がなければ社内ネットワークを利用できるようになります。
×エ ファイアウォールは，インターネットと社内ネットワークの間に設置し，外部からの不正な侵入を防ぐものです。

問128
参考 不正アクセスやデータ改ざんなどに対して，法的な証拠を明らかにする手法や技術のことを「デジタルフォレンジックス」というよ。

▶ キーワード 問129

□ ファイアウォール

問129

インターネットからの不正アクセスを防ぐことを目的として，インターネットと内部ネットワークの間に設置する仕組みはどれか。

ア DNSサーバ　イ WAN
ウ ファイアウォール　エ ルーター

▶ キーワード 問130

□ DMZ

問130

ファイアウォールを設置することで，インターネットからもイントラネットからもアクセス可能だが，イントラネットへのアクセスを禁止しているネットワーク上の領域はどれか。

ア DHCP　イ DMZ　ウ DNS　エ DoS

▶ キーワード 問131

□ VPN
□ 専用回線

問131

社外からインターネット経由でPCを職場のネットワークに接続するときなどに利用するVPN（Virtual Private Network）に関する記述のうち，最も適切なものはどれか。

ア インターネットとの接続回線を複数用意し，可用性を向上させる。
イ 送信タイミングを制御することによって，最大の遅延時間を保証する。
ウ 通信データを圧縮することによって，最小の通信帯域を保証する。
エ 認証と通信データの暗号化によって，セキュリティの高い通信を行う。

▶ キーワード 問132

□ 無線LAN
□ WEP
□ WPA
□ WPA2
□ ESSID
□ MACアドレスフィルタリング

問132

無線LANの通信は電波で行われるため，適切なセキュリティ対策が欠かせない。無線LANのセキュリティ対策のうち，無線LANアクセスポイントで行うセキュリティ対策ではないものはどれか。

ア MACアドレスによるフィルタリングを設定する。
イ 通信内容に暗号化を施す。
ウ パーソナルファイアウォールを導入する。
エ 無線LANのESSIDのステルス化を行う。

解説

問129 ファイアウォール

×ア DNSサーバは，IPアドレスとドメイン名を変換するサーバです。
×イ WAN（Wide Area Network）は，電話回線や専用線を使って，遠隔地のコンピュータや複数のLAN（Local Area Network）を接続したネットワークです。
○ウ 正解です。ファイアウォールは，インターネットと内部ネットワークの間に設置し，外部からの不正な侵入を防ぐ仕組みです。
×エ ルーターは，ネットワーク同士を接続する機器です。データの相手先までの最適な経路を自動選択する，ルーティング機能があります。

問130 DMZ（非武装地帯）

×ア DHCP（Dynamic Host Configuration Protocol）は，インターネットに接続するコンピュータに，一時的にIPアドレスを割り当てるプロトコル（通信規約）です。
○イ 正解です。DMZ（DeMilitarized Zone）は，インターネットからも，内部ネットワーク（イントラネット）からも隔離されたネットワーク上の領域です。外部に公開するWebサーバやメールサーバをDMZに設置すれば，これらのサーバが不正なアクセスを受けても，内部ネットワークとは隔離されているので，内部ネットワークの被害を防止できます。
×ウ DNS（Domain Name System）は，インターネットに接続しているコンピュータのIPアドレスとドメイン名を対応させるシステムです。
×エ DoS（Denial of Service）は，ネットワークを通した攻撃の1つで，大量のデータを送りつけて標的のサーバに過剰な負荷をかけ，サーバがサービスを提供できないようにしたり，システムダウンさせたりします。

イントラネット 問130

インターネットの技術を利用した企業内ネットワークのこと。

問131 VPN（Virtual Private Network）

VPN（Virtual Private Network）は，不特定多数の人が利用する通信回線をあたかも専用回線であるかのように利用する技術で，情報漏えいや盗聴がされにくく，大容量のデータ送信も安定して行えます。専用回線を導入するより低いコストで，データ通信におけるセキュリティを確保することができます。

×ア マルチホーミングという技術の説明です。
×イ，ウ 送信タイミングを制御して遅延時間を保証したり，通信データを圧縮して通信帯域を保証したりするのは，VPNの役割ではありません。
○エ 正解です。VPNでは，認証システムと通信データの暗号化によって，セキュリティの高い通信を実現します。

専用回線 問131

通信業者から借り受け，契約者が独占的に使用する通信回線。専用線や専用ネットワークなどともいう。

問132 無線LANのセキュリティ対策

×ア ネットワークに接続を許可する端末のMACアドレスを，無線LANのアクセスポイントに登録しておくことで，ネットワークに接続できる端末を限定することができます。この仕組みをMACアドレスフィルタリングといいます。
×イ 無線LANの暗号化方式にはWEPやWPA，WPA2などがあります。
○ウ 正解です。ファイアウォールは，インターネットとローカルなネットワークの間に設置し，外部からの不正な侵入を防ぐものです。パーソナルファイアウォールは個人向けのファイアウォールのことで，無線LANアクセスポイントで行うセキュリティではありません。
×エ ESSIDは無線LANにおけるネットワークの識別番号です。ステルス化することによって，外部からの識別番号がわからないようにします。

問132

参考 無線LANの暗号化方式には，WEP，WPA，WPA2などがあるよ。WEPの弱点を改善したものがWPAで，WPAの暗号強度をより高めたのがWPA2だよ。

▶ キーワード 問133

□ パスワード

問133

パスワードを忘れてしまった社内の利用者が，セキュリティ管理者から本人であることを確認された後に，適切にパスワードを受け取る方法はどれか。

ア セキュリティ管理者が自分のPCに保管しているパスワードを読み出し，利用者は電子メールで受信する。
イ セキュリティ管理者がパスワードを初期化し，利用者は初期値を受け取り，新しいパスワードに変更する。
ウ セキュリティ管理者は暗号化して保管しているパスワードを共有域に複写し，利用者は復号鍵を電話で聞く。
エ セキュリティ管理者は暗号化して保管しているパスワードを復号し，利用者は秘密扱いの社内文書で受け取る。

▶ キーワード 問134

□ ウイルス定義ファイル

問134

コンピュータウイルス対策に関する記述のうち，適切なものはどれか。

ア PCが正常に作動している間は，ウイルスチェックは必要ない。
イ ウイルス対策ソフトウェアのウイルス定義ファイルは，最新のものに更新する。
ウ プログラムにデジタル署名が付いていれば，ウイルスチェックは必要ない。
エ 友人からもらったソフトウェアについては，ウイルスチェックは必要ない。

▶ キーワード 問135

□ 共通鍵暗号方式
□ 公開鍵暗号方式

問135

暗号化に関する記述のうち，適切なものはどれか。

ア 暗号文を平文に戻すことをリセットという。
イ 共通鍵暗号方式では，暗号文と共通鍵を同時に送信する。
ウ 公開鍵暗号方式では，暗号化のための鍵と平文に戻すための鍵が異なる。
エ 電子署名には，共通鍵暗号方式が使われる。

解説

問133 パスワードの受け取り

パスワードを忘れたときは，管理者に依頼して，仮のパスワードを発行してもらいます。そのパスワードでシステムにログインし，利用者自身が新しいパスワードを設定します。

× ア セキュリティ管理者が，自分のPCに利用者のパスワードを保管することはありません。また，電子メールで送信すると，途中で盗み見される可能性があります。
○ イ 正解です。新しいパスワードは，利用者が設定します。セキュリティ管理者はそれまでのパスワードを無効にし，ログイン用の仮のパスワードを発行するだけです。
× ウ 共有域は誰でも利用できるので，第三者がパスワードを入手できてしまいます。さらに電話の盗聴によって復号鍵が知られてしまうと，暗号化の解除も可能です。
× エ パスワードを復号して元に戻した時点で，セキュリティ管理者にパスワードを知られてしまいます。

問134 コンピュータウイルス対策

コンピュータウイルスの感染経路は，メールの添付ファイルや悪意のあるWebサイトなどです。感染すると，コンピュータ内のデータやシステムが破壊されたり，誤動作を起こしたりします。コンピュータウイルスの感染を防ぐには，ウイルス対策ソフトをコンピュータにインストールしておくことが重要です。

× ア ウイルスの感染を予防するため，ウイルスチェックは必要です。
○ イ 正解です。新種のウイルスが発見されるたび，ウイルス定義ファイルに追加されます。**ウイルス定義ファイルを更新しない場合，新種のウイルスに感染するおそれがあります。**
× ウ デジタル署名は，ウイルスに感染していないことを保証するものではありません。
× エ 友人からもらったソフトウェアであっても，ウイルスチェックは行うべきです。

問135 暗号化

データ通信における暗号化技術には，**共通鍵暗号方式と公開鍵暗号方式**があります。共通鍵暗号方式では，送信者と受信者が共通の鍵を使って，暗号化と復号を行います。**公開鍵暗号方式では，公開鍵と秘密鍵という2種類の鍵があり，暗号化と復号で異なる鍵を使います。**たとえば，下図でAさんとBさんが公開鍵暗号方式でデータ通信する場合，Bさんはあらかじめ自分の公開鍵をAさんに渡しておきます。Aさんは，「Bさんの公開鍵」でデータを暗号化してBさんに送り，Bさんは「Bさんの秘密鍵」でデータを復号します。このようにペアになっている鍵でしか復号できないので，本人が秘密鍵を保管しておくことで，不特定多数の人に対する公開鍵の公開が可能になります。

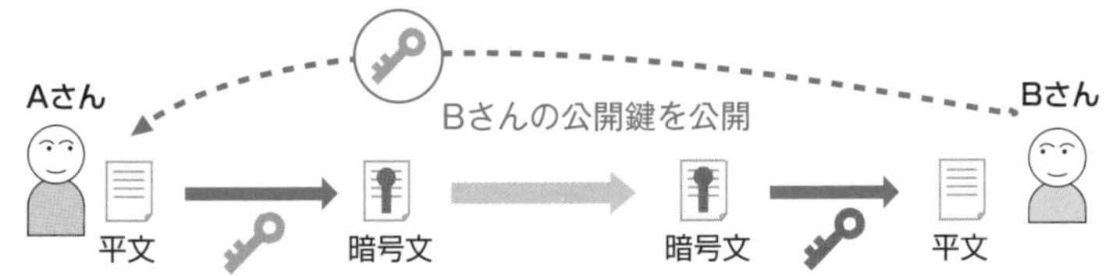

× ア 暗号文を平文（ひらぶん）に戻すことは復号といいます。
× イ 共通鍵暗号方式の場合，共通鍵で暗号を復号することができます。暗号文と共通鍵を同時に送信すると，解読されるリスクが高いので不適切です。
○ ウ 正解です。公開鍵暗号方式では，暗号化と復号で異なる鍵を使います。
× エ 電子署名（デジタル署名）に使われるのは，公開鍵暗号方式です。

合格のカギ

問133
参考「復号」は暗号化したデータを元に戻すことだよ。

問134
参考 ウイルス定義ファイルは，ウイルスの指名手配書のようなものだよ。

問135
参考 暗号化していないデータを「平文」というよ。

問135
対策 共通鍵暗号方式と公開鍵暗号方式について，次の違いをしっかり覚えておこう。

共通鍵暗号方式
- 暗号化と復号に同じ鍵を使う
- 送信者と受信者が同じ鍵をもつ

公開鍵暗号方式
- 暗号化と復号で異なる鍵を使う
- 公開鍵は公開して配布するが，秘密鍵は本人が保管

▶ キーワード　問136

□ 認証局

問136

□□□

公開鍵基盤（PKI）において認証局（CA）が果たす役割はどれか。

ア　SSLを利用した暗号化通信で，利用する認証プログラムを提供する。
イ　Webサーバに不正な仕組みがないことを示す証明書を発行する。
ウ　公開鍵が被認証者のものであることを示す証明書を発行する。
エ　被認証者のデジタル署名を安全に送付する。

▶ キーワード　問137

□ デジタル署名
□ ハッシュ値

問137

□□□

デジタル署名に関する記述のうち，適切なものはどれか。

ア　署名付き文書の公開鍵を秘匿できる。
イ　データの改ざんが検知できる。
ウ　データの盗聴が防止できる。
エ　文書に署名する自分の秘密鍵を圧縮して通信できる。

▶ キーワード　問138

□ SSL（SSL/TLS）

問138

□□□

SSLに関する記述のうち，適切なものはどれか。

ア　Webサイトを運営している事業者がプライバシーマークを取得していることを保証する。
イ　サーバのなりすましを防ぐために，公的認証機関が通信を中継する。
ウ　通信の暗号化を行うことによって，通信経路上での通信内容の漏えいを防ぐ。
エ　通信の途中でデータが改ざんされたとき，元のデータに復元する。

解説

問136 認証局

公開鍵暗号方式では，秘密鍵は本人が保管して，公開鍵は不特定多数の人に公開します。しかし，第三者が本人になりすまして，偽の公開鍵を配布する可能性があります。

そこで，「公開鍵が本人のものである」ということを証明するため，認証局（CA）が電子証明書を発行し，公開鍵の正当性を保証します。よって，正解はウです。

問137 デジタル署名

書類の署名と同じように，デジタル署名も文書を送信したのが本人であることを証明するものです。文書にデジタル署名を付けて送信することで，なりすましを防ぎ，文書の改ざんがないことも確認できます。

デジタル署名付き文書を送る場合，メッセージからハッシュ値を作って，公開鍵暗号方式の秘密鍵で暗号化します。これがデジタル署名になり，文書に付けて送信します。受信側では，デジタル署名を復号するとともに，受信した文書からハッシュ値を作成し，この2つのハッシュ値を比較します。デジタル署名が公開鍵で復号できれば，本人の署名であることが確認できます。また，2つのハッシュ値が一致していれば，文書が改ざんされていないことがわかります。

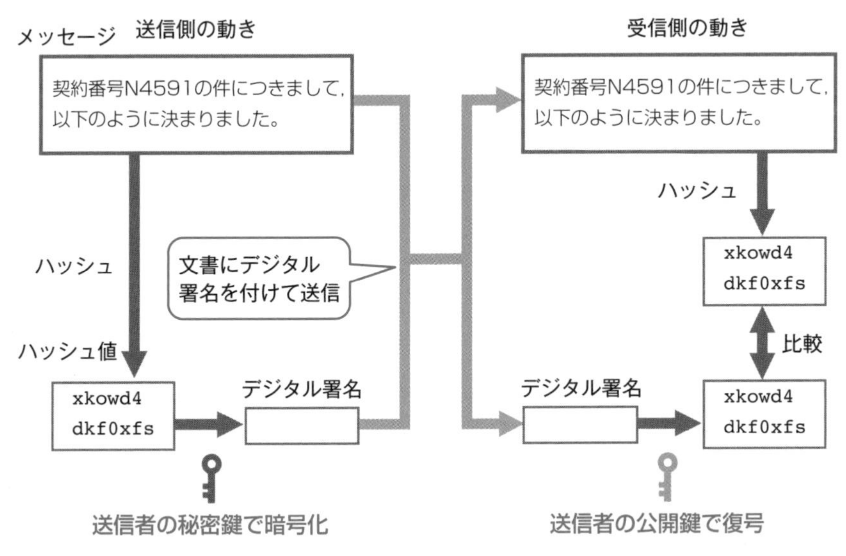

× ア デジタル署名付きの文書を復元するときには，公開鍵が必要となります。
○ イ 正解です。ハッシュ値を比較することにより，改ざんを検知できます。
× ウ デジタル署名では，データの盗聴は防止できません。盗聴を防止するには，データを暗号化します。
× エ 秘密鍵は本人だけが保管し，受信者には公開鍵を送ります。

問138 SSL

SSL（Secure Sockets Layer）は，Webサーバと Webブラウザ間におけるデータ通信を暗号化するプロトコル（通信規約）です。送信先のWebサーバが本物であることの認証も行います。

× ア SSLとプライバシーマークの取得とは関係ありません。
× イ SSLに認証の機能はありますが，公的認証機関が通信を中継することはありません。
○ ウ 正解です。SSLはWebサーバとWebブラウザ間の通信を暗号化し，通信経路上での通信内容の漏えいを防ぎます。
× エ SSLは改ざんを検知することはできますが，改ざんされたデータを復元することはできません。

合格のカギ

問137
参考 ハッシュ値は，ハッシュ関数によって別の形式に変換したデータのことで，「メッセージダイジェスト」とも呼ばれるよ。

問137
対策 デジタル署名はよく出題されているよ。次の特徴を覚えておこう。
・メッセージの送信者が本人であることを証明
・メッセージが改ざんされていないことを確認

問138
参考 現在はSSLの代わりに，その後継であるTLS(Transport Layer Security）が使用されているよ。SSLの名称がよく知られているため，TLSのことを「SSL」と呼んだり，「SSL/TLS」と併記したりするよ。

第3章

テクノロジ系の必修用語

「基礎理論」「コンピュータシステム」「技術要素」というジャンルから出題されます。このジャンルで大切なキーワードを下にまとめました。IT技術について幅広い範囲から出題されますが，基本的な考え方や用語が中心です。過去問題やシラバスに掲載されている用語を中心に学習しましょう。中でも関係データベースや情報セキュリティの問題はよく出題されているので，しっかり確認しておきましょう。色文字は，特に必修な用語です。

基礎理論	
□	数値やデータに関する基礎的な理論（2進数，ベン図，ANDやORなどの論理演算，確率，度数分布表，ヒストグラムなど）
□	情報量やAI（ビット，バイト，デジタル化，人工知能（AI），機械学習，ニューラルネットワーク，ディープラーニングなど）
□	アルゴリズムと流れ図（フローチャート）の考え方や表現方法，データ構造（木構造，キュー，スタックなど）
□	マークアップ言語やプログラム言語（HTML，XML，SGML，CSS，ソースコード，インタプリタ，コンパイラなど）
コンピュータシステム	
□	コンピュータの基本構成（入力装置，出力装置，記憶装置，CPU，マルチコアプロセッサ，クロック周波数，GPUなど）
□	メモリや記憶媒体の種類・特徴（主記憶，補助記憶，キャッシュメモリ，DRAM，SRAM，フラッシュメモリ，HDD，SSD，CD-ROM，CD-R，DVD-ROM，DVD-RAM，DVD-R，Blu-ray Disc，USBメモリ，SDカードなど）
□	入出力インタフェースの種類・特徴（USB，IEEE 1394，Bluetooth，IrDA，HDMI，NFCなど），デバイスドライバ
□	IoTデバイスの役割や構成要素（IoTデバイス，センサー，アクチュエーターなど）
□	コンピュータシステムの構成（集中処理，分散処理，クライアントサーバシステム，ピアツーピア，シンクライアント，デュプレックスシステム，デュアルシステム，NAS，RAID，レプリケーション，仮想化など）
□	システムを評価する指標（稼働率，MTBF，MTTR，レスポンスタイム，スループット，TCOなど）
□	システムの信頼性設計の考え方（フェールセーフ，フェールソフト，フォールトトレラント，フールプルーフなど）
□	OSの必要性や機能，種類（Windows，MacOS，UNIX，Linuxなど），BIOS
□	ファイル管理の基本的な機能や用語（ルートディレクトリ，カレントディレクトリ，絶対パス，相対パス，バックアップなど）
□	オフィスツールなどのソフトウェア，表計算ソフトの基本機能（セルの参照，代表的な関数の利用など），OSSの種類・特徴
□	コンピュータや入出力装置の種類・特徴（PC，タブレット端末，ウェアラブル端末，スマートデバイス，キーボード，イメージスキャナー，3Dプリンター，レーザプリンター，インパクトプリンター）
技術要素	
□	ヒューマンインタフェースの技術・設計（GUI，CSS，ユニバーサルデザイン，Webアクセシビリティなど）
□	マルチメディア技術（マルチメディア，ストリーミング，DRM，CPRM，色の表現，画素，ピクセル，コンピュータグラフィックス，バーチャルリアリティ，拡張現実，4K/8K，音声や動画・静止画などで使われている主なファイル形式など）
□	関係データベースの基礎知識（DBMS，テーブル，主キー，正規化，結合・射影・選択，トランザクション処理，排他制御など）
□	ネットワークの種類・構成要素（LAN，WAN，ハブ，ルーター，デフォルトゲートウェイ，MACアドレス，Wi-Fi，ESSID，LPWA，エッジコンピューティング，IoTネットワーク，BLE，伝送速度，SDNなど）
□	通信プロトコルの種類・特性（TCP/IP，FTP，HTTP，HTTPS，SMTP，POP3，IMAP，NTPなど）
□	ネットワークの仕組み・サービス（グローバルIPアドレス，ローカルIPアドレス，NAT，DNS，URL，電子メール，cc，bcc，メーリングリスト，cookie，RSS，オンラインストレージ，MVNO，キャリアアグリゲーション，テザリングなど）
□	情報セキュリティの脅威（人的：漏えい，なりすまし，ソーシャルエンジニアリングなど／技術的：マルウェア，コンピュータウイルス，ボット，スパイウェア，ランサムウェアなど／物理的：災害，破壊など），脆弱性（バグ，セキュリティホールなど），不正のトライアングル，サイバー攻撃（総当たり攻撃，クロスサイトスクリプティング，DDoS攻撃，標的型攻撃など）
□	情報セキュリティ管理（ISMS，情報セキュリティポリシー，機密性，完全性，可用性，リスクアセスメントなど）
□	情報セキュリティ対策（ファイアウォール，DMZ，SSL/TLS，VPN，MDM，デジタルフォレンジックス，ペネトレーションテスト，ブロックチェーン，内部不正防止ガイドラインなど），バイオメトリクス認証（静脈パターン認証，虹彩認証など）
□	暗号に関する技術や用語（共通鍵暗号方式，公開鍵暗号方式，デジタル署名，CA，WEP，WPA2，ディスク暗号化など）

令和6年度　過去問題

ITパスポート

（全100問 ……………………試験時間：120分）

※ 495ページに答案用紙がありますので，ご利用ください。
※「擬似言語の記述形式及び表計算ソフトの機能・用語」は巻末に掲載しています。
※この過去問題は，情報処理推進機構（IPA）より，令和6年4月に公開された「ITパスポート試験 令和6年度分」の100問です。

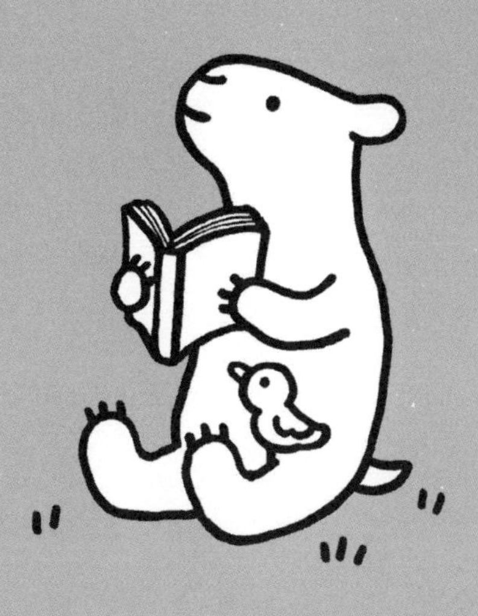

令和6年度問題

問1から問35までは，ストラテジ系の問題です。

問1　マーケティングオートメーション（MA）に関する記述として，最も適切なものはどれか。

ア　企業内に蓄積された大量のデータを分析して，事業戦略などに有効活用する。
イ　小売業やサービス業において，販売した商品単位の情報の収集・蓄積及び分析を行う。
ウ　これまで人間が手作業で行っていた定型業務を，AIや機械学習などを取り入れたソフトウェアのロボットが代行することによって自動化や効率化を図る。
エ　見込み顧客の抽出，獲得，育成などの営業活動を効率化する。

問2　情報システムに不正に侵入し，サービスを停止させて社会的混乱を生じさせるような行為に対して，国全体で体系的に防御施策を講じるための基本理念を定め，国の責務などを明らかにした法律はどれか。

ア　公益通報者保護法　　イ　サイバーセキュリティ基本法
ウ　不正アクセス禁止法　　エ　プロバイダ責任制限法

解説

問 1 マーケティングオートメーション（MA）に関する記述 初モノ!

× ア BI（Business Intelligence）に関する記述です。BIは，企業が蓄積している様々なデータを分析し，その結果を経営や事業推進の意思決定に役立てる手法のことです。

× イ POS（Point of Sales）に関する記述です。POSはスーパーやコンビニのレジで顧客が商品の支払いをしたとき，リアルタイムで販売情報を収集し，在庫管理や販売戦略に活用するシステムのことです。

× ウ RPA（Robotic Process Automation）に関する記述です。RPAは，これまで人が行っていた定型的な事務作業を，認知技術（ルールエンジン，AI，機械学習など）を活用したソフトウェア型のロボットに代替させて，業務の自動化や効率化を図ることです。

○ エ 正解です。マーケティングオートメーション（Marketing Automation）は，IT技術を活用し，マーケティング活動を自動化，効率化するための仕組みやツールのことです。MAとも呼ばれます。見込み客の抽出，獲得，育成などの営業活動を自動化するなど，マーケティング活動の効率化を実現できます。

問 2 国全体での情報システムへの防御施策や責務を定めた法律

× ア 公益通報者保護法は，公益のために事業者の法令違反行為を通報した労働者・退職後1年以内の退職者・役員が，解雇，降格，減給などの不利益な取扱いをされないように保護する法律です。

○ イ 正解です。サイバーセキュリティ基本法は，国のサイバーセキュリティに関する施策への基本理念を定め，国や地方公共団体の責務などを明らかにし，サイバーセキュリティ戦略の策定，その他サイバーセキュリティの施策の基本となる事項を定めた法律です。

× ウ 不正アクセス禁止法は，「ネットワークを通じて不正にコンピュータにアクセスする行為」や「不正アクセスを助長する行為」を禁止し，罰則を定めた法律です。

× エ プロバイダ責任制限法は，電子掲示板への誹謗中傷の書込みなど，インターネット上で個人の権利侵害などの事案が発生したとき，プロバイダ，サーバの管理者・運営者，掲示板管理者などが負う損害賠償責任の範囲や，発信者情報の開示を請求する権利を定めた法律です。

プロバイダ 問2

インターネットに接続するサービスを提供する事業者のこと。正式名称は「インターネットサービスプロバイダ」（Internet Service Provider）。ISPともいう。

問2

参考 サイバーセキュリティ基本法に基づき，内閣官房に「内閣サイバーセキュリティセンター」が設置されたよ。通称を「NISC」（ニスク）といい，National center of Incident readiness and Strategy for Cybersecurityの略だよ。

解答

問1 エ　問2 イ

問3 未来のある時点に目標を設定し，そこを起点に現在を振り返り，目標実現のために現在すべきことを考える方法を表す用語として，最も適切なものはどれか。

ア PoC（Proof of Concept）
イ PoV（Proof of Value）
ウ バックキャスティング
エ フォアキャスティング

問4 従来の金融情報システムは堅ろう性が高い一方，柔軟性に欠け，モバイル技術などの情報革新に追従したサービスの迅速な提供が難しかった。これを踏まえて，インターネット関連技術の取込みやそれらを活用するベンチャー企業と組むなどして，新たな価値や革新的なサービスを提供していく潮流を表す用語として，最も適切なものはどれか。

ア オムニチャネル
イ フィンテック
ウ ブロックチェーン
エ ワントゥワンマーケティング

問5 ベンチャーキャピタルに関する記述として，最も適切なものはどれか。

ア 新しい技術の獲得や，規模の経済性の追求などを目的に，他の企業と共同出資会社を設立する手法
イ 株式売却による利益獲得などを目的に，新しい製品やサービスを武器に市場に参入しようとする企業に対して出資などを行う企業
ウ 新サービスや技術革新などの創出を目的に，国や学術機関，他の企業など外部の組織と共創関係を結び，積極的に技術や資源を交換し，自社に取り込む手法
エ 特定された課題の解決を目的に，一定の期間を定めて企業内に立ち上げられ，構成員を関連部門から招集し，目的が達成された時点で解散する組織

解説

問3 未来の目標を起点として現在すべきことを考える方法 初モノ!

× ア PoC（Proof of Concept）は，新しい概念や理論，アイディアなどについて，本当に実現できるかどうかを検証することです。概念実証ともいいます。

× イ PoV（Proof of Value）は，新しい技術やアイディアなどについて，実現できることはわかっているが，それを導入する価値があるかどうかを検証することです。価値実証ともいいます。

○ ウ 正解です。バックキャスティングは，未来における目標を設定し，そこから現在を振り返って，目標達成のために現在すべきことを考える方法のことです。

× エ フォアキャスティングは，現在を起点として，これまでのデータや実績などに基づき，未来を予測して取組みを考える方法のことです。

問4 金融情報システムで新しい価値や革新的サービスの提供を表す用語

× ア オムニチャネルは，店頭販売やオンラインストアなど，顧客との接点になっている販売チャネル（流通経路）を連携，統合させることです。

○ イ 正解です。フィンテックは，銀行などの金融業においてIT技術を活用し，これまでにない新たな価値や革新的なサービスへの取組みを示す用語です。たとえば，AI（人工知能）による投資予測，スマートフォンを利用したモバイル決済，クラウド型会計システムなどがあります。

× ウ ブロックチェーンは，取引の台帳情報を一元管理するのではなく，ネットワーク上にある複数のコンピュータで同じ内容のデータを保持，管理する分散型台帳技術のことです。

× エ ワントゥワンマーケティングは，顧客1人ひとりのニーズを把握し，それを充足する製品やサービスを提供するマーケティング手法です。

問5 ベンチャーキャピタルに関する記述

× ア ジョイントベンチャーに関する記述です。ジョイントベンチャーは，複数の企業が共同で出資して，新しい会社を立ち上げて事業を行うことや，その企業のことです。

○ イ 正解です。ベンチャーキャピタルは（Venture Capital）は，将来的に大きな成長が見込める未上場のベンチャー企業や中小企業などに対して，出資などを行う企業のことです。

× ウ オープンイノベーションに関する記述です。オープンイノベーションは，外部の組織と連携することで，いろいろな技術やアイディア，知識などを結合させて，新たなビジネスモデルや製品，サービスなどの創造を図ることです。

× エ タスクフォースに関する記述です。タスクフォースは，特定の課題や目的を達成するために，一時的に編成される組織です。

合格のカギ

覚えよう! 問3

バックキャスティング
といえば
未来を起点に振り返る

フォアキャスティング
といえば
現在を起点に積み上げる

問4

対策 フィンテック（FinTech）はfinance（金融）とtechnology（技術）を組み合わせた造語だよ。

イノベーション 問5

今までにない技術や考え方から新たな価値を生み出し，社会的に大きな変化を起こすこと。経済分野では，「技術革新」「経営革新」「画期的なビジネスモデルの創出」などの意味で用いられる。

解答

問3 ウ　問4 イ
問5 イ

問6

技術戦略の策定や技術開発の推進といった技術経営に直接の責任をもつ役職はどれか。

ア CEO　イ CFO　ウ COO　エ CTO

問7

システム開発の上流工程において，業務プロセスのモデリングを行う目的として，最も適切なものはどれか。

ア 業務プロセスで取り扱う大量のデータを，統計的手法やAI手法などを用いて分析し，データ間の相関関係や隠れたパターンなどを見いだすため

イ 業務プロセスを可視化することによって，適切なシステム設計のベースとなる情報を整備し，関係者間で解釈を共有できるようにするため

ウ 個々の従業員がもっている業務に関する知識・経験やノウハウを社内全体で共有し，創造的なアイディアを生み出すため

エ プロジェクトに必要な要員を調達し，チームとして組織化して，プロジェクトの目的の達成に向けて一致団結させるため

解説

問6 技術経営に直接の責任をもつ役職

企業経営に携わる役職として，次のようなものがあります。

CEO	最高経営責任者。企業の代表者として，経営全体に責任をもつ。Chief Executive Officerの略。
CIO	最高情報責任者。情報システムの最高責任者として，情報システム戦略の策定・実行に責任をもつ。Chief Information Officerの略。
CFO	最高財務責任者。財務部門の最高責任者として，資金調達や運用などの財務に関して責任をもつ。Chief Financial Officerの略。
CHO	最高人事責任者。企業の人事を統括し，人事戦略に責任をもつ。Chief Human Officerの略。
CTO	最高技術責任者。専門的な技術・知識を用いる技術部門の最高責任者として，企業における技術戦略，開発，研究に責任をもつ。Chief Technology Officerの略。
COO	最高執行責任者。経営方針や経営戦略に基づいた，日常の業務の執行に責任をもつ。Chief Operating Officerの略。

技術戦略の策定や技術開発の推進といった技術経営に直接の責任をもつ役職は，CTOです。よって，正解は エ です。

問7 業務プロセスのモデリングを行う目的

× ア データマイニングの目的です。データマイニングは蓄積された大量のデータから，統計やパターン認識などを用いることによって，規則性や関係性を導き出す手法です。

○ イ 正解です。業務プロセスのモデリングは，業務の流れや構造，データの関係などを図式化して表現することです。業務をシステム化するときには，業務プロセスのモデリングを行って，現状の業務プロセスを把握，整理していきます。

× ウ ナレッジマネジメントの目的です。ナレッジマネジメントは，企業内に分散している知識やノウハウなどを企業全体で共有し，有効活用することで，企業の競争力を強化する経営手法です。

× エ キックオフミーティングの目的です。キックオフミーティングは，新しいプロジェクトを始めるとき，最初に行われるミーティングです。

問6

対策 どの役職が出題されてもよいように，役職と責任をもつ対象を覚えておこう。

問7

参考 代表的なモデリング手法として，次のようなものがあるよ。
- E-R図
- DFD（Data Flow Diagram）
- BPMN（Business Process Model and Notation）

解答

問6 エ　問7 イ

□□□ 問 8　表はA社の期末の損益計算書から抜粋した資料である。当期純利益が800百万円であるとき，販売費及び一般管理費は何百万円か。

単位　百万円

項目	金額
売上高	8,000
売上原価	6,000
販売費及び一般管理費	□
営業外収益	150
営業外費用	50
特別利益	60
特別損失	10
法人税等	350

ア 850　　イ 900　　ウ 1,000　　エ 1,200

解説

問 8 販売費及び一般管理費の算出

損益計算書は一会計期間における企業の収益と費用を表したもので，次の表のような項目や金額を記載します（わかりやすくするため，利益の項目は赤字，減算する金額には「△」を付けています）。

損益計算書（見本）

単位　百万円

項目	金額	
売上高	8,000	
売上原価	△6,000	
売上総利益	**2,000**	←(売上高)−(売上原価)
販売費及び一般管理費	△1,000	
営業利益	**1,000**	←(売上総利益)−(販売費及び一般管理費)
営業外収益	150	
営業外費用	△50	
経常利益	**1,100**	←(営業利益)+(営業外収益)−(営業外費用)
特別利益	60	
特別損失	△10	
税引前当期純利益	**1,150**	←(経常利益)+(特別利益)−(特別損失)
法人税，住民税及び事業税	△350	
当期純利益	**800**	←(税引前当期純利益)−(法人税，住民税及び事業税)

注意：△は減算する金額

合格のカギ

損益計算書 問8

一会計期間における企業の収益と費用を表したもの。損益計算書における利益以外の項目の内容は次のとおり。

- **売上原価**
  商品の仕入れ，製品やサービスの製造などに必要だった金額
- **販売費及び一般管理費**
  販売や管理で生じた費用。広告費や水道光熱費など
- **営業外収益**
  本業以外で生じた収益。預金の利息など
- **営業外費用**
  本業以外で生じた費用。支払利息や手形売却損など
- **特別利益**
  例外的に生じた利益。固定資産売却益など
- **特別損失**
  例外的に生じた損失。固定資産売却損など
- **法人税等**
  法人税など，得た所得に課せられる税金

下の表は，出題されている損益計算書です。抜粋した資料であり，本来は記載されている利益の項目が除かれています。また，ここでは収益と費用をわかりやすくするため，収益の金額は赤字，費用の金額には「△」を付けています。

単位　百万円

売上高	8,000
売上原価	△6,000
販売費及び一般管理費	x
営業外収益	150
営業外費用	△50
特別利益	60
特別損失	△10
法人税等	△350

注意：
この表には，「売上総利益」や「営業利益」などの利益が記されていません。利益を含む損益計算書は左ページに掲載しているので参照してください。

当期純利益は**この会計期間における最終的な利益**のことで，収益の総額から，全ての費用と損失，税金を差し引くことで求められます。

当期純利益 ＝ 収益の総額 － 費用 － 損失 － 税金

収益は次のとおりです。これらの合計より，収益の総額は8,210です。

収益 ‥‥売上高 8,000　営業外収益 150　特別利益 60

費用や損失，税金は次のとおりです。「**販売費及び一般管理費**」はxとしています。

費用 ‥‥売上原価 6,000　販売費及び一般管理費 x　営業外費用 50
損失 ‥‥特別損失 10
税金 ‥‥法人税等 350

これらの金額を上記の計算式に代入すると，**当期純利益は「1,800−x」**になります。

当期純利益 ＝ 8,210−6,000−x−50−10−350 ＝ 1,800−x

※単位 百万円

出題から「当期純利益は800百万円」なので，**xは「1,000」**になります。よって，正解は ウ です。

解答

問8 ウ

□□□ **問9** 企業の戦略立案やマーケティングなどで使用されるフェルミ推定に関する記述として，最も適切なものはどれか。

ア 正確に算出することが極めて難しい数量に対して，把握している情報と論理的な思考プロセスによって概数を求める手法である。

イ 特定の集団と活動を共にしたり，人々の動きを観察したりすることによって，慣習や嗜好，地域や組織を取り巻く文化を類推する手法である。

ウ 入力データと出力データから，その因果関係を統計的に推定する手法である。

エ 有識者のグループに繰り返し同一のアンケート調査とその結果のフィードバックを行うことによって，ある分野の将来予測に関する総意を得る手法である。

□□□ **問10** 不正競争防止法で規定されている限定提供データに関する記述として，最も適切なものはどれか。

ア 特定の第三者に対し，1回に限定して提供する前提で保管されている技術上又は営業上の情報は限定提供データである。

イ 特定の第三者に提供する情報として電磁的方法によって相当量蓄積され管理されている技術上又は営業上の情報（秘密として管理されているものを除く）は限定提供データである。

ウ 特定の第三者に提供するために，金庫などで物理的に管理されている技術上又は営業上の情報は限定提供データである。

エ 不正競争防止法に定めのある営業秘密は限定提供データである。

解説

問 9　フェルミ推定に関する記述　初モノ!

○ ア　正解です。フェルミ推定は，正確に算出することや実際に調べることが難しい数量について，把握している情報と論理的な思考によって，大まかな数を求める手法です。たとえば，新しく店舗を出店する際，地域の人口や競合他社などの情報から，市場の大きさや来客数，どのくらいの売上が見込めるかを推定します。

× イ　エスノグラフィーに関する記述です。エスノグラフィーは，調査対象が生活する場に参加し，活動を共にしながら，人々の行動を観察する調査手法です。

× ウ　因果推論に関する記述です。因果推論は，データの因果関係（原因とそれによって生じる結果との関係）を統計的に推定する手法です。

× エ　デルファイ法に関する記述です。デルファイ法は，技術動向などの未来予測に用いられる手法です。専門家のグループにアンケートを行い，その結果を専門家にフィードバックし，また同じ内容のアンケートに回答してもらうことを繰り返すことによって，意見をまとめます。

問10　不正競争防止法の限定提供データに関する記述　初モノ!

不正競争防止法は，不正競争を防止し，事業者間の公正な競争の促進を目的とした法律です。

本法では，気象データ，地図データ，機械稼働データ，消費動向データなど，企業間で提供・共有されることで，新しい事業の創出につながったり，サービスや製品の付加価値を高めるなど，その利活用が期待されているデータを限定提供データとして保護し，不正に取得，使用，開示することを禁じています。

また，本法において限定提供データは，技術上または営業上の情報であり，「①業として特定の者に提供する（限定提供性）」「②電磁的方法により相当量蓄積されている（相当蓄積性）」「③電磁的方法により管理されている（電磁的管理性）」の3つの要件を全て満たすものです。

× ア　限定提供データの要件には「業として特定の者に提供する」とあり，これは反復継続的に提供することを示しています。1回に限定して提供する前提なので，限定提供データではありません。

○ イ　正解です。「電磁的方法によって相当量蓄積され管理されている技術又は営業上の情報」は，限定提供データの要件を満たしています。

× ウ　金庫などに物理的に管理されている情報は，電磁的方法により管理されていないので，限定提供データではありません。

× エ　不正競争防止法では事業活動に有用な技術や営業上の情報を営業秘密として保護しますが，営業秘密は限定提供データから除かれています。

問10

対策 不正競争防止法では，営業秘密が過去問題でよく出題されているよ。
営業秘密は事業活動における重要な技術情報で，次の3つの要件を全て満たすものだよ。
・秘密として管理されていること（秘密管理性）
・有用な技術上または営業上の情報であること（有用性）
・公然と知られていないこと（非公知性）

解答

問9 ア　問10 イ

問 11 品質に関する組織やプロセスの運営管理を標準化し，マネジメントの質や効率の向上を目的とした方策として，適切なものはどれか。

ア ISMSの導入
イ ISO 9001の導入
ウ ITILの導入
エ プライバシーマークの取得

問 12 AIに関するガイドラインの一つである“人間中心のAI社会原則”に定められている七つの“AI社会原則”のうち，“イノベーションの原則”に関する記述として，最も適切なものはどれか。

ア AIの発展によって人も併せて進化するように，国際化や多様化を推進し，大学，研究機関，企業など，官民における連携と，柔軟な人材の移動を促進する。
イ AIの利用がもたらす結果については，問題の特性に応じて，AIの開発，提供，利用に携わった関係者が分担して責任を負う。
ウ サービスの提供者は，AIを利用している事実やデータの取得方法や使用方法，結果の適切性について，利用者に対する適切な説明を行う。
エ 情報弱者を生み出さないために，幼児教育や初等中等教育において，AI活用や情報リテラシーに関する教育を行う。

解説

問11 マネジメントの質や効率の向上を目的とした方策

× ア ISMS（Information Security Management System）は，情報セキュリティマネジメントシステムのことで，情報セキュリティを確保，維持するための組織的な取組みのことです。

○ イ 正解です。ISO 9001は品質マネジメントシステムの国際規格です。ISO 9001の導入によって，品質管理に関する業務運営が標準化され，管理の質や効率が向上します。

× ウ ITIL（Information Technology Infrastructure Library）は，ITサービスの運用管理に関するベストプラクティス（成功事例）を体系的にまとめた書籍集です。

× エ プライバシーマークは，プライバシーマーク制度において，個人情報の取扱いについて適切な体制を整備・運用している事業者に与えられるマークです。

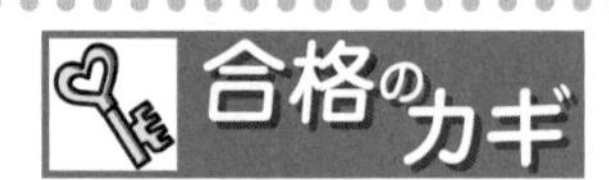

プライバシーマーク制度 問11

個人情報の取扱いが適切である事業者を認定する制度。第三者機関が審査し，基準に適合した事業者にはプライバシーマークの使用が認められる。

問12 人間中心のAI社会原則の“イノベーションの原則” 初モノ!

“人間中心のAI社会原則”は，政府が策定した文書で，社会がAIを受け入れ適正に利用するため，社会（特に国などの立法・行政機関）が留意すべき基本原則をまとめたものです。

本文書の第4章「人間中心のAI社会原則」には，国や自治体をはじめとする社会全体，さらには多国間の枠組みで実現されるべき社会的枠組みに関する7つの原則が記載されています（下の表を参照）。

原則	概要
人間中心の原則	AIの利用は，憲法及び国際的な規範の保障する基本的人権を侵すものであってはならない。また，人が自らどのように利用するかの判断と決定を行うことが求められる。AIの利用がもたらす結果については，問題の特性に応じて，AIの開発・提供・利用にかかわった関係者が分担して責任を負う。
教育・リテラシーの原則	教育・リテラシーを育む教育環境が全ての人に平等に提供されなければならない。
プライバシー確保の原則	個人が不利益を受けることのないよう，関係者はパーソナルデータを扱わなければならい。パーソナルデータを利用したAIやAIを活用したサービスでは，政府における利用を含め，個人の自由，尊厳，平等が侵害されないようにすべきである。
セキュリティ確保の原則	AIのベネフィット（恩恵）とリスクのバランスに留意し，全体として社会の安全性及び持続可能性が向上するように務めなければならない。
公正競争確保の原則	新たなビジネス，サービスを創出し，持続的な経済成長の維持と社会課題の解決策が提示されるよう，公正な競争環境が維持されなければならない。
公平性，説明責任及び透明性の原則	公平性及び透明性のある意思決定とその結果に対する説明責任が適切に確保されると共に，技術に対する信頼性が担保される必要がある。
イノベーションの原則	Society 5.0を実現し，AIの発展によって，人も併せて進化していくような継続的なイノベーションを目指すため，国境や産学官民，人種，性別，国籍，年齢，政治的信念，宗教等の垣根を越えて，幅広い知識，視点，発想等に基づき，人材・研究の両面から，徹底的な国際化・多様化と産学官民連携を推進するべきである。

※出典：内閣府ホームページ「人間中心のAI社会原則」より抜粋，一部加工
https://www8.cao.go.jp/cstp/aigensoku.pdf

○ ア 正解です。国際化・多様化の推進や，産学官民の連携，柔軟な人材の移動を行うことは，「イノベーションの原則」に関する記述です。

× イ 「人間中心の原則」に関する記述です。

× ウ 「公平性，説明責任及び透明性の原則」に関する記述です。

× エ 「教育・リテラシーの原則」に関する記述です。

合格のカギ

問12

対策「人間中心のAI社会原則」の第2章や第3章には，次の事項が記載されているよ。

第2章 基本理念
- 人間の尊厳が尊重される社会
- 多様な背景をもつ人々が多様な幸せを追求できる社会
- 持続性ある社会

第3章 Society 5.0 実現に必要な社会変革「AI-Readyな社会」
- 人
- 社会システム
- 産業構造
- イノベーションシステム（イノベーションを支援する環境）
- ガバナンス

問12

対策「人間中心のAI社会原則」は内閣府ホームページで閲覧できるよ。第4章の原則も詳しい内容が記載されているので確認しておこう。

解答

問11 イ　問12 ア

問13

金融機関では，同一の顧客で複数の口座をもつ個人や法人について，氏名又は法人名，生年月日又は設立年月日，電話番号，住所又は所在地などを手掛かりに集約し，顧客ごとの預金の総額を正確に把握する作業が行われる。このように顧客がもつ複数の口座を，顧客ごとに取りまとめて一元管理する手続を表す用語として，最も適切なものはどれか。

ア　アカウントアグリゲーション
イ　キーマッピング
ウ　垂直統合
エ　名寄せ

問14

ある商品の販売量と気温の関係が一次式で近似できるとき，予測した気温から商品の販売量を推定する手法として，適切なものはどれか。

ア　回帰分析
イ　線形計画法
ウ　デルファイ法
エ　パレート分析

問15

必要な時期に必要な量の原材料や部品を調達することによって，工程間の在庫をできるだけもたないようにする生産方式はどれか。

ア　BPO
イ　CIM
ウ　JIT
エ　OEM

解説

問13　顧客の複数口座を取りまとめて一元管理する手続　初モノ！

× ア　アカウントアグリゲーションは，各金融機関の利用者のID・パスワードなどの情報をあらかじめ登録しておくことによって，一度の認証で複数の金融機関の口座取引情報を一括して表示する個人向けWebサービスのことです。

× イ　キーマッピングは，キーボードのキーに対して，コンピュータで操作する機能の割り当てを行うことです。

× ウ　垂直統合は，自社の業務の流れ（資材の調達，生産，流通，販売など）において，上流や下流の工程を担ってもらう他社を統合し，事業領域を拡大することです。

○ エ　正解です。金融機関で同一の顧客がもつ複数口座を集約し，一元管理する手続を名寄せといいます。広い意味では，複数のデータベースに重複して登録されているデータを，一元管理するために1つに集約する作業を表します。

問13

参考　名寄せはもともと金融機関で行われている業務だけれど，現在は複数のデータベースに重複しているデータを1つにまとめる作業で使われるようになったよ。

問14 予測した気温から商品の販売量を推定する手法 初モノ!

○ ア 正解です。回帰分析は，要因となる数値（説明変数）と結果となる数値（目的変数）の関係性を分析する手法です。これらの関係性を表す方程式を調べて，それに基づいて予測や検証などを行います。たとえば，一般的に気温が高いとアイスクリームがよく売れます。こうした関係にある一次方程式では，予測した気温から商品の販売量を推定することができます。

× イ 線形計画法は，一次式で表される制約条件の中で，最大または最小となる変数の値を求める手法です。在庫管理や生産管理などで，条件下で最も効果が得られる資料の配分を調べるときに利用します。

× ウ デルファイ法は，専門家のグループにアンケートを行い，その結果を専門家にフィードバックし，また同じ内容のアンケートに回答してもらうことを繰り返すことによって，意見をまとめる手法です。技術動向などの未来予測において用いられます。

× エ パレート分析は，パレート図を用いて，重点的に管理すべき要素を分析する手法です。ABC分析ともいわれます。

問15 工程間の在庫をできるだけもたないようにする生産方式

× ア BPO（Business Process Outsourcing）は，自社の業務の一部を外部の事業者に委託することです。たとえば，総務や人事，経理などの業務を任せます。

× イ CIM（Computer-Integrated Manufacturing）はコンピュータを使って，製品の設計，生産計画，製造，出荷など，生産の全ての過程を統合して管理するシステムのことです。

○ ウ 正解です。JIT（Just In Time）は「必要な物を，必要なときに，必要な量だけ」生産するという生産方式のことです。工程における無駄を省き，在庫をできるだけ少なくすることで生産の効率化を図ります。ジャストインタイムともいいます。

× エ OEM（Original Equipment Manufacturer）は，提携先企業から委託を受けて，その企業のブランド名で販売される製品を製造することです。また，製造を行う企業（製造メーカー）を指すこともあります。

合格のカギ

問14
参考 一次式は，「3x」や「5y+8」のような，一次の項だけか，一次の項と数式の項で表されている式のことだよ。こうした一次式による方程式が一次方程式だよ。

問14
参考 1つの目的変数を1つの説明変数で予測するものを「単回帰分析」といい，「y=ax+b」という一次方程式の形で表せるよ。aやbには定数として，具体的な数字が入るよ。

問15
参考 Just In Timeを実現する手法に「かんばん方式」があるよ。「かんばん」は部品名や数量，入荷日時などを書いたもので，これを工程間で回すことによって，「いつ，どれだけ，どの部品を使った」という情報を伝えるよ。

解答

問13 エ 問14 ア
問15 ウ

問16 RPAが適用できる業務として，最も適切なものはどれか。

ア ゲームソフトのベンダーが，ゲームソフトのプログラムを自動で改善する業務

イ 従業員の交通費精算で，交通機関利用区間情報と領収書データから精算伝票を作成する業務

ウ 食品加工工場で，産業用ロボットを用いて冷凍食品を自動で製造する業務

エ 通信販売業で，膨大な顧客の購買データから顧客の購買行動に関する新たな法則を見つける業務

問17 技術開発戦略において作成されるロードマップを説明しているものはどれか。

ア 技術の競争力レベルと技術のライフサイクルを2軸としたマトリックス上に，自社の技術や新しい技術をプロットする。

イ 研究開発への投資とその成果を2軸とした座標上に，技術の成長過程をグラフ化し，旧技術から新技術への転換状況を表す。

ウ 市場面からの有望度と技術面からの有望度を2軸としたマトリックス上に，技術開発プロジェクトをプロットする。

エ 横軸に時間，縦軸に市場，商品，技術などを示し，研究開発成果の商品化，事業化の方向性をそれらの要素間の関係で表す。

問18 コーポレートガバナンスを強化した事例として，最も適切なものはどれか。

ア 女性が活躍しやすくするために労務制度を拡充した。

イ 迅速な事業展開のために，他社の事業を買収した。

ウ 独立性の高い社外取締役の人数を増やした。

エ 利益が得られにくい事業から撤退した。

解説

問16 RPAが適用できる業務

RPA（Robotic Process Automation）は，これまで人が行っていた定型的な事務作業をソフトウェア型のロボットに代替させて，業務の自動化や効率化を図ることです。

× ア，エ　プログラムを自動で改善する業務や，購買データから新たな法則を見つける業務は，定型的な事務作業ではないため，RPAの適用が向いている業務とはいえません。

○ イ　正解です。交通機関利用区間情報と領収書データから精算伝票を作成することは，人がPCで決まった手順で繰り返し行っている事務作業です。こうした定型的な業務は，RPAを適用して自動化できます。

× ウ　RPAは人がPCで行う事務作業を自動化するものであり，工場の産業用ロボットを用いた製造業務には適用できません。

問17 技術開発戦略で作成されるロードマップの説明

× ア，ウ　技術ポートフォリオに関する説明です。技術ポートフォリオは，技術開発戦略の策定に当たって，分析を行うために用いるマトリックス図です。軸の設定はいろいろで，目的に合わせて項目を設定します。

× イ　技術のSカーブに関する説明です。技術のSカーブは技術の進歩の過程を表したグラフで，進捗の流れがS字の曲線になります。

○ エ　正解です。技術ロードマップは，横軸に時間をとり，技術開発の進展の道筋を表した図です。縦軸には市場，商品，技術などを示し，研究開発への取組みによる要素技術や求められる機能，開発成果の商品化など，将来への展望を時系列に表します。

問18 コーポレートガバナンスを強化した事例 よくでる★

コーポレートガバナンス（Corporate Governance）は「企業統治」と訳され，経営管理が適切に行われているかどうかを監視し，企業活動の健全性を維持する仕組みのことです。経営者の独断や組織的な違法行為などを防止し，健全な経営活動を行うことを目的としています。

× ア　職場における女性の活躍を推進するための取組みの事例です。

× イ，エ　企業の成長や存続を実現するための経営戦略の事例です。

○ ウ　正解です。社外取締役は，取引や資本関係のない社外から迎える取締役のことです。その会社の代表取締役などと直接の利害関係にない独立した立場の人物が取締役になることや，その人数を増やすことは，経営の意思決定プロセスの監督･監査機能を強化できます。コーポレートガバナンスを強化した事例として適切です。

問16

対策 RPAで自動化を図るのに適しているのは，「繰り返し行う」「定型的」な事務作業であることを覚えておこう。

取締役 問18

会社の重要事項や方針を決定する権限をもつ役員のこと。法的に定められている名称で，取締役は株主総会で選出される。取締役で構成される機関を取締役会といい，会社の業務執行の決定などを行う。

解答

問16 イ　問17 エ
問18 ウ

問19 ある銀行では，システムの接続仕様を外部に公開し，あらかじめ契約を結んだ外部事業者のアクセスを認めることによって，利便性の高い，高度なサービスを展開しやすくしている。このような取組を表す用語として，最も適切なものはどれか。

ア BPO　　イ RPA
ウ オープンAPI　　エ 技術経営

問20 A社では，1千万円を投資して営業支援システムを再構築することを検討している。現状の営業支援システムの運用費が5百万円／年，再構築後の営業支援システムの運用費が4百万円／年，再構築による新たな利益の増加が2百万円／年であるとき，この投資の回収期間は何年か。ここで，これら以外の効果，費用などは考慮しないものとし，計算結果は小数点以下第2位を四捨五入するものとする。

ア 2.5　　イ 3.3　　ウ 5.0　　エ 10.0

問21 あるソフトウェアは，定額の料金や一定の期間での利用ができる形態で提供されている。この利用形態を表す用語として，適切なものはどれか。

ア アクティベーション　　イ アドウェア
ウ サブスクリプション　　エ ボリュームライセンス

解説

問19 システムの接続仕様を外部に公開する取組み 初モノ!

× ア BPO（Business Process Outsourcing）は，自社の業務の一部を外部の事業者に委託することです。たとえば，総務や人事，経理などの業務を任せます。

× イ RPA（Robotic Process Automation）は，これまで人が行っていた定型的な事務作業を，ソフトウェア型のロボットに代替させて，業務の自動化や効率化を図ることです。

○ ウ 正解です。OSやアプリケーションソフトがもつ機能の一部を公開し，他のプログラムから利用できるようにする仕組みをAPI（Application Programming Interface）といいます。オープンAPIは，サービスを展開しやすくするためにAPIを外部に公開していく取組みや，こうして公開されたAPIのことです。

× エ 技術経営は，技術に立脚する事業を行う企業・組織が，技術革新（イノベーション）をビジネスに結び付け，事業を発展させていく経営の考え方のことです。MOT（Management Of Technology）ともいいます。

問20 システムの再構築に行う投資の回収期間の算出

まず，営業支援システムを再構築することで，再構築後に増える利益を考えます。再構築後は，システムの年間の運用費が500万円から400万円になるので，100万円／年の利益が出ます。さらに，再構築による新たな利益の増加も200万円／年あり，再構築後に増える利益は100万円+200万円＝300万円／年です。

次に，投資の回収期間を「投資した金額÷再構築後に増える利益」を計算して求めます。投資した金額1,000万円，再構築後に増える利益300万円／年を代入して計算すると，次のようになります。

1,000万円÷300万円／年 = 3.33… = 3.3 ※小数点以下第2位を四捨五入

これより，投資の回収期間は3.3年です。よって，正解は イ です。

問21 ソフトウェアを定額料金や一定期間で利用できる形態 初モノ!

× ア アクティベーションは，ライセンス認証を行って，ソフトウェアを使用可能な状態にすることです。

× イ アドウェアは，画面上に強制的に広告を表示させるなど，宣伝や広告を目的とした動作を行うプログラムです。

○ ウ 正解です。サブスクリプションは，定額の料金を支払うことで，一定の期間で商品やサービスを利用できる形態のことです。

× エ ボリュームライセンスは，複数のコンピュータをもつ企業や組織などに向けて，ソフトウェアをインストールできるコンピュータの台数をあらかじめ取り決め，ソフトウェアを提供する形態のことです。

合格のカギ

問19

対策 APIを使って既存のサービスやデータをつなぎ，新たなビジネスや価値を生み出す仕組みを「APIエコノミー」というよ。過去問題で出題されているので，覚えておこう。

ライセンス認証 問21

ソフトウェアの不正使用を防ぐため，正規のライセンス（使用権）がある製品であることを確認する手続のこと。

解答

問19 ウ 問20 イ
問21 ウ

問22

インターネットを介して個人や企業が保有する住宅などの遊休資産の貸出しを仲介するサービスや仕組みを表す用語として，最も適切なものはどれか。

ア シェアードサービス　　イ シェアウェア
ウ シェアリングエコノミー　　エ ワークシェアリング

問23

A社はRPAソフトウェアを初めて導入するに当たり，計画策定フェーズ，先行導入フェーズ，本格導入フェーズの3段階で進めようと考えている。次のうち，計画策定フェーズで実施する作業として，適切なものだけを全て挙げたものはどれか。

a RPAソフトウェアの適用可能性を見極めるための概念検証を実施する。
b RPAソフトウェアを全社展開するための導入と運用の手順書を作成する。
c 部門，業務を絞り込んでRPAソフトウェアを導入し，効果を実測する。

ア a　　イ a，c　　ウ b　　エ b，c

問24

式は定期発注方式で原料の発注量を求める計算式である。a～cに入れる字句の適切な組合せはどれか。

発注量＝（ a ＋調達期間）× 毎日の使用予定量 ＋ b
－ 現在の在庫量 － c

	a	b	c
ア	営業日数	安全在庫量	現在の発注残
イ	営業日数	現在の発注残	安全在庫量
ウ	発注間隔	安全在庫量	現在の発注残
エ	発注間隔	現在の発注残	安全在庫量

解説

問22 遊休資産の貸出しを仲介するサービスや仕組み

× ア シェアードサービスは，グループ会社などの企業で共通的に存在する業務を，1か所に集約することで経営の効率化を目指す手法です。

× イ シェアウェアは，一定の試用期間の間は無料で使用できますが，継続して利用するには料金を支払う必要があるソフトウェアの配布形態や，そのソフトウェアのことです。

○ ウ 正解です。シェアリングエコノミーは，インターネットを介して利用者と提供者をマッチングさせ，個人や企業が保有する住宅などの使われていないものを，他人に貸し出すサービスや仕組みのことです。

× エ ワークシェアリングは，従業員1人当たりの勤務時間短縮，仕事配分の見直しによる雇用確保の取組みのことです。

合格のカギ

問22
参考 シェアリングエコノミーで貸し出すものには，語学レッスンの教師や買い物代行など，スキルや空き時間を活用するものも含まれるよ。

問23 RPAソフトウェア導入の計画策定フェーズで実施する作業

RPAソフトウェアの導入を，計画策定フェーズ，先行導入フェーズ，本格導入フェーズの3段階で進める場合，次のような作業を実施します。

1 計画策定フェーズ
RPAソフトウェアを導入する業務を選定し，RPAソフトウェアの実現可能性や有効性などを検証します。

2 先行導入フェーズ
一部の部署や業務でRPAソフトウェアを試験的に導入し，実際の運用での効果を測定，検証します。必要に応じて，設定変更や修正も行います。

3 本格導入フェーズ
運用体制やルールの整備，手順書の作成などを行い，その後，RPAソフトウェアを全社に展開します。

a～cを確認すると，aは計画策定フェーズ，bは本格導入フェーズ，cは先行導入フェーズです。よって，正解は ア です。

問24 定期発注方式で原料の発注量を求める計算式 初モノ!

定期発注方式は，「1週間に1度」「毎月10日」など，一定の間隔で発注する方式です。毎回，次の計算式で最適な量を計算して発注します。

定期発注方式の発注量を求める計算式

発注量＝（発注間隔 + 調達期間）× 毎日の使用予定量 + 安全在庫量 − 現在の在庫量 − 現在の発注残

「発注間隔」は次回の発注までの日数，「調達期間」は発注してから納品されるまでの日数です。これらの日数に「毎日の使用予定量」をかけて，発注してから納品されるまでの使用予定量を予測します。そして，不測の事態が生じても，在庫切れしないように「安全在庫量」を上乗せします。

こうして求めた量から，手元にある「現在の在庫量」と，前回発注したもので納品されていない「現在の発注残」を引いた結果が発注量になります。

これより， a は「発注間隔」， b は「安全在庫量」， c は「現在の発注残」になります。よって，正解は ウ です。

問23

参考 RPAソフトウェアを導入するときには，PoC（Proof of Concept）の実施が重要とされているよ。PoCは「概念検証」（概念実証）のことだよ。

問24

参考 発注から納品までにかかる日数や時間を「リードタイム」ということもあるよ。

問24

参考 在庫量があらかじめ決めた数量まで減ったら，毎回一定の数量を発注する方式を「定量発注方式」というよ。発注量を決めるときは，発注費用と在庫維持費用の総額が最小となるようにするよ。

解答

問22 ウ　問23 ア
問24 ウ

□
□
□
問25 史跡などにスマートフォンを向けると，昔あった建物の画像や説明情報を現実の風景と重ねるように表示して，観光案内をできるようにした。ここで活用した仕組みを表す用語として，最も適切なものはどれか。

ア AR　　イ GUI　　ウ VR　　エ メタバース

□
□
□
問26 データサイエンティストの役割に関する記述として，最も適切なものはどれか。

ア 機械学習や統計などの手法を用いてビッグデータを解析することによって，ビジネスに活用するための新たな知見を獲得する。

イ 企業が保有する膨大なデータを高速に検索できるように，パフォーマンスの高いデータベースを運用するためのシステム基盤を構築する。

ウ 企業における情報システムに関するリスクを評価するために，現場でのデータの取扱いや管理についての実態を調査する。

エ 企業や組織における安全な情報システムの企画，設計，開発，運用を，サイバーセキュリティに関する専門的な知識や技能を活用して支援する。

解説

問25 画像や説明情報を現実の風景と重ねるように表示する仕組み

○ ア 正解です。AR（Augmented Reality）は，目の前に実際に存在するものに，コンピュータが作り出す情報を重ね合わせて表示する技術です。拡張現実ともいいます。ARによって，スマートフォンを向けた現実の風景に，昔の建物の画像や説明情報を重ねるように表示できます。

× イ GUI（Graphical User Interface）は画面に表示されたアイコンやボタンを，マウスなどを使って操作するヒューマンインタフェースのことです。

× ウ VR（Virtual Reality）は，仮想的な世界をコンピュータで作り出す技術です。ヘッドマウントディスプレイなどの機器を使って，人間の五感に働きかけることによって，実際には存在しない場所や世界をあたかも現実のように体感することができます。バーチャルリアリティや仮想現実ともいいます。

× エ メタバースは，インターネットを通じてアクセスするデジタルな仮想空間や，その関連サービスのことです。代表的なサービスに，自分の分身となるアバターを使って，仮想空間内を散策したり，他のユーザーと交流したりすることができます。

問26 データサイエンティストの役割に関する記述

ビッグデータなどの大量かつ多様なデータを解析し，何らかの意味のある情報や法則などを見いだそうとすることや，それに関する研究をデータサイエンスといいます。データサイエンティストはデータサイエンスにかかわる研究者や，データサイエンスの技術を企業活動などに活用する専門家のことです。

○ ア 正解です。機械学習や統計などの手法を用いてビッグデータを解析することによって，新たなサービスや価値を生み出すための知見を獲得することは，データサイエンティストの主要な役割です。

× イ データベースを運用するためのシステム基盤を構築するのは，データベースエンジニアやインフラエンジニアの役割です。

× ウ システム監査人の役割に関する記述です。システム監査は情報システムの信頼性や安全性，有効性，効率性などを総合的に検証・評価することで，監査対象から独立的かつ客観的な立場にある人がシステム監査人を務めます。

× エ サイバーセキュリティに関する専門的な知識・技能を活用し，企業や組織における情報セキュリティの確保を支援するのは，セキュリティエンジニアやセキュリティコンサルタントなどの役割です。

問25

VR といえば 仮想現実
AR といえば 拡張現実

ビッグデータ 問26

ビジネスや日常生活においてリアルタイムで発生・蓄積されている膨大なデータのこと。購買情報，SNSへの投稿，位置情報，気象データなど，あらゆる情報が含まれる。

解答

問25 ア　問26 ア

問27 個人情報保護法では，あらかじめ本人の同意を得ていなくても個人データの提供が許される行為を規定している。この行為に該当するものだけを，全て挙げたものはどれか。

a　事故で意識不明の人がもっていた本人の社員証を見て，搬送先の病院が本人の会社に電話してきたので，総務の担当者が本人の自宅電話番号を教えた。
b　新規加入者を勧誘したいと保険会社の従業員に頼まれたので，総務の担当者が新入社員の名前と所属部門のリストを渡した。
c　不正送金等の金融犯罪被害者に関する個人情報を，類似犯罪の防止対策を進める捜査機関からの法令に基づく要請に応じて，総務の担当者が提供した。

ア　a　　イ　a，c　　ウ　b，c　　エ　c

問28 次の事例のうち，AIを導入することによって業務の作業効率が向上したものだけを全て挙げたものはどれか。

a　食品専門商社のA社が，取引先ごとに様式が異なる手書きの請求書に記載された文字を自動で読み取ってデータ化することによって，事務作業時間を削減した。
b　繊維製造会社のB社が，原材料を取引先に発注する定型的なPCの操作を自動化するツールを導入し，事務部門の人員を削減した。
c　損害保険会社のC社が，自社のコールセンターへの問合せに対して，オペレーターにつなげる前に音声チャットボットでヒアリングを行うことによって，オペレーターの対応時間を短縮した。
d　物流会社のD社が，配送荷物に電子タグを装着して出荷時に配送先を電子タグに書き込み，配送時にそれを確認することによって，誤配送を削減した。

ア　a，c　　イ　b，c　　ウ　b，d　　エ　c，d

解説

問27 同意を得ていなくても個人データの提供が許される行為

個人情報保護法は個人情報の取り扱いについて定めた法律で，「本人の同意を得ないで，個人データを第三者に提供してはならない」など，個人情報取扱事業者が個人情報を適切に扱うための義務規定が定められています。ただし，次ページの「1.」～「5.」に該当する場合は，本人の同意を得なくても，個人データを提供することが認められています。

1．法令に基づく場合　(例) 警察からの照会
2．人の生命，身体又は財産の保護のために必要で，本人の同意を得ることが困難であるとき　(例) 災害時
3．公衆衛生の向上又は児童の健全な育成の推進のために特に必要で，本人の同意を得ることが困難であるとき　(例) 児童虐待からの保護
4．国の機関や地方公共団体，その委託を受けた者が法令の定める事務を遂行することに対して協力する必要がある場合で，本人の同意を得ることにより当該事務の遂行に支障を及ぼすおそれがあるとき
5．個人情報取扱事業者が学術研究機関等であり，学術研究目的で個人データを提供する必要があるとき（個人情報取扱事業者と第三者が共同して学術研究を行う場合に限る)。また，第三者が学術研究機関等であり，第三者が個人データを学術研究目的で取り扱う必要があるとき

a～cについて，本人の同意を得ていなくても個人データの提供が許される行為かどうかを判定すると，次のようになります。

○ a　人の生命や保護のために，個人データの提供が許される行為です。
× b　保険の勧誘が目的なので，本人の同意を得ないで，個人データの提供が許される行為ではありません。
○ c　法令に基づき，個人データの提供が許される行為です。

個人データの提供が許される行為はaとcです。よって，正解は イ です。

問28 AIの導入によって作業効率が向上した事例

a～dについて，AIの導入によって業務の作業効率が向上したものかどうかを判定すると，次のようになります。

○ a　AIを導入した事例です。従来の手書き文字を読み取る**OCRにAI技術を組み合わせることによって，様式が異なる書類の手書き文字も自動で読み取ってデータ化します。**
× b　RPAを導入した事例です。**RPAは定型的な事務作業をソフトウェア型のロボットに代替させて，業務の自動化や効率化を図ること**です。RPAにはAI技術を活用したものもありますが，「取引先に発注する定型的なPCの操作」のような定型業務を自動化するツールでは，一般的にAI技術を用いていません。
○ c　AIを導入した事例です。コールセンターで使われている**音声チャットボットにはAIの音声認識や自然言語処理などの技術が利用されており，**電話による問合せ対応を自動化します。
× d　RFID（Radio Frequency IDentification）を導入した事例です。**RFIDは荷物や商品などに付けられた電子タグの情報を，無線通信で読み書きする技術のこと**です。

AIが導入されている事例はaとcです。よって，正解は ア です。

個人情報取扱事業者 問27
個人情報データベース等（紙媒体，電子媒体を問わず，特定の個人情報を検索できるように体系的に構成したもの）を事業活動に利用しているもののこと。企業だけでなく，NPO や自治会，同窓会などの非営利組織であっても個人情報取扱事業者となる。

問27
対策「個人情報はどれか」といった問題も解けるようにしておこう。個人情報は氏名や住所だけでなく，特定の個人が識別できる場合は，メールアドレス，画像，音声なども個人情報に該当するよ。

OCR（Optical Character Reader） 問28
紙面上に書かれた文字を読み取り，文字コードに変換する技術や装置。光学式文字読み取り装置ともいう。

電子タグ 問28
ICチップを埋め込んだタグ（荷札）のこと。ICタグやRFIDタグ，RFタグなどとも呼ばれる。

解答
問27 イ　問28 ア

問29 ある企業が，顧客を引き付ける優れたUX（User Experience）やビジネスモデルをデジタル技術によって創出し，業界における従来のサービスを駆逐してしまうことによって，その業界の既存の構造が破壊されるような現象を表す用語として，最も適切なものはどれか。

ア デジタルサイネージ
イ デジタルディスラプション
ウ デジタルディバイド
エ デジタルトランスフォーメーション

問30 上司から自社の当期の損益計算書を渡され，“我が社の収益性分析をしなさい”と言われた。経営に関する指標のうち，この損益計算書だけから計算できるものだけを全て挙げたものはどれか。

a 売上高増加率　b 売上高利益率　c 自己資本利益率

ア a　イ a，b　ウ a，b，c　エ b

問31 顧客との個々のつながりを意識して情報を頻繁に更新するSNSなどのシステムとは異なり，会計システムのように高い信頼性と安定稼働が要求される社内情報を扱うシステムの概念を示す用語として，最も適切なものはどれか。

ア IoT（Internet of Things）
イ PoC（Proof of Concept）
ウ SoE（Systems of Engagement）
エ SoR（Systems of Record）

解説

問29 新たなビジネスモデルによって業界の構造が破壊される現象 初モノ!

× ア デジタルサイネージは，ビル壁面の大型スクリーン広告，施設の電子案内掲示版など，デジタル技術を用いた電子看板のことです。

○ イ 正解です。デジタルディスラプションは，デジタル技術を活用した新しいビジネスモデルが参入することで，従来からの商品やサービスが退けられてしまい，その業界の既存の構造が破壊されてしまう現象のことです。たとえば，インターネットの動画配信サービスの登場で，実店舗のレンタルビデオ店は減少しています。

× ウ デジタルディバイドは，PCやインターネットなどの情報通信技術を利用できる環境や能力の違いによって，経済的や社会的な格差が生じることです。

× エ デジタルトランスフォーメーションは，新しいIT技術を活用することによって，新しい製品やサービス，ビジネスモデルなどを創出し，企業やビジネスが一段と進化，変革することです。DXともいいます。

UX（User Experience） 問29

製品，システム，サービスなどの利用場面を想定したり，実際に利用したりすることによって得られる人の感じ方や反応のこと。

問30 損益計算書から算出できる事例

損益計算書は，一会計期間における企業の収益と費用を表したものです。売上総利益や営業利益などの利益を記載し，企業がどのくらい利益を上げたかを示します。

a～cについて，損益計算書から計算できるかどうかを判定すると，次のようになります。

× a　売上高増加率は，前期と比べて，当期の売上高がどれくらい伸びているのかを表す指標です。売上高伸び率とも呼ばれます。
計算式は「(当期売上高－前期売上高）÷前期売上高×100（%)」ですが，前期の損益計算書がないので計算できません。

○ b　売上高利益率は，売上高に対して，利益がどれくらいの割合かを示す指標です。計算式は「利益÷売上高×100（%)」で，損益計算書にある利益（営業利益，経常利益，当期純利益など）を売上高で割って求めるので，この損益計算書だけから計算できます。

× c　自己資本利益率は，自己資本に対して，当期純利益がどれくらいの割合かを示す指標です。ROE（Return On Equity）とも呼ばれます。
計算式は「当期純利益÷自己資本×100（%)」ですが，損益計算書には自己資本が記載されていないので計算できません。

損益計算書から計算できるのは，bだけです。よって，正解は エ です。

問31 高い信頼性と安定稼働が要求されるシステムの概念を示す用語

× ア　IoT（Internet of Things）は，自動車や家電などの様々な「モノ」をインターネットに接続し，ネットワークを通じて情報をやり取りすることで，自動制御や遠隔操作，監視などを行う技術のことです。

× イ　PoC（Proof of Concept）は，新しい概念や理論，アイディアなどについて，本当に実現できるかどうかを検証することです。概念実証ともいいます。

× ウ　SoE（Systems of Engagement）は，企業と顧客，個々の人々などの間のつながりを構築し，関連性を強めることを目的とした情報システムや，こうしたシステムの概念を示す用語です。SNS，フリマアプリ，ネットショップなど，環境の変化やニーズに迅速に適応できる，柔軟性や俊敏性が求められます。

○ エ　正解です。SoR（Systems of Record）は，データを正確に記録，処理することを目的とした情報システムや，こうしたシステムの概念を示す用語です。会計システムや受発注管理システムなど，業務において重要な社内情報を安全かつ適切に処理する，高い信頼性と安定稼働が求められます。

合格のカギ

自己資本 問30
株主からの出資や会社が蓄積したお金など，返済の必要がない資金のこと。自己資本に対して，返済の必要がある資金を「他人資本」という。

問31
参考 SoRやSoEは，企業で使用される情報システムを役割や利用目的で分類したものだよ。

覚えよう！ 問31

SoE　といえば　つながりのためのシステム
SoR　といえば　記録のためのシステム

解答
問29 イ　問30 エ
問31 エ

問32 労働者派遣における派遣労働者の雇用関係に関する記述のうち，適切なものはどれか。

ア 派遣先との間に雇用関係があり，派遣元との間には存在しない。
イ 派遣元との間に雇用関係があり，派遣先との間には存在しない。
ウ 派遣元と派遣先のいずれの間にも雇用関係が存在する。
エ 派遣元と派遣先のいずれの間にも雇用関係は存在しない。

問33 次の記述のうち，業務要件定義が曖昧なことが原因で起こり得る問題だけを全て挙げたものはどれか。

a 企画プロセスでシステム化構想がまとまらず，システム化の承認を得られない。
b コーディングのミスによって，システムが意図したものと違う動作をする。
c システムの開発中に仕様変更による手戻りが頻発する。
d システムを受け入れるための適切な受入れテストを設計できない。

ア a，b　イ b，c　ウ b，d　エ c，d

解説

問32 労働者派遣における派遣労働者の雇用関係

労働者派遣は，派遣会社が雇用する労働者を他の会社に派遣し，派遣先のために労働に従事させることです。派遣元（派遣会社），派遣先（派遣先企業），派遣労働者の間には，次のような関係があります。

・派遣元と派遣労働者の間に雇用関係がある
・派遣元と派遣先の間に労働者派遣契約が結ばれ，この契約に基づき派遣元が派遣先に派遣労働者を派遣する
・派遣先は，派遣元から委託された権限に基づき，派遣労働者を指揮命令する

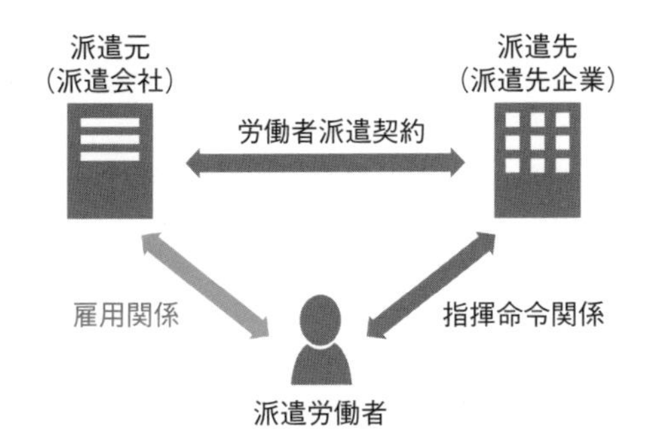

つまり，派遣労働者と雇用関係があるのは派遣元だけで，派遣先との間には存在しません。よって，正解は イ です。

問33 業務要件定義が曖昧なことが原因で起こり得る問題

業務要件定義では，システムを導入するに当たり，利害関係者から提示されたニーズや要望を識別，整理します。それをもとにして新しい業務の在り方や運用をまとめ，業務上実現すべき要件を定義します。

a～dについて，業務要件定義が曖昧なことが原因で起こり得ることかどうかを判定すると，次のようになります。

× a　業務要件定義を行うのは，企画プロセスの後の要件定義プロセスです。そのため，企画プロセスでシステム化の承認を得られないことは，業務要件定義が原因ではありません。

× b　コーディングはソースコードを記述する作業なので，開発プロセスのプログラミングが原因で起こった問題です。

○ c　業務要件定義が曖昧なことで起こる問題です。業務要件定義が曖昧だと，後から利用者の追加・変更要求が多くなり，システムの開発中に仕様変更による手戻りが頻発してしまいます。

○ d　業務要件定義が曖昧なことで起こる問題です。受入れテストは，システムの利用者が主体となって実施するテストで，システムが要求事項を満たしているかどうかを確認します。そのため，業務要件定義が曖昧であると，適切な受入れテストを設計することができません。

業務要件定義が原因となる問題はcとdです。よって，正解は エ です。

問32

参考 労働者派遣事業の適正な運用を確保し，派遣労働者を保護するために，労働者派遣に関するルールを定めた法律を「労働者派遣法」というよ。労働者派遣法には，派遣元企業が労働者を派遣するには認可が必要であることや，派遣された人をさらに別会社に派遣してはならない（二重派遣の禁止）など，派遣事業に関する規則や派遣労働者の就業規則などが定められているよ。

問33

参考 要件定義プロセスでは，業務要件を実現するのに必要な「機能要件」や，機能要件以外でシステムが備えるべき「非機能要件」も定義するよ。

解答

問32 イ　問33 エ

問34 顧客の特徴に応じたきめ細かい対応を行うことによって，顧客と長期的に良好な関係を築き，顧客満足度の向上や取引関係の継続につなげる仕組みを構築したい。その仕組みの構成要素の一つとして，営業活動で入手した顧客に関する属性情報や顧客との交渉履歴などを蓄積し，社内で共有できるシステムを導入することにした。この目的を達成できるシステムとして，最も適切なものはどれか。

ア CAEシステム　イ MRPシステム　ウ SCMシステム　エ SFAシステム

問35 実用新案に関する記述として，最も適切なものはどれか。

ア 今までにない製造方法は，実用新案の対象となる。
イ 自然法則を利用した技術的思想の創作で高度なものだけが，実用新案の対象となる。
ウ 新規性の審査に合格したものだけが実用新案として登録される。
エ 複数の物品を組み合わせて考案した新たな製品は，実用新案の対象となる。

解説

問34 営業活動で入手した顧客情報を社内で共有するシステム

× ア CAE（Computer Aided Engineering）は，コンピュータ上で設計中の製品の性能について条件を変えながらシミュレートすることで，開発の効率を高めることや，そのシステムのことです。

× イ MRP（Material Requirements Planning）は，生産計画や部品構成表をもとにして，製造に使う部品と資材の所要量を算出し，在庫数や納期などの情報も織り込み，最適な発注量や発注時期を決定する手法や，そのシステムのことです。資材所要量計画ともいいます。

× ウ SCM（Supply Chain Management）は，資材の調達から生産，流通，販売に至る一連の流れを統合的に管理し，コスト削減や経営の効率化を図る手法や，そのシステムのことです。サプライチェーンマネジメントともいいます。

○ エ 正解です。SFA（Sales Force Automation）は，コンピュータやインターネットなどのIT技術を使って，営業活動を支援するシステムのことです。顧客情報や商談内容などの営業情報を共有し，営業部門の組織力強化や営業活動の効率化など，営業力の向上を図ります。

問35 実用新案に関する記述

日用品の中には，ちょっとした工夫で利便性が高まり，ヒット商品になるようなものがあります。実用新案は，このような小発明といわれるような考案のことで，知的財産として実用新案権で保護されています。

実用新案権は，特許庁に出願して登録されることによって，その権利が発生します。また，実用新案の出願の手続，審査，保護の対象などについては，実用新案法に定められています。

× ア 実用新案法では，保護の対象を「物品の形状，構造又は組合せに係る考案」に限定していて，製造方法は実用新案の対象になりません。

× イ 自然法則を利用した技術的思想の創作のうち高度のものは，特許権の対象になります。

× ウ 実用新案は，特許庁に出願することによって登録されます。その際，行われる審査は，提出された書類が定められた様式に従って作成されているか，登録するために必要な基礎的要件を満たしているかといったことで，新規性・進歩性などは審査されません。

○ エ 正解です。複数の物品を組み合わせて考案した新たな製品は，実用新案の対象になります。たとえば，電気スタンドと時計を組み合わせて夜間でも容易に時刻を確かめられる機器といったものです。

合格のカギ

問34

参考 SFAに類似したものとして「CRM」（Customer Relationship Management）があるよ。営業部門やサポート部門などで顧客情報を共有し，顧客との関係を深めることで，業績の向上を図る手法やシステムのことだよ。

問35

参考 実用新案権の権利期間は，出願から10年だよ。

解答

問34 エ 問35 エ

問36から問55までは，マネジメント系の問題です。

問36 プロジェクトに該当する事例として，適切なものだけを全て挙げたものはどれか。

a　会社合併に伴う新組織への移行
b　社内システムの問合せや不具合を受け付けるサービスデスクの運用
c　新規の経理システム導入に向けたプログラム開発
d　毎年度末に実施する会計処理

ア　a，c　　イ　b，c　　ウ　b，d　　エ　c

問37 システム開発プロジェクトを終結する時に，プロジェクト統合マネジメントで実施する活動として，最も適切なものはどれか。

ア　工程の進捗の予定と実績の差異を分析する。
イ　作成した全ての成果物の一覧を確認する。
ウ　総費用の予算と実績の差異を分析する。
エ　知識や教訓を組織の資産として登録する。

問38 あるシステムの運用において，利用者との間でSLAを交わし，利用可能日を月曜日から金曜日，1日の利用可能時間を7時から22時まで，稼働率を98%以上で合意した。1週間の運用において，障害などでシステムの停止を許容できる時間は最大何時間か。

ア　0.3　　イ　1.5　　ウ　1.8　　エ　2.1

解説

問36 プロジェクトに該当する事例

プロジェクトは有期性と独自性をもち，特定の目的を達成するため，一定の間だけ行う活動のことです。明確な始まりと終わりがあり，プロジェクトの目標が達成されると，プロジェクトは終了し，プロジェクトのための組織は解散します。

a～dを確認すると，aの「会社合併に伴う新組織への移行」と，cの「新規の経理システム導入に向けたプログラム開発」には有期性と独自性があるので，プロジェクトに該当します。bとdの事例は，独自性がなく，繰り返し行われるものなのでプロジェクトには該当しません。よって，正解は ア です。

問36

参考 プロジェクトを立ち上げるときには「プロジェクト憲章」という文書を作成するよ。プロジェクトを正式に認可するためのものだよ。

問37 プロジェクト統合マネジメントで実施する活動

プロジェクトマネジメントで管理する対象群として，次のようなものがあります。

プロジェクト統合マネジメント	プロジェクトマネジメント活動の各エリアを統合的に管理，調整する。
プロジェクトスコープマネジメント	プロジェクトで作成する成果物や作業内容を定義する。
プロジェクトスケジュールマネジメント	プロジェクトのスケジュールを作成し，監視・管理する。
プロジェクトコストマネジメント	プロジェクトにかかるコストを見積もり，予算を決定してコストを管理する。
プロジェクト品質マネジメント	プロジェクトの成果物の品質を管理する。
プロジェクト資源マネジメント	プロジェクトメンバを確保し，チームを編成・育成する。物的資源（装置や資材など）を確保する。
プロジェクトコミュニケーションマネジメント	プロジェクトにかかわるメンバ（ステークホルダも含む）間において，情報のやり取りを管理する。
プロジェクトリスクマネジメント	プロジェクトで発生が予想されるリスクへの対策を行う。
プロジェクト調達マネジメント	プロジェクトに必要な物品やサービスなどの調達を管理し，発注先の選定や契約管理などを行う。
プロジェクトステークホルダマネジメント	ステークホルダの特定とその要求の把握，利害の調整を行う。

× ア　プロジェクトスケジュールマネジメントで実施する活動です。
× イ　プロジェクトスコープマネジメントで実施する活動です。
× ウ　プロジェクトコストマネジメントで実施する活動です。
○ エ　正解です。実施したプロジェクトで得た知識や教訓を，今後に生かすために組織の資産として登録することは，プロジェクト全体に関することなので，プロジェクト統合マネジメントで行う活動です。

問38 システムの停止を許容できる最大時間の算出

まず，システムの利用時間を調べます。「利用可能時間7時から22時まで」とあるので，1日の利用時間は15時間です。月曜日から金曜日までの1週間では75時間になります。

1日の利用可能時間 ······ 22時－7時＝15時間
1週間の利用可能時間 ···· 15時間×5日＝75時間　※月曜～金曜の5日間

システムの稼働率を98%以上にする場合，システムの停止が許容されるのは2%になります。75時間のうち，2%に当たるのは1.5時間です。

75時間×2% ＝ 75時間×0.02 ＝ **1.5時間**

よって，正解は イ です。

成果物 問37
プロジェクトで作成する製品やサービス。ソフトウェア開発の場合，プログラムやユーザーマニュアル，プロジェクトの過程で作成されるソースコードや設計書，計画書なども含まれる。狭義の意味で利用者に引き渡すものだけを指す場合もある。

ステークホルダ 問37
プロジェクトの実施や結果によって影響を受ける全ての利害関係者のこと。顧客，スポンサ，協力会社など。

問37
参考 プロジェクトマネジメントには「PMBOK」（Project Management Body of Knowledge）という知識を体系化したものがあり，左の表の対象群はPMBOKの知識エリアに該当するものだよ（PMBOK 第6版）。

SLA（Service Level Agreement） 問38
ITサービスの範囲や品質について，ITサービスの提供者と利用者の間で取り交わす合意書のこと。サービスレベル合意書ともいう。

解答
問36 ア　問37 エ
問38 イ

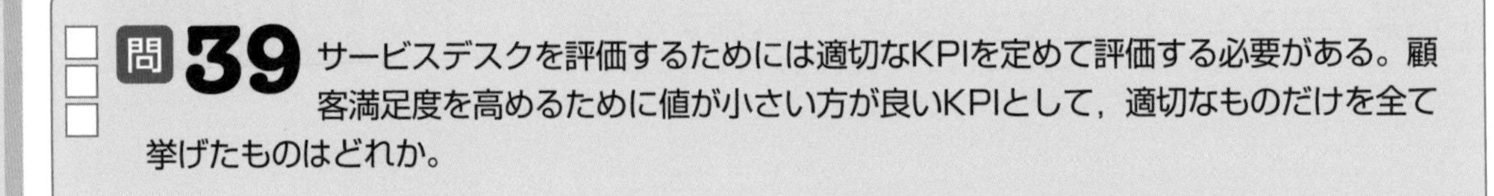

問39 サービスデスクを評価するためには適切なKPIを定めて評価する必要がある。顧客満足度を高めるために値が小さい方が良いKPIとして，適切なものだけを全て挙げたものはどれか。

a　SLAで合意された目標時間内に対応が完了したインシデント件数の割合
b　1回の問合せで解決ができたインシデント件数の割合
c　二次担当へエスカレーションされたインシデント件数の割合
d　利用者がサービスデスクの担当者につながるまでに費やした時間

ア　a，b　　イ　a，d　　ウ　b，c　　エ　c，d

問40 アジャイル開発に関する記述として，最も適切なものはどれか。

ア　開発する機能を小さい単位に分割して，優先度の高いものから短期間で開発とリリースを繰り返す。
イ　共通フレームを適用して要件定義，設計などの工程名及び作成する文書を定義する。
ウ　システム開発を上流工程から下流工程まで順番に進めて，全ての開発工程が終了してからリリースする。
エ　プロトタイプを作成して利用者に確認を求め，利用者の評価とフィードバックを行いながら開発を進めていく。

解説

問39 値が小さい方が良いKPIとして適切なもの

KPI（Key Performance Indicator）は，**目標の達成に向けて行われる活動について，その実行状況を計るために設定する指標**です。

たとえば，「1年後の売上高を150%アップする」という目標を立てた場合，「月の売上を○円にする」「顧客のリピート率を○%にする」など，目標達成を左右する指標がKPIに当たります。

a～dについて，顧客満足度を高めるために値が小さい方が良いKPIかどうかを判定すると，次のようになります。

× a　値が小さい場合，SLAで合意された目標時間内に，対応が完了したインシデント件数の割合が低いことになります。

× b　値が小さい場合，1回の問合せで解決できなかったインシデント件数が多いことになります。

○ c　値が小さい方が良いKPIです。**エスカレーション**は，**対応が困難な問合せがあったとき，上位の担当者や管理者などに対応を引き継ぐこと**です。二次担当にエスカレーションされたインシデント件数の割合が小さいほど，一次対応で解決した件数が多いことになります。

○ d　値が小さい方が良いKPIです。値が小さいほど，利用者がサービスデスクの担当者につながるまでに費やした時間が短く，顧客を待たせていません。

値が小さい方が良いKPIはcとdです。よって，正解は エ です。

問40 アジャイル開発に関する記述

○ ア　正解です。アジャイル開発は，**迅速かつ適応的にソフトウェア開発を行う，軽量な開発手法の総称**です。**ソフトウェアを小さな機能の単位に分割しておき，優先順位の高いものから開発とリリースを繰り返すことで，ソフトウェアを完成させます。**開発の途中で設計や仕様に変更が生じることを前提としていて，ユーザーの要求や仕様変更にも迅速で柔軟な対応が可能です。

× イ　アジャイル開発は迅速性や柔軟性を重視し，開発途中での仕様変更に対応する手法であるため，共通フレームを適用して工程名や作成する文書の定義は行われません。

× ウ　**ウォーターフォールモデル**に関する記述です。**ウォーターフォールモデルは，システム開発をいくつかの工程に分け，上流から下流の工程に開発を進める開発手法**です。次の工程に進んだら，原則として後戻りせず，全ての開発工程が終了してからリリースします。

× エ　**プロトタイピングモデル**に関する記述です。**プロトタイピングモデルはシステム開発の初期段階でプロトタイプ（試作品）を作成し，それをユーザーに確認してもらいながら開発を進める手法**です。

インシデント 問39

ITサービスを阻害する現象や事案のこと。

問39

対策 KPIが目標達成に向けたプロセスの指標であるのに対して，最終的な目標の指標を「KGI」（Key Goal Indicator）というよ。たとえば，左の説明の「1年後の売上高を150%アップする」がKGIだよ。
KGIも過去問題で出題されているので，KPIと一緒に覚えておこう。

共通フレーム 問40

システム開発の発注者とベンダー（開発を行う企業）との間で，考えや認識に差異が生じないように，用語や作業内容を定めたガイドライン。情報処理推進機構が制定した「共通フレーム2013（SLCP-JCF2013）」などがある。

問40

参考 アジャイル（agile）は，「機敏」や「素早い」という意味だよ。

解答

問39 エ　問40 ア

問41

あるプロジェクトの作業間の関係と所要時間がアローダイアグラムで示されている。このアローダイアグラムのBからEの四つの結合点のうち，工程全体の完了時間に影響を与えることなく，その結合点から始まる全ての作業の開始を最も遅らせることができるものはどれか。ここで，各結合点から始まる作業はその結合点に至る作業が全て完了するまで開始できず，作業から次の作業への段取り時間は考えないものとする。

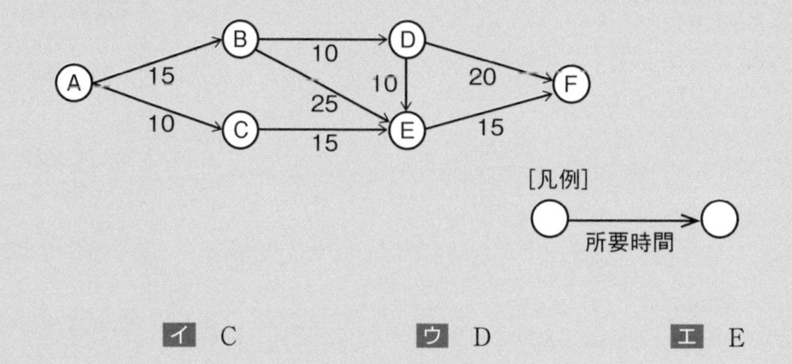

ア　B　　イ　C　　ウ　D　　エ　E

解説

問41 アローダイアグラムで開始を最も遅らせることができる作業

アローダイアグラムは作業とその流れを矢印（→）で表した図で，作業の日程管理に用いられます。

まず，当初の予定で，作業全体にかかる時間を調べます。図には4つの経路があり，最も時間がかかるのは「経路A→B→E→F」の55時間です。この経路が**クリティカルパス**になり，作業全体の所要時間は55時間になります。

経路A→B→D→F	15＋10＋20＝45
経路A→B→D→E→F	15＋10＋10＋15＝50
経路A→B→E→F	15＋25＋15＝**55**
経路A→C→E→F	10＋15＋15＝40

本問では「工程全体の完了時間に影響を与えることなく」という条件があります。クリティカルパス上にある結合点は工程全体に影響を与えるため，**作業の開始を遅らせることができるのは「クリティカルパス上にない結合点」で，該当するのはCとD**です。

結合点CとDについて，どれだけ作業の開始を遅らせるかを調べます。

クリティカルパス上にある工程A→B→Eが40時間であり，結合点Cのある工程A→C→Eが25時間なので，**結合点Cの開始は最大で15時間遅らせることができます**。一方，結合点Dのある工程A→B→D→Eは35時間なので，遅らせることができるのは最大で5時間です。

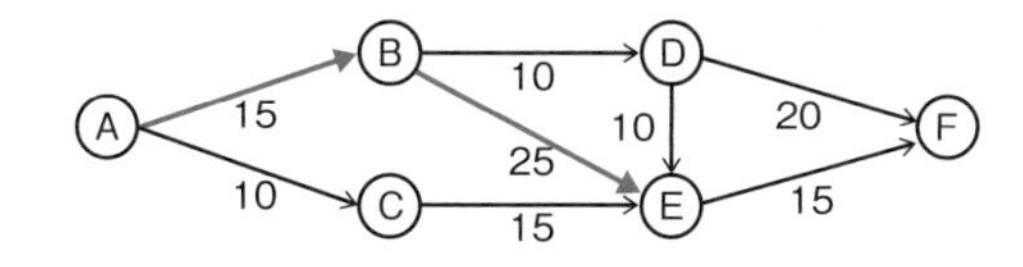

クリティカルパスの工程	A→B→E	40	
結合点Cのある工程	A→C→E	**25**	**15時間遅らせることができる**
結合点Dのある工程	A→B→D→E	35	5時間遅らせることができる

これより，全ての作業の開始を最も遅らせることができるのは，結合点Cになります。よって，正解は **イ** です。

クリティカルパス 問41

プロジェクト開始から終了までの工程をつないだ経路のうち，最も時間がかかる経路のこと。この経路上での遅れは全体の遅延につながるため，重点的に管理する。

解答

問41 イ

問42 システム監査人の役割として，適切なものだけを全て挙げたものはどれか。

a　監査手続の種類，実施時期，適用範囲などについて，監査計画を立案する。
b　監査の目的に応じた監査報告書を作成し，社内に公開する。
c　監査報告書にある改善提案に基づく改善の実施を監査対象部門に指示する。
d　監査報告書にある改善提案に基づく改善の実施状況をモニタリングする。

ア　a，b　　イ　a，d　　ウ　b，c　　エ　c，d

問43 情報システムに関する施設や設備を維持・保全するために行うリスク対策のうち，ファシリティマネジメントの観点から行う対策として，適切なものだけを全て挙げたものはどれか。

a　コンピュータ室への入室を，認可した者だけに限定する。
b　コンピュータの設置場所を示す標識を掲示しない。
c　利用者のPCにマルウェア対策ソフトを導入する。

ア　a　　イ　a，b　　ウ　a，c　　エ　b，c

解説

問42 システム監査人の役割として適切なもの よくでる★

システム監査は，情報システムについて「問題なく動作しているか」「正しく管理されているか」「期待した効果が得られているか」など，**情報システムの信頼性や安全性，有効性，効率性などを総合的に検証・評価することです。監査対象から独立かつ専門的な立場にあるシステム監査人**により，次の手順で実施されます。

①計画の策定	監査の目的や対象，時期などを記載したシステム監査計画を立てる。
②**予備調査**	資料の確認やヒアリングなどを行い，監査対象の実態を把握する。
③**本調査**	予備調査で得た情報を踏まえて，監査対象の調査・分析を行い，**監査証拠**を確保する。
④評価・結論	実施した監査のプロセスを記録した**監査調書**を作成し，それに基づいて監査の結論を導く。
⑤意見交換	監査対象部門と意見交換会や監査講評会を通じて事実確認を行う。
⑥監査報告	システム監査報告書を完成させて，監査の依頼者に提出する。
⑦フォローアップ	監査報告書で改善提案した事項について，適切に改善が行われているかを確認，評価する。

監査証拠 問42
システム監査報告書に記載する監査意見を裏付ける事実のこと。たとえば，システムの運用記録やマニュアル，関係者からヒアリングで得た証言など。

問42
対策 システム監査は，監査計画に基づき，予備調査，本調査，評価・結論の手順で実施されるよ。
監査報告の後，フォローアップの取組みがあることも覚えておこう。

a～dについて，システム監査人の役割として適切なものかどうかを判定すると，次のようになります。

○ a　適切です。システム監査人は監査計画を立案し，それに基づいて監査を実施します。
× b　システム監査人は実施した監査について監査報告書を作成し，監査の依頼者である企業の経営陣などに提出します。システム監査人が社内に監査報告書を公開することはありません。
× c　システム監査人は，改善の実施について，監査対象部門に直接の指示は行いません。
○ d　適切です。システム監査人は，監査報告書に改善提案を記載した場合には，その改善事項が適切かつ適時に実施されているかどうか，改善の実施状況をモニタリングします。

適切なものはaとdです。よって，正解は イ です。

問43 ファシリティマネジメントの観点から行う対策

ファシリティマネジメントは，費用の面も含めて，建物や設備などが最適な状態であるように，保有，運用，維持していく手法です。

情報システムについては，データセンターなどの施設，コンピュータやネットワークなどの設備が最適な使われ方をしているかを常に監視して改善を図ります。具体的には次のような対策を行い，災害や盗難等による被害を防ぎます。

- 耐震や免震対策を行う
- スプリンクラーや消火器などの消火設備を備える
- 落雷や停電対策として，無停電電源装置（UPS）や自家発電装置を備える
- 部外者が立ち入らないように，出入り口に鍵を設置し，入退室管理を行う
- ノートPCなどにセキュリティワイヤーを取り付ける　　など

a～cについて，ファシリティマネジメントの観点から行う対策かどうかを判定すると，次のようになります。

○ a　コンピュータ室への入退室を管理することは，ファシリティマネジメントで行う対策として適切です。
○ b　ファシリティマネジメントで行う対策として適切です。コンピュータの設置場所をできるだけ知られないようにすることは，コンピュータを盗難などから保護する物理的な安全対策になります。
× c　ファシリティマネジメントで行う対策は，施設や設備を物理的に維持・保全するものなので，マルウェア対策ソフトの導入は適切ではありません。

適切なものはaとbです。よって，正解は イ です。

データセンター 問43
サーバやネットワーク機器などを設置するための施設や建物。地震や火災などが発生しても，コンピュータを安全稼働させるための対策がとられている。

セキュリティワイヤー 問43
盗難や不正な持ち出しを防止するため，ノートPCなどのハードウェアを柱や机などに固定するための器具。

解答
問42 イ　問43 イ

問 **44** 提供しているITシステムが事業のニーズを満たせるように，人材，プロセス，情報技術を適切に組み合わせ，継続的に改善して管理する活動として，最も適切なものはどれか。

ア ITサービスマネジメント
イ システム監査
ウ ヒューマンリソースマネジメント
エ ファシリティマネジメント

問 **45** 本番稼働後の業務遂行のために，業務別にサービス利用方法の手順を示した文書として，最も適切なものはどれか。

ア FAQ
イ サービスレベル合意書
ウ システム要件定義書
エ 利用者マニュアル

問 **46** ITサービスマネジメントの管理プロセスに関する記述a～cと用語の適切な組合せはどれか。

a ITサービスの変更を実装するためのプロセス
b インシデントの根本原因を突き止めて解決策を提供するためのプロセス
c 組織が所有しているIT資産を把握するためのプロセス

	a	b	c
ア	構成管理	問題管理	リリース及び展開管理
イ	構成管理	リリース及び展開管理	問題管理
ウ	問題管理	リリース及び展開管理	構成管理
エ	リリース及び展開管理	問題管理	構成管理

解説

問44 ITシステムを継続的に改善して管理する活動

○ ア 正解です。ITサービスマネジメントは情報システムを安定的かつ効率的に運用することをITサービスとしてとらえ，利用者（顧客）に対するITサービスの品質を維持・向上させるための手法や活動です。顧客の要件に合ったサービスを提供し，PDCAを用いて継続的な改善を図ります。

× イ システム監査は，情報システムにかかわるリスクに対するコントロールが適切に整備・運用されているかどうかを検証，評価することです。

× ウ ヒューマンリソースマネジメント（Human Resource Management）は，企業や組織において，有効に人材を活用するための手法や活動です。HRMや人的資源管理ともいいます。

× エ ファシリティマネジメントは，費用の面も含めて，建物や設備などが最適な状態であるように，保有，運用，維持していく手法や活動です。情報システムについては，データセンターなどの施設，コンピュータやネットワークなどの設備が最適な使われ方をしているかなどを監視して改善を図ります。

問45 本番稼働後の業務遂行のために手順を示した文書

× ア FAQ（Frequently Asked Questions）は，よくある質問とその回答を集めたものです。

× イ サービスレベル合意書は，ITサービスの範囲や品質について，ITサービスの提供者と利用者の間で取り交わす合意書のことです。障害時の対応やバックアップの頻度，料金など，サービスの具体的な適用範囲や管理項目などを記載します。SLA（Service Level Agreement）ともいいます。

× ウ システム要件定義書は，システム開発において，システムに求める機能や性能などを記述した文書のことです。

○ エ 正解です。利用者マニュアルは，導入したシステムを利用するため，システムの機能や操作手順などを記載した文書です。

問46 ITサービスマネジメントの管理プロセス 超でる★★

ITサービスマネジメントには，次のような管理プロセスがあります。

管理プロセス	内容
インシデント管理	インシデントの検知，問題発生時におけるサービスの迅速な復旧
問題管理	発生した問題の原因の追及と対処，再発防止の対策
構成管理	IT資産の把握・管理
変更管理	システムの変更要求の受付，変更手順の確立
リリース及び展開管理	変更管理で計画された変更の実装

これより，aはリリース及び展開管理，bは問題管理，cは構成管理です。よって，正解は エ です。

PDCA 問44

Plan（計画），Do（実行），Check（評価・点検），Act（改善・処置）という流れを繰り返すことで，継続的な維持・改善を図る手法。生産管理や品質管理など，いろいろなマネジメントで利用されている。

問46

対策 どの管理方法が出題されてもよいように，それぞれの管理内容を確認しておこう。

解答

問44 ア　問45 エ
問46 エ

問47 ソフトウェアの開発におけるDevOpsに関する記述として，最も適切なものはどれか。

ア 開発側が重要な機能のプロトタイプを作成し，顧客とともにその性能を実測して妥当性を評価する。

イ 開発側では，開発の各工程でその工程の完了を判断した上で次工程に進み，総合テストで利用者が参加して操作性の確認を実施した後に運用側に引き渡す。

ウ 開発側と運用側が密接に連携し，自動化ツールなどを活用して機能の導入や更新などを迅速に進める。

エ システム開発において，機能の拡張を図るために，固定された短期間のサイクルを繰り返しながらプログラムを順次追加する。

問48 システム監査で用いる判断尺度の選定方法に関する記述として，最も適切なものはどれか。

ア システム監査ではシステム管理基準の全項目をそのまま使用しなければならない。

イ システム監査のテーマに応じて，システム管理基準以外の基準を使用してもよい。

ウ システム監査のテーマによらず，システム管理基準以外の基準は使用すべきでない。

エ アジャイル開発では，システム管理基準は使用すべきでない。

解説

問47 DevOpsに関する記述

× ア プロトタイピングモデルに関する記述です。プロトタイピングモデルはシステム開発の初期段階でプロトタイプ（試作品）を作成し，それをユーザーに確認してもらいながら開発を進める手法です。

× イ ウォーターフォールモデルに関する記述です。ウォーターフォールモデルは，システム開発をいくつかの工程に分け，上流から下流の工程に開発を進める開発手法です。

○ ウ 正解です。DevOpsはソフトウェア開発において，開発担当者と運用担当者が連携・協力する手法や考えのことです。開発側と運用側が密接に協力し，自動化ツールなどを活用して開発を迅速に進めます。

× エ アジャイル開発に関する記述です。アジャイル開発は迅速かつ適応的にソフトウェア開発を行う，軽量な開発手法の総称です。ソフトウェアを小さな機能の単位に分割しておき，優先順位の高いものから開発とリリースを繰り返すことで，ソフトウェアを完成させます。

問48 システム監査で用いる判断尺度の選定方法

システム監査は，情報システムにかかわるリスクについて適切に対応しているかどうかを，独立かつ専門的な立場のシステム監査人が評価・検証することです。

経済産業省では，システム監査人の行為規範や監査手続の規則を規定したシステム監査基準や，システム監査人の判断の尺度を規定したシステム管理基準を策定・公開しています。システム管理基準には，情報システムの利活用において留意すべき事項が体系化・一般化してまとめられており，システム監査を実施するときの監査人の判断尺度として使用されます。

※経済産業省によるシステム監査基準やシステム管理基準は，次のURLから閲覧，ダウンロードできます。
https://www.meti.go.jp/policy/netsecurity/sys-kansa/

× ア システム管理基準の全項目をそのまま使用するのではなく，項目・内容の取捨選択や修正を行い，システム監査を行う組織に適した形にして使用することが望ましいとされています。

○ イ 正解です。システム監査は，いろいろな目的や形態で実施されることから，それに応じて他のガイドラインや規程なども使用します。

× ウ イの記述のように，システム管理基準以外の基準を使用することもできます。たとえば，情報セキュリティの確保においてシステム監査を実施する場合は，「情報セキュリティ監査基準」「サイバーセキュリティ経営ガイドライン」「サイバー・フィジカル・セキュリティ対策フレームワーク」（いずれも経済産業省が策定）などが推奨されています。

× エ アジャイル開発でもシステム管理基準を使用できます。その際には，アジャイル開発の意義を損なわないように留意します。

問47
参考 DevOpsはDevelopment（開発）とOperations（運用）を組み合わせた造語で，「デブオプス」と読むよ。

問47
参考 アジャイル開発では，「イテレーション」と呼ぶ短期間での開発を繰り返すことによって開発を進めていくよ。

問48
対策 システム監査人について，監査対象から独立した立場であることを覚えておこう（システム監査人の独立性）。たとえば，情報システムの管理者や利用者はシステム監査人になれないよ。

解答

問47 ウ　問48 イ

問49

ソフトウェア開発プロジェクトにおける，コストの見積手法には，積み上げ法，ファンクションポイント法，類推見積法などがある。見積りで使用した手法とその特徴に関する記述 a～c の適切な組合せはどれか。

a　プロジェクトに必要な個々の作業を洗い出し，その作業ごとの工数を見積もって集計する。
b　プロジェクトの初期段階で使用する手法で，過去の事例を活用してコストを見積もる。
c　データ入出力や機能に着目して，ソフトウェア規模を見積もり，係数を乗ずるなどしてコストを見積もる。

	積み上げ法	ファンクションポイント法	類推見積法
ア	a	c	b
イ	b	a	c
ウ	c	a	b
エ	c	b	a

問50

ソフトウェア製品の品質特性を，移植性，機能適合性，互換性，使用性，信頼性，性能効率性，セキュリティ，保守性に分類したとき，RPAソフトウェアの使用性に関する記述として，最も適切なものはどれか。

ア　RPAが稼働するPCのOSが変わっても動作する。
イ　RPAで指定した時間及び条件に基づき，適切に自動処理が実行される。
ウ　RPAで操作対象となるアプリケーションソフトウェアがバージョンアップされても，簡単な設定変更で対応できる。
エ　RPAを利用したことがない人でも，簡単な教育だけで利用可能になる。

解説

問49 ソフトウェア開発プロジェクトにおける見積手法 よくでる★

a～cについて，ソフトウェア開発プロジェクトにおける見積手法（積み上げ法，ファンクションポイント法，類推見積法）を組み合わせると，次のようになります。

a 積み上げ法の特徴です。積み上げ法は，プロジェクトに必要な個々の作業を洗い出し，その作業ごとに見積もった工数を合算して全体を見積もる方法です。積算法ともいいます。
b 類推見積法の特徴です。類推見積法は，過去の類似例をもとに，開発するシステムとの差異などを分析・評価して見積もる方法です。類推法ともいいます。
c ファンクションポイント法の特徴です。ファンクションポイント法は，入力画面や出力帳票，使用ファイル数などの機能の数と，機能の複雑さをもとにして見積もる方法です。「Function Point」からFP法ともいいます。

よって，正解は ア です。

問50 ソフトウェア製品の品質特性の使用性

ソフトウェアの品質特性はソフトウェアの品質を評価する基準で，次のようなものがあります。

品質特性	内容
機能適合性（機能性）	必要な機能が期待どおりに実装されている度合い
信頼性	機能が正常動作し続ける度合い，障害の起こりにくさ
使用性	ソフトウェアの使いやすさ，わかりやすさの度合い
性能効率性（効率性）	ソフトウェアの処理能力や資源を有効利用している度合い
保守性	ソフトウェアの修正や保守のしやすさの度合い
移植性	別環境にソフトウェアを移植したとき，そのまま動作する度合い
互換性	他の製品やシステムなどでも，機能の実行や情報の交換・使用が行える
セキュリティ	権限に応じてアクセスできるよう，データや情報が保護されている

× ア RPAが稼働するPCのOSが変わったときの動作は，移植性に関する記述です。
× イ RPAでの指定に基づいて適切に自動処理が実行されるのは，信頼性に関する記述です。
× ウ 操作対象となるアプリケーションソフトウェアがバージョンアップされても，簡単な設定変更で対応できるのは保守性に関する記述です。
○ エ 正解です。RPAを簡単な教育だけで利用可能になることは，ソフトウェアのわかりやすさ，使いやすさなので，使用性に関する記述です。

問49
参考 英単語の「function」には，「機能」という意味があるよ。

問50
対策 左の表はJIS X 25010の製品品質モデルでの分類で，以前の規格では「機能適合性」は「機能性」，「性能効率性」は「効率性」といったよ。シラバスには「機能性」「効率性」と記載されているので，どちらも覚えておこう。

解答
問49 ア 問50 エ

問51 システム開発プロジェクトにおいて，テスト中に発見された不具合の再発防止のために不具合分析を行うことにした。テスト結果及び不具合の内容を表に記入し，不具合ごとに根本原因を突き止めた後に，根本原因ごとに集計を行い発生頻度の多い順に並べ，主要な根本原因の特定を行った。ここで利用した図表のうち，根本原因を集計し，発生頻度順に並べて棒グラフで示し，累積値を折れ線グラフで重ねて示したものはどれか。

ア 散布図
イ チェックシート
ウ 特性要因図
エ パレート図

問52 システム開発プロジェクトにおいて，新機能の追加要求が変更管理委員会で認可された後にプロジェクトスコープマネジメントで実施する活動として，適切なものはどれか。

ア 新機能を追加で開発するためにWBSを変更し，コストの詳細な見積りをするための情報として提供する。
イ 新機能を追加で開発するためのWBSのアクティビティの実行に必要なスキルを確認し，必要に応じてプロジェクトチームの能力向上を図る。
ウ 変更されたWBSに基づいてスケジュールを作成し，完了時期の見通しを提示する。
エ 変更されたWBSに基づいて要員の充足度を確認し，必要な場合は作業の外注を検討する。

解説

問51 棒グラフと折れ線グラフを重ねて示したもの 超でる★★

× ア 散布図は，**2つの項目を縦軸と横軸にとり，点でデータを示したグラフ**です。点がどのように分布しているかによって，2つの項目の間に相関関係があるかどうかを調べるときに使用します。

× イ チェックシートは，**あらかじめ確認する項目を用意しておき，点検や確認に使用する表**です。

× ウ 特性要因図は**「原因」と「結果」の関係を体系的にまとめた図**で，結果がどのような原因によって起きているのかを調べるときに使用します。魚の骨の形に似た図で，「フィッシュボーンチャート」とも呼ばれます。

○ エ 正解です。パレート図は**数値の大きい順に項目を並べた棒グラフと，棒グラフの数値の累計比率を示した折れ線グラフを組み合わせた図**で，重点な項目を調べるときに使用します。不具合の根本原因を集計した際，発生頻度順に棒グラフを並べ，その累積値を折れ線グラフで重ねて示すことができます。

問52 プロジェクトスコープマネジメントで実施する活動

○ ア 正解です。プロジェクトスコープマネジメントは，**プロジェクトが生み出す製品やサービスなどの成果物と，それらを完成するために必要な作業を定義し管理する活動**です。追加要求が認可された新機能について，その変更のための作業や成果物を定義し，それを達成できるようにマネジメントをすることはプロジェクトスコープマネジメントで実施します。スコープ（scope）は，「範囲」という意味です。

× イ，エ プロジェクトチームの能力向上を図ることや，要員の充足度を確認して必要な対応を検討することは，プロジェクト資源マネジメントで実施します。**プロジェクト資源マネジメントは，プロジェクトメンバの確保，チームの編成・育成，物的資源（装置や資材など）の確保などを行う活動**です。

× ウ スケジュールを作成し，完成時期の見通しを提示することは，プロジェクトスケジュールマネジメントで実施します。**プロジェクトスケジュールマネジメントは，プロジェクトのスケジュールを作成，監視・管理する活動**です。

合格のカギ

散布図 問51

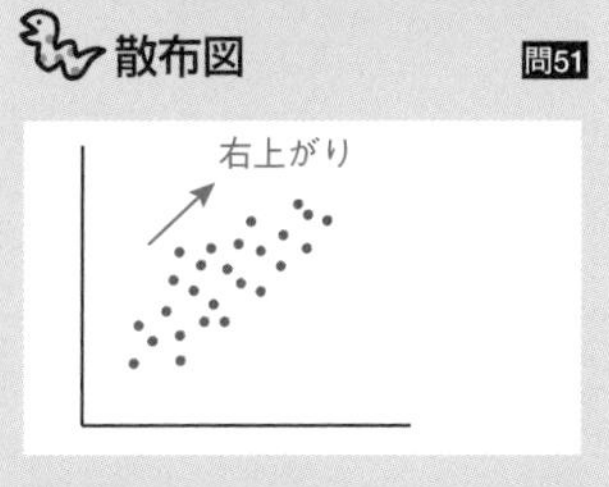

特性要因図 問51

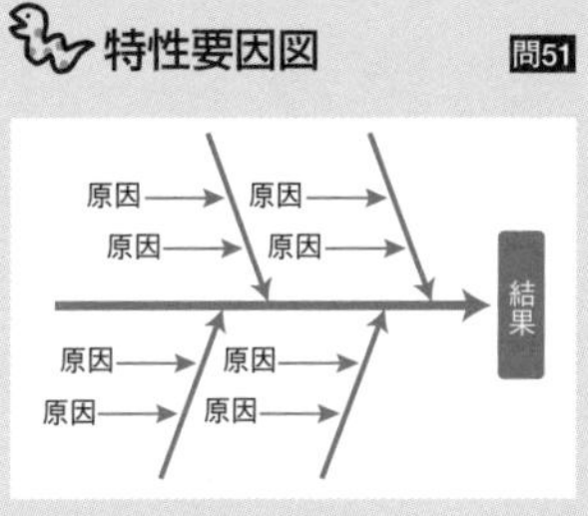

パレート図 問51

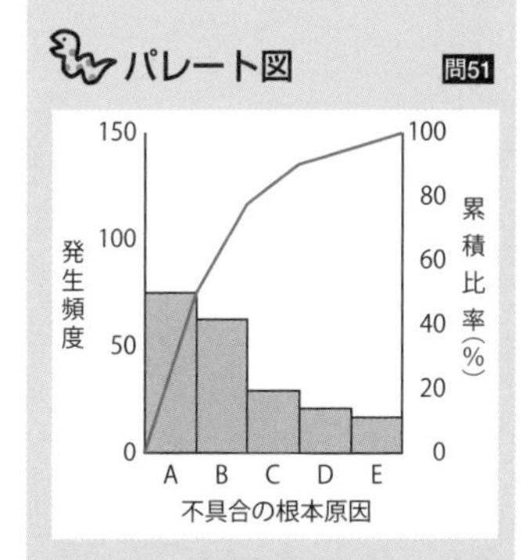

WBS 問52

プロジェクトで必要となる作業を洗い出し，管理しやすいレベルまで細分化して，階層的に表した図表やその手法のこと。Work Breakdown Structureの略。

解答

問51 エ　問52 ア

問53 ITガバナンスに関する次の記述中の a に入れる字句として，最も適切なものはどれか。

経営者は， a の事業の目的を支援する観点で，効果的，効率的かつ受容可能な a のITの利用について評価する。

ア 過去と現在　イ 現在　ウ 現在と将来　エ 将来

問54 事業活動に関わる法令の遵守などを目的の一つとして，統制環境，リスクの評価と対応，統制活動，情報と伝達，モニタリング，ITへの対応から構成される取組はどれか。

ア CMMI
イ ITIL
ウ 内部統制
エ リスク管理

問55 システム監査の目的に関する記述として，適切なものはどれか。

ア 開発すべきシステムの具体的な用途を分析し，システム要件を明らかにすること
イ 情報システムが設置されている施設とその環境を総合的に企画，管理，活用すること
ウ 情報システムに係るリスクに適切に対応しているかどうかを評価することによって，組織体の目標達成に寄与すること
エ 知識，スキル，ツール及び技法をプロジェクト活動に適用することによって，プロジェクトの要求事項を満足させること

解説

問53 ITガバナンスに関する記述

ITガバナンスは，経営目標を達成するために，情報システム戦略を策定し，戦略の実行を統制することです。ITガバナンスの目的は，適切なIT投資やITの効果的な活用により，事業を成功に導くことです。経営者は，現在及び将来のIT利用についての評価と，IT利用が事業の目的に合致することを確実にします。

これより，［ a ］に入れる字句は「現在と将来」が適切です。よって，正解はウです。

問54 事業活動にかかわる法令の遵守などを目的とした取組

× ア CMMI（Capability Maturity Model Integration）はシステム開発を行っている組織で，システム開発のプロセスをどのくらい適正に管理しているかを，5段階のレベル（成熟度レベル）に分けてモデル化したものです。能力成熟度モデル統合ともいいます。

× イ ITIL（Information Technology Infrastructure Library）は，ITサービスの運用管理に関するベストプラクティス（成功事例）を体系的にまとめた書籍集です。ITサービスマネジメントのフレームワーク（枠組み）として活用されています。

○ ウ 正解です。内部統制は，健全かつ効率的な組織運営のための体制を，企業などが自ら構築し，運用する仕組みのことです。違法行為や不正，ミスやエラーなどが起きるのを防ぎ，組織が健全で効率的に運営されるように基準や業務手続を定めて，管理・監視を行います。

× エ リスク管理は，リスクを組織的に管理して最適な対応を行うことで，損失の回避や軽減を図ることです。

問55 システム監査の目的 よくでる★

× ア システム要件定義に関する記述です。システム要件定義では，システムの利用者の要望を分析し，システムに求める機能や性能，システム化の目標と対象範囲などを定義します。

× イ ファシリティマネジメントに関する記述です。ファシリティマネジメントは，建物や設備などが最適な状態であるように，保有，運用，維持していく手法です。

○ ウ 正解です。システム監査の目的は，情報システムに係るリスクに適切に対応し，情報システムを安全，有効かつ効率的に機能させることによって，組織体の目標達成に寄与することです。

× エ プロジェクトマネジメントに関する記述です。本問の選択肢は，プロジェクトマネジメントの定義に該当するものです。

問53

対策 ITガバナンスは頻出の用語だよ。ITガバナンスの説明として，「組織体におけるITの利活用のあるべき姿を示す，IT戦略と方針の策定及びその実現のための活動」も覚えておこう。

問54

対策 内部統制の構築には，「業務プロセスの明確化」「職務分掌」「実施ルールの設定」「チェック体制の確立」が必要だよ。出題されたことがあるので覚えておこう。職務分掌は，職務の役割を整理，配分することだよ。

解答

問53 ウ　問54 ウ
問55 ウ

問56から問100までは，テクノロジ系の問題です。

問56 PCにおいて，電力供給を断つと記憶内容が失われるメモリ又は記憶媒体はどれか。

ア DVD-RAM　　イ DRAM
ウ ROM　　エ フラッシュメモリ

問57 暗号化方式の特徴について記した表において，表中のa～dに入れる字句の適切な組合せはどれか。

暗号方式	鍵の特徴	鍵の安全な配布	暗号化／復号の相対的な処理速度
a	暗号化鍵と復号鍵が異なる	容易	c
b	暗号化鍵と復号鍵が同一	難しい	d

	a	b	c	d
ア	共通鍵暗号方式	公開鍵暗号方式	遅い	速い
イ	共通鍵暗号方式	公開鍵暗号方式	速い	遅い
ウ	公開鍵暗号方式	共通鍵暗号方式	遅い	速い
エ	公開鍵暗号方式	共通鍵暗号方式	速い	遅い

解説

問56 電力供給を断つと記憶内容が失われるメモリ・記憶媒体

記憶媒体の性質で，電源が切れると記憶内容が消えてしまうことを揮発性，電源が切れても記憶内容を保持することを不揮発性といいます。

選択肢で問われているメモリ・記憶媒体には，次のような特徴があります。

DRAM（イ）	半導体メモリであるRAMの一種。主記憶装置（メインメモリ）などに使われている。	揮発性
ROM（ウ）	Read Only Memoryの略で，読出し専用の半導体メモリ。固定的に組み込まれるプログラムの保存などに使われている。	不揮発性
フラッシュメモリ（エ）	半導体メモリを利用した記憶媒体で，データの書き換えが可能。SDカードやUSBメモリなどの製品に使われている。	不揮発性
DVD-RAM（ア）	光ディスクの記憶媒体で，データの書き換えが可能。画像や動画の保存，ファイルのバックアップなどに使われている。	不揮発性

選択肢ア～エの中で，揮発性はイの「DRAM」だけです。よって，正解はイです。

RAM 問56

データの読み書きが可能な半導体メモリで，DRAM とSRAMに大別できる。狭義では主記憶装置（メインメモリ）を指す場合もある。Random Access Memoryの略。

問56

参考 メモリはRAMとROMに大別されるよ。基本的にROMは読出し専用だけど，いろいろな種類があって，書込みができるものもあるよ。

問57 暗号化方式の特徴 よくでる★

データ通信における暗号化技術には，共通鍵暗号方式と公開鍵暗号方式があります。共通鍵暗号方式では，送信者と受信者が同じ鍵（共通鍵）を使って，暗号化と復号を行います。最初に共通鍵を相手に渡すときは，共通鍵が外部に漏れないように注意する必要があります。

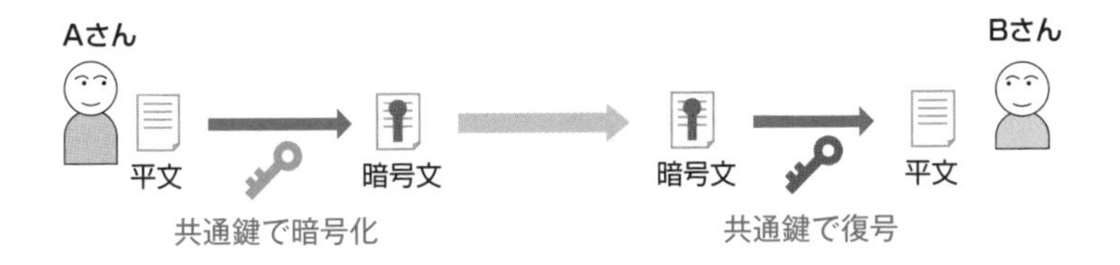

公開鍵暗号方式では，公開鍵と秘密鍵という2種類の鍵を使って，暗号化と復号を行います。たとえばAさんからBさんにデータを送る場合，受信する側のBさんが公開鍵と秘密鍵を用意して，公開鍵をAさんに渡し，秘密鍵はBさんが保持します。そして，Aさんは「Bさんの公開鍵」でデータを暗号化して送信し，Bさんは受け取った暗号文を「Bさんの秘密鍵」で復号します。相手には公開鍵だけを渡すので，鍵の管理が容易です。なお，共通鍵暗号方式に比べて，暗号化と復号の処理が遅くなります。

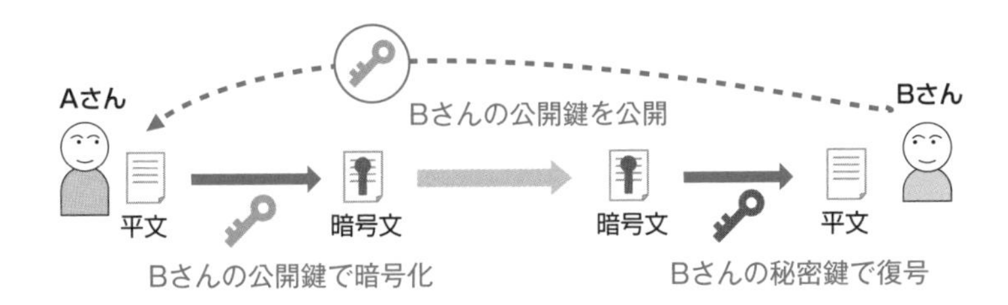

共通鍵暗号方式と公開鍵暗号方式の特徴を比較すると，次のようになります。

	共通鍵暗号方式	公開鍵暗号方式
使用する鍵	共通鍵	公開鍵と秘密鍵
鍵の配布	難しい	容易
暗号化と復号の処理時間	速い	遅い

これより，[a]には「公開鍵暗号方式」，[b]には「共通鍵暗号方式」，[c]には「遅い」，[d]には「速い」が入ります。よって，正解は ウ です。

合格のカギ

暗号化と復号 問57

暗号化は，第三者が解読できないように，一定の規則に従ってデータを変換すること。復号は，暗号化したデータをもとに戻すこと。

問57

対策 共通鍵暗号方式や公開鍵暗号方式の問題は，よく出題されているよ。
鍵の種類や使い方をしっかり確認しておこう。

解答

問56 イ　問57 ウ

問58 文書作成ソフトや表計算ソフトなどにおいて，一連の操作手順をあらかじめ定義しておき，実行する機能はどれか。

ア オートコンプリート　　イ ソースコード
ウ プラグアンドプレイ　　エ マクロ

問59 OCRの役割として，適切なものはどれか。

ア 10cm程度の近距離にある機器間で無線通信する。
イ 印刷文字や手書き文字を認識し，テキストデータに変換する。
ウ デジタル信号処理によって，人工的に音声を作り出す。
エ 利用者の指先などが触れたパネル上の位置を検出する。

問60 関係データベースを構成する要素の関係を表す図において，図中のa～cに入れる字句の適切な組合せはどれか。

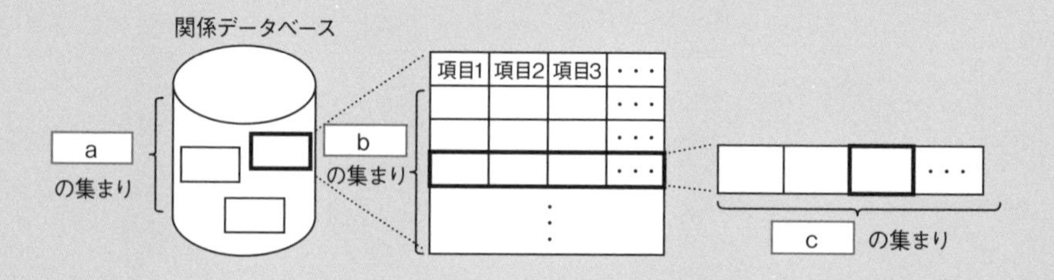

	a	b	c
ア	表	フィールド	レコード
イ	表	レコード	フィールド
ウ	フィールド	表	レコード
エ	レコード	表	フィールド

解説

問58 表計算ソフトなどで一連の操作手順を定義して実行する機能

× ア オートコンプリートは，先頭の数文字を入力すると，過去の入力に基づいて，入力候補となる文字列の一覧が表示される機能です。

× イ ソースコードは，人間がプログラム言語を使って，コンピュータへの命令を記述したテキスト形式の文書のことです。

× ウ プラグアンドプレイは，新規に周辺機器をPCに接続したとき，デバイスドライバの組込みや設定を自動的に行う機能です。たとえば，新たに購入したプリンターで印刷するときは，このプリンターのデバイスドライバが必要ですが，プラグアンドプレイ機能で自動的にデバイスドライバが組み込まれて，設定されるので，すぐにプリンターが利用できるようになります。

○ エ 正解です。マクロは，文書作成ソフトや表計算ソフトなどで，あらかじめ記録しておいた一連の操作を実行する機能です。繰り返し行うような定型的な操作を記録しておくと作業の効率化を図れます。

問58

参考 マクロ機能を利用したコンピュータウイルスを「マクロウイルス」というよ。マクロウイルスが埋め込まれたデータファイルを開くと，マクロが実行されてPCがウイルスに感染するよ。

問59 OCRの役割

× ア NFC（Near Field Communication）に関する記述です。NFCは10cm程度の距離でデータ通信する近距離無線通信で，ICカードやICタグのデータの読み書きに利用されています。

○ イ 正解です。OCR（Optical Character Reader）は，紙面上に書かれた文字を読み取り，コンピュータで扱えるテキストデータに変換する技術や装置のことです。

× ウ OCRは紙に書かれている文字を扱うものであり，音声を作り出すこととは関係ありません。

× エ タッチパネルに関する記述です。タッチパネルは，液晶パネルなどの画面を触れることで操作が行える入力装置のことです。

問59

参考 NFCの特徴は，「かざす」という動作でデータを送受信できることだよ。

問60 関係データベースを構成する要素

関係データベースは，複数の表でデータを蓄積，管理するデータベースです。

これらの表において，1行に入力されている1件分のデータをレコードといいます。また，列（項目）のことをフィールドといいます。

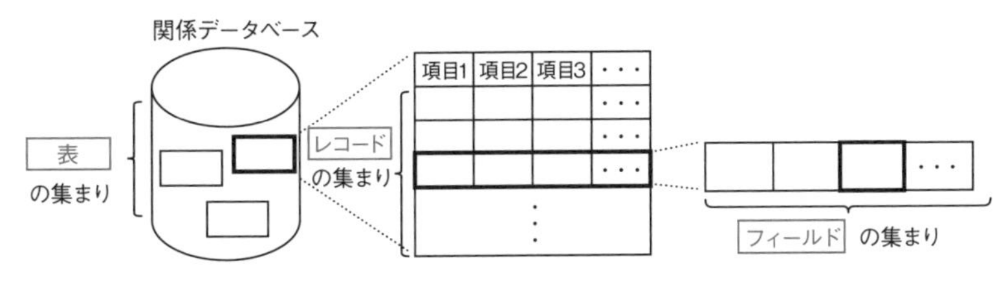

これにより，a は「表」，b は「レコード」，c は「フィールド」が入ります。よって，正解は イ です。

問60

対策 関係データベースで表からデータを取り出す操作として，次のようなものがあるよ。よく出題されているので，確認しておこう。
選択：行（レコード）を抽出
射影：列を抽出
結合：表と表を結ぶ

解答

問58 エ　問59 イ
問60 イ

問61 cookieを説明したものはどれか。

ア Webサイトが，Webブラウザを通じて訪問者のPCにデータを書き込んで保存する仕組み又は保存されるデータのこと

イ Webブラウザが，アクセスしたWebページをファイルとしてPCのハードディスクに一時的に保存する仕組み又は保存されるファイルのこと

ウ Webページ上で，Webサイトの紹介などを目的に掲載されている画像のこと

エ ブログの機能の一つで，リンクを張った相手に対してその旨を通知する仕組みのこと

問62 関数 convert は，整数型の配列を一定のルールで文字列に変換するプログラムである。関数 convert を convert(arrayInput) として呼び出したときの戻り値が“AABAB”になる引数 arrayInput の値はどれか。ここで，arrayInput の要素数は1以上とし，配列の要素番号は1から始まる。

〔プログラム〕

```
○文字列型: convert (整数型の配列: arrayInput)
  文字列型: stringOutput ← ""   // 空文字列を格納
  整数型: i
  for ( i を 1 から arrayInput の要素数まで 1 ずつ増やす)
    if (arrayInput [ i ] が 1 と等しい)
      stringOutputの末尾に "A" を追加する
    else
      stringOutputの末尾に "B" を追加する
    endif
  endfor
  return stringOutput
```

ア {0, 0, 1, 2, 1}　　イ {0, 1, 2, 1, 1}

ウ {1, 0, 1, 2, 0}　　エ {1, 1, 2, 1, 0}

解説

問61 cookieを説明したもの 超でる★★

○ ア 正解です。cookieはWebサイトを閲覧した際，閲覧者のPCに保存されるファイルや，この仕組みのことです。ファイルには，ユーザーの識別情報やアクセスの履歴など，閲覧したときの情報が記録されています。

× イ キャッシュファイルの説明です。キャッシュファイルは，Webサイトを閲覧した際，Webブラウザがアクセスした Webページのデータを一時的に保存するファイルや，この仕組みのことです。キャッシュともいいます。

× ウ バナーの説明です。バナーは，Webサイトの紹介，サービス，商品などを宣伝するために，Webページ上に掲載される画像のことです。

× エ ブログのトラックバックの説明です。トラックバックは，ある記事から別の記事に対してリンクを張ったとき，リンク先に対してその旨が通知される機能です。

問62 擬似言語

このプログラムは，整数型の配列arrayInputの値を引数として，文字列の「A」または「B」に変換して出力する関数です。

配列は，データ型が同じ値を順番に並べたデータ構造のことです。配列の中にあるデータを要素といい，要素ごとに要素番号が付けられています。たとえば，次の配列arrayInputについて，arrayInput［3］と指定すると，値「2」にアクセスすることができます。

（例）配列arrayInput = ｛1，1，2，1，0｝

※本問では「配列の要素番号は1から始まる」とされている

プログラムを確認すると，まず，for文で「iを1からarrayInputの要素数まで1ずつ増やす」とあります。これは，配列arrayInputの要素数だけ，処理を繰り返します。

次に，どういう処理を繰り返すのかを確認すると，if文によって選択処理が行われます。ifは（　）の条件を判定し，条件を満たす場合と，満たさない場合で異なる処理を行います。ここでは，「arrayInputの要素の値が「1」という条件を満たす場合は "A" を追加し，条件を満たさない場合は "B" を追加します。この処理によって，配列arrayInputの要素の整数が，文字列の「A」または「B」に変換されて出力されます。

これより，変換後に「A」となるのは，変換前の整数が「1」のときだけです。出題されている「"AABAB"」は，1文字目と2文字目が「AA」なので，変換前の整数は「11」です。選択肢 ア ～ エ を確認すると，「11」で始まるのは エ の「｛1，1，2，1，0｝」だけです。よって，正解は エ です。

合格のカギ

ブログ 問61
日記のように，時系列で自分の意見や感想などを記録し，公開するWebサイトのこと。不特定多数の人に記事を公開し，読者からのコメントを受け付けることもできる。ウェブログ（Weblog）の略。

問61
参考 バナー（Banner）は，直訳すると「旗」や「のぼり」という意味だよ。

問62
参考 「for」から「endfor」は，繰返し処理だよ。
制御記述の内容に基づいて，処理を繰り返し実行するよ。

```
for（制御記述）
  処理
endfor
```

解答
問61 ア　問62 エ

問 63 SSDの全てのデータを消去し，復元できなくする方法として用いられているものはどれか。

ア Secure Erase
イ 磁気消去
ウ セキュアブート
エ データクレンジング

問 64 情報セキュリティのリスクマネジメントにおけるリスクへの対応を，リスク共有，リスク回避，リスク保有及びリスク低減の四つに分類するとき，リスク共有の例として，適切なものはどれか。

ア 災害によるシステムの停止時間を短くするために，遠隔地にバックアップセンターを設置する。
イ 情報漏えいによって発生する損害賠償や事故処理の損失補填のために，サイバー保険に加入する。
ウ 電子メールによる機密ファイルの流出を防ぐために，ファイルを添付した電子メールの送信には上司の許可を必要とする仕組みにする。
エ ノートPCの紛失や盗難による情報漏えいを防ぐために，HDDを暗号化する。

解説

問63 SSDの全データを消去して復元できなくする方法 初モノ!

SSD（Solid State Drive）は，フラッシュメモリを用いた補助記憶装置です。ディスクなどの物理的な作動がないので，HDD（ハードディスク）より読み書きが高速で耐震性が高く，消費電力も少なくて済みます。

○ ア 正解です。Secure Erase（セキュアイレース）はSSDやHDDが備えているデータを消去する機能で，コマンドを実行することで全てのデータを削除します。

× イ 磁気消去は，強い磁気を照射することによってHDDの全てのデータを消去する方法です。

× ウ セキュアブートは，OSやファームウェアなどの起動時に，それらに付与されているデジタル署名を検証し，信頼できるソフトウェアだけを実行する技術です。

× エ データクレンジングは，データの欠損，表記の揺れ，重複などの不備を修正し，データの品質を高めることです。

問64 情報セキュリティのリスクマネジメント 超でる★★

情報セキュリティのリスクマネジメントにおけるリスク対応を，リスク共有，リスク回避，リスク保有，リスク低減の4つに分類するとき，次のような対応策をとります。

リスク共有（リスク移転）	リスクを第三者に移す。 (例)・保険で損失が充当されるようにする ・情報システムの運用を他社に委託する
リスク回避	リスクが発生する可能性を取り去る。 (例)・リスク要因となる業務を廃止する ・インターネットからの不正アクセスを防ぐため，インターネット接続を止める
リスク保有（リスク受容）	リスクのもつ影響が小さい場合などに，特にリスク対策を行わない。 (例)・リスクの発生率が小さく，損失額も少なければ特に対策を講じない
リスク低減	リスクが発生する可能性を下げる。 (例)・保守点検を徹底し，機器の故障を防ぐ ・不正侵入できないように，入退室管理を行う

選択肢 ア ～ エ を確認すると， イ のサイバー保険に加入することは，リスクを別の組織へ移転または分散することなので，リスク共有の例として適切です。 ア， ウ， エ は，いずれもリスクが発生する可能性を下げる対策なので，リスク低減の例です。よって，正解は イ です。

ファームウェア 問63

ハードウェアの基本的な制御を行うため，機器に組み込まれているソフトウェア。

デジタル署名 問63

公開鍵暗号方式を応用し，電子文書の正当性を保証する技術。署名した人が作成した文書であることと，改ざんされていないことを証明できる。

問64

対策 リスク共有は「リスク移転」，リスク保有は「リスク受容」という分類名で出題されることもあるよ。これらの用語も覚えておこう。

解答

問63 ア　問64 イ

問65 AIにおける機械学習の学習方法に関する次の記述中のa～cに入れる字句の適切な組合せはどれか。

教師あり学習は，正解を付けた学習データを入力することによって，[a]と呼ばれる手法で未知のデータを複数のクラスに分けたり，[b]と呼ばれる手法でデータの関係性を見つけたりすることができるようになる学習方法である。教師なし学習は，正解を付けない学習データを入力することによって，[c]と呼ばれる手法などで次第にデータを正しくグループ分けできるようになる学習方法である。

	a	b	c
ア	回帰	分類	クラスタリング
イ	クラスタリング	分類	回帰
ウ	分類	回帰	クラスタリング
エ	分類	クラスタリング	回帰

問66 PKIにおけるCA（Certificate Authority）の役割に関する記述として，適切なものはどれか。

ア インターネットと内部ネットワークの間にあって，内部ネットワーク上のコンピュータに代わってインターネットにアクセスする。

イ インターネットと内部ネットワークの間にあって，パケットフィルタリング機能などを用いてインターネットから内部ネットワークへの不正アクセスを防ぐ。

ウ 利用者に指定されたドメイン名を基にIPアドレスとドメイン名の対応付けを行い，利用者を目的のサーバにアクセスさせる。

エ 利用者の公開鍵に対する公開鍵証明書の発行や失効を行い，鍵の正当性を保証する。

解説

問65 AIにおける機械学習の学習方法

機械学習は，AI（人工知能）がデータを解析することで，規則性や判断基準を自ら学習し，それに基づいて未知のものを予測，判断する技術です。教師あり学習と教師なし学習は，次のような学習手法です。

教師あり学習	ラベル（正解を示す答え）を付けたデータを与え，学習を行う方法。たとえば，猫の画像に「猫」というラベルを付け，その大量の画像をAIが学習することで，画像にラベルがなくても猫を判断できるようになる。行うタスクは，定めたクラスにデータを分けるための「分類」と，データの傾向を見るための「回帰」に大きく分けられる。
教師なし学習	ラベルを付けていないデータを与え，学習を行う方法。AIは，ラベルのない大量のデータから，自ら特徴を把握し，グループ分けなどを行う。代表的なタスクに，似た特徴をもつデータをまとめてグループ分けする「クラスタリング」がある。

これより，[a]には「分類」，[b]には「回帰」，[c]には「クラスタリング」が入ります。よって，正解は ウ です。

問66 PKIにおけるCA（Certificate Authority）の役割

× ア プロキシサーバの役割です。プロキシサーバは代理サーバともいわれ，社内LANなどの内部ネットワークからインターネットへの接続を中継します。

× イ ファイアウォールの役割です。ファイアウォールはインターネットと内部ネットワークとの間に設置し，外部からの不正な侵入を防ぐ仕組みです。

× ウ DNS（Domain Name System）サーバの役割です。インターネットに接続しているコンピュータのIPアドレスとドメイン名の対応を管理します。ドメイン名はIPアドレスを人間がわかりやすい文字に置き換えたもので，たとえば「http://www.**impress.xx.jp**/」の場合，太字の部分がドメイン名になります。

○ エ 正解です。公開鍵暗号方式は「公開鍵」と「秘密鍵」という2種類の鍵を使った暗号方式で，秘密鍵は本人が所有しておき，公開鍵は通信相手に配布します。CA（Certificate Authority）は公開鍵の所有者が本人であることを証明する認証局で，信頼できる第三者機関として，公開鍵の正当性を保証する公開鍵証明書の発行や失効を行います。

問65

参考 機械学習の代表的な手法には「強化学習」もあるよ。試行錯誤を通じて，報酬を最大化する行動をとるような学習を行い，たとえば，囲碁や将棋などのゲームを行うAIに使われているよ。

PKI 問66

公開鍵暗号方式を利用して，インターネット上での安全な情報のやり取りを実現する仕組みや基盤技術のこと。「Public Key Infrastructure」の略で公開鍵基盤ともいう。

パケットフィルタリング 問66

受け取ったデータ（パケット）を検査し，通過させるか遮断するかを選別する機能。

IPアドレス 問66

ネットワークに接続しているコンピュータや通信装置に割り振られる識別番号。接続している機器を特定できるように，1台1台に異なる番号が付けられる。

解答

問65 ウ　問66 エ

問67

図に示す2台のWebサーバと1台のデータベースサーバから成るWebシステムがある。Webサーバの稼働率はともに0.8とし，データベースサーバの稼働率は0.9とすると，このシステムの小数第3位を四捨五入した稼働率は幾らか。ここで，2台のWebサーバのうち少なくとも1台が稼働していて，かつ，データベースサーバが稼働していれば，システムとしては稼働しているとみなす。また，それぞれのサーバはランダムに故障が起こるものとする。

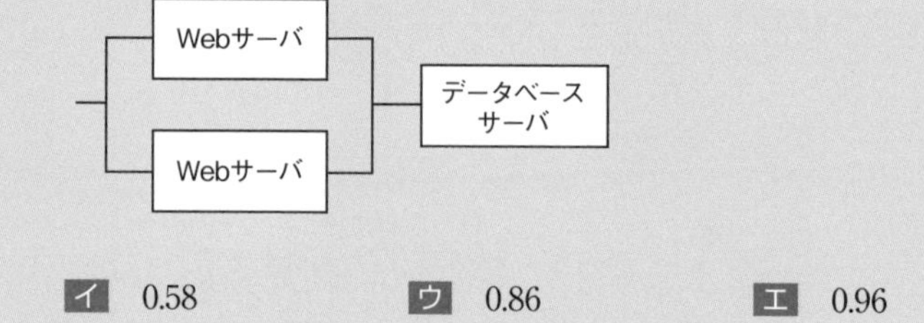

ア 0.04　　イ 0.58　　ウ 0.86　　エ 0.96

問68

情報デザインで用いられる概念であり，部屋のドアノブの形で開閉の仕方を示唆するというような，人間の適切な行動を誘発する知覚可能な手掛かりのことを何と呼ぶか。

ア NUI（Natural User Interface）　　イ ウィザード
ウ シグニファイア　　エ マルチタッチ

解説

問67 Webシステムの稼働率の算出 よくでる★

複数の機器で構成されているシステムでは，装置の接続方法が直列か並列かによって，稼働率の求め方が異なります。

まず，2台のWebサーバが並列に接続されている箇所の稼働率を調べます。並列の稼働率は「1－（1－aの稼働率）×（1－bの稼働率）」を計算します。Webサーバの稼働率はともに0.8なので，「0.96」になります。

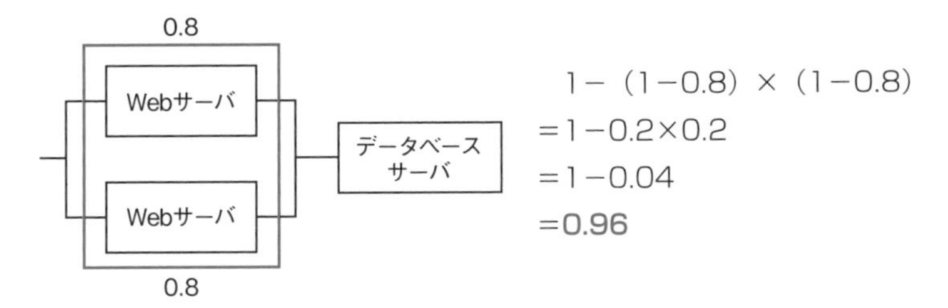

次に，Webサーバとデータベースサーバを接続した，システム全体の稼働率を求めます。直列の稼働率は「a の稼働率× b の稼働率」を計算します。

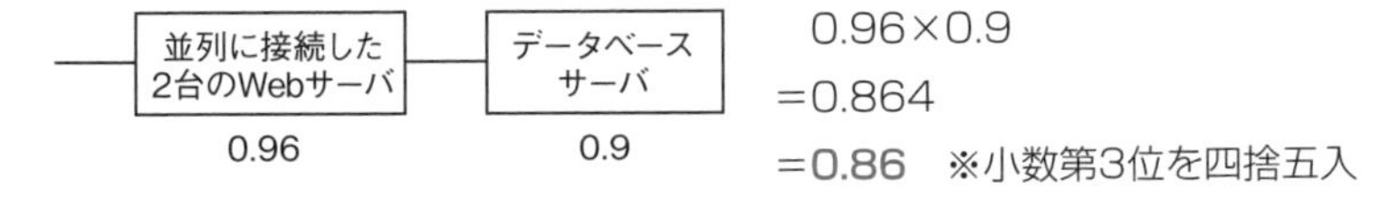

これより，システム全体の稼働率は0.86です。よって，正解は ウ です。

問68 人間の行動を誘発する知覚可能な手掛かり 初モノ！

× ア NUI（Natural User Interface）は，タッチ操作や音声入力など，人が自然な動作で操作できるインタフェースのことです。

× イ ウィザードは，コンピュータで行う処理の手続や設定などを，対話形式で導いて進めていく操作方式のことです。

○ ウ 正解です。シグニファイアは情報デザインで用いられる概念であり，利用者に適切な行動を導く，役割をもたせたデザインのことです。たとえば，駅などにあるゴミ箱の口は，缶やペットボトルは丸く，新聞や雑誌は平たく，その他のゴミは大きく開いていて，分別して捨てることが誘導されています。

× エ マルチタッチは，タッチパネルの複数のポイントに，同時に触れて操作する入力方式のことです。

合格のカギ

覚えよう！ 問67

直列システムの稼働率 といえば

a の稼働率× b の稼働率

並列システムの稼働率 といえば

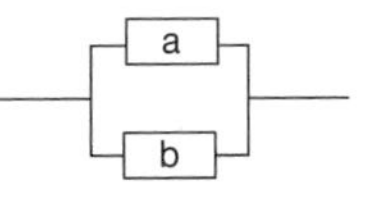

1－（1－a の稼働率）×（1－b の稼働率）

情報デザイン 問68

相手にわかりやすく，正確に情報を伝えるために，情報を適切に整理，表現すること。また，そうしたデザイン。

解答

問67 ウ　問68 ウ

□□□ 問69 障害に備えるために，4台のHDDを使い，1台分の容量をパリティ情報の記録に使用するRAID5を構成する。1台のHDDの容量が1Tバイトのとき，実効データ容量はおよそ何バイトか。

ア 2T　イ 3T　ウ 4T　エ 5T

□□□ 問70 ESSIDをステルス化することによって得られる効果として，適切なものはどれか。

ア アクセスポイントと端末間の通信を暗号化できる。
イ アクセスポイントに接続してくる端末を認証できる。
ウ アクセスポイントへの不正接続リスクを低減できる。
エ アクセスポイントを介さず，端末同士で直接通信できる。

解説

問69 RAID5における実効データ容量の算出 よくでる★

RAIDは，複数のハードディスクにデータを分散することで，高速化や耐障害性を向上させる技術です。データを分散する方式によって，複数の種類があります。主なRAIDの種類や特徴は，次のとおりです。

RAID0	2台以上のハードディスクに，1つのデータを分割して書き込むことで，書込みの高速化を図る。ハードディスクが1台でも故障すると，全てのデータが使えなくなる。ストライピングとも呼ばれる。
RAID1	2台以上のハードディスクに，同じデータを並列して書き込むことで，信頼性の向上を図る。いずれかのハードディスクが故障しても，他のハードディスクからデータを読み出せる。ミラーリングとも呼ばれる。
RAID5	3台以上のハードディスクに，データを分散して書き込むと同時に，誤りを訂正するためのパリティ情報も分散して保存する。1台のハードディスクが故障しても，それ以外のハードディスクにあるデータとパリティ情報からデータを復旧できる。

RAID5では，複数のハードディスクに，データとパリティ情報を分割して保存します。本問では，4台のHDD（ハードディスク）のうち，1台分の容量をパリティ情報の記録に使用しているので，データの保存に使えるHDDは3台です。1台のHDDの容量が1Tバイトなので，次のように計算します。

1Tバイト×3台 ＝ 3Tバイト

よって，正解は イ です。

問70 ESSIDをステルス化することによって得られる効果

× ア 無線LANの暗号化によって得られる効果です。無線LANの暗号化方式にはWEP，WPA，WPA2などがあり，WEPの問題を改善したものがWPA，さらに暗号強度を高めたものがWPA2です。

× イ PSK（Pre-Shared Key）によって得られる効果です。PSKは無線LANのアクセスポイントとPCなどの端末で設定しておく符号（パスフレーズ）で，アクセスポイントへの接続を認証するときに用いられます。

○ ウ 正解です。ESSIDは無線LANにおけるネットワークの識別番号で，接続するアクセスポイントの名前に当たります。ESSIDのステルス化を行うと外部から識別番号がわからないようになり，セキュリティを高める効果があります。

× エ アドホックモードによって得られる効果です。アドホックモードは無線LANの通信方式の1つで，アクセスポイントを経由しないで，端末同士が1対1で通信を行います。

問69

対策 RAIDの種類や特徴を確認しておこう。ストライピングやミラーリングという用語も出題されているので要チェックだよ。

アクセスポイント 問70

ノートPC やスマートフォンなどの無線LAN 対応端末を，ネットワークに接続するときの接続先となる機器や場所のこと。

パスフレーズ 問70

パスワードの一種で，通常のパスワードよりも多くの文字数で構成されているもの。

解答

問69 イ 問70 ウ

問71 インターネットで使用されているドメイン名の説明として，適切なものはどれか。

ア Web閲覧や電子メールを送受信するアプリケーションが使用する通信規約の名前
イ コンピュータやネットワークなどを識別するための名前
ウ 通信を行うアプリケーションを識別するための名前
エ 電子メールの宛先として指定する相手の名前

問72 次の記述のうち，バイオメトリクス認証の例だけを全て挙げたものはどれか。

a Webページに歪(ゆが)んだ文字の列から成る画像を表示し，読み取った文字列を利用者に入力させることによって，認証を行う。
b キーボードで特定文字列を入力させ，そのときの打鍵の速度やタイミングの変化によって，認証を行う。
c タッチパネルに手書きで氏名を入力させ，そのときの筆跡，筆圧，運筆速度などによって，認証を行う。
d タッチパネルに表示された複数の点をあらかじめ決められた順になぞらせることによって，認証を行う。

ア a，b　　イ a，d　　ウ b，c　　エ c，d

問73 IoT機器のセキュリティ対策のうち，ソーシャルエンジニアリング対策として，最も適切なものはどれか。

ア IoT機器とサーバとの通信は，盗聴を防止するために常に暗号化通信で行う。
イ IoT機器の脆弱(ぜい)性を突いた攻撃を防止するために，機器のメーカーから最新のファームウェアを入手してアップデートを行う。
ウ IoT機器へのマルウェア感染を防止するためにマルウェア対策ソフトを導入する。
エ IoT機器を廃棄するときは，内蔵されている記憶装置からの情報漏えいを防止するために物理的に破壊する。

解説

問71 インターネットで使用されているドメイン名の説明 よくでる★

× ア　プロトコルの説明です。プロトコルは，ネットワーク上でコンピュータ同士がデータをやり取りするための通信規約のことです。

○ イ　正解です。ドメイン名はコンピュータやネットワークを識別するための名前で，簡単にいうとインターネットの「住所」に当たるものです。IPアドレスを人間がわかりやすい文字に置き換えたもので，たとえば「http://www.**impress.xx.jp**/」の場合，太字の部分がドメイン名になります。

× ウ　ポート番号の説明です。ポート番号は，通信先のコンピュータで動作しているアプリケーションソフトを識別するための番号です。

× エ　メールアドレスの説明です。メールアドレスの場合，“@”の左側がユーザー名，右側がドメイン名になります。

問72 バイオメトリクス認証の例 超でる★★

バイオメトリクス認証は，個人の身体的な特徴，行動的特徴による認証方法です。指紋や静脈のパターン，網膜，虹彩，声紋などの身体的特徴や，音声や署名など行動特性に基づく行動的特徴を用いて認証します。

a～dについて，バイオメトリクス認証の例かどうかを判定すると，次のようになります。

× a　CAPTCHA認証の例です。CAPTCHA認証は，コンピュータではなく，人間が行っていることを確認するため，コンピュータによる判別が難しい課題を解かせる認証方法です。

○ b　キー入力の特徴を使った認証をキーストローク認証といい，本人の行動的特徴を利用したバイオメトリクス認証です。

○ c　手書き入力の筆跡や筆圧などでの認証は，本人の行動的特徴を利用したバイオメトリクス認証です。

× d　パターン認証の例です。パターン認証は，スマートフォンなどで画面に表示された点を，あらかじめ登録しておいた順序でなぞる認証方法です。

バイオメトリクス認証の例は，bとcです。よって，正確は ウ です。

問73 IoT機器のソーシャルエンジニアリング対策 よくでる★

ソーシャルエンジニアリングは，人間の習慣や心理などの隙を突いて，パスワードや機密情報を不正に入手することです。会話から聞き出したり，盗み見及び盗み聞きしたりなど，人的な行動によってセキュリティ上の重要な情報を収集します。

選択肢 ア ～ エ を確認すると，人の行動に関する対策は エ だけです。記憶装置をそのまま廃棄してしまうと，その記憶装置を入手した人がデータを抽出し，情報が漏えいするおそれがあります。よって，正解は エ です。

問71

参考 ホスト名の「www」も含めて，「www.impress.xx.jp」のように記述したものを「FQDN」というよ。Fully Qualified Domain Nameの略で，「完全修飾ドメイン名」と訳されているよ。
ホスト名はネットワーク内のコンピュータを識別するための名称で，FQDNは完全なドメイン名を示すものだよ。

問72

対策 バイオメトリクス認証などの認証方法はよく出題されているよ。認証方法の種類と特徴を確認しておこう。

問73

参考 ソーシャルエンジニアリングの手法で，背後や隣などから，入力しているテキストやパスワードなどの情報を盗み見る行為をショルダーハック（ショルダーハッキング）というよ。

解答

問71 イ　問72 ウ
問73 エ

問74 トランザクション処理に関する記述のうち，適切なものはどれか。

ア　コミットとは，トランザクションが正常に処理されなかったときに，データベースをトランザクション開始前の状態に戻すことである。

イ　排他制御とは，トランザクションが正常に処理されたときに，データベースの内容を確定させることである。

ウ　ロールバックとは，複数のトランザクションが同時に同一データを更新しようとしたときに，データの矛盾が起きないようにすることである。

エ　ログとは，データベースの更新履歴を記録したファイルのことである。

問75 情報セキュリティの3要素である機密性，完全性及び可用性と，それらを確保するための対策の例a～cの適切な組合せはどれか。

a　アクセス制御

b　デジタル署名

c　ディスクの二重化

	a	b	c
ア	可用性	完全性	機密性
イ	可用性	機密性	完全性
ウ	完全性	機密性	可用性
エ	機密性	完全性	可用性

解説

問74 トランザクション処理に関する記述 超でる★★

× ア コミットではなく，ロールバックに関する記述です。ロールバックはトランザクションが正常に処理されなかったとき，データベースを処理開始前の状態に戻すことです。

× イ 排他制御ではなく，コミットに関する記述です。コミットはトランザクションが正常に処理されたときに，データベースの更新内容を確定させることです。

× ウ ロールバックではなく，排他制御に関する記述です。排他制御は複数のトランザクションが同時に同じデータにアクセスしたとき，矛盾の発生を防止し，データの整合性を保つための機能です。

○ エ 正解です。トランザクション処理のログに関する記述です。データベースに対して更新処理を行うと，その内容がトランザクションごとに更新履歴としてログに記録されます。

問75 情報セキュリティの3要素を確保するための対策 よくでる★

情報セキュリティとは，情報の機密性，完全性，可用性を維持することで，これらを情報セキュリティの3要素といいます。

機密性	許可された人のみがアクセスできる状態のこと。 機密性を損なう事例には，不正アクセスや情報漏えいがある。
完全性	内容が正しく，完全な状態で維持されていること。 完全性を損なう事例には，データの改ざんや破壊，誤入力がある。
可用性	必要なときに，いつでもアクセスして使用できること。 可用性を損なう事例には，システムの故障や障害の発生がある。

a～cについて，情報セキュリティの3要素と組み合わせると，次のようになります。

a アクセス制御は正当なユーザーだけにシステムの利用を許可する仕組みなので，機密性を確保する対策です。
b デジタル署名は文書の送信者が本人であり，内容が改ざんされていないことを証明する技術なので，完全性を確保する対策です。
c ディスクの二重化は，たとえ1台に障害が起きても稼働し続けられるので，可用性を確保する対策です。

これより，aが機密性，bが完全性，cが可用性です。よって，正解は エ です。

トランザクション処理 問74

関連する一連の処理を，1つの単位にまとめて処理すること。データベースの更新では，データの整合性を保持するために，トランザクション処理を行う。

問75

対策 情報セキュリティの3要素はよく出題されているよ。3つの要素の特徴を覚えておこう。さらに，真正性，責任追跡性，否認防止，信頼性などの特性も，情報セキュリティの要素に加えることもあるよ。

解答

問74 エ 問75 エ

問76

スマートフォンなどのタッチパネルで広く採用されている方式であり，指がタッチパネルの表面に近づいたときに，その位置を検出する方式はどれか。

ア 感圧式　イ 光学式　ウ 静電容量方式　エ 電磁誘導方式

問77

出所が不明のプログラムファイルの使用を避けるために，その発行元を調べたい。このときに確認する情報として，適切なものはどれか。

ア そのプログラムファイルのアクセス権
イ そのプログラムファイルの所有者情報
ウ そのプログラムファイルのデジタル署名
エ そのプログラムファイルのハッシュ値

問78

利用者がスマートスピーカーに向けて話し掛けた内容に対して，スマートスピーカーから音声で応答するための処理手順が（1）～（4）のとおりであるとき，音声認識に該当する処理はどれか。

(1) 利用者の音声をテキストデータに変換する。
(2) テキストデータを解析して，その意味を理解する。
(3) 応答する内容を決定して，テキストデータを生成する。
(4) 生成したテキストデータを読み上げる。

ア (1)　イ (2)　ウ (3)　エ (4)

問79

企業などの内部ネットワークとインターネットとの間にあって，セキュリティを確保するために内部ネットワークのPCに代わって，インターネット上のWebサーバにアクセスするものはどれか。

ア DNSサーバ　イ NTPサーバ
ウ ストリーミングサーバ　エ プロキシサーバ

解説

問76 タッチパネルで採用されている位置を検出する方式 初モノ!

× ア 感圧式は，指やペンがタッチパネルに触れたときの圧力に反応する方式です。

× イ 光学式は，タッチパネルに触れると赤外線が遮られ，その位置を検出する方式です。他の方式より，大型化に適しています。

○ ウ　正解です。静電容量方式は，指がタッチパネルに近づいたとき，その間に発生する静電容量の変化から位置を検出する方式です。スマートフォンやタブレットなどの多くのタッチパネルで採用されています。

× エ　電磁誘導方式は，専用のペンを用いて，タッチパネルに触れると発生する電磁誘導によって位置を検出する方式です。

問77 プログラムファイルの発行元を調べるときに確認する情報 初モノ!

× ア　プログラムファイルのアクセス権は，ファイルの使用許可についての権限を設定している情報です。

× イ　プログラムファイルの所有者情報は，誰のファイルであるかを示した情報です。あくまでも所有者であり，発行元とは違います。

○ ウ　正解です。デジタル署名が付いているプログラムファイルは，正規の発行元が提供したファイルで，ファイルが改ざんされていないことが保証されます。発行元を調べるときに確認する情報として適切です。

× エ　プログラムファイルのハッシュ値は，ファイルが書き換わっていないことを確認するときに使う情報です。

問78 スマートスピーカーで音声認識に該当する処理

スマートスピーカーでは，次のAIの技術が利用されています。

音声認識	人間の声などを分析し，その内容を認識する技術。音声のテキストへの変換，発声した人物の特定などに利用される。
自然言語処理	人が日常で使っている言語をコンピュータに処理させる技術。機械翻訳，文書要約，対話システムなどに利用される。

（1）～（4）の処理手順を確認すると，音声認識に該当する処理は（1）の「利用者の音声をテキストデータに変換する」です。（2）と（3）は自然言語処理，（4）は音声合成に該当する処理です。よって，正解は ア です。

問79 内部ネットワークのPCに変わってWebサーバにアクセスするもの

× ア　DNS（Domain Name System）サーバは，インターネットに接続しているコンピュータのIPアドレスとドメイン名の対応を管理するサーバです。

× イ　NTPサーバは，ネットワークに接続しているコンピュータなどの機器の時刻を合わせるために，正しい時刻情報を配信・取得しているサーバです。

× ウ　ストリーミングサーバは，インターネットを介して動画や音声などのコンテンツをリアルタイムで配信するためのサーバです。

○ エ　正解です。プロキシサーバは社内LANなどの内部ネットワークからインターネットへの接続を中継するものです。プロキシサーバの設置により，内部ネットワークを隠蔽し，安全な通信を確保します。外部へのアクセスを一定期間保存しておくキャッシュ機能によって，レスポンスの向上も図ります。

ハッシュ値 問77
もとになるデータから，ハッシュ関数と呼ぶ一定の計算手順によって求められた値のこと。

音声合成 問78
コンピュータを使って，人間の音声を人工的に作り出す技術。PCによるテキストの読み上げなど，幅広い分野で利用されている。

問79
参考 プロキシサーバは代理サーバともいわれるよ。

解答

問76	ウ	問77	ウ
問78	ア	問79	エ

問80

OSS（Open Source Software）に関する記述として，適切なものだけを全て挙げたものはどれか。

a　OSSを利用して作成したソフトウェアを販売することができる。
b　ソースコードが公開されたソフトウェアは全てOSSである。
c　著作権が放棄されているソフトウェアである。

ア　a　　イ　a，b　　ウ　b，c　　エ　c

問81

一つの表で管理されていた受注データを，受注に関する情報と商品に関する情報に分割して，正規化を行った上で関係データベースの表で管理する。正規化を行った結果の表の組合せとして，最も適切なものはどれか。ここで，同一商品で単価が異なるときは商品番号も異なるものとする。また，発注者名には同姓同名はいないものとする。

受注データ

受注番号	発注者名	商品番号	商品名	個数	単価
T0001	試験花子	M0001	商品1	5	3,000
T0002	情報太郎	M0002	商品2	3	4,000
T0003	高度秋子	M0001	商品1	2	3,000

ア

受注番号	発注者名

商品番号	商品名	個数	単価

イ

受注番号	発注者名	商品番号

商品番号	商品名	個数	単価

ウ

受注番号	発注者名	商品番号	個数	単価

商品番号	商品名

エ

受注番号	発注者名	商品番号	個数

商品番号	商品名	単価

解説

問80 OSS（Open Source Software）に関する記述 よくでる★

OSS（Open Source Software）は，ソフトウェアのソースコードが無償で公開され，ソースコードの改変や再配布も認められているソフトウェアのことです。オープンソースソフトウェアともいいます。

a～cについて，OSSに関する記述が適切かどうかを判定すると，次のようになります。

○ a　OSSを利用して作成したソフトウェアは販売できます。

× b　OSSの定義には「派生ソフトウェアの配布を許可する」「個人やグループに対して差別をしない」などの要件もあり，ソースコードが公開されているソフトウェアが全てOSSというわけではありません。

× c　OSSの著作権は放棄されていません。また，ライセンス条件で「再頒布のときには著作権表示をする」と定められている場合もあります。

a～cのうち，適切な記述はaだけです。よって，正解は ア です。

問81 関係データベースの表の正規化 よくでる★

関係データベースは，複数の表でデータを蓄積，管理しています。正規化は，複数の表にあるデータを適切に管理できるように，データの重複がなく，整理されたデータ構造の表を設計することです。

本問では，「受注データ」の表を正規化し，「受注に関する情報」と「商品に関する情報」の表に分割します。まず，「商品に関する情報」で管理すべき項目を調べると，「商品番号」「商品名」「単価」の3つです。「商品番号」は主キーであり，「商品名」と「単価」が具体的な商品の情報です。選択肢 ア ～ エ を確認すると，この3つの項目が揃った表があるのは エ だけです。よって，正解は エ です。

なお，「個数」は受注した数量なので，「商品に関する情報」ではなく，「受注に関する情報」に入ります。また，2つの表を結ぶことができる共通の項目として，「受注に関する情報」には，「商品番号」の項目が必要です。

受注に関する情報

受注番号	発注者名	商品番号	個数
T0001	試験花子	M0001	5
T0002	情報太郎	M0002	3
T0003	高度秋子	M0001	2

↕ 共通の項目で結合できる

商品に関する情報

商品番号	商品名	単価
M0001	商品1	3,000
M0002	商品2	4,000

問80

参考 OSSには様々なライセンス形態があり，利用するときには示されたライセンスに従う必要があるよ。

主キー 問81

表内のレコード（行）を一意に特定できる項目のこと。主キーでは，重複する値や空白の値（NULL）をもつことが禁じられている。

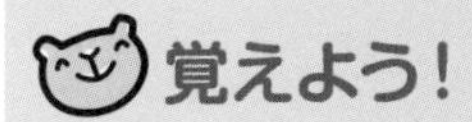

問81

正規化　といえば
- 重複するデータがないように，表を分割
- 複数の表を連結できるように，共通の項目を用意
- 正規化した表には，表内のレコードを一意に特定できる主キーがある

解答

問80 ア　問81 エ

問82 ISMSクラウドセキュリティ認証に関する記述として，適切なものはどれか。

ア 一度認証するだけで，複数のクラウドサービスやシステムなどを利用できるようにする認証の仕組み

イ クラウドサービスについて，クラウドサービス固有の管理策が実施されていることを認証する制度

ウ 個人情報について適切な保護措置を講ずる体制を整備しているクラウド事業者などを評価して，事業活動に関してプライバシーマークの使用を認める制度

エ 利用者がクラウドサービスへログインするときの環境，IPアドレスなどに基づいて状況を分析し，リスクが高いと判断された場合に追加の認証を行う仕組み

問83 1から6までの六つの目をもつサイコロを3回投げたとき，1回も1の目が出ない確率は幾らか。

ア $\frac{1}{216}$　イ $\frac{5}{72}$　ウ $\frac{91}{216}$　エ $\frac{125}{216}$

問84 IoTエリアネットワークでも利用され，IoTデバイスからの無線通信をほかのIoTデバイスが中継することを繰り返し，リレー方式で通信をすることによって広範囲の通信を実現する技術はどれか。

ア GPS　イ MIMO

ウ キャリアアグリゲーション　エ マルチホップ

解説

問82 ISMSクラウドセキュリティ認証に関する記述

ISMS（Information Security Management System）は，情報セキュリティマネジメントシステムのことで，情報セキュリティを確保，維持するための組織的な取組みのことです。

また，組織におけるISMSへの取組みを認定する制度として，ISMS適合性評価制度があります。情報セキュリティマネジメントシステムが適切に構築，運用されていることを，JIS Q 27001に基づき，特定の第三者機関が審査して認証します。

ISMSクラウドセキュリティ認証はJIS Q 27001の認証に加えて，クラウドサービス固有の管理策（ISO/IEC 27017）が適切に導入，実施されていることを認証するものです。

× ア　シングルサインオンに関する記述です。シングルサインオンは，一度の認証で，許可されている複数のサーバやアプリケーションなどを利用できる仕組みです。

○ イ　正解です。ISMSクラウドセキュリティ認証に関する記述です。

× ウ　プライバシーマークの使用は，プライバシーマーク制度によって認められるものです。

× エ　リスクベース認証に関する記述です。リスクベース認証は，利用者がログインするときの環境や行動パターンなどから，通常と異なる利用と判断した場合，追加の本人認証を要求する認証方法です。

問83 サイコロを3回投げたときに1回も1の目が出ない確率

サイコロを1回投げたとき，1の目が出る確率は$\frac{1}{6}$です。

そして，1以外の目（2，3，4，5，6の目）が出る確率，つまり1の目が出ない確率は$\frac{5}{6}$です。

1の目が出る確率　$\frac{1}{6}$

1の目が出ない確率　$\frac{5}{6}$

1の目が出ないことが3回連続したときの確率は，1の目が出ない確率を3回掛けることで求められます。

$$\frac{5}{6} \times \frac{5}{6} \times \frac{5}{6} = \frac{125}{216}$$

よって，正解は エ です。

問84 リレー方式の通信によって広範囲の通信を実現する技術 初モノ!

× ア　GPS（Global Positioning System）は，人工衛星からの電波を受信して，地球上で自分がどこにいるか，位置情報を割り出すシステムのことです。

× イ　MIMO（Multi-Input Multi-Output）は，送信側と受信側に複数のアンテナをそれぞれ搭載し，データを同じ周波数帯域で同時に転送することによって，無線通信を高速化させる技術です。

× ウ　キャリアアグリゲーションは，複数の異なる周波数帯の電波を束ねることによって，無線でのデータ通信の高速化や安定化を図る技術です。

○ エ　正解です。マルチホップは，無線通信を行う装置が隣接する他の無線通信装置にデータを中継することを繰り返し，リレー方式で広範囲に伝達していく通信技術です。

クラウドサービス 問82

インターネットなどのネットワークを経由して，ハードウェアやソフトウェア，データなどを，サービスとして利用者に提供するもの。

IoTデバイス 問84

IoTシステムに組み込まれているセンサーやアクチュエーターなどの部品のこと。広義では，IoTによりインターネットに接続された機器（家電製品やウェアラブル端末など）も含まれる。

解答

問82 イ　問83 エ
問84 エ

問85

関数 binaryToInteger は，1桁以上の符号なし2進数を文字列で表した値を引数 binaryStr で受け取り，その値を整数に変換した結果を戻り値とする。例えば，引数として“100”を受け取ると，4を返す。プログラム中のa，bに入れる字句の適切な組合せはどれか。

〔プログラム〕

```
○整数型: binaryToInteger(文字列型: binaryStr)
  整数型: integerNum, digitNum, exponent, i
  integerNum ← 0
  for ( iを1から binaryStr の文字数まで1ずつ増やす)
    digitNum ← binaryStr の末尾からi 番目の文字を整数型に変換した値
                                   // 例: 文字“1”であれば整数値1に変換
    exponent ← [ a ]
    integerNum ← [ b ]
  endfor
  return integerNum
```

	a	b
ア	（2の i 乗）－ 1	integerNum × digitNum × exponent
イ	（2の i 乗）－ 1	integerNum ＋ digitNum × exponent
ウ	2の（ i － 1）乗	integerNum × digitNum × exponent
エ	2の（ i － 1）乗	integerNum ＋ digitNum × exponent

解説

問85 擬似言語

このプログラムは，文字列で表した2進数の値を引数として，その値を整数に変換する関数です。たとえば，2進数「100」を引数とした場合，「4」を返します。

まず，2進数について確認しておきます。下の表のように，2進数は「0」と「1」だけで数値を表します。

10進数	0	1	2	3	4	5	6	7	8	9	10	11	12
2進数	0	1	10	11	100	101	110	111	1000	1001	1010	1011	1100

2進数を10進数に変換するには，**2進数で値が「1」である桁の重みだけを合計**します。桁の重みは，2進数では2^0，2^1，2^2，2^3…となります。たとえば，2進数「1100」を10進数に変換すると「12」，2進数「100」を10進数に変換すると「4」になります。

問85

参考「符号なし2進数」は，正の数だけで，負の数は含んでいない2進数のことだよ。コンピュータでの数の表現において，負の数を扱う場合は「符号あり」，扱わない場合は「符号なし」とするよ。

●2進数「1100」を10進数に変換する

	1	1	0	0	
	⋮	⋮	⋮	⋮	
桁の重み	2^3	2^2	2^1	2^0	値が「1」の桁だけ，桁の重みを合計する
	॥	॥	॥	॥	
	8	4	2	1	8＋4＝12

●2進数「100」を10進数に変換する

	1	0	0	
	⋮	⋮	⋮	
桁の重み	2^2	2^1	2^0	値が「1」の桁が１つだけのときはその桁の重みが合計の結果になる
	॥	॥	॥	
	4	2	1	4

ここからは，プログラムを確認します。まず，for文で「iを1かbinaryStrの文字数まで1ずつ増やす」とあります。これは，2進数を表した値の文字数だけ，処理を繰り返します。たとえば，「100」であれば，3回処理を繰り返します。

繰り返す処理では変数digitNum，exponent，integerNumに値や数式を順に代入していき，その処理が終了すると結果を戻り値にしています。このプログラムは2進数の「100」などの値を，10進数に変換する関数です。したがって，ここの処理で，引数の2進数から値が「1」である桁を調べ，その桁の重みを合計し，10進数に変換した値を求めています。

```
for ( iを1から binaryStr の文字数まで1ずつ増やす)
  digitNum ← binaryStr の末尾からi 番目の文字を整数型に変換した値
                                  // 例: 文字 "1" であれば整数値1に変換
  exponent ← [ a ]
  integerNum ← [ b ]
endfor
return integerNum
```

2進数を10進数に変換するため，値が「1」の桁だけ，桁の重みを合計している

最初に2進数の末尾から桁の値が「1」か「0」かを調べて，変数digitNumに代入します。次の変数exponentでは，2^0，2^1，2^2 … といった桁の重みを求めています。選択肢より，[a]には「(2のi乗) −1」と「2の（i−1）乗」のいずれかが入ります。2進数の重みは2^0，2^1，2^2…なので，**[a]には「2の（i−1）乗」が入ります。**なお，選択肢を数式の形式で表すと，次のようになります。

(2のi乗) −1 …… 2^i-1
2の（i−1）乗 …… 2^{i-1}

そして，変数integerNumでは桁の重みを合計しています。[b]の選択肢を確認すると，計算する変数は同じで，「×」と「+」だけが異なっています。桁の重みを合計するときは「+」の計算を行うので，**[b]には「integerNum + digitNum × exponent」が入ります。**

これより，[a]と[b]に入れる字句の適切な組合せは エ です。よって，正解は エ です。

問85

対策 10進数を2進数に変換する方法も確認しておこう。「2」で割って余りを求めることを繰り返し，余りを逆から順に並べるよ。

(例) 10進数の「13」の場合

13÷2=6 余り1
6÷2=3 余り0
3÷2=1 余り1
1÷2=0 余り1

余りを逆から順に並べると，2進数「1101」に変換できる

解答

問85 エ

問86 PDCAモデルに基づいてISMSを運用している組織において，C（Check）で実施することの例として，適切なものはどれか。

ア 業務内容の監査結果に基づいた是正処置として，サーバの監視方法を変更する。
イ 具体的な対策と目標を決めるために，サーバ室内の情報資産を洗い出す。
ウ サーバ管理者の業務内容を第三者が客観的に評価する。
エ 定められた運用手順に従ってサーバの動作を監視する。

問87 通常の検索エンジンでは検索されず匿名性が高いので，サイバー攻撃や違法商品の取引などにも利用されることがあり，アクセスするには特殊なソフトウェアが必要になることもあるインターネット上のコンテンツの総称を何と呼ぶか。

ア RSS
イ SEO
ウ クロスサイトスクリプティング
エ ダークウェブ

解説

問86 ISMSのPDCAモデル 超でる★★

ISMS（Information Security Management System）は情報セキュリティマネジメントシステムのことで，情報セキュリティを確保，維持するための組織的な取組みのことです。PDCAは「Plan（計画）」「Do（実行）」「Check（点検・評価）」「Act（処置・改善）」というサイクルを繰り返し，継続的な業務改善を図る管理手法です。

ISMSでは次の図のPDCAサイクルを実施し，ISMSの継続的な維持・改善を図ります。

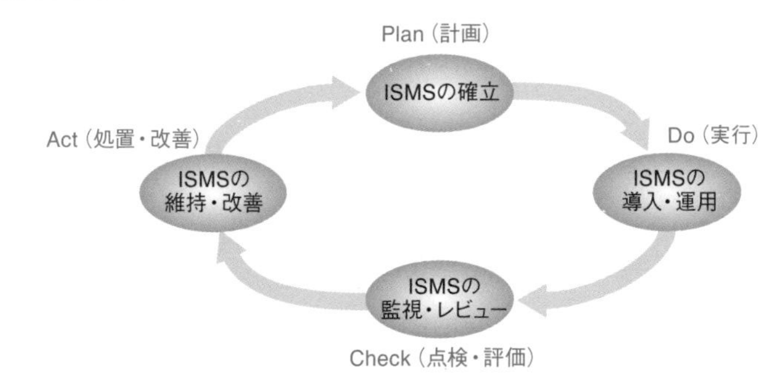

Plan ‥‥‥ 情報セキュリティ対策の計画や目標を策定する
Do ‥‥‥‥ 計画に基づき，セキュリティ対策を導入・運用する
Check ‥‥ 実施した結果の監視・点検を行う
Act ‥‥‥ 情報セキュリティ対策の見直し・改善を行う

× ア　監査結果に基づいた是正処置として行っているので，A（Act）で実施することです。
× イ　対策と目標を決めるために行っているので，P（Plan）で実施することです。
○ ウ　正解です。サーバ管理者の業務内容を第三者が客観的に評価しているので，C（Check）で実施することです。
× エ　定められた運用手順に従って行っているので，D（Do）で実施することです。

問87 通常の検索エンジンでは検索されないコンテンツの総称 初モノ！

× ア　RSSは，Webサイトの見出しや要約などを簡単にまとめ，配信するための文書形式の総称です。
× イ　SEOは，利用者がインターネット上でキーワード検索したとき，特定のWebサイトを検索結果のより上位に表示させるようにする技法や手法のことです。
× ウ　クロスサイトスクリプティングは，掲示板やアンケートなど，利用者が入力した内容を表示する機能がWebページにあるとき，その機能の脆弱性を突いて悪意のあるスクリプトを送り込む攻撃です。
○ エ　正解です。通常の検索エンジンでは検索されず，特殊なソフトウェアを使ってアクセスするWebサイトのことをダークウェブといいます。匿名性が高いため，サイバー攻撃や違法商品の取引など，犯罪の温床になっているといわれています。

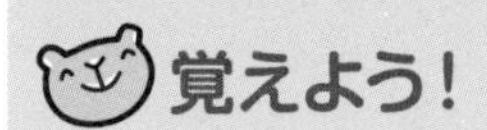

問86

ISMSのPDCAサイクル といえば
- 「P」ISMS の確立
- 「D」ISMS の導入・運用
- 「C」ISMS の監視・レビュー
- 「A」ISMS の維持・改善

スクリプト 問87
コンピュータに対する一連の命令などを記述した簡易プログラム。

検索エンジン 問87
インターネット上の情報を検索するシステムやWebサイトのこと。代表的なものとして，GoogleやYahoo!などがある。「サーチエンジン」ということもある。

解答
問86 ウ　問87 エ

問88 JavaScriptに関する記述として，適切なものはどれか。

ア Webブラウザ上に，動的な振る舞いなどを組み込むことができる。
イ Webブラウザではなく，Webサーバ上だけで動作する。
ウ 実行するためには，あらかじめコンパイルする必要がある。
エ 名前のとおり，Javaのスクリプト版である。

問89 システムの利用者認証に関する記述のうち，適切なものはどれか。

ア 1回の認証で，複数のサーバやアプリケーションなどへのログインを実現する仕組みを，チャレンジレスポンス認証という。
イ 指紋や声紋など，身体的な特徴を利用して本人認証を行う仕組みを，シングルサインオンという。
ウ 情報システムが利用者の本人確認のために用いる，数字列から成る暗証番号のことを，PINという。
エ 特定の数字や文字の並びではなく，位置についての情報を覚えておき，認証時には画面に表示された表の中で，自分が覚えている位置に並んでいる数字や文字をパスワードとして入力する方式を，多要素認証という。

問90 セキュリティ対策として使用されるWAFの説明として，適切なものはどれか。

ア ECなどのWebサイトにおいて，Webアプリケーションソフトウェアの脆弱(ぜい)性を突いた攻撃からの防御や，不審なアクセスのパターンを検知する仕組み
イ インターネットなどの公共のネットワークを用いて，専用線のようなセキュアな通信環境を実現する仕組み
ウ 情報システムにおいて，機密データを特定して監視することによって，機密データの紛失や外部への漏えいを防止する仕組み
エ ファイアウォールを用いて，インターネットと企業の内部ネットワークとの間に緩衝領域を作る仕組み

解説

問88 JavaScriptに関する記述 初モノ!

○ ア 正解です。JavaScriptはスクリプト言語の1つで，Webサイトで画面に動きを付けるのに使われます。
× イ JavaScriptはWebブラウザ上で動作します。また，Webサーバでも使われています。
× ウ JavaScriptはプログラムの実行時にソースコードを解釈して実行するインタプリタなので，コンパイルは行いません。
× エ JavaとJavaScriptは，まったく異なるプログラミング言語です。

コンパイル 問88

人が書いたソースコードを，コンピュータが理解できる機械語に一括して変換する仕組みやソフトウェアを「コンパイラ」といい，コンパイラを使って変換する作業のこと。

問89 システムの利用者認証に関する記述 よくでる★

× ア チャレンジレスポンス認証は，サーバから送られてくる「チャレンジ」というデータを受け取り，それをもとに演算した「レスポンス」をサーバに返すことで認証を行う方式です。

× イ 指紋や声紋などの身体的な特徴で本人認証を行う方式はバイオメトリクス認証です。シングルサインオンは，ア で記述されている，1回の認証で複数のサーバやアプリケーションなどへのログインを実現する仕組みです。

○ ウ 正解です。PIN（Personal Identification Number）は，PCやスマートフォンなどを使用するとき，個人認証のために用いられる番号です。たとえば，スマートフォンのロックを解除するときに入力します。

× エ 記述されているのはマトリクス認証についてです。マトリクス認証は画面に表示された表の中で，自分が覚えている位置に並んでいる数字や文字などをパスワードとして入力する方式です。多要素認証は認証要素の「知識情報」「所有情報」「生体情報」から，異なる要素を2つ以上組み合わせて認証することです。

問90 セキュリティ対策で使用されるWAFの説明

○ ア 正解です。WAF（Web Application Firewall）は，Webアプリケーションソフトウェアの脆弱性を悪用した攻撃から，Webサイトを防御する仕組みです。Webサイトに対するアクセス内容を監視し，攻撃とみなされるパターンを検知したときは，アクセスを遮断します。

× イ VPN（Virtual Private Network）の説明です。VPNは，インターネットなどの公衆ネットワークにおいて，暗号化や認証によってセキュリティを確保し，専用線のように使える仮想的なネットワークや，その技術のことです。

× ウ DLP（Data Loss Prevention）の説明です。DLPは，情報システムにおいて機密情報や重要データを監視し，情報漏えいやデータの紛失を防ぐ仕組みのことです。たとえば，機密情報を外部に送ろうとしたり，USBメモリにコピーしたりしようとすると，警告を発令したり，その操作を自動的に無効化させたりします。

× エ DMZ（DeMilitarized Zone）の説明です。DMZは，インターネットからも，内部ネットワークからも隔離されたネットワーク上の領域のことです。

問89

参考 マトリクス認証，チャレンジレスポンス認証は，どちらもワンタイムパスワードを使った認証方法だよ。
ワンタイムパスワードは一定時間内に1回だけ使用できるパスワードで，その都度，入力するパスワードが変わるから安全性を高められるよ。

問90

参考「WAF」は「ワフ」と読むよ。

問90

参考 DMZは，「非武装地帯」ともいうよ。

解答

問88 ア 問89 ウ
問90 ア

問91
職場で不要になったPCを廃棄する場合の情報漏えい対策として，最も適切なものはどれか。

ア　OSが用意しているファイル削除の機能を使って，PC内のデータファイルを全て削除する。
イ　PCにインストールされているアプリケーションを，全てアンインストールする。
ウ　PCに内蔵されている全ての記憶装置を論理フォーマットする。
エ　専用ソフトなどを使って，PCに内蔵されている全ての記憶装置の内容を消去するために，ランダムなデータを規定回数だけ上書きする。

問92
インターネットに接続されているサーバが，1台でメール送受信機能とWebアクセス機能の両方を提供しているとき，端末のアプリケーションプログラムがそのどちらの機能を利用するかをサーバに指定するために用いるものはどれか。

ア　IPアドレス　　イ　ドメイン　　ウ　ポート番号　　エ　ホスト名

問93
関係データベースで管理している“従業員”表から，氏名が‘%葉_’に該当する従業員を抽出した。抽出された従業員は何名か。ここで，“_”は任意の1文字を表し，“%”は0文字以上の任意の文字列を表すものとする。

従業員

従業員番号	氏名
S001	千葉翔
S002	葉山花子
S003	鈴木葉子
S004	佐藤乙葉
S005	秋葉彩葉
S006	稲葉小春

ア　1　　イ　2　　ウ　3　　エ　4

解説

問91 PCを廃棄する場合の情報漏えい対策

× ア OSのファイル削除の機能を使った場合，データは消去されたように見えますが，すぐには無くなっておらず，別のデータで上書きされるまでは残っています。

× イ PCからアプリケーションは削除されますが，書類や画像などのデータファイルは残っています。

× ウ 論理フォーマットすると，データは全て消去されたように見えますが，まだ記憶装置にデータは存在しています。そのため，専用ツールを使えば，データを復元することができ，情報漏えいが発生するおそれがあります。

○ エ 正解です。専用ソフトなどを使って，無意味なデータで規定回数だけ上書きすることで，元データの復元が不可能になります。

問92 どの機能を利用するかをサーバに指定するために用いるもの

× ア IPアドレスは，ネットワークに接続しているコンピュータや通信装置に割り振られる識別番号です。接続している機器を特定できるように，1台1台に重複しない番号が付けられます。

× イ ドメイン（domain）は「範囲」や「領域」という意味がある用語です。たとえば，インターネット上においてネットワークやコンピュータを識別する名前をドメイン名やドメインといいます。

○ ウ 正解です。ポート番号は，通信先のコンピュータで動作しているアプリケーションソフトを識別するための番号です。データ通信において，通信先のコンピュータはIPアドレスによって特定されます。その後，ポート番号によって，電子メールやWebブラウザなど，どのアプリケーションと通信するかを識別します。

× エ ホスト名は，ネットワークに接続しているコンピュータや機器などを識別するために付ける名前です。

問93 氏名が‘%葉_’に該当する従業員の抽出

「%葉_」の場合，「“_”は任意の1文字」を表すことより，「葉」の後ろに1文字だけがあるものに限られます。“従業員”表で氏名を確認すると，「千葉翔」と「鈴木葉子」の2名が該当します。よって，正解はイです。

なお，「%葉」については，「“%”は0文字以上の任意の文字列」を表すので，「葉」だけと「葉」の前に文字列があるものが該当します。

問92

参考 ポート番号を順番に変えながらサーバにアクセスし，侵入口と成り得る脆弱なポートがないかどうかを調べる攻撃を「ポートスキャン」というよ。

問93

対策 本問のように記号から該当する文字列を探すときは，任意の1文字を表す記号から考えるようにしよう。文字数を限定できるので，見つけやすいよ。

解答

問91 エ　問92 ウ
問93 イ

問94 企業において情報セキュリティポリシー策定で行う作業のうち，次の作業の実施順序として，適切なものはどれか。

a　策定する責任者や担当者を決定する。
b　情報セキュリティ対策の基本方針を策定する。
c　保有する情報資産を洗い出し，分類する。
d　リスクを分析する。

ア　a → b → c → d
イ　a → b → d → c
ウ　b → a → c → d
エ　b → a → d → c

問95 AIの関連技術であるディープラーニングに用いられる技術として，最も適切なものはどれか。

ア　ソーシャルネットワーク
イ　ニューラルネットワーク
ウ　フィージビリティスタディ
エ　フォールトトレラント

解説

問94 セキュリティポリシー策定で行う作業の実施順序

情報セキュリティポリシーは，企業や組織の情報セキュリティに関する取組みを包括的に規定した文書です。その構成や名称に正確な決まりはありませんが，一般的に次の3つの文書で構成します。

情報セキュリティ基本方針	情報セキュリティの目標や目標達成のためにとるべき行動などを規定する。
情報セキュリティ対策基準	基本方針で定めた事項に基づいて，実際に適用する規則やその適用範囲，対象者などを規定する。
情報セキュリティ実施手順	対策基準で規定した事項を実施するに当たって，「どのように実施するか」という具体的な手順を記載する。

企業が文書を公開するときなどには，情報セキュリティ基本方針，または情報セキュリティ基本方針と情報セキュリティ対策基準で構成されるものを，情報セキュリティポリシーとすることが多くあります。

こうした情報セキュリティポリシーの策定方法についても決まりはありませんが，代表的な策定手順は，次のような流れになります。

1．策定の組織決定（責任者，担当者の選出）
2．目的，情報資産の対象範囲，期間，役割分担などの決定
3．策定スケジュールの決定
4．基本方針の策定
5．情報資産の洗い出し，リスク分析とその対策
6．対策基準と実施内容の策定

出典：総務省　国民のためのサイバーセキュリティサイト
「情報セキュリティポリシーの策定」

これより，a～dの作業を確認すると，「a → b → c → d」の順序になります。よって，正解は ア です。

問95 ディープラーニングに用いられる技術 超でる★★

× ア ソーシャルネットワーク（Social Network）は，インターネット上における社会的なつながりのことです。

○ イ 正解です。ニューラルネットワーク（Neural Network）は，ディープラーニングを構成する技術の1つであり，人間の脳内にある神経回路を数学的なモデルで表現したものです。

× ウ **フィージビリティスタディ**（Feasibility Study）は，ITに関する新製品や新サービス，新制度について，事業活動として実現する可能性を調査・検証することです。

× エ フォールトトレラントは，装置を二重化するなどして，システムに障害が発生した場合でも，システムの処理を続行できるようにしておくという考え方です。

合格のカギ

問94

対策 情報セキュリティポリシーの3つの文書はよく出題されているので覚えておこう。「基本方針」を最上位とした階層構造であることを理解しておくと，文書の意義や関連性を把握しやすいよ。
まず，「基本方針」を立て，それをもとに「対策基準」「実施手順」の順に作成するよ。

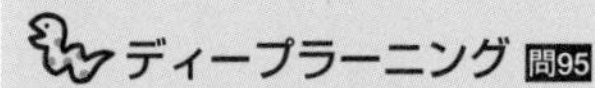

ディープラーニング 問95
人工知能の機械学習の一種で，ニューラルネットワークの多層化によって，コンピュータ自体がデータの特徴を検出し，学習する技術。

問95

参考 英単語の「neural」には，「神経の」という意味があるよ。

解答

問94 ア　問95 イ

問96

Aさんは次のように宛先を指定して電子メールを送信した。この電子メールの受信者に関する記述のうち，適切なものだけを全て挙げたものはどれか。

〔宛先〕
To：Bさんのメールアドレス
Cc：Cさんのメールアドレス
Bcc：Dさんのメールアドレス，Eさんのメールアドレス

(1) CさんはDさんのメールアドレスを知ることができる。
(2) DさんはCさんのメールアドレスを知ることができる。
(3) EさんはDさんのメールアドレスを知ることができる。

ア (1)　イ (1)，(3)　ウ (2)　エ (2)，(3)

問97

次のOSのうち，OSS（Open Source Software）として提供されるものだけを全て挙げたものはどれか。

a Android　b FreeBSD　c iOS　d Linux

ア a，b　イ a，b，d　ウ b，d　エ c，d

解説

問96 電子メールのTo，Cc，Bccの指定 よくでる★

同じ内容の電子メールを複数の人に同時に送信する際，宛先の指定方法として次の3通りがあります。

To	本来の宛先の相手を指定する。指定したメールアドレスは，このメールの受信者全員に表示される。
Cc	上司や同僚など，同じメッセージを参照して欲しい相手を指定する。指定したメールアドレスは，このメールの受信者全員に表示される。「carbon copy」の略。
Bcc	他の受信者には知られずに，同じメッセージを参照して欲しい相手を指定する。指定したメールアドレスは，他の受信者には表示されない。「blind carbon copy」の略。

本問では，「To」にBさん，「Cc」にCさん，「Bcc」にDさんとEさんのメールアドレスを指定して電子メールを送信しています。

この場合，BさんとCさんは互いのメールアドレスを知ることができますが，DさんやEさんのメールアドレスを知ることはできません。

また，DさんとEさんは，BさんやCさんのメールアドレスを知ることができますが，互いのメールアドレスを知ることはできません。

To	B さん	B さん … C さんを知ることができる
Cc	C さん	C さん … B さんを知ることができる
Bcc	D さん E さん	D さん … B さん，C さんを知ることができる E さん … B さん，C さんを知ることができる

（1）～（3）を確認すると，適切なのは（2）の「DさんはCさんのメールアドレスを知ることができる」だけです。よって，正解はウです。

問97 OSでOSS（Open Source Software）として提供されるもの

OSS（Open Source Software）は，ソフトウェアのソースコードが無償で公開され，ソースコードの改変や再配布も認められているソフトウェアのことです。オープンソースソフトウェアともいい，代表的なOSSには次のようなものがあります。

分野	OSSの種類
プログラム言語	Java Ruby Perl PHP など
OS（Operating System）	Linux FreeBSD Android など
Webサーバソフトウェア	Apache など
データベース管理システム	MySQL PostgreSQL など
アプリケーションソフトウェア	Firefox（Webブラウザ） Thunderbird（電子メールソフト）

a～dについて，OSS（Open Source Software）として提供されるかどうかを判定すると，次のようになります。

○ a AndroidはGoogle社が開発したスマートフォン用のOSです。OSSとして提供されます。

○ b FreeBSDは主にサーバの用途で利用されているUNIX系のOSです。OSSとして提供されます。

× c iOSはアップル社が開発したスマートフォン向けのOSで，OSSではありません。

○ d Linuxは世界中で使われている，非常に代表的なOSです。OSSとして提供されます。

OSSとして提供されるのは，a，b，dです。よって，正解はイです。

問96

Cc欄のメールアドレス といえば 受信者全員に表示される

Bcc欄のメールアドレス といえば 他の受信者には表示されない

問97

対策 OSSを選ぶ問題は，よく出題されているよ。OSやWebブラウザ，メールなどの分類ごとに，代表的なOSSを覚えておこう。

解答

問96 ウ 問97 イ

□□□ **問 98** ランサムウェアに関する記述として，最も適切なものはどれか。

ア PCに外部から不正にログインするための侵入路をひそかに設置する。

イ PCのファイルを勝手に暗号化し，復号のためのキーを提供することなどを条件に金銭を要求する。

ウ Webブラウザを乗っ取り，オンラインバンキングなどの通信に割り込んで不正送金などを行う。

エ 自らネットワークを経由して感染を広げる機能をもち，まん延していく。

□□□ **問 99** GPSの電波を捕捉しにくいビルの谷間や狭い路地などでも位置を計測することができるように，特定の地域の上空に比較的長く留まる軌道をとり，GPSと併用することによって，より高い測位精度を実現するものはどれか。

ア アシストGPS

イ ジャイロセンサー

ウ 準天頂衛星

エ プローブカー

解説

問98 ランサムウェアに関する記述

× ア ルートキットに関する記述です。ルートキットは攻撃者がPCへの侵入後に利用するために，ログの消去やバックドアなどの攻撃ツールをパッケージ化して隠しておく仕組みのことです。

○ イ 正解です。ランサムウェアは，感染したPC内のファイルやシステムを暗号化して使用不能にし，もとに戻すため代金を要求する不正プログラムです。

× ウ MITB（Man-in-the-browser）攻撃に関する記述です。MITBは主にインターネットバンキング（オンラインバンキング）を対象とした攻撃で，マルウェアでWebブラウザを乗っ取り，攻撃者の指定した口座に送金させるなどの不正操作を行います。

× エ ワームに関する記述です。ワームは自己複製し，ネットワークなどを経由して感染を拡大するコンピュータウイルスの一種です。

問99 GPSとの併用によって高い測位精度を実現するもの 初モノ!

GPS（Global Positioning System）は，人工衛星からの電波を受信して，地球上で自分がどこにいるか，位置情報を割り出すシステムのことです。地球を周回する人工衛星が発信している電波を受信して，衛星の電波の発信時刻と，受信機の電波の受信時刻との差などから，端末の位置を特定します。

× ア アシストGPSはネットワークから取得した情報を補助的に利用して，GPSによる測位時間を短縮するためのシステムです。

× イ ジャイロセンサーは，物体が回転したときの傾きや角度を測定するセンサーです。

○ ウ 正解です。準天頂衛星は，地球を周回する一般的な衛星とは異なり，日本上空に長く滞在するという特徴がある人工衛星です。日本の真上からGPSとほぼ同一の測位信号を送信することで，高い測位精度を実現します。

× エ プローブカーは，交通観測やデータ収集のために，センサーや計測器を搭載した自動車のことです。交通流動，位置情報，車両挙動などの様々なデータを収集し，渋滞予測や交通安全対策などに役立てます。

バックドア 問98

バックドアは攻撃者がコンピュータに不正侵入するために，仕掛けた入り口（侵入経路）のこと。

問98

参考 ランサムウェアは「Ransom（身代金）」と「Software（ソフトウェア）」を組み合わせた造語だよ。

解答

問98 イ 問99 ウ

問 100 正しいURLを指定してインターネット上のWebサイトへアクセスしようとした利用者が，偽装されたWebサイトに接続されてしまうようになった。原因を調べたところ，ドメイン名とIPアドレスの対応付けを管理するサーバに脆弱性があり，攻撃者によって，ドメイン名とIPアドレスを対応付ける情報が書き換えられていた。このサーバが受けた攻撃はどれか。

ア　DDoS攻撃
イ　DNSキャッシュポイズニング
ウ　ソーシャルエンジニアリング
エ　ドライブバイダウンロード

解説

問100 ドメイン名とIPアドレスの情報を書き換える攻撃

インターネットにおいてIPアドレスとドメイン名の対応付けを行う仕組みをDNS（Domain Name System）といい，その機能をもつサーバをDNSサーバといいます。

IPアドレス		ドメイン名
209.165.3.4	⟷	example.co.jp

ネットワークに接続したコンピュータには，**IPアドレス**という番号が割り振られています。IPアドレスはネットワーク上の住所に当たるもので，1台1台に重複しない番号が付けられます。また，人間がIPアドレスを扱いやすくするため，IPアドレスを文字列で表したものを**ドメイン名**といいます。データ通信を行うときには，DNSの働きによって，IPアドレスとドメイン名が対応付けられます。

× ア　**DDoS攻撃**は，Webサイトやメールなどのサービスを提供するサーバに，ネットワークを介して大量の処理要求を送ることで，サーバがサービスを提供できないようにする攻撃です。

○ イ　正解です。**DNSキャッシュポイズニング**は，DNSサーバに保管されている管理情報（キャッシュ）を書き換えることによって，利用者を偽のWebサイトに誘導する攻撃です。

× ウ　**ソーシャルエンジニアリング**は，人間の習慣や心理などの隙を突いて，パスワードや機密情報を不正に入手することです。

× エ　**ドライブバイダウンロード**は，利用者がWebサイトにアクセスしたとき，利用者が気付かないうちに，PCなどにマルウェアがダウンロードされて感染させられる攻撃です。

問100

対策 情報セキュリティの攻撃手法に関する問題はよく出題されるよ。どの用語が出題されてもよいように確認しておこう。

解答

問100 イ

試験1週間前の試験対策1

ITパスポートでは，アルファベット3文字の用語がよく出てきます。ここでは，1週間前の試験対策として，特に覚えておきたいアルファベット3文字の用語をまとめて紹介します。アルファベットだけを暗記しにくいときは，短縮前の単語の意味をヒントにするとよいでしょう。

●覚えておきたいアルファベット3文字の用語（Mまで）

□ BCP（Business Continuity Plan）
大規模災害などが発生したときでも，事業が継続できるように準備すること。「Continuity（コンティニュイティ）」は継続という意味です。また，BCPの策定，運用，見直しを行う活動をBCM（Business Continuity Management）といいます。

□ BPR（Business Process Reengineering）
業務効率や生産性を改善するため，現行のやり方を見直して改善すること。「Re」は再び，「engineering」は「設計」という意味です。

□ BSC（Balanced Scorecard）
財務，顧客，業務プロセス，学習と成長という4つの視点から企業の業績を評価・分析する手法。バランススコアカードともいいます。

□ BTO（Build To Order）
顧客の注文を受けてから，製品を組み立て販売する受注生産方式のこと。顧客は自分の好みどおりにカスタマイズして注文することができ，メーカーは余分な在庫を抱えるリスクを抑えられます。

□ CAD（Computer Aided Design）
コンピュータを利用して工業製品や建築物などの設計を行うこと。

□ CIO（Chief Information Officer）
最高情報責任者のこと。企業の情報システムの最高責任者として，経営戦略に基づいた情報システム戦略の策定・実行に責任をもちます。「Information」は情報という意味です。企業の最高経営責任者を示すCEO（Chief Executive Officer）と間違えないようにしましょう。

□ CRM（Customer Relationship Management）
営業部門やサポート部門などで顧客情報を共有する顧客管理システム。顧客との関係を深めることで，業績の向上を図ります。「Customer（カスタマ）」は顧客，「Relationship（リレーションシップ）」は関係という意味です。

□ CSF（Critical Success Factors）
経営戦略の目標や目的の達成に重要な影響を与える要因。「Critical（クリティカル）」は重大，「Success（サクセス）」は成功，「Factors（ファクターズ）」は要因という意味です。重要成功要因ともいいます。

□ CSR（Corporate Social Responsibility）
企業の社会的責任。「Corporate（コーポレート）」は企業，「Social（ソーシャル）」は社会，「Responsibility（レスポンシビリティ）」は責任という意味です。

□ ERP（Enterprise Resource Planning）
生産や販売，会計，人事など，業務で発生するデータを統合的に管理し，経営資源の最適化を図る経営手法。「Enterprise（エンタープライズ）」は企業全体，「Resource（リソース）」は資源，「Planning」は計画という意味です。

□ MBO（Management Buyout）
経営陣が中心となって，親会社や株主などから自社の株式を買い取り，経営権を取得すること。「Management」は経営，「Buyout」は買い占めという意味です。

□ MOT（Management Of Technology）
技術に立脚する企業・組織が，技術開発や技術革新（イノベーション）をビジネスに結び付け，事業を持続的に発展させていく経営の考え方，技術経営のこと。「Management」は経営，「Technology」は科学技術という意味です。

□ MRP（Material Requirements Planning）
生産計画をもとに，製造に必要となる資材の量を算出し，最適な発注量や発注時期を決める資材所要量計画。「Material（マテリアル）」は材料，「Requirements（リクワイアメンツ）」は必要とするもの，「Planning」は計画という意味です。

※N以降の用語は，480ページで紹介しています。

シラバスVer.6.3対応　模擬問題

ITパスポート

（全100問 ････････････････････ 試験時間：120分）

※ 495ページに答案用紙がありますので，ご利用ください。
※「擬似言語の記述形式及び表計算ソフトの機能・用語」は巻末に掲載しています。
※この模擬問題は，ITパスポート試験のシラバスVer.6.3に準拠し，ITパスポート試験，基本情報技術者試験，情報セキュリティマネジメント試験，応用情報技術者試験などの過去問題，及びオリジナル問題から100問を構成したものです。

模擬問題

問1から問35までは，ストラテジ系の問題です。

問 1

CPS（サイバーフィジカルシステム）を活用している事例はどれか。

ア サービス提供事業者が，ほかの企業の情報システムに関する企画や開発，運用，管理，保守業務を行う。

イ 機器を販売するのではなく貸し出し，その機器に組み込まれたセンサーで使用状況を検知し，その情報を基に利用者から利用料金を徴収する。

ウ 業務処理機能やデータ蓄積機能をサーバにもたせ，クライアント側はネットワーク接続と最小限の入出力機能だけをもたせてデスクトップの仮想化を行う。

エ 現実世界の都市の構造や活動状況のデータによって仮想世界を構築し，災害の発生や時間軸を自由に操作して，現実世界では実現できないシミュレーションを行う。

問 2

SECIモデルにおいて，新たに創造された知識を組織に広め，新たな暗黙知として習得するプロセスはどれか。

ア 共同化（Socialization）

イ 表出化（Externalization）

ウ 連結化（Combination）

エ 内面化（Internalization）

解説

問1 CPS（サイバーフィジカルシステム）を活用している事例

× ア SI（System Integration）の事例です。SIは，情報システムの企画から構築，運用，保守までに必要な作業を一貫して行うサービスや事業のことです。システムインテグレーションともいいます。

× イ IoTの事例です。IoTは自動車や家電などの様々な「モノ」をインターネットに接続し，ネットワークを通じて情報をやり取りすることで，自動制御や遠隔操作などを行う技術のことです。

× ウ シンクライアントの事例です。シンクライアントは，ユーザーが使うクライアント側のコンピュータには必要最低限の機能しかもたせず，アプリケーションソフトやデータなどはサーバ側で一括して管理するシステムのことです。

○ エ 正解です。CPS（サイバーフィジカルシステム）は，現実世界で収集したデータをサイバー空間（仮想世界）で分析・加工し，現実世界にフィードバックすることによって，産業の活性化や社会的課題の解決などを図る仕組みです。仮想世界を構築し，現実世界では実現できないシミュレーションを行うことはCPSの事例です。

問2 SECIモデル

言語や図表で表現された知識を「形式知」といい，それに対して知識やノウハウなどの形式化されていない知識を「暗黙知」といいます。

SECIモデルは，個人がもつ経験やスキルなどを組織全体で共有し，組織の新しい知識を創造していくフレームワークです。次の4つのプロセスを繰り返すことにより，個人のもつ暗黙知を形式知に変換し，組織全体の知識を発展させていきます。

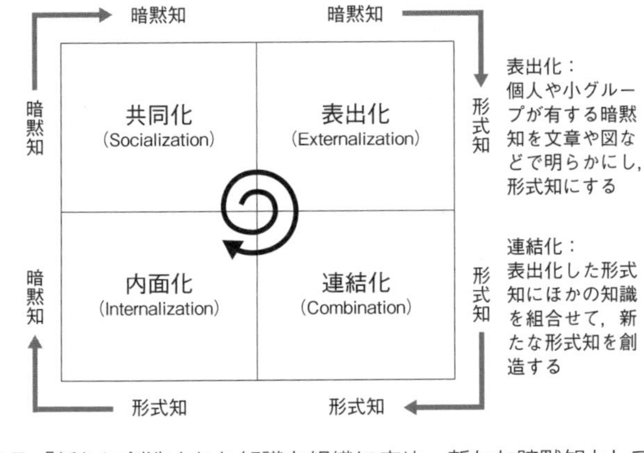

暗黙知
暗黙知
共同化：
暗黙知を共通の体験を通じて共有し，新たな暗黙知を創造する
暗黙知
共同化
(Socialization)
表出化
(Externalization)
形式知
表出化：
個人や小グループが有する暗黙知を文章や図などで明らかにし，形式知にする
内面化：
連結化で得た新たな形式知を組織に広め，習得することで新たな暗黙知にする
暗黙知
内面化
(Internalization)
連結化
(Combination)
形式知
連結化：
表出化した形式知にほかの知識を組合せて，新たな形式知を創造する
形式知
形式知

出題されている「新たに創造された知識を組織に広め，新たな暗黙知として習得するプロセス」は，エの「内面化（Internalization）」です。よって，正解はエです。

合格のカギ

問1

参考 CPSは「Cyber Physical System」の略称だよ。

問2

参考 SECIは「セキ」と読むよ。

覚えよう！ 問2

共同化 といえば
暗黙知を暗黙知として共有

表出化 といえば
暗黙知を形式知に変換

連結化 といえば
形式知と形式知を結合

内面化 といえば
形式知を暗黙知として習得

解答

問1 エ　問2 エ

問3 ハイブリッドクラウドの説明はどれか。

ア クラウドサービスが提供している機能の一部を，自社用にカスタマイズして利用すること
イ クラウドサービスのサービス内容を，消費者向けと法人向けの両方を対象とするように構成して提供すること
ウ クラウドサービスのサービス内容を，有償サービスと無償サービスとに区分して提供すること
エ 自社専用に使用するクラウドサービスと，汎用のクラウドサービスとの間でデータ及びアプリケーションソフトウェアの連携や相互運用が可能となる環境を提供すること

問4 紙型，ICカード型又はサーバ型の前払式支払手段（プリペイドカード，電子マネーなど）の発行者に対し，その発行業務に係る情報の漏えい，滅失又は毀損の防止措置を求める法律はどれか。

ア 資金決済法　　イ 金融商品取引法
ウ 景品表示法　　エ 特定商取引法

問5 A社，B社の売上高及び営業利益のグラフの説明として，適切なものはどれか。

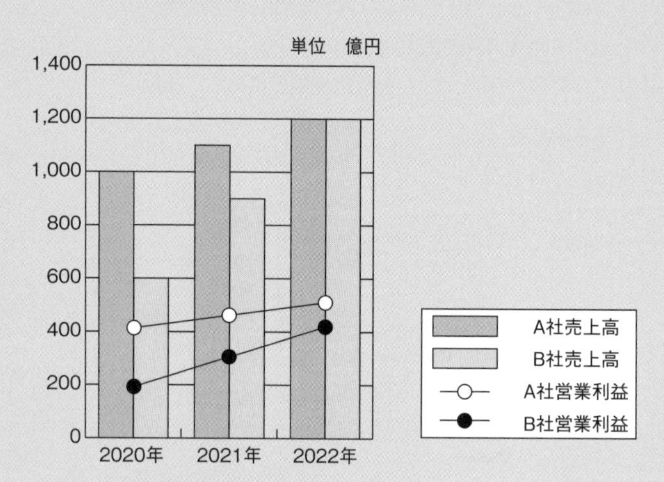

ア A社はB社より売上高の伸び率が高いが，2022年の売上高営業利益率は低い。
イ A社はB社より売上高の伸び率が低いが，2022年の売上高営業利益率は高い。
ウ A社はB社より売上高の伸び率も2022年の売上高営業利益率も高い。
エ A社はB社より売上高の伸び率も2022年の売上高営業利益率も低い。

解説

問3 ハイブリッドクラウドの説明

クラウドサービスの提供形態には，次のようなものがあります。

パブリッククラウド	幅広く様々なユーザーにサービスを提供し，複数のユーザーがリソースを共有して使う。
プライベートクラウド	特定のユーザーが，提供されたサービスを独占して使う。
ハイブリッドクラウド	パブリッククラウドとプライベートクラウドを組み合わせてサービスを提供し，ユーザーは用途に合わせて使い分けることができる。

選択肢 ア ～ エ を確認すると，パブリッククラウドとプライベートクラウドの両方を使っているのは エ になります。「自社専用に使用するクラウドサービス」がプライベートクラウド，「汎用のクラウドサービス」がパブリッククラウドのことです。また，ハイブリッドクラウドでは，オンプレミス環境もクラウドサービスと連携させて利用することができます。よって，正解は エ です。

問4 前払式支払手段の発行業務について定めた法律

○ ア 正解です。資金決済法は，資金決済に関するサービスの適切な実施を確保し，その利用者などを保護するとともに，当該サービスの提供の促進を図るための法律です。前払式支払手段について，利用者保護を図るため，発行に係わる規制や発行者への義務などを定めています。

× イ 金融商品取引法は，投資性のある金融商品を取引する際の利用者保護と，透明で公正な市場作りを目的とした法律です。

× ウ 景品表示法は，消費者の利益を守るため，不当な表示の禁止，景品類の制限・禁止を定めた法律です。

× エ 特定商取引法は，訪問販売や通信販売などのトラブルが生じやすい取引において，消費者を保護するために，事業者が守るべきルールを定めた法律です。

問5 売上高と営業利益のグラフの説明

まず，売上高を縦棒グラフで確認します。2020年から2022年にかけて，A社は1,000から1,200に，B社は600から1,200に増えています。期間は同じですが，増えた売上高はA社が200で，B社は600なので，A社はB社より売上高の伸び率が低いことになります。

次に，2022年の売上高営業利益率について調べます。棒グラフから2022年の売上高はA社とB社は同じ1,200ですが，折れ線グラフの営業利益はA社がB社より高くなっています。売上高営業利益率は「営業利益÷売上高」で求めるので，A社の方が2022年の売上高営業利益率は高くなります。

これより，A社はB社より売上高の伸び率は低く，2022年の売上高営業利益率は高いので，イ が適切なグラフの説明です。よって，正解は イ です。

クラウドサービス 問3
インターネットなどのネットワークを介して，ハードウェアやソフトウェア，データなどを，サービスとして利用者に提供するもの。

問3
参考 自社でハードウェアなどの設備を保有して運用することを「オンプレミス」というよ。

問4
対策 資金決済法における前払式支払手段として，たとえばSuicaなどのICカード，商品券（使用期間が6か月以内でないもの）があるよ。
利用者から前払いされた対価をもとに発行され，これによって商品やサービスの提供を受けられるもののことだよ。過去問題で出題されたことがあるので，確認しておこう。

問5
対策 グラフを読み取る問題は，項目と数値を丁寧に見ることが大切だよ。棒グラフや折れ線グラフは，数値の大きさと変化に着目して確認しよう。

解答

問3 エ　問4 ア
問5 イ

問6 HRテックの説明はどれか。

ア ICTを活用して，住宅内のエネルギー使用状況の監視，機器の遠隔操作や自動制御などを可能にし，家庭におけるエネルギー管理を支援するソリューション

イ 既存のビジネスモデルによる業界秩序や既得権益を破壊してしまうほど大きな影響を与える新しいICTやビジネスモデル

ウ 個人の資金に関わる情報を統合的に管理するサービスやマーケットプレイス・レンディングなどの金融サービスを実現するための新しい情報技術

エ 採用，育成，評価，配属などの人事領域の業務を対象に，ビッグデータ解析やAIなどの最新ICTを活用して，業務改善と社員満足度向上を図るソリューション

問7 企業の活動a～dのうち，コンプライアンスの確立に関するものだけを全て挙げたものはどれか。

a 芸術や文化活動を支援する。
b 従業員に対して行動規範の教育を行う。
c 地球の砂漠化防止の取組みを行う。
d 内部通報の仕組みを作る。

ア a，b　　イ a，c　　ウ b，d　　エ c，d

解説

問 6 HRテックの説明

× ア HEMS（Home Energy Management System）に関する説明です。HEMSは，家庭で使う電気やガスなどのエネルギーを把握し，効率的に運用するためのシステムです。

× イ 破壊的イノベーションに関する説明です。破壊的イノベーションは，既存の事業における秩序や既得権益などを破壊し，業界構造を劇的に変化させるイノベーションのことです。

× ウ フィンテックに関する説明です。フィンテックは，銀行などの金融業においてIT技術を活用し，これまでにない新たな価値や革新的なサービスへの取組みを示す用語です。たとえば，AI（人工知能）による投資予測，スマートフォンを利用したモバイル決済，クラウド型会計システムなどがあります。金融（Finance）と技術（Technology）を組み合わせた造語で，FinTechともいいます。

○ エ 正解です。HRテックは，人事に関する業務（人事評価，採用活動，人材育成など）に，AIやビッグデータ解析などの高度なIT技術を活用する手法です。人事・人材（Human Resources）と技術（Technology）を組み合わせた造語で，HRTech ともいいます。

問 7 コンプライアンスの確立に関するもの

コンプライアンス（Compliance）は「法令遵守」という意味です。企業経営においては，企業倫理に基づき，ルール，マニュアル，チェック体制などを整備し，法令や社会的規範を遵守した企業活動のことをいいます。

また，企業の中で法令遵守の仕組み作りをする場合，それを「コンプライアンスの確立」や「コンプライアンス体制の確立」などと呼びます。活動a～dをコンプライアンスの確立に関するものかどうかを判定すると，次のようになります。

× a，c CSR（Corporate Social Responsibility）に基づいて実施されている社会活動です。

○ b コンプライアンスに対する意識や理解を高めるため，教育や研修を実施します。

○ d 企業内における法令違反や不正行為を防止，発見するため，このような行為を通報・相談できる窓口を設置します。

コンプライアンスの確立に関するものは，bとdです。よって，正解は ウ です。

ICT 問6
情報通信技術のこと。ITとほぼ同じ意味で用いられる。「Information and Communication Technology」の略。

問6
参考 人事に関する用語で，有効に人材を活用するための仕組みや活動のことを「HRM」（Human Resource Management）というよ。

CSR (Corporate Social Responsibility) 問7
企業は利益だけを追求するのではなく，地域への社会貢献やボランティア活動，地球環境の保護活動など，社会に貢献する責任も負っているという考え方。日本語では「企業の社会的責任」という。

解答
問6 エ　問7 ウ

□□□ 問8 ビッグデータ分析の前段階として，非構造化データを構造化データに加工する処理を記述している事例はどれか。

ア 関係データベースに蓄積された大量の財務データから必要な条件に合致するデータを抽出し，利用者が扱いやすい表計算ソフトウェアデータに加工する。
イ 個人情報を含むビッグデータを更に利活用するために，特定の個人を識別することができないように匿名化加工する。
ウ 住所データ項目の中にある，“ヶ”と“が”の混在や，丁番地の表記不統一を，標準化された表記へ統一するために加工する。
エ ソーシャルメディアの口コミを機械学習によって単語ごとに分解し，要約を作り，分析可能なデータに加工し，関係データベースに保管する。

□□□ 問9 マーケティング戦略におけるブルーオーシャンの説明として，適切なものはどれか。

ア 競争が存在していない未知の市場
イ コモディティ化が進んだ既存の市場
ウ 新事業のアイディアを実際のビジネスに育成するまでの期間
エ 製品開発したものを市場化する過程に横たわっている障壁

□□□ 問10 BYODの説明，及びその情報セキュリティリスクに関する記述のうち，適切なものはどれか。

ア 従業員が企業から貸与された情報端末を，客先などへの移動中に業務に利用することであり，ショルダーハッキングなどの情報セキュリティリスクが増大する。
イ 従業員が企業から貸与された情報端末を，自宅に持ち帰って私的に利用することであり，機密情報の漏えいなどの情報セキュリティリスクが増大する。
ウ 従業員が私的に保有する情報端末を，職場での休憩時間などに私的に利用することであり，セキュリティ意識の低下などに起因する情報セキュリティリスクが増大する。
エ 従業員が私的に保有する情報端末を業務に利用することであり，セキュリティ設定の不備に起因するウイルス感染などの情報セキュリティリスクが増大する。

解説

問 8 非構造化データを構造化データに加工する処理の事例

一定の規則に従い，行と列で管理できるデータを構造化データといいます。代表的なものに，表計算ソフトや関係データベースに格納されているデータがあります。対して，画像，動画，音声，規則性に関する区切りがない文書など，構造化がされていないデータを非構造化データといいます。

× ア 関係データベースに蓄積されたデータと表計算ソフトウェアデータは，どちらも構造化データです。
× イ 個人情報の匿名加工情報に関する処理の事例です。匿名加工情報は，特定の個人を識別できないように個人情報を加工し，もとの情報に復元できないようにした情報のことです。
× ウ データクレンジングに関する処理の事例です。データクレンジングは，データの欠損，表記の揺れ，重複などの不備を修正し，データの品質を高めることです。
○ エ 正解です。非構造化データの口コミを，関係データベースに保管できる構造化データに加工する処理を行っています。

問 9 ブルーオーシャンの説明

○ ア 正解です。ライバルが多く，激しい競争が展開されている市場をレッドオーシャン（血みどろの争いをする場）といいます。それに対して，ライバルがいない，新しい市場をブルーオーシャンといいます。
× イ レッドオーシャンに関する説明です。レッドオーシャンでは，コモディティ化が進みやすく，競争が激化します。
× ウ タイムトゥマーケット（Time to Market）に関する説明です。
× エ 技術経営の死の谷に関する説明です。技術経営において研究，開発，事業化，産業化のプロセスを進めるとき，各プロセスの間に「魔の川」「死の谷」「ダーウィンの海」という障壁があるといわれています。死の谷は，開発と事業化のプロセスの間にある障壁のことです。

問10 BYODに関する記述

BYODは「Bring Your Own Device」の略で，従業員が私物の情報端末（PCやスマートフォンなど）を持ち込み，業務で使用することです。従業員に端末を支給せずに済むため，コスト削減を図れる反面，コンピュータウイルスへの感染や情報漏えいなどのリスクがあります。

選択肢 ア ～ エ を確認すると，エ の「従業員が私的に保有する情報端末を業務に利用する」「ウイルス感染などの情報セキュリティリスクが増大する」が適切です。よって，正解は エ です。

機械学習 問8
AI（人工知能）がデータを解析することで，規則性や判断基準を自ら学習し，それに基づいて未知のものを予測，判断する技術。

問8
参考 匿名加工情報は，単に個人情報をマスキングしたものではないよ。匿名加工情報を作成するときは，法令で定める基準に従って適切に加工する必要があるよ。

コモディティ化 問9
競合する商品間から，機能や品質などの差別化する特性が失われ，価格や量，買いやすさを基準にして，商品が選択されるようになること。結果的に，低価格競争が起こり，利益を上げにくくなる。

ショルダーハッキング 問10
背後や隣などから，入力しているテキストやパスワードなどの情報を盗み見る行為のこと。

解答
問8 エ　問9 ア
問10 エ

問11 親和図の特徴はどれか。

ア 原因と結果を対比させた図式表現であり，不良原因の追及に用いられる。
イ 錯綜（そう）した問題点や，まとまっていない意見，アイディアなどを整理し，まとめるために用いられる。
ウ 二つ以上の変数の相互関係を表すのに役立つ。
エ 分布の形，目標値からのばらつき状態などから，製品の品質の状態が規格値に対して満足いくものかなどを判断するために用いられる。

問12 インターネットショッピングで売上の全体に対して，あまり売れない商品の売上合計の占める割合が無視できない割合になっていることを指すものはどれか。

ア アフィリエイト
イ エスクロー
ウ SEO
エ ロングテール

解説

問11 親和図の特徴

× ア 特性要因図の特徴です。特性要因図は「原因」と「結果」の関係を体系的にまとめた図で，結果がどのような原因によって起きているのかを調べるときに使用します。

○ イ 正解です。親和図は，収集した情報を相互の関連によってグループ化し，体系的に整理した図です。問題点や意見，アイディアなどを整理し，まとめるときに使用します。

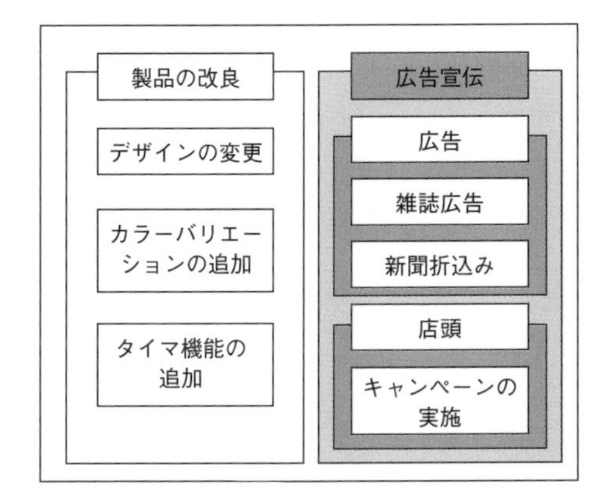

× ウ 散布図の特徴です。散布図は，2つの項目を縦軸と横軸にとり，点でデータを示したグラフです。点がどのように分布しているかによって，2つの項目の間に相関関係があるかどうかを調べるときに使用します。

× エ ヒストグラムの特徴です。ヒストグラムは，収集したデータを幾つかの区間に分類し，各区間のデータの度数を棒グラフで表したものです。データの散らばり具合を見るときに使用します。

問12 あまり売れない商品が無視できない割合であることを指すもの

× ア アフィリエイトは，サイト運営者が自分のブログなどに企業の広告やWebサイトへのリンクを掲載し，その広告からリンク先のサイトを訪問したり，商品を購入したりした実績に応じて，サイト運営者に報酬が支払われる仕組みのことです。

× イ エスクローは，ネットオークションなどの電子商取引で，売り手と買い手の間を信頼できる第三者が仲介し，取引の安全性を保証する仕組みです。

× ウ SEOは，利用者がインターネット上でキーワード検索したとき，特定のWebサイトを検索結果のより上位に表示させるようにする技法や手法のことです。

○ エ 正解です。ロングテールは，インターネットでの商品販売において，販売数が少ない商品でも品数を豊富に取り揃えることで，その売上が売上全体に対して大きな割合を占める現象のことです。

特性要因図 問11

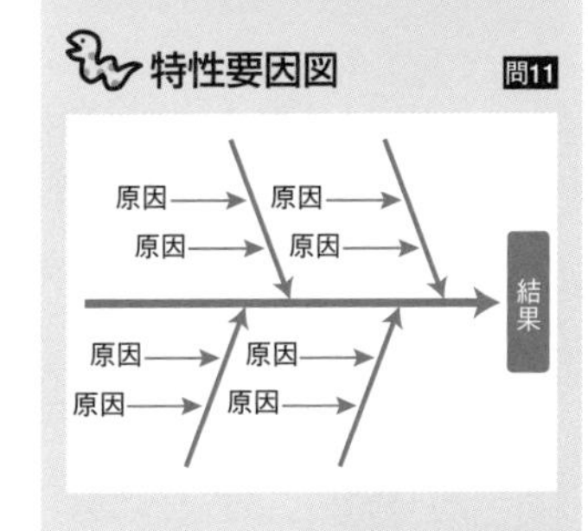

散布図 問11

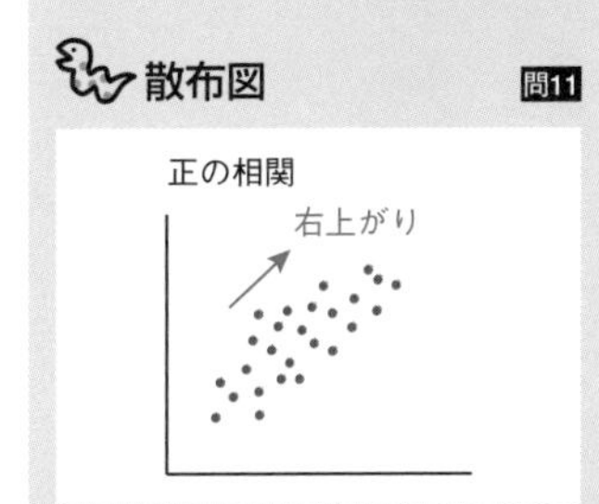

問12

参考「ロングテール」と呼ばれる由来は，縦軸に販売数，横軸に販売数量の多い順に商品を並べたグラフで，右に伸びる曲線が長いしっぽのように見えるからだよ。

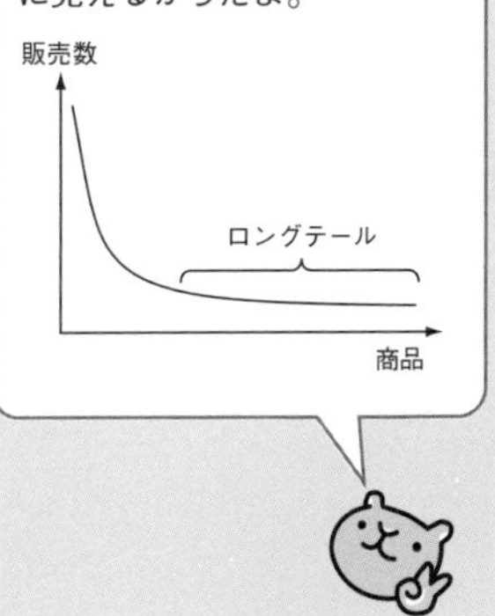

□□□ 問 **13** 業務で利用されるIT関連サービスに関する記述a ～ cと，サービス名称の適切な組合せはどれか。

a 自社のサーバや通信機器を専門業者の施設内に預けて使用する。
b 専門業者の通信設備やサーバの一部を利用者が利用できる。
c ソフトウェアの必要な機能だけを必要時に，利用者がネットワーク経由で利用できる。

	a	b	c
ア	SaaS	ホスティング	ハウジング
イ	ハウジング	ホスティング	SaaS
ウ	ハウジング	SaaS	ホスティング
エ	ホスティング	ハウジング	SaaS

□□□ 問 **14** 不正アクセス禁止法で規定されている，“不正アクセス行為を助長する行為の禁止”規定によって規制される行為はどれか。

ア 業務その他正当な理由なく，他人の利用者IDとパスワードを正規の利用者及びシステム管理者以外の者に提供する。
イ 他人の利用者IDとパスワードを不正に入手する目的で，フィッシングサイトを開設する。
ウ 不正アクセスの目的で，他人の利用者IDとパスワードを不正に入手する。
エ 不正アクセスの目的で，不正に入手した他人の利用者IDとパスワードをPCに保管する。

解説

問13 IT関連サービスに関する記述と名称の組合せ

選択肢のIT関連サービスが提供するサービス内容は，次の通りです。

ハウジングサービス	耐震設備や回線設備が整っている施設の一定の区画を，顧客が所有するサーバや通信機器の設置場所として提供するサービス。
ホスティングサービス	インターネット経由で，利用者にサーバの機能を間貸しするサービス。利用者は，自分でサーバや通信機器などを用意したり，サーバを管理したりする必要がない。
SaaS (Software as a Service)	インターネット経由でアプリケーションソフトウェアを提供するサービス。利用者は，アプリケーションの必要な機能だけを必要なときに利用できる。

記述のa～cとサービス名称を組み合わせると，次のようになります。

a 自社のサーバなどを専門業者の施設内に預けて使用するので，ハウジングサービスです。

b 専門業者の通信設備やサーバの一部を利用できるので，ホスティングサービスです。

c 利用者がネットワーク経由でソフトウェアの必要な機能だけを利用できるので，SaaSです。

よって，正解は イ です。

問14 不正アクセス禁止法の“不正アクセス行為を助長する行為”

不正アクセス禁止法は，「ネットワークを通じて不正にコンピュータにアクセスする行為」や「不正アクセスを助長する行為」を禁止し，罰則を定めた法律です。次のような行為が処罰の対象になります。

- 他人のID・パスワードなどを無断で使って，コンピュータを不正に利用するなりすまし行為
- アクセス制御されているコンピュータに，セキュリティホールを突いて侵入する行為
- 不正アクセスを行うため，他人のID・パスワードなどを不正に取得・保管する行為
- **業務などの正当な理由による場合を除いて，他人のIDやパスワードなどを第三者に提供する行為（不正アクセス行為を助長する行為）**
- ID・パスワードなどの入力を不正に要求する行為（フィッシング行為）

選択肢 ア～エ を確認すると，すべて不正アクセス禁止法で規制される行為に該当します。この中で，「不正アクセス行為を助長する行為」であるのは，ア の正当な理由なく，他人の利用者IDとパスワードを第三者に無断で提供する行為だけです。よって，正解は ア です。

合格のカギ

問13

参考 SaaSのようにネットワーク経由で提供するサービスには「PaaS」や「SaaS」などもあり，IaaS，PaaS，SaaSの順に提供するサービスが増えていくよ。

SaaS	インフラ機能，基盤，ソフトウェア
↑	
PaaS	インフラ機能，基盤
↑	
IaaS	インフラ機能

注意!! 問14

不正アクセス禁止法での不正アクセス行為は，アクセス制御機能があるコンピュータに対して，ネットワークを通じて行われたものに限定されている。そのため，アクセス制御機能がないコンピュータは，不正アクセスの対象になり得ない。他人のコンピュータを勝手に直接操作することも，不正アクセス行為に該当しない。

解答

問13 イ　問14 ア

問 **15** 当期純利益を求める計算式はどれか。

ア （売上総利益）－（販売費及び一般管理費）
イ （売上高）－（売上原価）
ウ （営業利益）＋（営業外収益）－（営業外費用）
エ （経常利益）＋（特別利益）－（特別損失）－（法人税，住民税及び事業税）

問 **16** 証券業を営むA社は，システムベンダのB社に株式注文システム構築プロジェクトを委託している。当該プロジェクトの運用テストにおいて，A社が定めている"株式注文時の責任者承認における例外ルール"をB社が把握できていなかったことに起因する不良を発見した。ルールを明らかにするのはどの段階で行うべきであったか。

ア 業務要件の定義
イ システムテスト要件の定義
ウ システム要件の定義
エ ソフトウェア要件の定義

解説

問15 当期純利益を求める計算式

選択肢の計算式は，すべて損益計算書で利益を求めるときに使うものです。損益計算書には，下の表のように収益と費用などを記載します（利益に関することをわかりやすくするため，利益の項目は赤字，減算する金額には「△」を付けています）。

損益計算書（見本）

単位　億円

項目	金額	
売上高	1,000	
売上原価	△800	
売上総利益	**200**	←（売上高）－（売上原価）
販売費及び一般管理費	△150	
営業利益	**50**	←（売上総利益）－（販売費及び一般管理費）
営業外収益	20	
営業外費用	△8	
経常利益	**62**	←（営業利益）＋（営業外収益）－（営業外費用）
特別利益	3	
特別損失	△1	
税引前当期純利益	**64**	←（経常利益）＋（特別利益）－（特別損失）
法人税，住民税及び事業税	△34	
当期純利益	**30**	←（税引前当期純利益）－（法人税，住民税及び事業税）

注：△は減算する金額

× ア　営業利益を求める計算式です。

× イ　売上総利益を求める計算式です。

× ウ　経常利益を求める計算式です。

○ エ　正解です。「（経常利益）＋（特別利益）－（特別損失）」は「税引前当期純利益」に置き換えられるので，当期純利益を求める計算式です。

問16 システム運用の例外ルールを明らかにするべき段階

○ ア　正解です。業務要件には，システム化する業務について，業務を遂行するうえで実現すべき要件を定義します。「株式注文時の責任者承認における例外ルール」といった業務上のルールは，業務要件で明らかにしておくべきことです。

× イ　システムテストはシステム全体について機能や性能を検証するテストであり，システムテスト要件はシステム要件に基づいて定めます。

× ウ　システム要件の定義では，開発するシステムに求める機能や性能などを明らかにします。

× エ　ソフトウェア要件の定義では，開発するシステムのソフトウェアで実現すべきこと，たとえばユーザインタフェースの仕様やデータベースの要件などを明らかにします。

合格のカギ

損益計算書　問15

一会計期間における企業の収益と費用を表したもの。損益計算書における利益以外の項目の内容は次のとおり。

- **売上原価**
  商品の仕入れ，製品やサービスの製造などに必要だった金額
- **販売費及び一般管理費**
  販売や管理で生じた費用。広告費や水道光熱費など
- **営業外収益**
  本業以外で生じた収益。預金の利息など
- **営業外費用**
  本業以外で生じた費用。支払利息や手形売却損など
- **特別利益**
  例外的に生じた利益。固定資産売却益など
- **特別損失**
  例外的に生じた損失。固定資産売却損など
- **法人税等**
  法人税など，得た所得に課せられる税金

問16

参考 業務要件には，次のようなことを定義するよ。
- 業務内容（手順，入出力情報，組織，責任，権限）
- 業務特性（ルール，制約）
- 業務用語　など

解答

問15 エ　問16 ア

問17 個人情報のうち，個人情報保護法における要配慮個人情報に該当するものはどれか。

ア　個人情報の取得時に，本人が取扱いの配慮を申告することによって設定される情報

イ　個人に割り当てられた，運転免許証，クレジットカードなどの番号

ウ　生存する個人に関する，個人を特定するために用いられる勤務先や住所などの情報

エ　本人の病歴，犯罪の経歴など不当な差別や不利益を生じさせるおそれのある情報

解説

問17 要配慮個人情報に該当するもの

個人情報保護法において個人情報とは，氏名，生年月日，住所など，特定の個人を識別することができる情報のことです。個人情報のうち，本人に対する不当な差別，偏見などの不利益が生じないように，取扱いに特に配慮が必要とされるものを要配慮個人情報といいます。

個人情報保護委員会が公開しているガイドラインでは，次の（1）～（11）の記述が含まれる個人情報を要配慮個人情報としています。

（1）人種（単純な国籍や「外国人」という情報は法的地位であり，それだけでは人種には含まない。肌の色も人種には含まない）
（2）信条（個人の基本的なものの見方，考え方。思想と信仰の双方を含む）
（3）社会的身分（単なる職業的地位や学歴は含まない）
（4）病歴
（5）犯罪の経歴（有罪の判決を受け，確定した事実が該当する）
（6）犯罪により害を被った事実
（7）身体障害，知的障害，精神障害（発達障害を含む）。その他の個人情報保護委員会規則で定める心身の機能の障害があること
（8）本人に対して医師等により行われた健康診断などの結果
（9）健康診断等の結果に基づき，または疾病，負傷その他の心身の変化を理由として，本人に対して医師等により心身の状態の改善のための指導，診療・調剤が行われたこと
（10）本人を被疑者または被告人として，逮捕，捜索，差押え，勾留，公訴の提起その他の刑事事件に関する手続が行われたこと（犯罪の経歴を除く）
（11）本人を少年法に規定する少年またはその疑いのある者として，調査，観護の措置，審判，保護処分その他の少年の保護事件に関する手続が行われたこと

出典：個人情報保護委員会“個人情報の保護に関する法律についてのガイドライン（通則編）平成28年11月（令和5年12月一部改正）”「2-3 要配慮個人情報（法第2条第3項関係）」一部を加工

× ア 本人が申告した情報の内容によって，要配慮個人情報に該当するかどうか分かれます。

× イ 運転免許証やクレジットカードなど，個人に割り当てられた番号や文字などの情報単体から特定の個人を識別できるものを個人識別符号といいます。個人情報ですが，要配慮個人情報には該当しません。

× ウ 個人を特定できる勤務先や住所などは個人情報ですが，要配慮個人情報には該当しません。

○ エ 正解です。病歴や犯罪の経歴など，不当な差別や不利益を生じるおそれのある情報は要配慮個人情報に該当します。

個人情報保護法 問17
個人情報の取り扱いについて定めた法律。「本人の同意を得ないで，個人データを第三者に提供してはならない」など，個人情報取扱事業者が個人情報を適切に扱うための義務規定が定められている。

個人情報保護委員会 問17
個人情報の適正な取扱いを確保するために設置された機関。個人情報保護法及びマイナンバー法に基づき，個人情報保護に関する基本方針の策定・推進，広報・啓発活動，国際協力，相談・苦情等への対応などの業務を行っている。

個人情報取扱事業者 問17
個人情報データベース等（紙媒体，電子媒体を問わず，特定の個人情報を検索できるように体系的に構成したもの）を事業活動に利用している者のこと。企業だけでなく，NPOや自治会，同窓会などの非営利組織であっても個人情報取扱事業者となる。

問17
対策 個人情報保護法に関する問題はよく出題されているよ。たとえば，「個人情報はどれか」「個人情報取扱事業者に該当するものはどれか」といった問題も解けるようにしておこう。

解答
問17 エ

問18 企業の事業活動を機能ごとに主活動と支援活動に分け，企業が顧客に提供する製品やサービスの利益は，どの活動で生み出されているかを分析する手法はどれか。

ア コアコンピタンス分析
イ VRIO分析
ウ バリューチェーン分析
エ ファイブフォース分析

問19 大規模なシステム開発を受注したA社では，不足する開発要員を派遣事業者であるB社からの労働者派遣によって補うことにした。A社の行為のうち，労働者派遣法に照らして適切なものはどれか。

ア システム開発が長期間となることが予想されるので，開発要員の派遣期間を3年とする契約を結ぶ。
イ 派遣候補者の履歴書及び業務経歴書の提出をB社に求め，書類選考を行い，面接対象者を絞り込む。
ウ 派遣された要員が大きな作業負担を負うことが見込まれるので，B社に20代男性の派遣を依頼する。
エ 派遣労働者がA社の指揮命令に対して申し立てた苦情に自社で対応せず，その処理をB社に任せる。

問20 スマートファクトリーで使用されるAIを用いたマシンビジョンの目的として，適切なものはどれか。

ア 作業者が装着したVRゴーグルに作業プロセスを表示することによって，作業効率を向上させる。
イ 従来の人間の目視検査を自動化し，検査効率を向上させる。
ウ 需要予測を目的として，クラウドに蓄積した入出荷データを用いて機械学習を行い，生産数の最適化を行う。
エ 設計変更内容を，AIを用いて吟味して，製造現場に正確に伝達する。

解説

問18 どの活動で利益が生み出されているかを分析する手法

× ア コアコンピタンス分析は，他社にはまねのできない，自社の核となる強みを分析する手法です。

× イ VRIO分析は，企業の経営資源を「経済的価値（Value）」「希少性（Rarity）」「模倣可能性（Imitability）」「組織（Organization）」という4つの視点で評価し，自社の競争優位性を分析する手法です。

○ ウ 正解です。企業が製品やサービスを提供する一連の事業活動において，どこでどれだけの価値が生み出されているかを分析する手法をバリューチェーン分析といいます。主活動は直接的に製品やサービスの提供に係わる事業活動（製造，出荷物流，販売など），対して支援活動は主活動を支える事業活動（人事管理，技術開発など）です。

× エ ファイブフォース分析は，企業が属する業界の競争状態と収益構造を「新規参入の脅威」「供給者の支配力」「買い手の交渉力」「代替製品・サービスの脅威」「既存競合者同士の敵対関係」の要素に分類して，分析する手法です。

問19 労働者派遣法に照らして適切なもの

派遣会社が雇用する労働者を他の会社に派遣し，派遣先のために労働に従事させることを労働者派遣といいます。労働者派遣法は労働者派遣事業の適正な運用を確保し，派遣労働者を保護するため，労働者派遣に関する規則を定めた法律です。

○ ア 正解です。労働者派遣法では，派遣期間が3年を超える契約は基本的に結べません。「派遣期間を3年とする契約」なので適切な行為です。

× イ，ウ 労働者派遣には，通常の派遣と紹介予定派遣の2つに分けられます。通常の派遣では，「事前面接」「履歴書の提出要請」「若年者に限ること」など，派遣労働者を特定することを目的とする行為は禁止されています。

× エ 派遣された要員がA社の指揮命令に対して申し立てた苦情については，A社が対応すべきです。

問20 マシンビジョンの目的

マシンビジョン（Machine Vision）は，工場や倉庫などで人が目で見る代わりに，カメラで読み取ってコンピュータで画像処理することで，自動で検査や計測，個数の読み取りなどの処理を行うシステムのことです。

選択肢 ア ～ エ を確認すると，イ の「従来の人間の目視検査を自動化し，検査効率を向上させる」がマシンビジョンの目的として適切です。よって，正解は イ です。

問18

参考 バリューチェーン（Value Chain）の「Value」は価値，「Chain」は鎖という意味だよ。

紹介予定派遣 問19

一定の派遣期間を経て，直接雇用に移行することを念頭に行われる派遣。

スマートファクトリー 問20

IoTなどを用いて，工場内の機器や設備をつないでいる工場のこと。製造機械にはセンサが搭載されており，品質や稼働状態などのデータを可視化して把握し，それらを分析することで最適化を図る。スマート工場ともいう。

解答

問18	ウ	問19	ア
問20	イ		

問21 売価が20万円の新商品を売り出して，8,000万円を売り上げた。固定費は4,000万円であり，利益は2,000万円のマイナスであった。利益をマイナスにしないためには，あと何個以上売る必要があるか。

ア 100　　イ 200　　ウ 400　　エ 800

問22 BCP（事業継続計画）の策定，運用に関する記述として，適切なものはどれか。

ア ITに依存する業務の復旧は，技術的に容易であることを基準に優先付けする。
イ 計画の内容は，経営戦略上の重要事項となるので，上級管理者だけに周知する。
ウ 計画の内容は，自社組織が行う範囲に限定する。
エ 自然災害に加え，情報システムの機器故障やマルウェア感染も検討範囲に含める。

解説

問21 利益をマイナスにしないために売る必要がある個数の算出

利益を2,000万円のマイナスにしないために売る必要がある個数は，次の割り算で求められます。商品1個当たりの儲けは，売価の20万円から「商品1個当たりの変動費」を引いた金額です。

> **2,000万円÷商品1個当たりの儲け＝マイナスにしないために必要な個数**
> ↑
> 売価の20万円から「商品1個当たりの変動費」を引いた金額

この割り算をするため，先に「商品1個当たりの変動費」を次の計算式から求めます。1個当たりの変動費をxとして，利益，売上高，固定費，販売個数を当てはめて計算します。なお，販売個数は，売価が20万円で8,000万円を売り上げているので，400個（8,000万円÷20万円）です。

利益 ＝ 売上高 － 固定費 － 1個当たりの変動費×販売個数

－2,000万円 ＝ 8,000万円 － 4,000万円 － x×400個
x×400個 ＝ 8,000万円 － 4,000万円 ＋ 2,000万円
x ＝ 6,000万円÷400個
＝ 15万円

これより「商品1個当たりの変動費」は15万円です。売価の20万円から「商品1個当たりの変動費」の15万円を引くと，**商品1個当たりの儲けは5万円**になります。

最初の**割り算を計算し，利益をマイナスにしないための個数を求めると，2,000万円÷5万円=400個**です。よって，正解は ウ です。

問22 BCPの策定，運用に関する記述

BCP（Business Continuity Plan）は，**災害や事故などが発生した場合でも，重要な事業を継続し，もし事業が中断しても早期に復旧できるように策定しておく計画**のことです。**事業継続計画**ともいいます。

× ア 事業の継続に必要な業務を優先して復旧するようにします。
× イ いざというときに行動できるように，計画の内容は組織全体で周知しておく必要があります。
× ウ 社外と連携する業務は，その関連する範囲も計画の内容に含めます。
○ エ 正解です。一般的にBCPは自然災害を想定したものですが，情報システムの故障やマルウェア感染も検討範囲になります。とくにサイバー攻撃を想定したBCPの必要性が高まっています。

固定費 問21
売上高にかかわらず発生する，一定の費用。家賃や機械のリース料など。

変動費 
生産量や販売量に応じて変わる費用。材料費や運送費など。

問22
対策 BCPを策定し，その運用や見直しなどを継続的に行う活動を「BCM」（Business Continuity Management）というよ。BCPとセットで覚えておこう。

解答
問21 ウ　問22 エ

問23 システムの調達に関する次の記述中のa，bに入れる字句の適切な組合せはどれか。

A社では新システムの調達に当たり，技術動向調査書の入手を目的として [a] をベンダーに提示した。その後，提案書の入手を目的として [b] をベンダーに提示して，調達先の選定を行った。

	a	b
ア	RFI	RFP
イ	RFI	NDA
ウ	RFQ	RFP
エ	RFP	RFI

問24 CRMを説明したものはどれか。

ア 顧客に関係する部門が情報共有しながら，顧客とのやり取りを一貫して管理することで，顧客との関係を強化し，企業収益の向上に結びつけていく手法である。

イ 個々の社員がビジネス活動から得た客観的な知識や経験・ノウハウなどを，ネットワークによって企業全体の知識として共有化する手法である。

ウ 販売，生産，会計，人事などの業務で発生するデータを統合データベースで一元管理し，各業務部門の状況をリアルタイムに把握するための手法である。

エ 部品の調達から製造，流通，販売に至る一連のプロセスに参加する部門と企業間で情報を共有・管理することで，業務プロセスの全体最適化を目指す手法である。

解説

問23 システムの調達に関する記述に入れる字句

選択肢 ア ～ エ に記載されている用語は，次の通りです。

RFI（Request For Information）
ベンダーに対して，開発手段や技術動向など，開発するシステムに関連する情報の提供を求める文書です。**情報提供依頼書**ともいいます。

RFP（Request For Proposal）
ベンダーに対して，システムの概要や調達条件などを記載し，開発するシステムについて具体的な提案を求める文書です。**提案依頼書**ともいいます。

RFQ（Request For Quotation）
ベンダーに対して，工数や工数内訳，金額などの見積りを求める文書です。見積依頼書ともいいます。

NDA（Non-Disclosure Agreement）
職務において一般に公開されていない秘密の情報に触れる場合があるとき，知り得た情報を外部に漏らさないことを約束する契約のことです。

[a] は「技術動向調査書の入手を目的」としているのでRFIが入り，[b] は「提案書の入手を目的」としているのでRFPが入ります。よって，正解は ア です。

問24 CRMを説明したもの

○ ア　正解です。CRM（Customer Relationship Management）は，営業部門やサポート部門などで顧客情報を共有し，顧客との関係を深めることで，業績の向上を図る手法や，それを実現するシステムのことです。

× イ　ナレッジマネジメントの説明です。ナレッジマネジメントは，企業内に分散している知識やノウハウなどを企業全体で共有し，有効活用することで，企業の競争力を強化する経営手法です。

× ウ　ERP（Enterprise Resources Planning）の説明です。ERPは，購買，生産，販売，経理，人事など，企業の基幹業務の全体を把握し，関連する情報を一元的に管理することによって，企業全体の経営資源の最適化と経営の効率化を図る手法や，それを実現するシステムのことです。

× エ　SCM（Supply Chain Management）の説明です。SCMは，資材の調達から生産，流通，販売に至る一連の流れを統合的に管理することで，コスト削減や経営の効率化を図る手法や，そのシステムのことです。サプライチェーンマネジメントともいいます。

ベンダー　問23
情報システム開発などのサービスを提供する企業のこと。

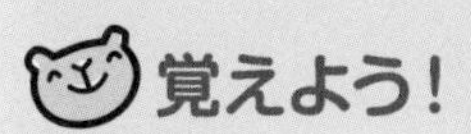

問23

RFI	といえば
情報提供依頼書	
RFP	といえば
提案依頼書	

問24
対策 SCMは，「サプライチェーンマネジメント」という表記で出題されることもあるよ。どちらもよく出題されるので覚えておこう。

解答
問23 ア　問24 ア

□□□ 問 **25** 不正競争防止法で禁止されている行為はどれか。

ア 競争相手に対抗するために，特定商品の小売価格を安価に設定する。

イ 自社製品を扱っている小売業者に，指定した小売価格で販売するよう指示する。

ウ 他社のヒット商品と商品名や形状は異なるが同等の機能をもつ商品を販売する。

エ 広く知られた他人の商品の表示に，自社の商品の表示を類似させ，他人の商品と誤認させて商品を販売する。

解説

問25 不正競争防止法で禁止されている行為

不正競争防止法は，不正競争を防止し，事業者間の公正な競争の促進を目的とした法律で，不正競争として次のような行為を規制しています。

・広く知られている商品・営業の表示と，同一または類似した表示を行って，混同を生じさせる行為
・他人の商品・営業の表示として著名なものを，自己の商品・営業の表示として使用する行為
・他人の商品の形態を模倣した商品を譲渡，貸し渡し等する行為
・不正な手段によって営業秘密を取得し，自ら使用したり，第三者に開示したりする行為
・不正な手段によって限定提供データを取得し，自ら使用したり，第三者に開示したりする行為
・コンテンツの無断コピー，無断視聴を防止するための技術を解除する装置やサービスなどを提供する行為。たとえば，違法コピーソフトを起動させることができる装置の販売，有料放送を無料で見られるプログラムの提供など
・不正な利益を得る目的または他人に損害を加える目的で，他社の商品名や社名に類似したドメイン名を取得・保有，使用する
・原産地，品質，内容，製造方法，数量などについて，誤認させるような表示をする行為や，その表示をした商品を譲渡，引き渡し等する行為
・競争相手の信用を害する虚偽の事実（事実に反すること）を告知，流布する行為
・代理人が，正当な理由なく，その商標を無断で使用等する行為

× ア 小売価格を安価にすることは，とくに問題になる行為ではありません。
× イ 小売業者に自社製品の小売価格を指示することは，独占禁止法で規制されている行為（再販売価格の拘束）です。
× ウ 不正競争防止法で禁止されている行為ではありませんが，特許権や実用新案権の侵害となる場合があります。
○ エ 正解です。他人の商品と誤認させて商品を販売する行為は，不正競争防止法で禁止されている行為です。

合格のカギ

営業秘密 問25

事業活動における重要な技術情報で，次の3つの要件をすべて満たすもの。
・秘密として管理されていること（秘密管理性）
・有用な技術上または営業上の情報であること（有用性）
・公然と知られていないこと（非公知性）

限定提供データ 問25

企業間で提供・共有されることで，新しい事業の創出につながったり，サービスや製品の付加価値を高めるなど，その利活用が期待されているデータ。技術上または営業上の情報であり，次の3つの要件を全て満たすもの。
・業として特定の者に提供する（限定提供性）
・電磁的方法により相当量蓄積されている（相当蓄積性）
・電磁的方法により管理されている（電磁的管理性）

解答

問25 エ

問26 オープンイノベーションの説明として，適切なものはどれか。

ア 外部の企業に製品開発の一部を任せることで，短期間で市場へ製品を投入する。
イ 顧客に提供する製品やサービスを自社で開発することで，新たな価値を創出する。
ウ 自社と外部組織の技術やアイディアなどを組み合わせることで創出した価値を，さらに外部組織へ提供する。
エ 自社の業務の工程を見直すことで，生産性向上とコスト削減を実現する。

問27 標準化に関する記述a～cと用語の適切な組合せはどれか。

a 公的な標準化機関において，透明かつ公正な手続の下，関係者が合意の上で制定したもの
b 特定の分野に関心のある複数の企業などが集まって結成した組織が，規格として作ったもの
c 特定の企業が開発した仕様が広く利用された結果，事実上の業界標準になったもの

	a	b	c
ア	デファクトスタンダード	フォーラム標準	デジュレスタンダード
イ	デファクトスタンダード	デジュレスタンダード	フォーラム標準
ウ	デジュレスタンダード	フォーラム標準	デファクトスタンダード
エ	フォーラム標準	デジュレスタンダード	デファクトスタンダード

解説

問26 オープンイノベーションの説明

× ア OEM（Original Equipment Manufacturer）に関する説明です。OEMは，提携先企業から委託を受けて，その企業のブランド名で販売される製品を製造することです。また，製造を行う企業（製造メーカー）を指すこともあります。

× イ クローズドイノベーションに関する説明です。クローズドイノベーションは，社内にある資源だけで，新しい製品やサービスの開発を図るイノベーションで，オープンイノベーションに対比する用語です。

○ ウ 正解です。外部組織（他企業や大学など）と連携することで，いろいろな技術やアイディア，サービス，知識などを結合させて，新たなビジネスモデルや製品，サービスの創造を図ることをオープンイノベーションといいます。

× エ プロセスイノベーションに関する説明です。プロセスイノベーションは，製品やサービスのプロセス（製造工程，作業過程など）を変革するイノベーションのことです。

問27 標準化に関する記述と用語の組合せ

標準化に関する記述a～cと，選択肢の適切な用語を組み合わせると，次のようになります。

a デジュレスタンダードの記述です。デジュレスタンダードは，ISO（国際標準化機構）やIEC（国際電気標準会議）などの標準化団体において，定められた公正な手続きで作成された標準のことです。**デジュール標準**ともいいます。

b フォーラム標準に関する記述です。フォーラム標準は，特定の分野の標準化に関心のある企業などが集まって，合意によって作成した標準のことです。

c デファクトスタンダードに関する記述です。デファクトスタンダードは，国際機関や標準化団体が制定したものではなく，一般で広く利用されることで，事実上の標準となったものです。デファクト標準ともいいます。

よって，正解は ウ です。

合格のカギ

イノベーション 問26

今までにない技術や考え方から新たな価値を生み出し，社会的に大きな変化を起こすこと。経済分野では，「技術革新」「経営革新」「画期的なビジネスモデルの創出」などの意味で用いられる。

解答

問26 ウ　問27 ウ

問28 流通システムや販売情報システムなどで用いられている商品コードはどれか。

ア JAN　　イ JAS　　ウ JIS　　エ ISO

問29 OJTに該当する事例として，適切なものはどれか。

ア 新任管理職のマネジメント能力向上のために，勉強会を行った。
イ 転入者の庶務手続の理解を深めるために，具体的事例を用いて説明した。
ウ 販売情報システムに関する営業担当者の理解を深めるために，説明会を実施した。
エ 部下の企画立案能力向上のために，チームの販売計画の立案を命じた。

問30 売手の視点であるマーケティングミックスの4Pに対応する，買手の視点である4Cの中で，図のaに当てはまるものはどれか。ここで，ア～エはa～dのいずれかに対応する。

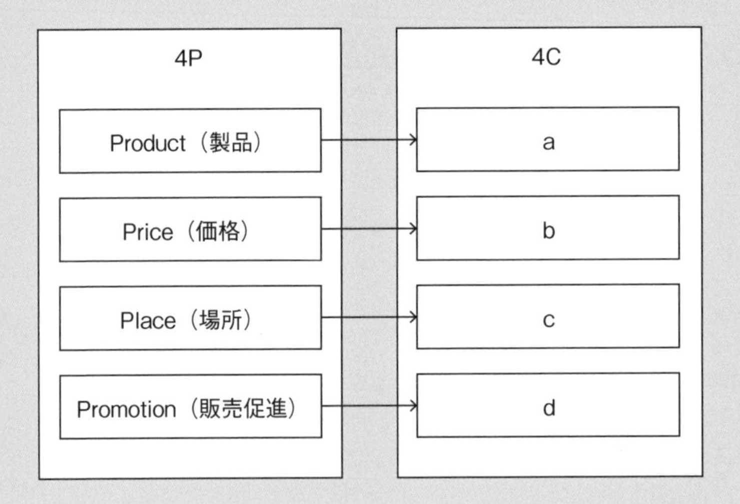

ア Communication（顧客との対話）
イ Convenience（顧客の利便性）
ウ Cost（顧客の負担）
エ Customer Value（顧客にとっての価値）

解説

問28 バーコードとして商品に印刷されたコード

○ ア 正解です。帯状の縞模様で，情報を表す一次元コードをJANコードといいます。流通システムや販売情報システムなどで用いられ，商品を識別するためにバーコードとして商品に付けられています。

× イ JAS（Japanese Agricultural Standards）は日本農林規格のことです。

× ウ JIS（Japanese Industrial Standards）は日本産業規格のことで，日本の産業製品やサービスについて標準とする規格を定めたものです。

× エ ISO（International Organization for Standardization）は国際標準化機構のことで，工業や技術に関する国際規格の策定を行っている団体です。

合格のカギ

JAN コード 問28

問29 OJTに該当する事例

社員育成の代表的な方法として，OJT（On the Job Training）やOff-JT（Off the Job Training）があります。OJTは，実際の業務を通じて，仕事に必要な知識や技術を習得，向上させる教育訓練です。対してOff-JTは，集合研修や社外セミナー，通信教育など，実務を離れて行う教育訓練です。

× ア，ウ 実務を離れて実施される勉強会や説明会は，Off-JTに該当します。

× イ 具体的事例を用いた説明であっても，単に説明しただけでは実務を通じた教育訓練とはいえないので，OJTには該当しません。

○ エ 正解です。「チームの販売計画の立案」という実務経験を積むことで，企画立案能力の向上を図っているのでOJTに該当します。

覚えよう！ 問29

OJT といえば
職場内で，実務を通じて行われる教育訓練

Off-JT といえば
実務を離れて行われる教育訓練

問30 マーケティングミックスの4Pと4C

マーケティングミックスとは，市場でのマーケティング活動において，最も効果が得られるように複数のマーケティング要素を組み合わせる手法です。

代表的なものに売り手側の視点で考える4P理論や，買い手の視点で考える4C理論があります。4P理論は「P」，4C理論は「C」で始まる4つの要素を組合せるもので，これらの要素は次のように対応しています。

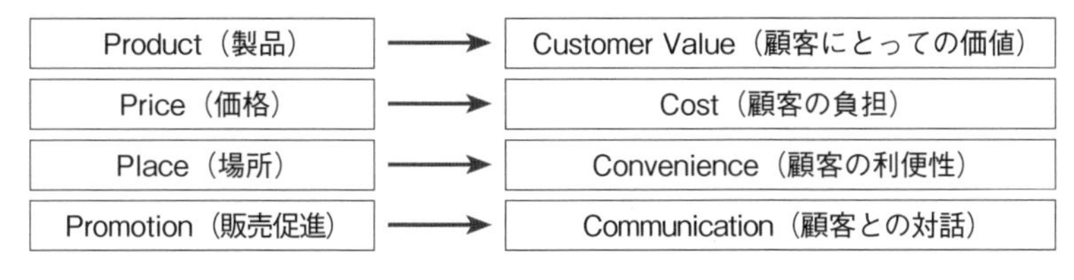

これより，図の a に当てはまるのは エ の「Customer Value（顧客にとっての価値）」です。よって，正解は エ です。

覚えよう！ 問30

マーケティングミックスの4P といえば
・製品（Product）
・価格（Price）
・場所・流通（Place）
・販売促進（Promotion）

解答
問28 ア 問29 エ
問30 エ

問31 意匠法による保護の対象となるものはどれか。

ア　自然法則を利用した技術的思想の創作のうち高度なもの
イ　思想又は感情を創作的に表現したもの
ウ　物品の形状，構造又は組合せに係る考案
エ　物品の形状，模様又は色彩など，視覚を通じて美感を起こさせるもの

問32 MRPの特徴はどれか。

ア　顧客の注文を受けてから製品の生産を行う。
イ　作業指示票を利用して作業指示，運搬指示をする。
ウ　製品の開発，設計，生産準備を同時並行で行う。
エ　製品の基準生産計画を基に，部品の手配数量を算出する。

問33 SWOT分析の説明として，適切なものはどれか。

ア　企業を取り巻く外的環境に潜む機会及び脅威，企業がもつ強み及び弱みを分析することによって，企業活動の今後の方向性を導き出すための手法である。
イ　財務の視点，顧客の視点，業務プロセスの視点，学習と成長の視点から企業の業績をバランスよく評価・分析するための手法である。
ウ　事業戦略を，市場浸透，市場拡大，製品開発，多角化という四つのタイプに分類し，事業の方向性を検討する際に用いる手法である。
エ　市場の成長率とマーケットシェアの二つの定量的項目で作られたマトリックスに事業をプロットし，経営資源の配分の最適化を行う手法である。

解説

問31 意匠法による保護対象となるもの

特許権，実用新案権，意匠権，商標権の4つを産業財産権といいます。これらの権利は，それぞれの法律によって，保護の対象や存続期間などが定められています。

特許権 （特許法）	技術的に高度な発明やアイディアを保護。 存続期間は出願から20年（一部，出願から25年）。
実用新案権 （実用新案法）	物品の形状，構造又は組合せに係る考案を保護。 存続期間は出願から10年。
意匠権 （意匠法）	商品の形状や模様，色彩などのデザインを保護。 存続期間は出願から25年。
商標権 （商標法）	商品に付けた商標（トレードマーク）を保護 存続期間は登録から10年。更新できる。

著作権法 問31

著作権法は著作権を保護するための法律。思想または感情を創作的に表現したものを著作物として保護の対象としている。

× ア　特許法による保護の対象です。
× イ　著作権法による保護の対象です。
× ウ　実用新案法による保護の対象です。
○ エ　正解です。意匠法による保護の対象です。

問32 MRPの特徴

× ア　BTO（Build to Order）の特徴です。BTOは，顧客の注文を受けてから製品を製造する受注生産方式です。
× イ　生産システムのかんばん方式の特徴です。部品名や数量，入荷日時などを書いた指示書（かんばん）によって，「いつ，どれだけ，どの部品を使った」という情報を伝え，できるだけ余分な部品をもたないようにします。
× ウ　コンカレントエンジニアリング（Concurrent Engineering）の特徴です。コンカレントエンジニアリングは，設計から製造までのいろいろな工程を同時並行で進めることにより，開発期間の短縮を図る手法です。
○ エ　正解です。MRP（Material Requirements Planning）の特徴です。MRPは生産計画や部品構成表をもとにして，製造に使う部品と資材の所要量を算出し，在庫数や納期などの情報も織り込み，最適な発注量や発注時期を決定する手法や，そのシステムのことです。

問33 SWOT分析の説明

○ ア　正解です。SWOT分析は，企業の内部環境と外部環境を，「強み」「弱み」「機会」「脅威」の4つの視点から分析する手法です。

内部環境	自社がもつ人材力や営業力，技術力など，他社より勝っている要素を「強み」，劣っている要素を「弱み」に分類する。
外部環境	政治や経済，社会情勢，市場の動きなど，企業自体では変えられないもので，自社に有利になる要素を「機会」，不利になる要素を「脅威」に分類する。

× イ　BSC（Balanced Scorecard）の説明です。BSCは，財務，顧客，業務プロセス，学習と成長という4つの視点から企業の業績を評価・分析する手法です。バランススコアカードともいいます。
× ウ　アンゾフの成長マトリクスの説明です。アンゾフの成長マトリクスは，「市場」と「製品」の2つの軸をおき，そこへさらに「既存」と「新規」を設けたもの（右の図を参照）で，市場浸透，市場開拓，新製品開発，多角化の4つのタイプに分けて，どのような戦略をとるかを分析する手法です。
× エ　PPM（Product Portfolio Management）分析の説明です。PPMは複数の製品や事業を「市場シェア」と「市場成長率」の視点から判断して，最適な経営資源の配分を行う手法です。

問32

参考 かんばん方式のように，「必要な物を，必要なときに，必要な量だけ」生産するという生産方式を「ジャストインタイム（Just In Time）」というよ。

問32

参考 MRPは「資材所要量計画」ともいうよ。

問33

参考 SWOT分析の「SWOT」は，
強み（Strength）
弱み（Weakness）
機会（Opportunity）
脅威（Threat）
の頭文字をとったものだよ。

アンゾフの成長マトリクス　問33

		製品	
		既存	新規
市場	既存	市場浸透	新製品開発
	新規	市場開拓	多角化

解答
問31 エ　問32 エ
問33 ア

問34 ソフトウェアライフサイクルを企画プロセス，要件定義プロセス，開発プロセス，運用プロセスに分けたとき，企画プロセスの成果として，適切なものはどれか。

ア 開発するソフトウェアの要件が定義され，レビューされている。
イ システムに対する要件と制約条件が定義され，合意されている。
ウ システムを実現するための実施計画が策定され，承認されている。
エ データベースが最上位のレベルで設計され，レビューされている。

問35 E-R図の説明はどれか。

ア オブジェクト指向モデルを表現する図である。
イ 時間や行動などに応じて，状態が変化する状況を表現する図である。
ウ 対象とする世界を実体と関連の二つの概念で表現する図である。
エ データの流れを視覚的に分かりやすく表現する図である。

解説

問34 企画プロセスの成果として適切なもの

ソフトウェアライフサイクルは，ソフトウェア及びシステム開発における，構想から開発，運用，保守，廃棄にいたる一連の流れのことです。プロセスを企画，要件定義，開発，運用に分けたとき，最初の**企画プロセス**では**システム化する業務を分析し，業務の新しい全体像や，新システムの全体イメージを明らかにします。**

また，システム開発のガイドラインである「共通フレーム 2013」では，企画プロセス全体の目的を「**経営・事業の目的，目標を達成するために必要なシステムに関係する要件の集合とシステム化の方針，及び，システムを実現するための実施計画を得ること**」としています。

共通フレーム 問34

システム開発の発注者と開発者との間で，考えや認識に差異が生じないように，用語や作業内容を定めたガイドライン。情報処理推進機構が制定した「共通フレーム 2013 (SLCP-JCF2013)」などがある。

× ア，イ　要件定義プロセスの成果です。要件定義プロセスでは，利害関係者から提示されたニーズ及び要望を識別，整理し，システムに求める機能や要件を定義します。

○ ウ　正解です。システムを実現するための実施計画が策定され，承認されていることは，企画プロセスでの成果として適切です。

× エ　開発プロセスのソフトウェア方式設計の成果です。

問35 E-R図の説明

× ア　オブジェクト指向を表現する図には，UMLなどがあります。

× イ　状態遷移図の説明です。状態遷移図は，時間の経過や状態の変化に伴う，システムの状態の遷移を図式化したものです。

○ ウ　正解です。E-R図は実体（エンティティ）と関連（リレーションシップ）によって，データの関係を図式化したものです。関係データベースの表同士の関連を表すのに用いられます。

(E-R図の例) 1人の顧客が複数の製品を注文している

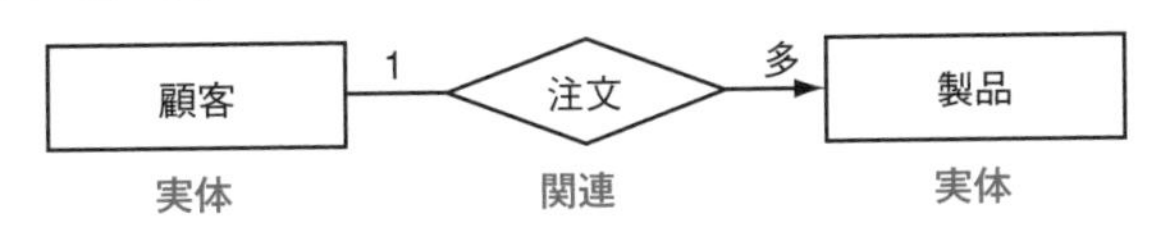

× エ　DFD（データフローダイアグラム）の説明です。DFDはデータの流れに着目し，データの処理と流れを図式化したもので，下の図のように4つの記号で表します。

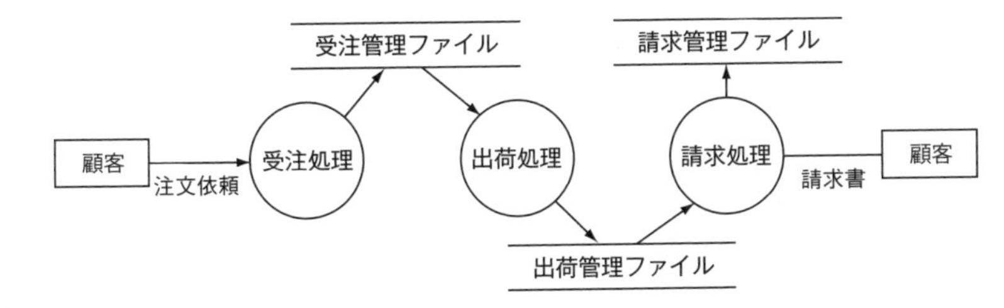

DFDで使う記号

記号	名称	意味
→	データフロー	データの流れを表す。
○	プロセス	データに行われる処理（機能）を表す。
＝	ファイル（データストア）	データの保管場所を表す。
□	データ源泉／データ吸収	データが発生するところと，データが出て行くところを表す。どちらもシステム外部にある。

オブジェクト指向　問35
ソフトウェアの設計や開発において，データとそのデータに対する処理を1つのまとまり（オブジェクト）とみなす考え方。

UML　問35
オブジェクト指向のシステム開発で用いられる図の表記方法。クラス図やユースケース図，アクティビティ図などの種類がある。

解答
問34 ウ　問35 ウ

問36から問55までは，マネジメント系の問題です。

問36 スクラムでは，一定の期間で区切ったスプリントを繰り返して開発を進める。各スプリントで実施するスクラムイベントの順序のうち，適切なものはどれか。

［スクラムイベント］
1：スプリントプランニング
2：スプリントレトロスペクティブ
3：スプリントレビュー
4：デイリースクラム

ア　1→4→2→3
イ　1→4→3→2
ウ　4→1→2→3
エ　4→1→3→2

問37 システム監査基準（令和5年）によれば，システム監査において，監査人が一定の基準に基づいて総合的に点検・評価を行う対象とするものは，情報システムのマネジメント，コントロールと，あと一つはどれか。

ア　ガバナンス
イ　コンプライアンス
ウ　セキュリティ
エ　モニタリング

問38 タイピングを行う人をドライバと呼び，その様子を見ながら指摘や助言をする人をナビゲータと呼んで，2人が1台のPCを共有して共同でプログラムを作成する技法はどれか

ア　インスペクション
イ　ウォークスルー
ウ　ユーザーストーリー
エ　ペアプログラミング

解説

問36 スクラムのスプリントで実施するイベント

アジャイル開発の手法の1つであるスクラムでは，一定の期間で開発作業を区切ったスプリントを繰り返して，システムの開発を進めます。各スプリントで目標（ゴール）を定めて，計画，設計，開発などの一連の作業を行い，次のイベントを実施します。

スプリントプランニング	スプリントの開始時，スプリントのゴールや必要な作業などを決める。
デイリースクラム	毎日，同じ時間，同じ場所に集まり，進捗状況や今後の作業計画などを共有する。
スプリントレビュー	スプリントの終了時，完成した成果物をステークホルダに説明し，フィードバックを得る。
スプリント レトロスペクティブ	スプリントの最後に，実施したスプリントについて，よかった点や課題などをふり返る。

スクラムイベントを実施する順序は，1：スプリントプランニング→ 4：デイリースクラム→ 3：スプリントレビュー→ 2：スプリントレトロスペクティブです。よって，正解は イ です。

問37 システム監査人が総合的に点検・評価を行う対象

システム監査は，情報システムについて「問題なく動作しているか」「正しく管理されているか」「期待した効果が得られているか」など，情報システムの信頼性や安全性，有効性，効率性などを総合的に検証・評価することです。

経済産業省が公表しているシステム監査基準（令和5年改訂版）には，「システム監査とは，専門性と客観性を備えた監査人が，一定の基準に基づいてITシステムの利活用に係る検証・評価を行い，監査結果の利用者にこれらのガバナンス，マネジメント，コントロールの適切性等に対する保証を与える，又は改善のための助言を行う監査である。」と記載されています。

出題は「情報システムのマネジメント，コントロールと，あと一つはどれか」なので，ア の「ガバナンス」が該当します。よって，正解は ア です。

問38 2人が1台のPCを共有して共同でプログラムを作成する技法

× ア インスペクションは，モデレータという進行役が主導し，あらかじめ決めておいた基準に基づいて検証するレビューです。

× イ ウォークスルーは，レビュー対象となる成果物の作成者が，他のメンバーに説明する形式で行うレビューです。

× ウ ユーザーストーリーは，エンドユーザーの視点からシステムに求める要件を定義したもので，主にアジャイル開発で用いられます。

○ エ 正解です。ペアプログラミングは，プログラマが2人1組で，相談やレビューを行いながら，共同でプログラムを作成する技法です。

アジャイル開発 問36

迅速かつ適応的にソフトウェア開発を行う，軽量な開発手法の総称。開発の途中で設計や仕様に変更が生じることを前提として，重要な部分から小さな単位での開発を繰り返し，作業を進めていく。代表的な手法として，XP（エクストリームプログラミング）やスクラムなどがある。

システム監査基準 問37

経済産業省が策定した文書で，システム監査人の行動規範や監査手続きの規則など，監査全般に関する基準が規定されている。

レビュー 問38

システム開発の各工程において，成果物（設計書やソースコードなど）を確認，評価すること。または，そのために実施する会議のこと。

解答

問36 イ　問37 ア
問38 エ

□□□ 問39 ITサービスマネジメントにおける問題管理プロセスにおいて実施することはどれか。

ア　インシデントの発生後に暫定的にサービスを復旧させ，業務を継続できるようにする。
イ　インシデントの発生後に未知の根本原因を特定し，恒久的な解決策を策定する。
ウ　インシデントの発生に備えて，復旧のための設計をする。
エ　インシデントの発生を記録し，関係する部署に状況を連絡する。

□□□ 問40 プロジェクトマネジメントにおいて計画を立てる際に用いられる手法の一つであり，プロジェクト全体を細かい作業に分割し，階層化した構成図で表すものはどれか。

ア　デシジョンツリー
イ　WBS
ウ　ガントチャート
エ　PERT

解説

問39 ITサービスマネジメントの問題管理プロセスで実施すること

ITサービスマネジメントは情報システムを安定的かつ効率的に運用することをITサービスとしてとらえ，利用者に対するITサービスの品質を維持・向上させるための管理手法です。ITサービスマネジメントの主な管理プロセスとして，次のようなものがあります。

インシデント管理	インシデントの検知，問題発生時におけるサービスの迅速な復旧
問題管理	発生した問題の原因の追究と対処，再発防止の対策
構成管理	IT資産の把握・管理
変更管理	システムの変更要求の受付，変更手順の確立
リリース及び展開管理	変更管理で計画された変更の実装

× ア インシデント管理で実施することです。暫定的でも早くサービスを復旧させ，業務が継続できるようにします。

○ イ 正解です。問題管理プロセスでは，インシデントの再発を防ぐため，根本原因を特定し，その解決策を策定します。

× ウ サービス継続管理で実施することです。サービス継続管理は，災害などの発生時にビジネスへの悪影響を最小限に抑え，ITサービスを復旧して継続できるようにするための活動です。

× エ インシデントの記録や関係部署への連絡は，問題管理の活動内容ではありません。

問40 プロジェクト全体の作業を分割して階層化した図で表す手法

× ア デシジョンツリーは，何段階かのある条件に対する結果を，枝分かれしたツリー状に表した図です。問題解決のための意思決定に用いられ，決定木ともいいます。

○ イ 正解です。WBS（Work Breakdown Structure）は，プロジェクトで必要となる作業を洗い出し，管理しやすいレベルまで細分化して，階層的に表現した図表やその手法のことです。

新営業店システム開発プロジェクト
- 要件定義
- システム設計
- プログラミング
- 結合テスト
  - テスト計画
    - 品質基準定義
    - テスト計画書作成
  - テスト実施

× ウ ガントチャートは，時間を横軸にして，作業の所要時間を横棒で表した図です。プロジェクトの工程管理や進捗管理に用いられます。

× エ PERTは作業の順序関係と所要時間を表した図で，開始から終わりまでの作業を矢印で結び，それぞれの所要時間を書きます。作業の進捗管理に用いられ，アローダイアグラムともいいます。

インシデント 問39

ITサービスを阻害する現象や事案のこと。

問39

対策 左の表にある管理プロセスは，過去問題でよく出題されているものだよ。名称と活動内容を確認しておこう。

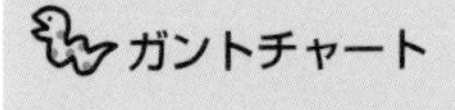

ガントチャート 問40

工程		4月	5月	6月	7月
A	予定				
	実績				
B	予定				
	実績				

解答

問39 イ　問40 イ

問41 アローダイアグラムの日程計画をもつプロジェクトの，開始から終了までの最少所要日数は何日か。

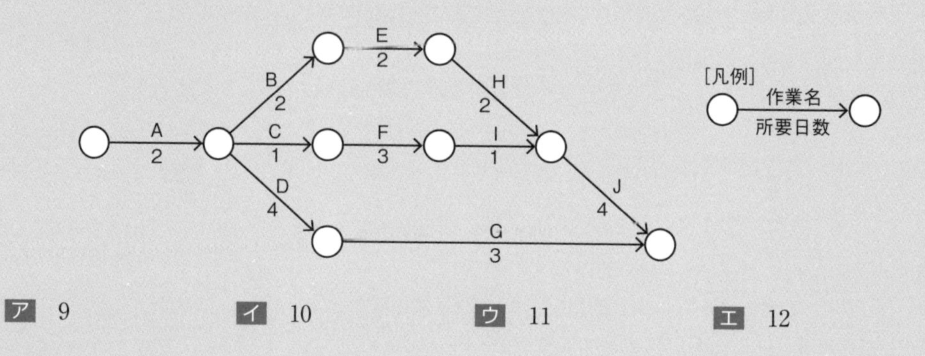

ア 9　　イ 10　　ウ 11　　エ 12

問42 システム監査人が行う改善提案のフォローアップとして，適切なものはどれか。

ア 改善提案に対する改善の実施を監査対象部門の長に指示する。
イ 改善提案に対する監査対象部門の改善実施プロジェクトの管理を行う。
ウ 改善提案に対する監査対象部門の改善状況をモニタリングする。
エ 改善提案の内容を監査対象部門に示した上で改善実施計画を策定する。

解説

問41 アローダイアグラムでプロジェクト完了に要する最少の日数

アローダイアグラムは作業とその流れを矢印（→）で表した図で，作業の日程管理に用いられます。

プロジェクト開始から終了までの作業をつなぐ経路について，何日かかるかを調べます。本問の図には3つの経路があり，それぞれ所要日数は次のようになります。

経路A→B→E→H→J　2+2+2+2+4=12日
経路A→C→F→I→J　2+1+3+1+4=11日
経路A→D→G　2+4+3=9日

最も日数がかかるのは「経路A→B→E→H→J」の12日で，全ての作業を終えるには12日必要であることがわかります。プロジェクトにかかる日数はこれより短くできないので，最少所要日数は12日になります。よって，正解は エ です。

問42 システム監査人が行う改善提案のフォローアップ

システム監査は，監査対象から独立かつ専門的な立場にある人がシステム監査人を務め，次の手順で実施されます。

①計画の策定	監査の目的や対象，時期などを記載したシステム監査計画を立てる。
②**予備調査**	資料の確認やヒアリングなどを行い，監査対象の実態を把握する。
③**本調査**	予備調査で得た情報を踏まえて，監査対象の調査・分析を行い，**監査証拠**を確保する。
④評価・結論	実施した監査のプロセスを記録した**監査調書**を作成し，それに基づいて監査の結論を導く。
⑤意見交換	監査対象部門と意見交換会や監査講評会を通じて事実確認を行う。
⑥監査報告	システム監査報告書を完成させて，監査の依頼者に提出する。
⑦フォローアップ	監査報告書で改善提案した事項について，適切に改善が行われているかを確認，評価する。

× ア，イ　フォローアップは，監査対象部門の責任において実施される改善を，システム監査人が事後的に確認するという性質のものです。システム監査人の独立性や客観性を損なうことには，留意しなければなりません。

○ ウ　正解です。監査対象部門の改善状況をモニタリングすることは，システム監査人が行うフォローアップとして適切です。

× エ　改善実施計画を策定するのは，被監査側（監査対象部門）が行うことです。

問41

参考 プロジェクト開始から終了までの工程をつないだ経路のうち，最も日数がかかる経路を「クリティカルパス」というよ。この経路上での遅れは，全体の遅延につながるよ。

システム監査報告書 問42
システム監査の終了後，システム監査人が作成し，監査の依頼人に提出する監査報告書のこと。監査の概要（監査の目的，対象，実施期間，実施者など），監査の結論として指摘事項や改善勧告などを記載する。

監査証拠 問42
監査報告書に記載する監査意見を裏付ける事実。たとえば，システムの運用記録や，ヒアリングで得た証言など。

問42

対策 システム監査は，監査計画に基づき，予備調査，本調査，評価・結論の手順で実施されるよ。
監査報告の後，フォローアップの取組みがあることも覚えておこう。

解答
問41 エ　問42 ウ

□□□ **問43** ITガバナンスの説明として，最も適切なものはどれか。

ア 業務改革又は業務の再構築のために，ITを最大限に利用して，これまでの仕事の流れを根本的に変え，コスト，品質，サービス及び納期の面で，顧客志向を徹底的に追及できるように業務プロセスを設計し直すこと

イ 経営をゆだねられている経営者などが，金融機関などから資金を調達して親会社の株主から株式を買い取り，経営権を取得すること

ウ 企業が競争優位性を構築するために，IT戦略の策定・実行をガイドし，あるべき方向へ導く組織能力のこと

エ 仕事と仕事から離れた個人の生活の両方について，どちらかが犠牲になることなく，それぞれをバランスよく充実させていこうという考え方のこと

□□□ **問44** 既存の製品を分解し，解析することによって，その製品の構造を解明して技術を獲得する手法を何というか。

ア リファクタリング
イ リバースエンジニアリング
ウ DevOps
エ デバッグ

□□□ **問45** ITサービスマネジメントのベストプラクティスを集めたフレームワークはどれか。

ア 共通フレーム
イ CMMI
ウ ITIL
エ PMBOK

解説

問43 ITガバナンスの説明

× ア BPR（Business Process Reengineering）の説明です。BRPは企業の業務効率や生産性を改善するため，既存の組織やビジネスルールを全面的に見直し，業務プロセスを抜本的に改革することです。

× イ MBO（Management Buyout）の説明です。MBOは，経営権の取得を目的として，経営陣や幹部社員が親会社などから株式や営業資産を買い取ることです。

○ ウ 正解です。ITガバナンスは，企業などが競争力を高めることを目的として，情報システム戦略を策定し，戦略実行を統制する仕組みを確立するための取組みです。経営陣が主体となってITに関する原則や方針を定め，組織全体において方針に沿った活動を実施します。

× エ ワークライフバランスの説明です。ワークライフバランスは，仕事と仕事以外の生活を調和させ，その両方の充実を図るという考え方です。

問44 製品を分解，解析して技術を得る手法

× ア リファクタリングは，ソフトウェアの保守性を高めるために，外部仕様を変更することなく，プログラムの内部構造を変更することです。

○ イ 正解です。リバースエンジニアリングは，既存のソフトウェアやハードウェアなどの製品を分解し，解析することによって，その製品の構成要素や仕組み，ソースコードなどを明らかにして技術を得る手法です。

× ウ DevOpsはソフトウェア開発において，開発担当者と運用担当者が連携・協力する手法や考えのことです。開発側と運用側が密接に協力し，自動化ツールなどを活用して開発を迅速に進めます。

× エ デバッグは，プログラムの中から誤りや欠陥を見つけて修正することです。

問45 ITサービスマネジメントのフレームワーク

× ア 共通フレームは，ソフトウェアを中心としたシステム開発と取引について，基本となる作業項目や用語を定義し，標準化したガイドラインです。

× イ CMMI（Capability Maturity Model Integration）はシステム開発を行っている組織で，システム開発のプロセスをどのくらい適正に管理しているかを，5段階のレベル（成熟度レベル）に分けてモデル化したものです。能力成熟度モデル統合ともいいます。

○ ウ 正解です。ITIL（Information Technology Infrastructure Library）は，ITサービスの運用管理に関するベストプラクティス（成功事例）を体系的にまとめた書籍集です。ITサービスマネジメントのフレームワーク（枠組み）として活用されています。

× エ PMBOK（Project Management Body of Knowledge）は，プロジェクトマネジメントに必要な知識を体系化したものです。

問43

参考 ガバナンス（Governance）は「統治」という意味で，ITガバナンスはコーポレートガバナンスから派生した概念だよ。

ソースコード 問44
人間がプログラミング言語を使って，コンピュータへの命令を記述したコードのこと。

問44

参考 DevOpsはDevelopment（開発）とOperations（運用）を組み合わせた造語で，「デブオプス」と読むよ。

問45

参考 PMBOKは「ピンボック」と読むよ。

覚えよう！ 問45

ITIL といえば IT サービスマネジメントのフレームワーク

解答

問43 ウ　問44 イ
問45 ウ

問46 プロジェクトの目的を達成するために，プロジェクトに参加する要員の役割と責任と必要なスキルを決定し，参加時期も明確にした。この活動はプロジェクトマネジメントのどの知識エリアの活動か。

ア　プロジェクトコミュニケーションマネジメント
イ　プロジェクトスコープマネジメント
ウ　プロジェクトタイムマネジメント
エ　プロジェクト資源マネジメント

問47 ある企業では，業務を遂行する上で違法行為や不正，ミスやエラーなどを防止し，組織が健全かつ有効・効率的に運営されるように基準や業務手続を定め，管理・監視を行うことにした。これを表すものとして最も適切なものはどれか。

ア　パーパス経営　イ　CSR　ウ　内部統制　エ　MOT

解説

問46 プロジェクトマネジメントの知識エリアの活動

プロジェクトマネジメントで管理する対象群として，次のようなものがあります。PMBOKでは**知識エリア**と呼びます。

プロジェクト統合マネジメント	プロジェクトマネジメント活動の各エリアを統合的に管理，調整する。
プロジェクトスコープマネジメント	プロジェクトで作成する成果物や作業内容を定義する。
プロジェクトスケジュールマネジメント	プロジェクトのスケジュールを作成し，監視・管理する。
プロジェクトコストマネジメント	プロジェクトにかかるコストを見積もり，予算を決定してコストを管理する。
プロジェクト品質マネジメント	プロジェクトの成果物の品質を管理する。
プロジェクト資源マネジメント	プロジェクトメンバーを確保し，チームを編成・育成する。物的資源（装置や資材など）を確保する。
プロジェクトコミュニケーションマネジメント	プロジェクトにかかわるメンバー（ステークホルダも含む）間において，情報のやり取りを管理する。
プロジェクトリスクマネジメント	プロジェクトで発生が予想されるリスクへの対策を行う。
プロジェクト調達マネジメント	プロジェクトに必要な物品やサービスなどの調達を管理し，発注先の選定や契約管理など行う。
プロジェクトステークホルダマネジメント	ステークホルダの特定とその要求の把握，利害の調整を行う。

出題されている活動は「プロジェクトに参加する要員」に関する活動なのでプロジェクト資源マネジメントが該当します。よって，正解は エ です。

問47 組織で基準や業務手続きを定めて管理・監視を行うこと

× ア パーパス経営は，自社が「社会的に何のために存在するのか」「どのような社会貢献の役割を担うか」といったことを定義し，それに基づいた経営を行うことです。

× イ CSR（Corporate Social Responsibility）は，企業活動において経済的成長だけでなく，環境や社会からの要請に対して責任を果たすことが，企業価値の向上につながるという考え方です。「企業の社会的責任」ともいいます。

○ ウ 正解です。内部統制は，健全かつ効率的な組織運営のための体制を，企業などが自ら構築して，運用する仕組みです。違法行為やミスなどが起きるのを防ぎ，組織が健全で効率的に運営されるように基準や業務手続を定めて，管理・監視を行います。

× エ MOT（Management of Technology）は，技術に立脚する事業を行う企業・組織が，技術革新（イノベーション）をビジネスに結び付け，事業を発展させていく経営の考え方です。「技術経営」ともいいます。

成果物 問46

プロジェクトで作成する製品やサービス。ソフトウェア開発の場合，プログラムやユーザーマニュアル，プロジェクトの過程で作成されるソースコードや設計書，計画書なども含まれる。狭義の意味で利用者に引き渡すものだけを指す場合もある。

ステークホルダ 問46

プロジェクトの実施や結果によって影響を受ける全ての利害関係者のこと。顧客，スポンサ，協力会社など。

問47

対策 内部統制の構築には，業務プロセスの明確化，職務分掌，実施ルールの設定及びチェック体制の確立が必要だよ。出題されたことがあるので覚えておこう。

解答

問46 エ　問47 ウ

□□□ 問48 10人が0.5kステップ／人日の生産性で作業するとき，30日間を要するプログラミング作業がある。10日目が終了した時点で作業が終了したステップ数は，10人の合計で30kステップであった。予定の30日間でプログラミングを完了するためには，少なくとも何名の要員を追加すればよいか。ここで，追加する要員の生産性は，現在の要員と同じとする。

ア 2　　イ 7　　ウ 10　　エ 20

□□□ 問49 情報システム部が開発して経理部が運用している会計システムの運用状況を，経営者からの指示で監査することになった。この場合におけるシステム監査人についての記述のうち，最も適切なものはどれか。

ア 会計システムは企業会計に関する各種基準に準拠すべきなので，システム監査人を公認会計士とする。
イ 会計システムは機密性の高い情報を扱うので，システム監査人は経理部長直属とする。
ウ システム監査を効率的に行うために，システム監査人は情報システム部長直属とする。
エ 独立性を担保するために，システム監査人は情報システム部にも経理部にも所属しない者とする。

解説

問48 追加が必要な要員数の算出

まず，プログラム作業全体のステップ数を求めると，1人が1日に0.5kステップを生産し，10人で30日かかるので，150kステップになります。このうち，10日で30kステップが終了しているので，**残りの20日で終了させるステップ数は120kステップ**です。

0.5kステップ/人日 × 10人×30日＝150kステップ
150kステップ－30kステップ＝120kステップ

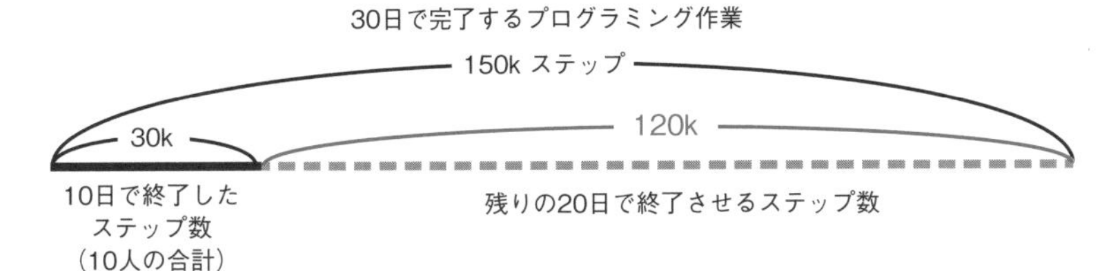

現在の10人の要員は10日で30kステップを終了しているので，同要員が20日で生産できるステップ数は60kステップです。これより，残りの20日で終了させるステップのうち，追加した要員が生産するのは60kステップです。

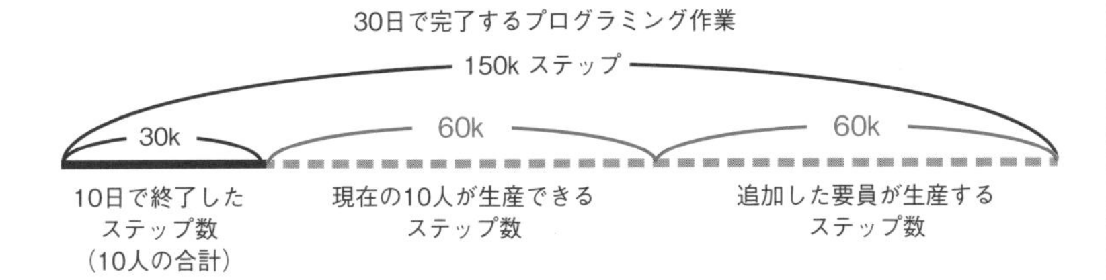

残りの20日で，現在の10人の要員が生産できるステップ数と，追加した要員が生産するステップ数は同じです。現在の要員と追加する要員の生産性も同じなので，10人追加すればよいことになります。よって，正解は ウ です。

問48

対策 本問のような問題は，提示されている条件をしっかり確認するようにしよう。条件を書き出したり，解説のようなメモを書いて整理するといいよ。

問49 社内の会計システムを監査するシステム監査人について

システム監査を実施する**システム監査人には，客観的にシステム監査を実施するため，監査対象の領域や活動から独立的な立場であることが求められます（システム監査人の独立性）**。

× ア 公認会計士は，会計や財務について監査します。会計システムの運用状況の監査なので，公認会計士とする必要はありません。

× イ，ウ 情報システム部が開発して経理部が運用している会計システムなので，情報システム部長直属や経理部長直属だと，システム監査人の独立性が担保できません。

○ エ 正解です。情報システム部や経理部に所属していないので，システム監査人の独立性を担保できます。

問49

対策 システム監査人の独立性はよく出題されているよ。監査対象となる組織と同一の指揮命令系統に属していないなど，外観上の独立性が確保されている必要があることを覚えておこう。

解答

問48 ウ　問49 エ

問50 システムの開発部門と運用部門が別々に組織化されているとき，システム開発を伴う新規サービスの設計及び移行を円滑かつ効果的に進めるための方法のうち，適切なものはどれか。

ア 運用テストの完了後に，開発部門がシステム仕様と運用方法を運用部門に説明する。
イ 運用テストは，開発部門の支援を受けずに，運用部門だけで実施する。
ウ 運用部門からもシステムの運用に関わる要件の抽出に積極的に参加する。
エ 開発部門は運用テストを実施して，運用マニュアルを作成し，運用部門に引き渡す。

問51 電源の瞬断時に電力を供給したり，停電時にシステムを終了させるのに必要な時間の電力を供給したりすることを目的とした装置はどれか。

ア EDR
イ グリーンIT
ウ UPS
エ 自家発電装置

問52 SLAに記載する内容として，適切なものはどれか。

ア サービス及びサービス目標を特定した，サービス提供者と顧客との間の合意事項
イ サービス提供者が提供する全てのサービスの特徴，構成要素，料金
ウ サービスデスクなどの内部グループとサービス提供者との間の合意事項
エ 利用者から出されたITサービスに対する業務要件

解説

問50 運用テストの実施について

運用テストは，実際の稼働環境において，業務と同じ条件でシステムを検証するテストです。利用部門が主体となって，業務に必要な機能を満たしていることや，決められた業務手順どおりにシステムが稼働することを確認します。

× ア　運用テストの完了後ではなく，テストの実施に先立って，開発部門はシステム仕様と運用方法を運用部門に説明します。

× イ，エ　運用テストは，開発部門の支援を受け，運用部門が主体となって実施します。

○ ウ　正解です。業務に精通している運用部門が積極的に参加することで，円滑かつ効果的に運用テストを進められます。

問51 電源の瞬断時や停電時に電力を供給する装置

× ア　EDR（Endpoint Detection and Response）は，エンドポイント（ネットワークに接続されている端末や機器）のOSやアプリケーション上の挙動を監視し，異常な挙動や活動の兆候を検知する仕組みです。

× イ　グリーンITは，PCやサーバなどの情報通信機器を省エネ化することや，これらの機器を利用することによって，環境を保護していくという活動や考えのことです。

○ ウ　正解です。UPSは，急な停電や電圧低下などが起きたとき，自動的に作動し，電力の供給が途切れるのを防ぐ装置です。電力を供給できる時間には制限があるため，UPSが作動したら，速やかにシステムの終了などの措置をとります。無停電電源装置ともいいます。

× エ　自家発電装置は，停電などで電力の供給が停止した際，発電して電力を供給する装置です。UPSより長時間の電力供給が可能ですが，電源の瞬断には対応していません。

問51

対策 UPSは「無停電電源装置」という用語でも出題されているよ。どちらも覚えておこう。

問52 SLAに記載する内容

SLA（Service Level Agreement）は，ITサービスの範囲や品質について，ITサービスの提供者と利用者の間で取り交わす合意書のことです。障害時の対応やバックアップの頻度，料金など，ITサービスの具体的な適用範囲や管理項目などを記載します。

選択肢 ア ～ エ を確認すると，ア の「サービス及びサービス目標を特定した，サービス提供者と顧客との間の合意事項」がSLAに記載する内容として適切です。よって，正解は ア です。

問52

対策 ITサービスの品質を維持し，向上させるための活動を「SLM（Service Level Management）」というよ。SLAとあわせて覚えておこう。

解答

問50 ウ　問51 ウ
問52 ア

問53 システムテストに参加するAさんは，自部門の主要な取引について，端末からの入力項目と帳票の出力項目を検証用に準備した。Aさんが実施しようとしているテスト技法はどれか。

ア 単体テスト
イ レグレッションテスト
ウ ブラックボックステスト
エ ホワイトボックステスト

問54 システム開発プロジェクトにおいて，開発用のPCの導入が遅延することになった。しかし，遅延した場合には旧型のPCを代替機として使用するようにあらかじめ計画していたので，開発作業を予定どおりに開始することができた。この場合に，プロジェクトマネジメントとして実施したものはどれか。

ア クリティカルパスの見積り
イ スコープ定義
ウ ステークホルダの特定
エ リスク対応計画の実行

問55 システム要件定義において，システム要件を評価する基準として，適切なものはどれか。

ア システム結合テストの結果との整合性
イ システムの発注者のニーズとの整合性
ウ 使用する設計手法の適切性
エ テストケースの網羅性

解説

問53 テスト技法

× ア 単体テストは，個々のモジュールが要求どおりに動作することを，プログラムの内部構造も含めて検証するテストです。

× イ レグレッションテストは，プログラムを変更したときに，その変更によって想定外の影響が現れていないかどうかを確認するテストです。回帰テストともいいます。

○ ウ 正解です。ブラックボックステストは，プログラムの内部構造は考慮せず，入力したデータに対する出力結果が仕様どおりであるかどうかを検証するテストです。Aさんは端末から項目を入力し，期待どおりに出力されるかどうかを，ブラックボックステストで検証します。

× エ ホワイトボックステストは，出力結果だけではなく，プログラムの内部構造についても検証するテストです。

問54 プロジェクトマネジメントとして実施したこと

× ア クリティカルパスの見積りでは，所要期間が最も長く，プロジェクト全体の遅延につながる工程を調べます。

× イ スコープ定義では，プロジェクトで作成する必要のある成果物と，成果物を作成するために必要な作業を明確にします。

× ウ ステークホルダの特定では，プロジェクトに影響を与える，もしくはプロジェクトに影響を受ける人やグループ，組織を明らかにします。

○ エ 正解です。リスク対応計画では，リスクへの対応方法を検討し，具体策などを決めておきます。本問では「開発用のPCの導入が遅延した場合には，旧型のPCを代替機として使用する」というリスク対応計画を実行しています。

問55 システム要件を評価する基準

システム要件定義では，システムの利用者のニーズや要望に基づき，システムに求める機能や性能，システム化の目標と対象範囲などを，システム要件として定義します。したがって，システム要件には，システムの利用者（発注者）のニーズとの整合性が求められます。

これより，選択肢 ア ～ エ を確認すると，イ がシステム要件を評価する基準として適切です。よって，正解は イ です。

モジュール 問53
プログラムを機能単位で，できるだけ小さくしたもの。

スコープ 問54
プロジェクトを達成させるために作成する成果物や，成果物を得るために必要な作業のこと。

解答
問53 ウ 問54 エ
問55 イ

問56から問100までは，テクノロジ系の問題です。

問56 BEC（Business E-mail Compromise）に該当するものはどれか。

ア 巧妙なだましの手口を駆使し，取引先になりすまして偽の電子メールを送り，金銭をだまし取る。

イ 送信元を攻撃対象の組織のメールアドレスに詐称し，多数の実存しないメールアドレスに一度に大量の電子メールを送り，攻撃対象の組織のメールアドレスを故意にブラックリストに登録させて，利用を阻害する。

ウ 第三者からの電子メールが中継できるように設定されたメールサーバを，スパムメールの中継に悪用する。

エ 誹謗（ひぼう）中傷メールの送信元を攻撃対象の組織のメールアドレスに詐称し，組織の社会的な信用を大きく損なわせる。

問57 あるデータ列をバブルソートによって昇順に整列したら，状態0から順に状態1，2，･･･Nへと推移した。このとき，[a] に入るものはどれか。

状態0	3, 5, 9, 6, 2
状態1	[a]
状態2	3, 5, 2, 6, 9
	⋮
状態N	2, 3, 5, 6, 9

ア 3, 5, 6, 9, 2

イ 3, 5, 9, 2, 6

ウ 3, 5, 2, 9, 6

エ 3, 5, 6, 2, 9

解説

問56 BEC（Business E-mail Compromise）に該当するもの

BEC（Business E-mail Compromise）は，巧妙に細工したメールのやり取りにより，企業の担当者をだまして，攻撃者の用意した口座へ送金させる詐欺の手口です。代表的な手口として，次のようなものがあります。

- 攻撃者が取引先になりすまして偽の請求書等を送り付け，攻撃者の口座に振り込みをさせる
- 攻撃者が企業の経営者や幹部になりすまして，その企業の従業員に攻撃者の口座へ振り込みをさせる

選択肢 ア ～ エ を確認すると，だましの手口を駆使して，電子メールで金銭をだまし取っている ア がBECに該当します。イ，ウ，エ は企業の業務や信用を脅かす行為ですが，BECには該当しません。よって，正解は ア です。

問57 バブルソート

データを値の大きい順や小さい順などのように，一定の基準に従って並べ替える操作を整列（ソート）といい，**バブルソート**は整列のアルゴリズムの1つです。隣り合ったデータを比較し，大小の順が逆であれば，データを入れ替える操作を繰り返すことで整列を行います。

本問では，状態0の「3，5，9，6，2」を昇順にする整列を行い，状態2では「3，5，2，6，9」となって最大値の9が右端に移動しています。これより，左の値から順に右にある値と比較していき，左の値の方が大きいときは値の入れ替えを行います。次のような流れになります。

[3] [5] 9 6 2 ……3と5を比較。左の値が小さいので，このまま

3 [5] [9] 6 2 ……5と9を比較。左の値が小さいので，このまま

3 5 [9] [6] 2 ……9と6を比較。左の値が大きいので入れ替え

3 5 6 [9] [2] ……9と2を比較。左の値が大きいので入れ替え

3 5 **6** **2** 9 ……9が右端に移動した

※このあと，同様に3と5の比較から行っていくと「状態2」になります。

これより，状態1に推移したときは「3，5，6，2，9」になります。よって，正解は エ です。

合格のカギ

スパムメール 問56

広告や勧誘などの営利目的で，受信側の承諾を得ないで無差別に大量に送信される迷惑メール。

問56

参考 BECは「ビジネスメール詐欺」ともいうよ。

問57

対策 代表的な整列のアルゴリズムとして，「選択ソート」や「クイックソート」などもあるよ。確認しておこう。

選択ソート
未整列のデータで先頭から順に最小値を探し，見つけた最小値を先頭のデータと入れ替える操作を繰り返す。

クイックソート
基準値を決め，それよりも大きな値を集めたグループと小さな値を集めたグループにデータを振り分ける。これを各グループで並べ替えが完了するまで繰り返す。

解答

問56 ア　問57 エ

問58 キューに関する記述として，最も適切なものはどれか。

ア 最後に格納されたデータが最初に取り出される。
イ 最初に格納されたデータが最初に取り出される。
ウ 添字を用いて特定のデータを参照する。
エ 二つ以上のポインタを用いてデータの階層関係を表現する。

問59 ISMS適合性評価制度の説明はどれか。

ア ISO/IEC 15408に基づき，IT関連製品のセキュリティ機能の適切性・確実性を評価する。
イ JIS Q 15001に基づき，個人情報について適切な保護措置を講じる体制を整備している事業者などを認定する。
ウ JIS Q 27001に基づき，組織が構築した情報セキュリティマネジメントシステムの適合性を評価する。
エ IPA“中小企業の情報セキュリティ対策ガイドライン”に基づき，情報セキュリティ対策に取り組むことを中小企業が自己宣言する。

解説

問58 キューに関する記述

コンピュータがデータ処理を行いやすいように，コンピュータ内でデータをどのように格納するかを定めた形式をデータ構造といい，代表的なデータ構造にスタックやキューなどがあります。

× ア　スタックに関する記述です。スタックは後入れ先出し（LIFO：Last In First Out）のデータ構造で，後に入力したデータから取り出します。

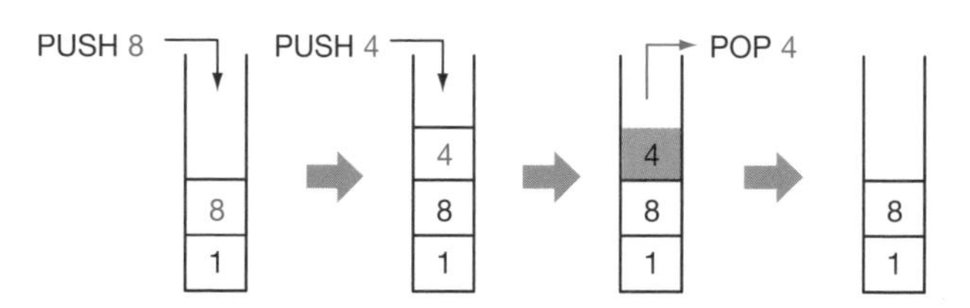

○ イ　正解です。キューは先入れ先出し（FIFO：First In First Out）のデータ構造で，先に入力したデータから取り出します。

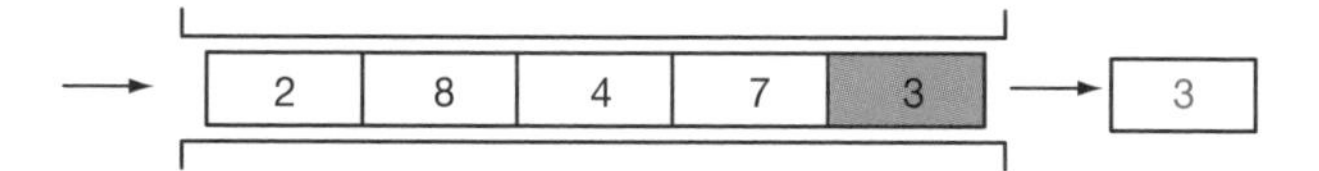

× ウ，エ　キューでは，添字やポインタは用いません。

問59 ISMS適合性評価制度の説明

× ア　ITセキュリティ評価及び認証制度の説明です。IT関連製品のセキュリティ機能の適切性，確実性を，第三者機関が評価し，その結果を公的に認証する制度です。JISEC（Japan Information Technology Security Evaluation and Certification Scheme：ジェイアイセック）ともいいます。

× イ　プライバシーマーク制度の説明です。事業者の個人情報の取扱いが適切であるかを評価し，基準に適合した事業者にプライバシーマークの使用を認める制度です。

○ ウ　正解です。ISMS（Information Security Management System）は情報セキュリティマネジメントシステムのことで，情報セキュリティを確保，維持するための組織的な取組みのことです。ISMS適合性評価制度は，組織において情報セキュリティマネジメントシステムが適切に構築，運用されていることを，評価，認証する制度です。

× エ　SECURITY ACTIONの説明です。IPA（独立行政法人 情報処理推進機構）が創設した制度で，中小企業自らが情報セキュリティ対策に取り組むことを自己宣言する制度です。

問58

スタック　といえば　後入れ先出し

キュー　といえば　先入れ先出し

問59

対策 ISMSにはクラウドサービス固有の管理策（ISO/IEC 27017）が適切に導入，実施されていることを認証する「ISMSクラウドセキュリティ認証」もあるよ。出題されたことがあるので覚えておこう。

解答

問58 イ　問59 ウ

問60 リスクベース認証の説明として，適切なものはどれか。

ア 機器の画面に表示された点を正しい順序に一筆書きでなぞった場合，認証が成功し，機器のロックが解除される。

イ 通常とは異なるIPアドレス，Webブラウザなどから認証要求があった場合に，追加の認証を行う。

ウ 全てのアクセスに対し，トークンで生成されたワンタイムパスワードで認証する。

エ ゆがんだ文字を含む画像を表示し，その文字が正しく入力された場合に認証が成功する。

問61 J-CSIP（サイバー情報共有イニシアティブ）の役割はどれか。

ア 外部からのサイバー攻撃などの情報セキュリティ問題に対して，政府横断的な情報収集や監視機能を整備し，政府機関の緊急対応能力強化を図る。

イ 重要インフラに関わる業界などを中心とした参加組織と秘密保持契約を締結し，その契約の下に提供された標的型サイバー攻撃の情報を分析及び加工することによって，参加組織間で情報共有する。

ウ 政府が求めるセキュリティ要件を満たしているクラウドサービスをあらかじめ評価，登録することによって，政府のクラウドサービス調達におけるセキュリティ水準の確保を図る。

エ 標的型サイバー攻撃を受けた組織や個人から提供された情報を分析し，社会や産業に重大な被害を及ぼしかねない標的型サイバー攻撃の把握，被害の分析，対策の早期着手の支援を行う。

解説

問60 リスクベース認証の説明

× ア パターン認証の説明です。パターン認証は，スマートフォンなどで画面に表示された点を，あらかじめ登録しておいた順序でなぞる認証方法です。

○ イ 正解です。リスクベース認証は，利用者がログインするときの環境や行動パターンなどから，通常と異なる利用と判断した場合に，追加の本人認証を要求する認証方法です。

× ウ リスクベース認証は，全てのアクセスに対し，追加の認証が行われるものではありません。

× エ CAPTCHA認証の説明です。CAPTCHA認証は，コンピュータではなく，人間が行っていることを確認するため，コンピュータによる判別が難しい課題を解かせる認証方法です。

問61 J-CSIP（サイバー情報共有イニシアティブ）の役割

× ア 内閣サイバーセキュリティセンターに関する記述です。通称，NISC（ニスク：National center of Incident readiness and Strategy for Cybersecurity）といい，内閣官房に設置されています。

○ イ 正解です。J-CSIP（ジェイシップ）は，IPAを情報ハブ（集約点）として，参加組織間で情報共有を行い，サイバー攻撃対策につなげていく取組みです。「Initiative for Cyber Security Information sharing Partnership of Japan」の略で，サイバー情報共有イニシアティブともいいます。重工，重電など，重要インフラで利用される機器の製造業者を中心に，サイバー攻撃に関する情報共有と早期対応の場を提供します。

× ウ ISMAP（イスマップ）に関する記述です。政府が求めるセキュリティ要求を満たしているクラウドサービスをあらかじめ評価・登録しておくことで，政府機関などへのクラウドサービスの円滑な調達や導入を図る制度です。「Information system Security Management and Assessment Program」の略称で，政府情報システムのためのセキュリティ評価制度ともいいます。

× エ J-CRAT（ジェイ・クラート）に関する記述です。J-CRATは標的型サイバー攻撃の被害の低減と，被害の拡大防止を目的とした活動を行う組織です。「Cyber Rescue and Advice Team against targeted attack of Japan」の略称で，サイバーレスキュー隊ともいいます。

ワンタイムパスワード 問60

利用者を認証の際，1回だけ使用できるパスワード。その都度，入力するパスワードが変わるので，安全度を高められる。

標的型攻撃 問61

特定の組織や個人にターゲットを絞って，主に機密情報を盗むことを目的に行われるサイバー攻撃のこと。

問61

参考 J-CSIPやJ-CRATは，IPAのホームページで詳しい情報を確認できるよ。

J-CSIP
https://www.ipa.go.jp/security/J-CSIP/index.html

J-CRAT
https://www.ipa.go.jp/security/j-crat/index.html

解答

問60 イ 問61 イ

問62 デジタルフォレンジックスに該当するものはどれか。

ア 画像，音楽などのデジタルコンテンツに著作権者などの情報を埋め込む。

イ コンピュータやネットワークのセキュリティ上の弱点を発見するテストとして，システムを実際に攻撃して侵入を試みる。

ウ 巧みな話術，盗み聞き，盗み見などの手段によって，ネットワークの管理者，利用者などから，パスワードなどのセキュリティ上重要な情報を入手する。

エ 犯罪に関する証拠となり得るデータを保全し，調査，分析，その後の訴訟などに備える。

問63 文書の構造などに関する指定を記述する，“<”と“>”に囲まれるタグを，利用者が目的に応じて定義して使うことができる言語はどれか。

ア Fortran　　イ HTML　　ウ Java　　エ XML

問64 PCで電子メールを読むときに，PCにメールをサーバからダウンロードするのではなくサーバ上で保管し管理する。未読管理やメールの削除やフォルダの振分け状態などが会社や自宅にあるどのPCからも同一に見えるようにできるメールプロトコルはどれか。

ア MIME　　イ IMAP4　　ウ POP3　　エ SMTP

解説

問62 デジタルフォレンジックスに該当するもの

× ア ステガノグラフィの説明です。ステガノグラフィは，メッセージを画像データや音声データなどに埋め込み，メッセージの存在を隠す技術のことです。

× イ ペネトレーションテストの説明です。ペネトレーションテストは，コンピュータやネットワークのセキュリティ上の脆弱性を見つけるため，システムを擬似的に攻撃し，侵入を試みるテストです。

× ウ ソーシャルエンジニアリングの説明です。ソーシャルエンジニアリングは，人間の習慣や心理などの隙を突いて，パスワードや機密情報を不正に入手することです。

○ エ 正解です。デジタルフォレンジックスは不正アクセスやデータ改ざんなどに対して，犯罪の法的な証拠を確保できるように，原因究明に必要なデータの保全，収集，分析をすることです。

問63 利用者がタグを定義して使うことができる言語

× ア Fortran（フォートラン）は，主に科学技術計算の分野で使われているプログラム言語です。

× イ HTML（Hyper Text Markup Language）は，Webページを記述するためのマークアップ言語で，“<”と“>”で囲んだタグによってWebページの論理構造などを指定します。タグの種類は決まっていて，利用者が独自のタグを定義することはできません。

× ウ JavaはWebサービスやIoTアプリケーションなどで広く使われているオブジェクト指向型のプログラム言語です。

○ エ 正解です。XML（eXtensible Markup Language）は，利用者が独自のタグを定義し，データの意味や構造を記述できるマークアップ言語です。

問64 メールプロトコル

× ア MIMEは，電子メールに画像データなどを添付するための規格です。このとき使用するプロトコルを指すこともあります。

○ イ 正解です。IMAP4は電子メールの受信に使われるプロトコルで，PCなどの端末にダウンロードするのではなく，メールサーバに置いたままメールを閲覧します。サーバ上でメールを保管し管理するので，使用するPCが違っても，同一のメール情報を参照，管理できます。

× ウ POP3は電子メールの受信に使われるプロトコルで，メールサーバにあるメールを，PCなどの端末にダウンロードします。

× エ SMTPは，電子メールの送信や，メールサーバ間でのメールの転送に使われるプロトコルです。

問62

参考 フォレンジック（forensic）とは，法医学という意味だよ。

マークアップ言語 問63

タグという記号を使って，いろいろな属性（レイアウトのための情報や画像の種類など）を記述する言語。HTMLやSGML，XMLなどの種類がある。

タグの例

```
<html>
<head>
<title>IT パスポート </title>
</head>
<body>
ようこそ <br>
まずは <b> ガイド </b> を見てね
</body>
</html>
```

プロトコル 問64

ネットワーク上でコンピュータ同士がデータをやり取りするための約束事。通信規約。

解答

問62 エ　問63 エ
問64 イ

問65 セキュリティに問題があるPCを社内ネットワークなどに接続させないことを目的とした仕組みであり，外出先で使用したPCを会社に持ち帰った際に，ウイルスに感染していないことなどを確認するために利用するものはどれか。

ア DMZ
イ IDS
ウ 検疫ネットワーク
エ ファイアウォール

問66 0～9の数字と空白文字を組み合わせて長さ3の文字列を作る。先頭1文字には数字を使えるが，空白文字は使えない。2文字目以降には空白文字も使えるが，空白文字の後に数字を並べることは許されない。何通りの文字列を作ることができるか。ここで，同じ数字の繰返し使用を許すものとする。

ア 1,110　イ 1,111　ウ 1,210　エ 1,331

解説

問65 持ち帰ったPCのウイルス感染の確認に利用するもの

× ア DMZ（DeMilitarized Zone）は，インターネットからも，内部ネットワークからも隔離されたネットワーク上の領域のことです。外部に公開するWebサーバやメールサーバをDMZに設置することで，万が一，これらのサーバが不正アクセスを受けても内部ネットワークへの被害を防ぐことができます。

× イ IDS（Intrusion Detection System）は，ネットワークやサーバの通信を監視し，不正アクセスや異常な通信などがあったとき，管理者に通知するシステムです。侵入検知システムともいいます。

○ ウ 正解です。検疫ネットワークは，外出先から会社にPCを持ち帰った際，ウイルスに感染していないことなどを確認する仕組みです。持ち帰ったPCを社内ネットワークに接続しようとすると，いったん検査をする専用のネットワークに接続され，検査で問題がなければ社内ネットワークを利用できるようになります。

× エ ファイアウォールはインターネットと内部ネットワークとの間に設置し，外部からの不正な侵入を防ぐ仕組みです。

問66 0～9の数字と空白文字の組合せ

0～9の数字と空白文字を組み合わせて，長さ3の文字列を作るとき，次の条件があります。

- 先頭1文字は数字だけが使える
- 空白文字の後ろに，数字を並べられない
- 同じ数字を繰返して使用できる

これらの条件を満たして「長さ3の文字列」を作る場合，数字と空白文字の並べ方には次の3つがあり，それぞれで何通り作ることができるかを求めます。

・3つの文字が全て数字
10×10×10＝1,000 通り

・先頭の2文字が数字で，3文字目は空白文字
10×10×1＝100 通り

・先頭の1文字が数字で，2文字目と3文字目は空白文字
10×1×1＝10 通り

これらを合計すると，1,000+100+10＝1,110通りになります。よって，正解は ア です。

問65
参考 DMZを直訳すると「非武装地帯」という意味だよ。

解答
問65 ウ 問66 ア

問67 Webで使用されるCookieに関する記述として，適切なものはどれか。

ア HTMLによる文章のレイアウトを，細かく指定できるフォーマット規格である。
イ HTTPに暗号化の機能を追加したプロトコルである。
ウ Webサーバと外部プログラムが連携し，動的にWebページを生成する仕組みである。
エ アクセスしてきたブラウザに，Webサーバからの情報を一時的に保存する仕組みである。

問68 商品の仕入状況を管理している関係データベースの“仕入一覧”表を正規化して，“仕入”表と“商品”表に分割したい。分割後の二つの表に共通して必要なフィールドとして，最も適切なものはどれか。ここで，仕入れは一度に一つの商品だけを仕入れることとし，仕入番号で一意に識別できる。また，商品は商品番号で一意に識別できる。

仕入一覧

仕入番号	商品番号	商品名	個数	単価	支払方法	納品日

ア 仕入番号　イ 支払方法　ウ 商品番号　エ 商品名

解説

問67 Cookieに関する記述

× ア CSS（Cascading Style Sheets）に関する記述です。**CSSはWebページのデザインを統一して管理するための機能**です。Webページを HTMLで記述する際，文字のフォントや色，箇条書き，画像の表示位置など，Webページの見栄えはCSSで指定します。

× イ HTTPSに関する記述です。**HTTPSはHTTPに暗号化技術を追加したプロトコル**で，WebブラウザとWebサーバ間のデータ通信を暗号化します。

× ウ CGI（Common Gateway Interface）に関する記述です。**CGIはWebブラウザからの要求によってWebサーバにあるプログラムを起動し，動的なページを作成する仕組み**です。

○ エ 正解です。Cookieは**Webサイトを閲覧した際，閲覧者のPCに保存されるファイルや，この仕組み**のことです。Cookieにより保存されたファイルには，ユーザーの識別情報やアクセスの履歴など，閲覧時の情報が記録されています。

問68 表の正規化

関係データベースを適切に管理できるように，**データの重複がなく，整理されたデータ構造の表を作成すること**を**正規化**といいます。

“仕入一覧” 表を正規化して “仕入” 表と “商品” 表に分割するため，まず，“商品” 表に含める項目（フィールド）を考えます。問題文に「商品は商品番号で一意に識別できる」とあるので，「商品番号」と「商品名」が “商品” 表の項目になります。さらに「単価」も，商品ごとに定める値なので，“商品” 表で管理するのが適切な項目です。これより，“商品” 表の項目は「商品番号」「商品名」「単価」になります。

“仕入” 表の項目は，“仕入一覧” 表から “商品” 表の項目を除いた，「仕入番号」「個数」「支払方法」「納品日」です。これらに，どの商品を仕入れたかを示す「商品番号」を加えます。“商品” 表と “仕入” 表に共通の「商品番号」があることで，2つの表を関連付けることができます。

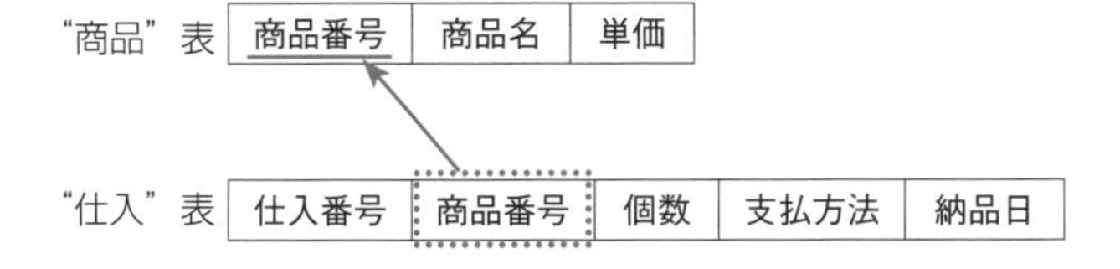

これより，分割後の “商品” 表と “仕入” 表に共通する項目は「商品番号」です。よって，正解は ウ です。

問67
対策 CSSは「スタイルシート」ともいうよ。どちらの用語も覚えておこう。

問67
参考 Cookieは「クッキー」と呼ぶよ。

問68
参考 “商品” 表の「商品番号」や “仕入” 表の「仕入番号」のように，表内のレコード（行）を一意に特定できる項目を「主キー」というよ。

覚えよう！ 問68

正規化 といえば
- 重複するデータがないように，表を分割
- 複数の表を連結できるように，共通の項目を用意
- 正規化した表には，表内のレコードを一意に特定できる主キーがある

解答
問67 エ　問68 ウ

問69 RFIDの活用事例として，適切なものはどれか。

ア　紙に印刷されたデジタルコードをリーダーで読み取ることによる情報の入力
イ　携帯電話とヘッドフォンとの間の音声データ通信
ウ　赤外線を利用した近距離データ通信
エ　微小な無線チップによる人又は物の識別及び管理

問70 サイバーキルチェーンに関する説明として，適切なものはどれか。

ア　委託先の情報セキュリティリスクが委託元にも影響するという考え方を基にしたリスク分析のこと
イ　攻撃者がクライアントとサーバとの間の通信を中継し，あたかもクライアントとサーバが直接通信しているかのように装うことによって情報を盗聴するサイバー攻撃手法のこと
ウ　攻撃者の視点から，攻撃の手口を偵察から目的の実行までの段階に分けたもの
エ　取引データを複数の取引ごとにまとめ，それらを時系列につなげたチェーンに保存することによって取引データの改ざんを検知可能にしたもの

問71 デバイスドライバの説明として，適切なものはどれか。

ア　PCに接続された周辺機器を制御するソフトウェア
イ　アプリケーションプログラムをPCに導入するソフトウェア
ウ　複数のファイルを一つのファイルにまとめたり，まとめたファイルをもとに戻したりするソフトウェア
エ　他のPCに入り込んで不利益をもたらすソフトウェア

解説

問69 RFIDの活用事例

× ア バーコードリーダーの活用事例です。バーコードリーダーは，印刷されたバーコード（JANコードやQRコードなど）を読み取り，データを入力や転送する装置です。

× イ Bluetoothの活用事例です。Bluetoothは，PCと周辺装置，携帯電話機，家電などの接続に使用される無線通信です。

× ウ IrDAの活用事例です。IrDAは赤外線を使った無線通信で，1m程度までの短距離での通信に対応しています。

○ エ 正解です。RFID（Radio Frequency Identification）は，荷物や商品などに付けられた電子タグの情報を無線通信で読み書きする技術です。微小な無線チップ（電子タグ）により，人や物の識別，管理に使用されています。

問70 サイバーキルチェーンに関する説明

× ア サプライチェーンリスクに関する説明です。資材の調達から生産，流通，販売に至る一連の流れをサプライチェーンといいます。サプライチェーンリスクは，この流れに影響を及ぼすリスクのことです。

× イ 中間者（Man-in-the-middle）攻撃に関する説明です。中間者攻撃はクライアントとサーバとの通信の間に不正な手段で割り込み，通信内容の盗聴や改ざんを行う攻撃です。

○ ウ 正解です。サイバーキルチェーンは，サイバー攻撃の段階を「偵察」「武器化」「デリバリー（配送）」「エクスプロイト（攻撃）」「インストール」「遠隔操作」「目的の実行」の7段階に分けて，モデル化したものです。攻撃者の考え方や行動を理解，分析するのに用いられます。

× エ ブロックチェーンに関する説明です。ブロックチェーンは，取引の台帳情報を一元管理するのではなく，ネットワーク上にある複数のコンピュータで同じ内容のデータを保持，管理する分散型台帳技術のことです。

問71 デバイスドライバの説明

○ ア 正解です。デバイスドライバはPCに接続されている周辺装置を管理，制御するソフトウェアです。周辺装置ごとにデバイスドライバが必要で，たとえばPCにプリンタを接続するときは，そのプリンタの機種・型番に合ったデバイスドライバをPCにインストールします。

× イ インストーラーの説明です。インストーラーは，PCにアプリケーションソフトを導入し，使用可能な状態にするソフトウェアです。

× ウ アーカイバの説明です。アーカイバは複数のファイルを1つにまとめたり，もとに戻したりするソフトウェアです。

× エ マルウェアの説明です。マルウェアは，コンピュータウイルスやスパイウェアなど，悪意のあるプログラムの総称です。

電子タグ 問69

ICチップを埋め込んだタグ（荷札）のこと。ICタグやRFIDタグ，RFタグなどとも呼ばれる。

問70

参考 キルチェーン（kill Chain）は，もともとは軍事用語で，負の連鎖を断ち切ることを意味するよ。

問71

参考 PCに周辺機器を接続したとき，自動的にデバイスドライバの組込みや設定が行われる機能を「プラグアンドプレイ」というよ。

解答

問69 エ　問70 ウ
問71 ア

問72

X営業所には4名の営業担当者がいる。各担当者の個人売上目標額は，全体の売上目標額を，各担当者の職能に営業活動占有度を乗じた値に比例させて，決めている。セルB4に計算式“B2*B3”を入力し，セルC4～E4に複写する。同様にセルB5にある計算式を入力し，セルC5～E5に複写して個人売上目標額を計算する場合，セルB5に入れるべき計算式はどれか。ここで，セルF2に入力されている値は，X営業所の売上目標額とする。

	A	B	C	D	E	F
1		A君	B君	C君	D君	営業所売上目標額
2	職能	1.0	1.5	1.6	2.0	2,500,000
3	営業活動占有度	0.90	0.80	0.75	0.75	
4						
5	個人売上目標額					

ア　B4／合計($B4～$E4)＊$F2

イ　B4／合計(B$4～E$4)＊F$2

ウ　B4／合計(B4～$E4)＊$F2

エ　B4／合計(B4～E$4)＊F$2

問73

セキュリティバイデザインの説明はどれか。

ア　開発済みのシステムに対して，第三者の情報セキュリティ専門家が，脆弱性診断を行い，システムの品質及びセキュリティを高めることである。

イ　開発済みのシステムに対して，リスクアセスメントを行い，リスクアセスメント結果に基づいてシステムを改修することである。

ウ　システムの運用において，第三者による監査結果を基にシステムを改修することである。

エ　システムの企画・設計段階からセキュリティを確保する方策のことである。

解説

問72 表計算ソフトでセルに入れる計算式

本問では，セルB5に入力する正しい計算式を選択します。選択肢ア～エを確認すると，計算とセル参照は全て同じで，「$」の位置だけが異なるので，「$」を付ける正しい位置がどこかを考えます。

「$」は計算式をコピー（複写）したとき，固定しておきたい行番号や列番号に付けます。計算式をコピーすると，コピーした位置に合わせて，計算式のセル参照が自動調整され，行番号や列番号が変更されます。「$B4」や「B$4」のように指定すると，「$」を付けた行番号や列番号はコピーしても変更されません。

セルB5の計算式は，A君の個人売上目標額を求めるものです。この計算式をセルC5～E5にコピーし，B君，C君，D君の個人売上目標額も求めます。このとき，4人とも，「合計関数の引数であるセルB4～E4」と「営業所売上目標額のセルF2」を計算に使います（下の図を参照)。

	A	B	C	D	E	F
1		A君	B君	C君	D君	営業所売上目標額
2	職能	1.0	1.5	1.6	2.0	2,500,000
3	営業活動占有度	0.90	0.80	0.75	0.75	
4		B2*B3	C2*C3	D2*D3	E2*E3	
5	個人売上目標額					

「$」を付けずに計算式を入力してセルC5～E5にコピーすると，横方向へのコピーなので列番号が変更されます。そこで，これらのセルの列番号に「$」を付けて，コピーしても変更されないようにします。

セルB5に入力する計算式

B4／合計($B4～$E4)＊$F2

コピーしても列番号が変更されないように，「$」を付けて固定する

したがって，セルB5に入力する計算式は「B4／合計($B4～$E4)*$F2」になります。よって，正解はアです。

問73 セキュリティバイデザインの説明

セキュリティバイデザイン（Security by Design）は，システムや製品などを開発する際，開発初期の企画・設計段階からセキュリティを確保する方策のことです。IoTシステムなどの設計，構築及び運用に際しての基本原則とされています。

選択肢ア～エを確認すると，エがセキュリティバイデザインの説明に該当します。よって，正解はエです。

問72

対策 表計算ソフトの数式のルールは，Excelなどのアプリと同じだよ。「$」の付け方に自信がないときは，実際にアプリで試してみるといいよ。

覚えよう！

問73

セキュリティバイデザインといえば
企画・設計段階からセキュリティを確保する方策

解答

問72 ア　問73 エ

問74

IoTエリアネットワークの通信などに利用されるBLEは，Bluetooth4.0で追加された仕様である。BLEに関する記述のうち，適切なものだけを全て挙げたものはどれか。

a　一般的なボタン電池で，半年から数年間の連続動作が可能なほどに低消費電力である。
b　最大で数十Kmの通信が可能な広域性を有し，Wi-Fiのアクセスポイントとも通信ができる。
c　従来の規格であるBluetooth3.0以前と互換性がない。

ア　a　　イ　a，b　　ウ　a，c　　エ　b，c

問75

クリプトジャッキングに該当するものはどれか。

ア　PCにマルウェアを感染させ，そのPCのCPUなどが有する処理能力を不正に利用して，暗号資産の取引承認に必要となる計算を行い，報酬を得る。
イ　暗号資産の取引所から利用者のアカウント情報を盗み出し，利用者になりすまして，取引所から暗号資産を不正に盗みとる。
ウ　カード加盟店に正規に設置されている，カードの磁気ストライプの情報を読み取る機器から，カード情報を窃取する。
エ　利用者のPCを利用できなくし，再び利用できるようにするのと引換えに金銭を要求する。

問76

関係データベースの“商品”表から価格が100円以上の商品の行（レコード）だけを全て抽出する操作を何というか。

商品

商品番号	商品名	価格（円）
S001	はさみ	200
S002	鉛筆	50
S003	ノート	120
S004	消しゴム	80
S005	定規	150

ア　結合　　イ　射影　　ウ　選択　　エ　和

解説

問74 BLEに関する記述

BLE（Bluetooth Low Energy）は，Bluetoothのバージョン4.0から追加された通信方式です。省電力かつ低コストであることから，IoTで活用されています。a～cについて，BLEについて適切かどうかを判定すると，次のようになります。

○ a　適切です。「Low Energy」という名前の通り，低消費電力の無線通信です。
× b　BLEの通信距離は最大で数100mです。また，Wi-Fiは，BluetoothやBLEとは異なる無線通信技術です。
○ c　適切です。BLEは従来のBluetoothの通信方式と互換性がありません。

適切な記述はaとcです。よって，正解は ウ です。

問75 クリプトジャッキングに該当するもの

○ ア　正解です。クリプトジャッキングは，マルウェアなどで他人のコンピュータを勝手に使って，暗号資産（仮想通貨）をマイニングする行為です。
× イ　アカウント情報を盗み出し，利用者になりすますことは，クリプトジャッキングとは関係のない行為です。
× ウ　スキミングに該当します。スキミングは，他人のクレジットカードやキャッシュカードなどから不正に情報を盗み取ることや，その情報をもとに偽造カードを作って不正利用する犯罪行為です。
× エ　ランサムウェアに該当します。ランサムウェアは，感染したPC内のファイルやシステムを暗号化して使用不能にし，もとに戻すため代金を要求する不正プログラムです。

問76 関係データベースの表から行（レコード）を抽出する操作

関係データベースでは，複数の表でデータを蓄積，管理しています。表からデータを取り出す操作として，行（レコード）を抽出する選択，列（フィールド）を抽出する射影，複数の表を結び付ける結合などがあります。

商品番号	商品名	価格（円）
S001	はさみ	200
S002	鉛筆	50
S003	ノート	120
S004	消しゴム	80
S005	定規	150

➡

商品番号	商品名	価格（円）
S001	はさみ	200
S003	ノート	120
S005	定規	150

価格が100円以上の商品の行を抽出している

本問で，価格が100円以上の商品の行を抽出する操作なので「選択」です。よって，正解は ウ です。

問74

対策 IoTで活用される無線通信技術で，数十kmまでの範囲で無線通信が可能な広域性と省電力性を備えるものLPWA（Low Power Wide Area）というよ。過去問題で出題されているので覚えておこう。

マイニング 問75

暗号資産の取引に関連する情報をPC などを使って計算し，その取引を承認する行為のこと。膨大な量の計算が必要となるため，その報酬として暗号資産を得られる。

覚えよう！ 問76

表の操作 といえば
- 選択：行（レコード）の抽出
- 射影：列（項目）の抽出
- 結合：表の結合

解答

問74 ウ　問75 ア
問76 ウ

問77 インターネットのドメイン名とIPアドレスを対応付ける仕組みはどれか。

ア DNS　イ NTP　ウ WPA　エ DHCP

問78 3Dセキュア2.0（EMV 3-Dセキュア）は，オンラインショッピングにおけるクレジットカード決済時に，不正取引を防止するための本人認証サービスである。3Dセキュア2.0で利用される本人認証の特徴はどれか。

ア 利用者がカード会社による本人認証に用いるパスワードを忘れた場合でも，安全にパスワードを再発行することができる。
イ 利用者の過去の取引履歴や決済に用いているデバイスの情報から不正利用や高リスクと判断される場合に，カード会社が追加の本人認証を行う。
ウ 利用者の過去の取引履歴や決済に用いているデバイスの情報にかかわらず，カード会社がパスワードと生体認証を併用した本人認証を行う。
エ 利用者の過去の取引履歴や決済に用いているデバイスの情報に加えて，操作しているのが人間であることを確認した上で，カード会社が追加の本人認証を行う。

問79 特定のサービスやシステムから流出した認証情報を攻撃者が用いて，認証情報を複数のサービスやシステムで使い回している利用者のアカウントへのログインを試みる攻撃はどれか。

ア パスワードリスト攻撃　イ ブルートフォース攻撃
ウ フットプリンティング　エ ゼロデイ攻撃

問77 ドメイン名とIPアドレスを対応付ける仕組み

○ ア 正解です。ネットワークにおいてIPアドレスとドメイン名の対応付けを行う仕組みをDNS（Domain Name System）といいます。

IPアドレス 209.165.3.4	⟷	ドメイン名 example.co.jp

ネットワークに接続したコンピュータには，IPアドレスというネットワーク上の住所にあたる番号が割り振られます。人間がIPアドレスを扱いやすくするため，IPアドレスを文字列で表したものを**ドメイン名**といいます。通信を行うときには，DNSの働きによって，IPアドレスとドメイン名が対応付けられます。

× イ NTPは，コンピュータの内部時計を，基準になる時刻情報をもつサーバとネットワークを介して同期させるプロトコルです。

× ウ WPAは無線LANの暗号化方式です。

× エ DHCPは，インターネットに接続するコンピュータに対して，自動的にIPアドレスなどの必要な情報を割り当てる仕組み（プロトコル）です。

IPアドレス 問77

ネットワークに接続しているコンピュータや通信装置に割り振られる識別番号。接続している機器を特定できるように，1台1台に重複しない番号が付けられる。

問78 3Dセキュア2.0で利用される本人認証の特徴

3Dセキュア2.0（EMV 3-Dセキュア）は，インターネット上でクレジットカード決済を行うとき，第三者によるクレジットカードの不正利用を防止するための本人認証サービスです。

リスクベース認証によって，利用者の過去の取引履歴や決済に使うデバイスの情報から不正利用や高リスクと判断される場合は，追加の本人認証が行われます。これより，選択肢 ア～エ を確認すると，イ が3Dセキュア2.0で利用される本人認証の特徴として適切です。よって，正解は イ です。

問78

参考 以前の3Dセキュア1.0では，オンラインでの全てのクレジットカード決済においてIDやパスワードによる本人認証が行われていたよ。
新しいバージョンの3Dセキュア2.0から，不正利用の疑いが高いときだけ認証を求める「リスクベース認証」が導入されたよ。

問79 使い回しているアカウントへのログインを試みる攻撃

○ ア 正解です。パスワードリスト攻撃は，複数のサービスやシステムで，ユーザーが同じ認証情報（ログインIDやパスワード）を使っていることを利用した攻撃です。たとえば，あるネットショップでの認証情報が流出すると，これ以外のサービスやシステムにも，不正にログインすることが可能になってしまいます。

× イ ブルートフォース攻撃は，考えられる文字と数字の組合せを次々と試して，パスワードを破ろうとする攻撃です。総当たり攻撃ともいいます。

× ウ フットプリンティングは，サイバー攻撃を行う前に，攻撃者がコンピュータやネットワークの弱点や攻撃の足掛かりを調べる事前準備のことです。

× エ ゼロデイ攻撃は，OSやソフトウェアに脆弱性（セキュリティホール）があることが判明したとき，その修正プログラムや対処法がベンダーから提供される前に，その脆弱性を突いて行われる攻撃です。

問79

参考 ゼロデイ攻撃の「ゼロデイ」（zero day）は「0日」のことだよ。脆弱性が発見され，その対処策が行われるのを1日目とした場合，それより前の0日に行われる攻撃，ということを表しているよ。

解答

問77 ア　問78 イ
問79 ア

□□□ **問80** Xさんは，Yさんにインターネットを使って電子メールを送ろうとしている。電子メールの内容を秘密にする必要があるので，公開鍵暗号方式を用いて暗号化して送信したい。そのときに使用する鍵はどれか。

ア Xさんの公開鍵　　イ Xさんの秘密鍵
ウ Yさんの公開鍵　　エ Yさんの秘密鍵

□□□ **問81** ディスプレイ画面の表示では，赤・緑・青の3色を基に，加法混色によって様々な色を作り出している。赤色と緑色と青色を均等に合わせると，何色となるか。

ア 紫　　イ 黄緑　　ウ 白　　エ 黒

□□□ **問82** 1GHzのクロックで動作するCPUがある。このCPUは，機械語の1命令を平均0.8クロックで実行できることが分かっている。このCPUは1秒間に平均何万命令を実行できるか。

ア 125　　イ 250　　ウ 80,000　　エ 125,000

解説

問80 公開鍵暗号方式で暗号化に使用する鍵

公開鍵暗号方式は，公開鍵と秘密鍵という2種類の鍵を使って，暗号化と復号を行います。たとえば，Yさんの公開鍵で暗号化した暗号文は，Yさんの秘密鍵で復号します。復号できるのはペアとなる鍵だけなので，秘密鍵は本人（Yさん）だけが保持しておき，公開鍵は不特定多数の人に公開してもかまいません。

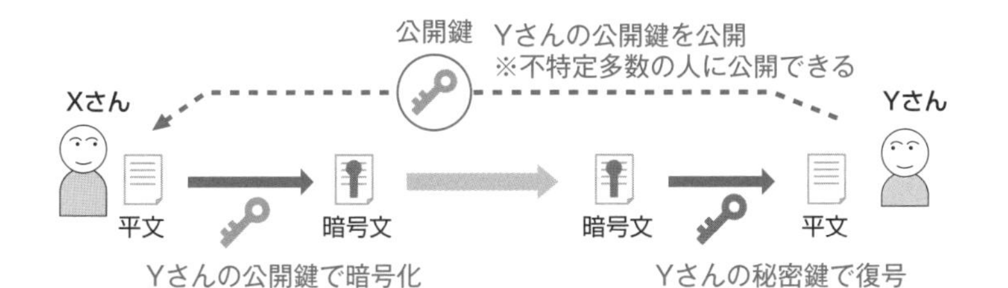

これより，XさんからYさんに電子メールを送る場合，「Yさんの公開鍵」を使って，メールの内容を暗号化して送信します。よって，正解は ウ です。

問81 ディスプレイ画面における色の表示

ディスプレイ画面の表示では，赤，緑，青の3色を発光させて重ね合わせることによって様々な色を作り出します。この3色は**光の三原色**と呼ばれます。

たとえば，赤と緑を合わせると黄になり，色の明るさの調整によって橙色や黄緑色などの関連する色も表せます。このように色を表現することを**加法混色**といい，赤，緑，青の3色を均等に重ね合わせると白色になり，3色のどれも発光していないと黒になります。よって，正解は ウ です。

問82 CPUが1秒間に実行できる命令の数の算出

コンピュータ内部で処理の同期をとるために，CPUが1秒間に発生させる信号の回数を**クロック周波数**といいます。問題文の「1GHzのクロックで動作するCPU」より，このCPUのクロック周波数は1GHzで，1秒間に10^9クロックが発生することになります。

※「1GHz」のG（ギガ）は10^9を示す接頭語で，1G＝10^9です。

1命令を平均0.8クロックで実行できるので，次のようにCPUが1秒間にできる命令実行の数を計算します。

10^9クロック÷0.8クロック ＝ 1,000,000,000クロック÷0.8クロック
＝ 100,000万クロック ÷0.8クロック
＝ **125,000万回**

よって，正解は エ です。

暗号化と復号 問80

暗号化は，第三者が解読できないように，一定の規則にしたがってデータを変換すること。復号は，暗号化したデータを元に戻すこと。

平文（ひらぶん） 問80

暗号化していないデータのこと。

問81

参考 プリンターや絵の具などでは，「色の三原色」と呼ばれる，シアン，マゼンタ，イエローの3色をもとに，減法混色によって色を表現するよ。

問82

対策 G（ギガ）などの接頭語は，値の小さな数や大きな数を表現するときに使うよ。接頭語についても出題されているので，種類を確認して覚えておこう。

解答

問80 ウ 問81 ウ
問82 エ

問83

情報セキュリティのリスクマネジメントにおいて，リスクの重大さを決定するために，算定されたリスクを与えられた基準と比較するプロセスはどれか。

ア　リスク対応
イ　リスクの特定
ウ　リスク評価
エ　リスク分析

問84

関数maximumは，異なる三つの整数を引数で受け取り，そのうち最大値を返す。プログラム中の［ a ］に入れる字句として，適切なものはどれか。

〔プログラム〕

```
○整数型: maximum（整数型: x，整数型: y，整数型: z）
  if（ [ a ] ）
    return x
  elseif（y > z）
    return y
  else
    return z
  endif
```

ア　x > y
イ　x > y and x > z
ウ　x > y and y > z
エ　x > z

解説

問83 情報セキュリティのリスクマネジメント

情報セキュリティにおけるリスクマネジメントは，情報資産に対するリスクについて，リスクの除去やリスク発生率の低減，発生した場合の損害を最小限に抑えるようにするために行う一連の取組みです。リスクマネジメントで行うプロセスには次のようなものがあり，上から順番に実施します。

①リスク特定	情報の機密性，完全性，可用性の喪失に伴うリスクを特定し，リスクの一覧を作成する。
②リスク分析	特定したリスクについて，リスクが実際に生じた場合に起こり得る結果とリスクの発生頻度を分析し，リスクレベルを決定する。
③リスク評価	リスクレベルとリスク基準を比較し，リスクの優先順位付けを行う。
④リスク対応	リスク分析・リスク評価の結果に基づいて，リスクへの具体的な対策を決定する。

これより，算定されたリスクを与えられた基準と比較するプロセスは，**ウ**の「リスク評価」です。よって，正解は**ウ**です。

問84 擬似言語

このプログラムは，異なる三つの整数を受け取り，その中から最大値を返すものです。まず，2行目のifで（ a ）の条件を判定し，条件を満たす場合と，満たさない場合で異なる処理を行います。3行目に「return x」とあるので，条件を満たす場合はxが出力されます。

条件を満たさない場合，4行目のelseifの処理が行われます。「y > z」という条件を判定し，条件を満たす場合は「y」が出力されます。そして，条件を満たさない場合は「z」が出力されます。

後からのelseifの処理でyとzを比べて最大値になる方を決定しているので，先のifの処理でxがyより大きく，zよりも大きいことを判定しておく必要があります。したがって， a には「x > y and x > z」という条件を指定します。よって，正解は**イ**です。

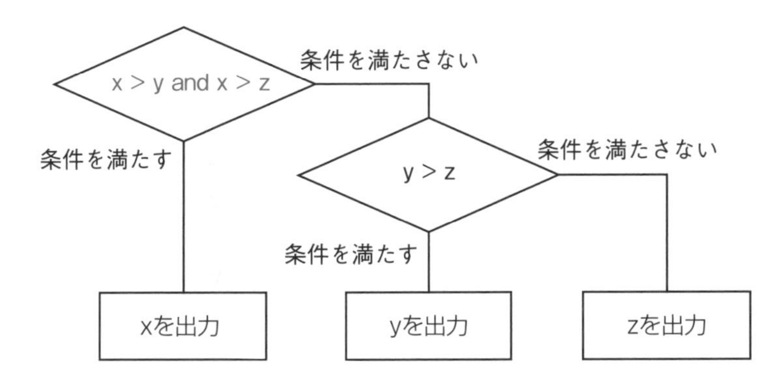

問83

対策 リスク特定，リスク分析，リスク評価のプロセス全体を指して「リスクアセスメント」というよ。出題されたことがあるので覚えておこう。

問84

参考 ifからendifは選択処理だよ。条件が複数あるときは，ifとendifの間に「elseif」を記述することで，条件と処理を追加できるよ。

elseifの記述例

```
if（条件式1）
  処理1
elseif（条件式2）
  処理2
elseif（条件式3）
  処理3
else
  処理4
endif
```

解答

問83 **ウ**　問84 **イ**

問85 情報セキュリティの文書を詳細化の順に上から並べた場合，①～③に当てはまる用語の組合せとして，適切なものはどれか。

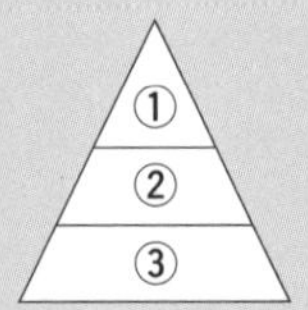

	①	②	③
ア	基本方針	実施手順	対策基準
イ	基本方針	対策基準	実施手順
ウ	対策基準	基本方針	実施手順
エ	対策基準	実施手順	基本方針

問86 DBMSにおいて，複数のトランザクション処理プログラムが同一データベースを同時に更新する場合，論理的な矛盾を生じさせないために用いる技法はどれか。

ア レプリケーション
イ NoSQL
ウ コミット
エ 排他制御

解説

問85 情報セキュリティの文書

企業や組織の情報セキュリティに関する取組みを規定した文書として，次のようなものがあります。

情報セキュリティ基本方針	情報セキュリティの目標や目標達成のためにとるべき行動などを規定する。
情報セキュリティ対策基準	基本方針で定めた事項に基づいて，実際に適用する規則やその適用範囲，対象者などを規定する。
情報セキュリティ実施手順	対策基準で規定した事項を実施するに当たって，「どのように実施するか」という具体的な手順を記載する。

これらの文書は「基本方針」を最上位とした階層構造になっています。まず，経営層が立てた「基本方針」をもとに，「対策基準」を策定します。その後，「対策基準」をもとにして，現場で実施する「実施手順」を作成します。

したがって，①は基本方針，②は対策基準，③は実施手順になります。よって，正解は イ です。

問86 データベースの更新で矛盾を生じさせないための技法

DBMS（DataBase Management System）は，データベースを管理，運用するためのシステムです。**データベース管理システム**ともいい，データベースを安全かつ効率よく利用するための様々な機能を備えています。

× ア レプリケーションはDBMSの機能の1つで，別のサーバにデータの複製を作成し，同期をとる機能です。

× イ NoSQLは，従来からよく使われている関係データベース以外の，データベース管理システムの総称です。

× ウ コミットは，トランザクションが正常に処理されたときに，データベースの内容を確定させることです。

○ エ 正解です。**排他制御**は，データへの同時アクセスによる矛盾の発生を防止し，データの一貫性を保つための機能です。たとえば，データ更新などの操作中，別の利用者が同一のデータを使うと支障が生じることがあります。このようなとき，排他制御の機能によって，一方の操作が完了するまで，他からのアクセスを制限します。

問85

対策 それぞれの文書の概要を確認しておこう。階層構造であることを覚えておくと，文書の意義や関連性を把握しやすいよ。

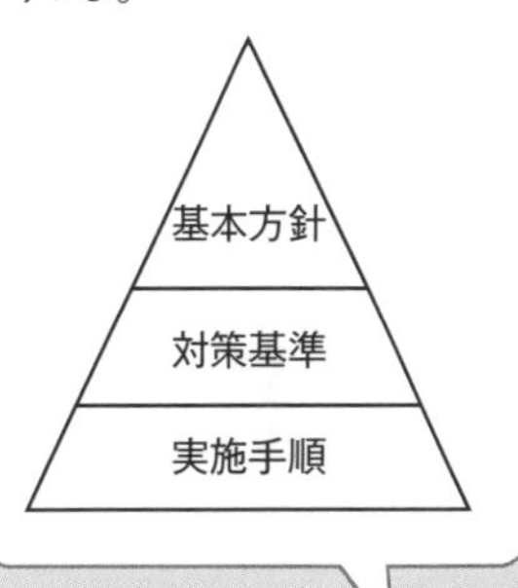

問85

参考 企業や組織の情報セキュリティに関する取組みを包括的に規定した文書を「情報セキュリティポリシー」というよ。

トランザクション処理 問86

関連する一連の処理を，1つの単位にまとめて処理すること。データベースの更新では，データの整合性を保持するために，トランザクション処理を行う。

解答

問85 イ 問86 エ

問87 アクセシビリティを説明したものはどれか。

ア 住民基本台帳の情報をコンピュータネットワークで管理することによって，住民サービスの向上と行政事務処理の合理化を図ること

イ PC，携帯電話，情報家電などの様々な情報機器が，社会の至る所に存在し，いつでもどこでもネットワークに接続できる環境のこと

ウ 製品や食料品など，生産段階から最終消費段階又は廃棄段階までの全工程について，履歴の追跡が可能であること

エ ソフトウェアや情報サービス，Webサイトなどを，高齢者や障害者を含む誰もが利用可能であること

問88 コンピュータを2台用意しておき，現用系が故障したときは，現用系と同一のオンライン処理プログラムをあらかじめ起動して待機している待機系のコンピュータに速やかに切り替えて，処理を続行するシステムはどれか。

ア シンプレックスシステム
イ デュアルシステム
ウ マルチプロセッサシステム
エ ホットスタンバイシステム

問89 全文検索型検索エンジンの検索データベースを作成する際に用いられ，Webページを自動的に巡回・収集するソフトウェアはどれか。

ア RSS
イ クローラ
ウ SEOポイズニング
エ バックドア

解説

問87 アクセシビリティを説明したもの

× ア 住民基本台帳ネットワークシステムの説明です。氏名や生年月日などの本人確認情報を，全国どこの市区町村からでも共通で引き出せるようにしたシステムで，住基ネットともいいます。

× イ ユビキタスネットワークの説明です。ユビキタスネットワークは，いつでも，どこからでも利用することができるネットワーク環境のことです。

× ウ トレーサビリティの説明です。トレーサビリティは，製品や食料品などの生産・流通に関する履歴情報を記録し，あとから追跡できるようにすることです。

○ エ 正解です。アクセシビリティは，年齢や身体障害の有無に関係なく，誰でも容易にIT機器やソフトウェア，Webページなどを利用できることや，その度合いを表す用語です。

問88 故障したときに待機系のコンピュータに切り替えるシステム

× ア シンプレックスシステムは，CPUなどの処理装置が二重化されていない，1系統だけのシステムです。

× イ デュアルシステムは，2つのシステムで同じ処理を行い，結果を相互にチェックすることで結果の信頼性を保証するシステムです。

× ウ マルチプロセッサシステムは，1台のコンピュータに複数のマイクロプロセッサを搭載し，処理性能の向上を図るシステムです。

○ エ 正解です。主系と従系を準備しておき，主系に障害が発生したときは従系に切り替えるシステムをデュプレックスシステムといい，主系が起動して待機しているホットスタンバイと，起動せずに待機しているコールドスタンバイがあります。

問89 Webページを自動的に巡回・収集するソフトウェア

× ア RSSはWebサイトの見出しや要約などを簡単にまとめ，配信するための文書形式の総称です。

○ イ 正解です。クローラは，インターネット上のあらゆるWebページを自動的に巡回して情報を収集し，その情報から検索用データベースを作成するソフトウェアです。

× ウ SEOポイズニングは，Webサイトを検索した際，検索結果の上位に悪意のあるサイトが並ぶように細工する攻撃です。

× エ バックドアは，攻撃者がコンピュータに不正侵入するために，仕掛けた入り口（侵入経路）のことです。

問87

参考 アクセシビリティが確保されて利用しやすいときは「アクセシビリティが高い」というよ。

問88

対策 デュアルシステムやデュプレックスシステムはよく出題されているよ。それぞれの特徴を覚えておこう。

検索エンジン 問89

インターネット上の情報を検索するシステムやWebサイトのこと。代表的なものとして，GoogleやYahoo!などがある。「サーチエンジン」ということもある。

解答

問87 エ　問88 エ
問89 イ

問90 あるネットワークに属するPCが，別のネットワークに属するサーバにデータを送信するとき，経路情報が必要である。PCが送信相手のサーバに対する特定の経路情報をもっていないときの送信先として，ある機器のIPアドレスを設定しておく。この機器の役割を何と呼ぶか。

ア デフォルトゲートウェイ
イ ネットワークインタフェースカード
ウ ハブ
エ MACアドレス

問91 情報セキュリティの機密性を直接的に高めることになるものはどれか。

ア 一日の業務の終了時に機密情報のファイルの操作ログを取得し，漏えいの痕跡がないことを確認する。
イ 機密情報のファイルにアクセスするときに，前回のアクセス日付が適正かどうかを確認する。
ウ 機密情報のファイルはバックアップを取得し，情報が破壊や改ざんされてもバックアップから復旧できるようにする。
エ 機密情報のファイルを暗号化し，漏えいしても解読されないようにする。

解説

問90 送信先としてIPアドレスを設定しておく機器の役割

○ ア 正解です。デフォルトゲートウェイは，社内LANなどの内部のネットワークから外部のネットワークに通信するとき，出入り口の役割を果たすものです。一般的にはルーターがデフォルトゲートウェイの役割を担い，そのIPアドレスをデフォルトゲートウェイに設定しておきます。

× イ ネットワークインタフェースカードは，ネットワークに接続するためにPCなどに装着する機器です。

× ウ ハブは，コンピュータなどの機器をネットワークに接続する集線装置です。複数のポートがあり，そこにケーブルを差し込むことで，ネットワークに接続する機器の台数を増やすことができます。

× エ MACアドレスは，ネットワークに接続する機器が個別にもっている番号です。製造時，1台1台に異なる番号が付けられます。

ルーター 問90

LAN同士やLANとインターネットを接続するための機器。データの宛先のIPアドレスを識別して，最適な通信経路を選択するルーティング機能をもつ。

問91 情報セキュリティの機密性を直接的に高めるもの

情報セキュリティとは，情報の機密性，完全性，可用性を維持することで，これらを情報セキュリティの3要素といいます。

機密性	許可された人のみがアクセスできる状態のこと。 機密性を損なう事例には，不正アクセスや情報漏えいがある。
完全性	内容が正しく，完全な状態で維持されていること。 完全性を損なう事例には，データの改ざんや破壊，誤入力がある。
可用性	必要なときに，いつでもアクセスして使用できること。 可用性を損なう事例には，システムの故障や障害の発生がある。

× ア，イ 機密情報の漏えいがあったかどうかを確認していますが，漏えい自体を防止する対策ではないので，機密性を直接的に高めることにはなりません。

× ウ バックアップから復旧できるようにすることは，完全性を高めることになります。

○ エ 正解です。ファイルを暗号化し，情報漏えいを防止することは，機密性を直接的に高めることです。

問91

対策 情報セキュリティの3要素はよく出題されているよ。3つの要素の特徴を覚えておこう。

解答

問90 ア 問91 エ

問92 大量のデータを人間の脳神経回路を模したモデルで解析することによって，コンピュータ自体がデータの特徴を抽出，学習する技術を何というか。

ア アダプティブラーニング
イ 過学習
ウ ディープラーニング
エ データマイニング

問93 世界の主要な言語で使われている文字を一つの文字コード体系で取り扱うための規格はどれか。

ア ASCII
イ EUC
ウ シフトJIS
エ Unicode

問94 情報セキュリティ対策のクリアデスクに該当するものはどれか。

ア PCのデスクトップ上のフォルダなどを整理する。
イ PCを使用中に離席した場合，一定時間経過すると，パスワードで画面ロックされたスクリーンセーバに切り替わる設定にしておく。
ウ 帰宅時，書類やノートPCを机の上に出したままにせず，施錠できる机の引出しなどに保管する。
エ 机の上に置いたノートPCを，セキュリティワイヤーで机に固定する。

解説

問92 コンピュータ自体がデータの特徴を抽出，学習する技術

× ア アダプティブラーニング（Adaptive Learning）は，学習者1人ひとりの理解度や進捗に合わせて，学習内容や学習レベルを調整して提供する教育手法です。

× イ AIにおいて過学習は，学習データに過度に適合した学習をしたことにより，未知のデータに対しては精度が低くなってしまうことです。

○ ウ 正解です。ディープラーニング（Deep Learning）はAI の機械学習の一種で，人間の脳神経回路を模したモデル（ニューラルネットワーク）によって，コンピュータ自体がデータの特徴を抽出，学習する技術です。

× エ データマイニングは，蓄積された大量のデータから，統計やパターン認識などを用いることによって，規則性や関係性を導き出す手法です。

問92

対策「ニューラルネットワーク」についても出題されているよ。ディープラーニングとあわせて覚えておこう。

問93 文字コード体系

× ア ASCIIは，ANSI（米国規格協会）が制定した文字コードです。7ビットで英数字や記号の1文字を表し，それに1ビットの誤り訂正用の符号を加えて，半角英数字を表します。日本語は扱えません。

× イ EUCは「Extended UNIX Code」の略で，UNIXコンピュータで使われている文字コードです。日本語は扱えますが，世界中の文字には対応していません。

× ウ シフトJISは，日本産業規格（JIS）が制定した日本語に対応した文字コードです。

○ エ 正解です。Unicodeは日本語を含め，世界で使われている文字を1つのコード体系で扱う文字コードです。

文字コード 問93

コンピュータで文字を扱うために，1つひとつの文字に割り当てられた番号。複数の種類があり，文字コードの種類によって，文字に割り当てられる番号は異なる。

問94 情報セキュリティ対策のクリアデスクに該当するもの

クリアデスクは，席を離れるときや帰宅するとき，机の上にPCや書類などを放置しておかないことです。出したままにしている場合，紛失や盗難などによる情報漏えいのおそれがあります。

× ア クリアデスクは実際の机に対することで，PCのデスクトップ画面を整理することはクリアデスクに該当しません。

× イ クリアスクリーンに該当することです。クリアスクリーンは，離席時などに，他の人が画面をのぞき見したり，PCを操作したりするのを防ぐ対策です。

○ ウ 正解です。帰宅時，書類やノートPCを机の上に出したままにせず，施錠できる机の引出しに保管することは，クリアデスクに該当します。

× エ クリアデスクでは，ノートPCなどの持ち運びできるものは鍵付きの机の引出しやロッカーに入れるようにします。

スクリーンセーバ 問94

コンピュータを一定時間，操作しないでいるとき，画面上に動く模様や図形などを表示する機能。

セキュリティワイヤー 問94

盗難や不正な持ち出しを防止するため，ノートPCなどのハードウェアを柱や机などに固定するための器具。

解答

問92 ウ　問93 エ
問94 ウ

問95 トランザクションが，データベースに対する更新処理を完全に行うか，全く処理しなかったかのように取り消すか，のどちらかの結果になることを保証する特性はどれか。

ア 一貫性（consistency）
イ 原子性（atomicity）
ウ 耐久性（durability）
エ 独立性（isolation）

問96 OSS（Open Source Software）に関する記述のうち，適切なものはどれか。

ア ソースコードは，一般利用者に開示されていない。
イ ソートコードを再配布してはいけない。
ウ 著作権は放棄されていない。
エ 有償で販売してはならない。

問97 入力画面の設計方針として，適切なものはどれか。

ア 画面の操作性を向上させるために，関連する入力項目は隣接するように配置する。
イ 初心者でも操作が容易になるように，コマンド入力方式を採用する。
ウ 入力の誤りに対するエラーメッセージは，“入力が誤っています”に統一する。
エ 利用者の操作が容易になるように，入力画面には詳細な使用方法を表示する。

解説

問95 データベースが持つ特性

選択肢ア～エの用語は，データベースのトランザクション処理において必要とされる**ACID特性**の4つの性質です。

原子性 (Atomicity)	トランザクションは，完全に実行されるか，全く実行されないか，どちらかでなければならない。
一貫性 (Consistency)	整合性の取れたデータベースに対して，トランザクション実行後も整合性が取れている。
独立性 (Isolation)	同時実行される複数のトランザクションは互いに干渉しない。
耐久性 (Durability)	いったん終了したトランザクションの結果は，その後，障害が発生しても，結果は失われずに保たれる。 ※永続性と呼ばれる場合もある。

「更新処理を完全に行うか，全く処理しなかったように取り消すか，のどちらかの結果になること」を保証する特性は，イの「原子性（atomicity)」が適切です。よって，正解はイです。

問96 OSS（Open Source Software）に関する記述

OSS（Open Source Software）は，ソフトウェアのソースコードが無償で公開され，ソースコードの改変や再配布も認められているソフトウェアのことです。**オープンソースソフトウェア**ともいいます。

× ア OSSのソースコードは一般に公開されています。

× イ OSSのソースコードの再配布は禁止されていません。

○ ウ 正解です。OSSの著作権は放棄されていません。また，ライセンス条件で「再頒布のときには著作権表示をする」と定められている場合もあります。

× エ OSSは有償で販売することができます。

問97 入力画面の設計方針

○ ア 正解です。関連する入力項目を隣接して配置すると，入力項目を把握しやすくなり，効率よく入力できます。

× イ コマンド入力では，コンピュータへの命令をキーボードから文字列を入力して行います。初心者の場合，コマンド入力よりも，マウスなどで操作できるGUIの方が適しています。

× ウ 入力の誤りによって，どのように誤っているのかを，通知するようなエラーメッセージにします。

× エ 入力画面に詳細な使用方法を表示すると，見にくく，使いづらくなります。画面には最小限の説明だけを表示し，利用者が画面上で操作方法を調べることができるヘルプや操作ガイダンスを用意します。

問95

参考「ACID」は，4つの性質の頭文字を集めたものだよ。

覚えよう！ 問95

ACID特性 といえば
- 原子性
- 一貫性
- 独立性
- 耐久性

問96

参考 OSSには様々なライセンス形態があり，利用するときには示されたライセンスに従う必要があるよ。

GUI（Graphical User Interface） 問97

画面に表示されたアイコンやボタンを，マウスなどを使って操作するヒューマンインタフェースのこと。グラフィカルに表示されるので，わかりやすく直感的に操作できる。

解答

問95 イ 問96 ウ
問97 ア

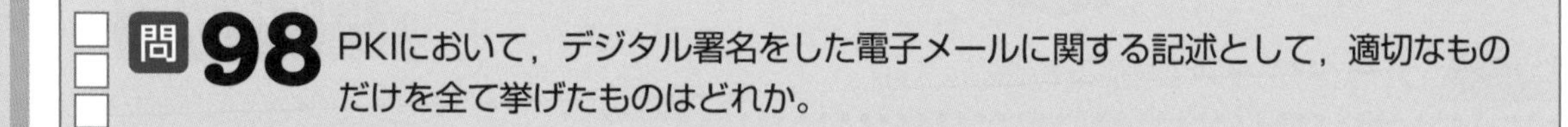

問98 PKIにおいて，デジタル署名をした電子メールに関する記述として，適切なものだけを全て挙げたものはどれか。

a　送信者が本人であるかを受信者が確認できる。
b　電子メールが途中で盗み見られることを防止できる。
c　電子メールの内容が改ざんされていないことを受信者が確認できる。

ア　a，b　　イ　a，c　　ウ　b，c　　エ　a，b，c

問99 フルバックアップ方式と差分バックアップ方式を用いた運用に関する記述のうち，適切なものはどれか。

ア　障害からの復旧時に差分バックアップのデータだけ処理すればよいので，フルバックアップ方式に比べ，差分バックアップ方式は復旧時間が短い。
イ　フルバックアップのデータで復元した後に，差分バックアップのデータを反映させて復旧する。
ウ　フルバックアップ方式と差分バックアップ方式を併用して運用することはできない。
エ　フルバックアップ方式に比べ,差分バックアップ方式はバックアップに要する時間が長い。

解説

問98 デジタル署名をした電子メール

デジタル署名は，文書の送信者が確実に本人であることを証明する，公開鍵暗号方式を活用した技術です。文書にデジタル署名を付けて送信することで，なりすましを防げます。また，送信前と送信後の文書から生成したハッシュ値を比べることで，送信途中に文書が改ざんされていないことも確認できます。

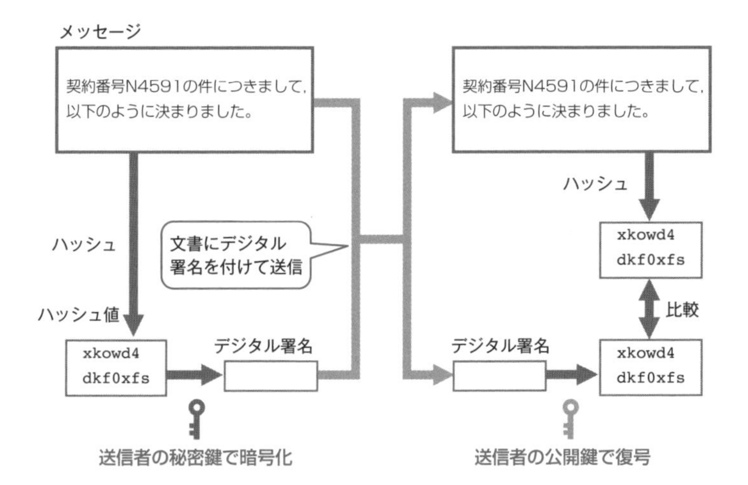

これより，aとcはデジタル署名をした電子メールに関する記述として適切です。bの電子メールが途中で盗み見られることは，デジタル署名で防止できることではありません。適切なものは，aとcです。よって，正解は イ です。

問99 フルバックアップ方式と差分バックアップ方式を用いた運用

フルバックアップ方式は，毎回，全てのデータを保存します。バックアップするデータ量が多く，バックアップにかかる時間が長くなります。

差分バックアップ方式は，前回のフルバックアップ後，変更のあったデータだけを保存します。

× ア 差分バックアップだけでは，全てのデータを復元できません。
○ イ 正解です。フルバックアップのデータを復元したあと，変更のあったデータを差分バックアップで反映させます。
× ウ フルバックアップ方式と差分バックアップ方式は，併用して運用できます。たとえば，日曜日はフルバックアップ，月～土曜は差分バックアップを実行する，といった運用ができます。
× エ フルバックアップの方が保存するデータ量が多いため，差分バックアップよりも時間がかかります。

合格のカギ

PKI 問98
公開鍵暗号方式を利用して，インターネット上での安全な情報のやり取りを実現する仕組みや基盤技術のこと。「Public Key Infrastructure」の略で，公開鍵基盤ともいう。

ハッシュ値 問98
もとになるデータから，ハッシュ関数と呼ぶ一定の計算手順によって求められた値のこと。もとのデータが同じであれば，必ず同じ値が出力されるという特性から，暗号化や改ざんの検知などに利用される。

覚えよう！ 問98

デジタル署名　といえば
- 送信者が本人であることを証明
- メッセージの改ざんを検出

解答
問98 イ　問99 イ

問 100 次のプログラムは，整数型の配列arrayの要素の並びを逆順にする。プログラム中の [a] ，[b] に入れる字句の適切な組合せはどれか。ここで，配列の要素番号は1から始まる。

[プログラム]

```
整数型の配列: array ← {1, 2, 3, 4, 5}
整数型: right, left
整数型: tmp

for (left を 1 から (arrayの要素数 ÷ 2 の商) まで 1 ずつ増やす)
  right ← [ a ]
  tmp ← array [right]
  array [right] ← array [left]
  [ b ] ← tmp
endfor
```

	a	b
ア	array の要素数 − left	array [left]
イ	array の要素数 − left	array [right]
ウ	array の要素数 − left + 1	array [left]
エ	array の要素数 − left + 1	array [right]

解説

問100 擬似言語

このプログラムは，配列array の要素の並びを逆順にするものです。配列は，同じデータ型の値が連続して並ぶデータ構造です。配列の中にあるデータを「要素」といい，要素ごとに要素番号が付けられています。

（例）配列dataArray の要素が｛3，2，1，6，5｝のとき

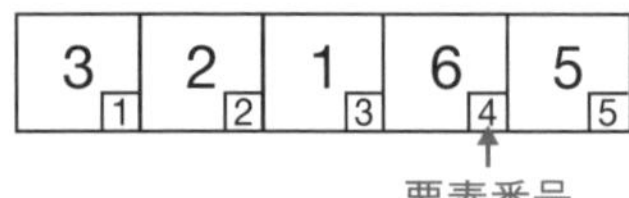

※配列の要素番号が1から始まる場合

逆順は要素の並びを逆にすることで，たとえば 要素が｛3，2，1，6，5｝のときは，｛5，6，1，2，3｝にします。このように配列の要素を逆順にするには，端から順に左右の要素を入れ替えていきます。

端から左右の要素を入れ替える　　並びが逆順になる

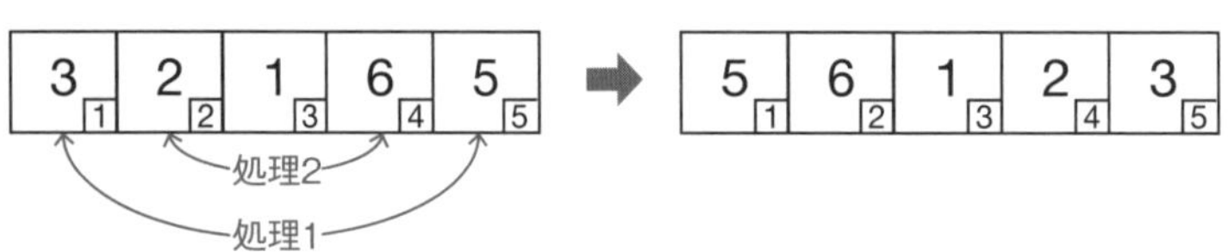

問100

参考 配列は，いくつかの変数を並べたようなものだよ。配列は要素番号を指定することで，その領域に値を出し入れできるよ。たとえば，左の例の配列dataArray の場合，dataArray [4] と指定すると，4番目の要素の「6」を呼び出すよ。

ここからは，プログラムを確認してみます。まず，**1行目では配列arrayが宣言されて，要素は{ 1 , 2 , 3 , 4 , 5 }の5つです。この要素の並びを，プログラムによって逆順の{ 5 , 4 , 3 , 2 , 1 }にします。**2行目と3行目では，整数型の変数right，left，tmpが宣言されています。

4～9行目はfor文の繰返し処理で，forの（　）には「leftを1から（arrayの要素数 ÷ 2の商）まで 1 ずつ増やす」とあります。arrayの要素は5個で，「arrayの要素数 ÷ 2の商」の結果は2であるので，「leftを1から2まで1つずつ増やす」ことになります。これより，変数leftは1から始まって，2までの2回実行されます。

4行目　　for（left を 1 から（arrayの要素数 ÷ 2 の商）まで 1 ずつ増やす）

繰返し処理のうち，6～8行目が要素を入れ替える処理です。2つの変数が代入し合うことでは値が交換されないため，もう1つ別の変数tmpを用います。右端の要素を変数tmpに代入し（「参考」の①），そのあと左端の要素を右端に代入します（②）。そして，変数tmpを左端に代入して，1と5の入れ替えが完了します（③）。同様の操作を繰り返して，2回目の処理では2と4を入れ替えます。

ここからは，[a] と [b] に入れるものを調べます。

1回目の処理では，変数leftは1が入るので，7行目のarray［left］はarray［1］となります。**逆順にするにはarray［1］の要素は，array［5］の要素と入れ替えるので，変数rightは5になっている必要があります。**

7行目　　array［right］← array［left］
　　　　　　　　5　　　　　　　　1

この変数rightは [a] の値が代入されるので，[a] の選択肢で「arrayの要素数」に5，「left」に1を入れて，結果が5になるものを調べます。次のように**「arrayの要素数 － left ＋ 1」が5になるので，ウ と エ が適切です。**

ア と イ　arrayの要素数 － left　　　5－1＝4
ウ と エ　arrayの要素数 － left ＋ 1　5－1+1＝5

[b] には，選択肢よりarray［right］またはarray［left］のどちらかが入ります。変数tmpには6行目で代入したarray[right]が格納されているので，[b] にarray［left］が入ると要素が入れ替わります。したがって，ア と ウ が適切です。

8行目　　[b] ← tmp
　　　　　　　array［right］

以上より，[a] と [b] の正しい組合せは ウ です。よって，正解は ウ です。

問100

参考 2つの変数の値を直接，入れ替えることはできないよ。たとえば，下の図の変数xと変数yの値を入れ替える場合，「x ← y」を行うと，yの値「8」がxの値「5」に上書きされるので，次に「y ← x」を行っても値は交換されないよ。

そこで，作業用の変数が必要になるよ。本問では変数tmpを用意して，次の流れで入れ替えを行っているよ。

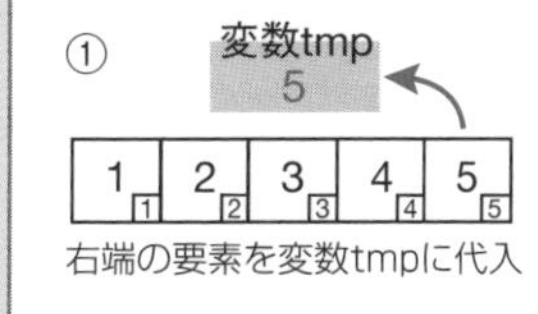

右端の要素を変数tmpに代入

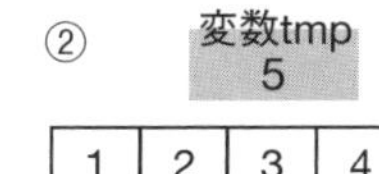

左端の要素を右端に代入

変数 tmp の要素を左端に代入。1 と 5 の入れ替えが完了する

解答

問100　ウ

試験1週間前の試験対策2

ITパスポートでは，アルファベット3文字の用語がよく出てきます。ここでは，1週間前の試験対策として，特に覚えておきたいアルファベット3文字の用語をまとめて紹介します。アルファベットだけを暗記しにくいときは，短縮前の単語の意味をヒントにするとよいでしょう。

●覚えておきたいアルファベット3文字の用語（Nから）

□ NDA（Non-Disclosure Agreement）
職務において一般に公開されていない秘密の情報に触れる場合があるとき，知り得た情報を外部に漏らさないことを約束する契約。秘密保持契約のこと。「Non（ノン）」は「非」，「Disclosure（ディスクロージャー）」は「開示」という意味から，「Non Disclosure」は「非開示」になります。

□ OEM（Original Equipment Manufacturer）
提携先企業のブランド名や商標で製品を製造すること，またはその製造者のこと。

□ OJT（On the Job Training）
実際の業務を通じて，仕事に必要な知識や技術を習得させる教育訓練。「Job」は仕事，「Training」は訓練という意味。対して，社外セミナーや通信教育など，実務を離れて行う教育訓練を「Off-JT」といいます。

□ PPM（Products Portfolio Management）
「市場成長率」を縦軸，「市場占有率」を横軸にとったマトリックス図によって，市場における自社の製品や事業の位置付けを分析する手法。「Products Portfolio」は「製品の組合せ」という意味です。

□ RFI（Request For Information）
情報システムを調達する準備において，ベンダー（情報システムの開発会社）に，開発手段や技術動向など，システムに関する情報提供を求める依頼書。情報提供依頼書ともいいます。

□ RFP（Request For Proposal）
情報システムの調達において，ベンダー（情報システムの開発会社）に情報システムへの具体的な提案を求める依頼書。文書には，システムの概要や調達条件などを記載しておきます。提案依頼書ともいいます。

□ SCM（Supply Chain Management）
資材の調達から製造，流通，販売に至る一連のプロセスを管理する経営手法。「Chain」（チェーン）は鎖という意味で，「一連のプロセス」がキーワードになります。また，「サプライチェーンマネジメント」という読みで出題されることもあります。

□ SEO（Search Engine Optimization）
検索エンジンでインターネット上の情報を検索したとき，特定のサイトを検索結果の上位に表示させるようにする工夫のこと。

□ SFA（Sales Force Automation）
コンピュータやインターネットなどのIT技術を使って，営業活動を支援するシステム。CRMとSFAはどちらも営業活動に関する用語で，CRMは「顧客管理」，SFAは「営業支援」です。

□ SLA（Service Level Agreement）
ITサービスの提供者と利用者の間で交わす合意書で，ITサービスの内容や範囲，料金などを明文化したもの。「Service Level」はサービスレベル，「Agreement」は契約という意味です。

□ TCO（Total Cost of Ownership）
システムの導入から，運用や保守，管理，教育など，導入後にかかる費用まで含めた総額のこと。「Total」は全体の，「Cost」は費用（コスト）という意味です。

□ TOB（Take-Over Bid）
ある株式会社の株式について，買付け価格と買付け期間を公表し，不特定多数の株主から株式を買い集めること。「Take-Over」は「引き取る」，「Bid」は「値を付ける」という意味です。

□ UPS（Uninterruptible Power Supply）
停電や瞬断などの電源異常が発生したときに，一時的に電力を供給する装置。無停電電源装置ともいいます。

□ WBS（Work Breakdown Structure）
プロジェクト全体を細分化し，作業項目を階層的に表現した図やその手法。「Work」は仕事，「Breakdown」は分解するという意味です。

※M以前の用語は，392ページで紹介しています。

擬似言語の記述形式（ITパスポート試験用）

アルゴリズムを表現するための擬似的なプログラム言語（擬似言語）を使用した問題では，各問題文中に注記がない限り，次の記述形式が適用されているものとする。

[擬似言語の記述形式]

記述形式	説明
○*手続名又は関数名*	手続又は関数を宣言する。
型名: *変数名*	変数を宣言する。
/**注釈**/ //*注釈*	注釈を記述する。
変数名 ← *式*	変数に*式*の値を代入する。
手続名又は関数名(*引数*, …)	手続又は関数を呼び出し，*引数*を受け渡す。

if(*条件式1*)
　処理1
elseif(*条件式2*)
　処理2
elseif (*条件式n*)
　処理n
else
　処理n+1
endif
	選択処理を示す。
	*条件式*を上から評価し，最初に真になった*条件式*に対応する*処理*を実行する。以降の*条件式*は評価せず，対応する*処理*も実行しない。どの*条件式*も真にならないときは，*処理n+1*を実行する。
	各*処理*は，0以上の文の集まりである。
	elseifと*処理*の組みは，複数記述することがあり，省略することもある。
	elseと*処理n+1*の組みは一つだけ記述し，省略することもある。

while(*条件式*)
　処理
endwhile
	前判定繰返し処理を示す。
	*条件式*が真の間，*処理*を繰返し実行する。
	*処理*は，0以上の文の集まりである。

do 　*処理* while(*条件式*)	後判定繰返し処理を示す。 *処理*を実行し，*条件式*が真の間，*処理*を繰返し実行する。 *処理*は，0以上の文の集まりである。

for(*制御記述*)
　処理
endfor
	繰返し処理を示す。
	*制御記述*の内容に基づいて，*処理*を繰返し実行する。
	*処理*は，0以上の文の集まりである。

[演算子と優先順位]

演算子の種類		演算子	優先度
式		()	高
単項演算子		not ＋ −	↑
二項演算子	乗除	mod × ÷	
	加減	＋ −	
	関係	≠ ≦ ≧ ＜ ＝ ＞	
	論理積	and	↓
	論理和	or	低

注記：演算子 mod は，剰余算を表す。

[論理型の定数]

true，false

[配列]

一次元配列において“{”は配列の内容の始まりを，“}”は配列の内容の終わりを表し，配列の要素は，“[”と“]”の間にアクセス対象要素の要素番号を指定することでアクセスする。

例　要素番号が1から始まる配列exampleArrayの要素が {11，12，13，14，15} のとき，要素番号4の要素の値（14）はexampleArray[4]でアクセスできる。

二次元配列において，内側の“{”と“}”に囲まれた部分は，1行分の内容を表し，要素番号は，行番号，列番号の順に“,”で区切って指定する。

例　要素番号が1から始まる二次元配列exampleArray の要素が {{11，12，13，14，15}，{21，22，23，24，25}} のとき，2行目5列目の要素の値（25）は，exampleArray[2，5]でアクセスできる。

表計算ソフトの機能・用語

表計算ソフトの機能，用語などは，原則として次による。

なお，ワークシートの保存，読出し，印刷，罫線作成やグラフ作成など，ここで示す以外の機能などを使用するときには，問題文中に示す。

1. ワークシート

(1) 列と行とで構成される升目の作業領域をワークシートという。ワークシートの大きさは256列，10,000行とする。

(2) ワークシートの列と行のそれぞれの位置は，列番号と行番号で表す。列番号は，最左端列の列番号をAとし，A，B，…，Z，AA，AB，…，AZ，BA，BB，…，BZ，…，IU，IVと表す。

行番号は，最上端行の行番号を1とし，1，2，…，10000と表す。

(3) 複数のワークシートを利用することができる。このとき，各ワークシートには一意のワークシート名を付けて，他のワークシートと区別する。

2. セルとセル範囲

(1) ワークシートを構成する各升をセルという。その位置は列番号と行番号で表し，それをセル番地という。

[例] 列A行1にあるセルのセル番地は，A1と表す。

(2) ワークシート内のある長方形の領域に含まれる全てのセルの集まりを扱う場合，長方形の左上端と右下端のセル番地及び“：”を用いて，“左上端のセル番地：右下端のセル番地”と表す。これを，セル範囲という。

[例] 左上端のセル番地がA1で，右下端のセル番地がB3のセル範囲は，A1:B3と表す。

(3) 他のワークシートのセル番地又はセル範囲を指定する場合には，ワークシート名と“!”を用い，それぞれ“ワークシート名!セル番地”又は“ワークシート名!セル範囲”と表す。

[例] ワークシート“シート1”のセルB5～G10を，別のワークシートから指定する場合には，シート1!B5:G10と表す。

3. 値と式

(1) セルは値をもち，その値はセル番地によって参照できる。値には，数値，文字列，論理値及び空値がある。

(2) 文字列は一重引用符“'”で囲って表す。

[例] 文字列“A”，“BC”は，それぞれ'A'，'BC'と表す。

(3) 論理値の真をtrue，偽をfalseと表す。

(4) 空値をnullと表し，空値をもつセルを空白セルという。セルの初期状態は，空白セルとする。

(5) セルには，式を入力することができる。セルは，式を評価した結果の値をもつ。

(6) 式は，定数，セル番地，演算子，括弧及び関数から構成される。定数は，数値，文字列，論理値又は空値を表す表記とする。式中のセル番地は，その番地のセルの値を参照する。

(7) 式には，算術式，文字式及び論理式がある。評価の結果が数値となる式を算術式，文字列となる式を文字式，論理値となる式を論理式という。

(8) セルに式を入力すると，式は直ちに評価される。式が参照するセルの値が変化したときには，直ちに，適切に再評価される。

4. 演算子

(1) 単項演算子は，正符号“＋”及び負符号“－”とする。

(2) 算術演算子は，加算“＋”，減算“－”，乗算“＊”，除算“／”及びべき乗“＾”とする。

(3) 比較演算子は，より大きい“>”，より小さい“<”，以上“≧”，以下“≦”，等しい“＝”及び等しくない“≠”とする。

(4) 括弧は丸括弧“(”及び“)”を使う。

(5) 式中に複数の演算及び括弧があるときの計算の順序は，次表の優先順位に従う。

演算の種類	演算子	優先順位
括弧	( )	高
べき乗演算	＾	↑
単項演算	＋，－	
乗除演算	＊，／	
加減演算	＋，－	↓
比較演算	>，<，≧，≦，＝，≠	低

5. セルの複写

(1) セルの値又は式を，他のセルに複写することができる。

(2) セルを複写する場合で，複写元のセル中にセル番地を含む式が入力されているとき，複写元と複写先のセル番地の差を維持するように，式中のセル番地を変化させるセルの参照方法を相対参照という。この場合，複写先のセルとの列番号の差及び行番号の差を，複写元のセルに入力された式中の各セル番地に加算した式が，複写先のセルに入る。

[例] セルA6に式A1 ＋ 5が入力されているとき，このセルをセルB8に複写すると，セルB8には式B3 ＋ 5が入る。

(3) セルを複写する場合で，複写元のセル中にセル番地を含む式が入力されているとき，そのセル番地の列番号と行番号の両方又は片方を変化させないセルの参照方法を絶対参照という。絶対参照を適用する列番号と行番号の両方又は片方の直前には“$”を付ける。

[例] セルB1に式A1 ＋ $A2 ＋ A$5が入力されているとき，このセルをセルC4に複写すると，セルC4には式A1 ＋ $A5 ＋ B$5が入る。

(4) セルを複写する場合で，複写元のセル中に，他のワークシートを参照する式が入力されているとき，その参照するワークシートのワークシート名は複写先でも変わらない。

[例] ワークシート“シート2”のセルA6に式 シート1!A1 が入力されているとき，このセルをワークシート“シート3”のセルB8に複写すると，セルB8には式 シート1!B3 が入る。

6. 関数

式には次の表で定義する関数を利用することができる。

書式	解　説
合計（セル範囲[1]）	セル範囲に含まれる数値の合計を返す。 ［例］合計（A1:B5）は，セルA1 ～ B5に含まれる数値の合計を返す。
平均（セル範囲[1]）	セル範囲に含まれる数値の平均を返す。
標本標準偏差（セル範囲[1]）	セル範囲に含まれる数値を標本として計算した標準偏差を返す。
母標準偏差（セル範囲[1]）	セル範囲に含まれる数値を母集団として計算した標準偏差を返す。
最大（セル範囲[1]）	セル範囲に含まれる数値の最大値を返す。
最小（セル範囲[1]）	セル範囲に含まれる数値の最小値を返す。
IF（論理式，式1，式2）	論理式の値がtrueのとき式1の値を，falseのとき式2の値を返す。 ［例］IF（B3 ＞ A4，'北海道'，C4）は，セルB3の値がセルA4の値より大きいとき文字列“北海道”を，それ以外のときセルC4の値を返す。
個数（セル範囲）	セル範囲に含まれるセルのうち，空白セルでないセルの個数を返す。
条件付個数（セル範囲，検索条件の記述）	セル範囲に含まれるセルのうち，検索条件の記述で指定された条件を満たすセルの個数を返す。検索条件の記述は比較演算子と式の組で記述し，セル範囲に含まれる各セルと式の値を，指定した比較演算子によって評価する。 ［例1］条件付個数（H5:L9，＞ A1）は，セルH5 ～ L9のセルのうち，セルA1の値より大きな値をもつセルの個数を返す。 ［例2］条件付個数（H5:L9，＝ 'A4'）は，セルH5 ～ L9のセルのうち，文字列“A4”をもつセルの個数を返す。
整数部（算術式）	算術式の値以下で最大の整数を返す。 ［例1］整数部（3.9）は，3を返す。 ［例2］整数部（−3.9）は，−4を返す。
剰余（算術式1，算術式2）	算術式1の値を被除数，算術式2の値を除数として除算を行ったときの剰余を返す。関数“剰余”と“整数部”は，剰余（x，y）＝ x−y＊整数部（x ／ y）という関係を満たす。 ［例1］剰余（10，3）は，1を返す。 ［例2］剰余（−10，3）は，2を返す。
平方根（算術式）	算術式の値の非負の平方根を返す。算術式の値は，非負の数値でなければならない。
論理積（論理式1，論理式2，…）[2]	論理式1，論理式2，…の値が全てtrueのとき，trueを返す。それ以外のときfalseを返す。
論理和（論理式1，論理式2，…）[2]	論理式1，論理式2，…の値のうち，少なくとも一つがtrueのとき，trueを返す。それ以外のときfalseを返す。
否定（論理式）	論理式の値がtrueのときfalseを，falseのときtrueを返す。
切上げ（算術式，桁位置） 四捨五入（算術式，桁位置） 切捨て（算術式，桁位置）	算術式の値を指定した桁位置で，関数“切上げ”は切り上げた値を，関数“四捨五入”は四捨五入した値を，関数“切捨て”は切り捨てた値を返す。ここで，桁位置は小数第1位の桁を0とし，右方向を正として数えたときの位置とする。 ［例1］切上げ（−314.059，2）は，−314.06を返す。 ［例2］切上げ（314.059，−2）は，400を返す。 ［例3］切上げ（314.059，0）は，315を返す。
結合（式1，式2，…）[2]	式1，式2，…のそれぞれの値を文字列として扱い，それらを引数の順につないでできる一つの文字列を返す。 ［例］結合（'北海道'，'九州'，123，456）は，文字列“北海道九州123456”を返す。
順位（算術式，セル範囲[1]，順序の指定）	セル範囲の中での算術式の値の順位を，順序の指定が0の場合は昇順で，1の場合は降順で数えて，その順位を返す。ここで，セル範囲の中に同じ値がある場合，それらを同順とし，次の順位は同順の個数だけ加算した順位とする。
乱数（ ）	0以上1未満の一様乱数（実数値）を返す。
表引き（セル範囲，行の位置，列の位置）	セル範囲の左上端から行と列をそれぞれ1，2，…と数え，セル範囲に含まれる行の位置と列の位置で指定した場所にあるセルの値を返す。 ［例］表引き（A3:H11，2，5）は，セルE4の値を返す。
垂直照合（式，セル範囲，列の位置，検索の指定）	セル範囲の左端列を上から下に走査し，検索の指定によって指定される条件を満たすセルが現れる最初の行を探す。その行に対して，セル範囲の左端列から列を1，2，…と数え，セル範囲に含まれる列の位置で指定した列にあるセルの値を返す。 ・検索の指定が0の場合の条件：式の値と一致する値を検索する。 ・検索の指定が1の場合の条件：式の値以下の最大値を検索する。このとき，左端列は上から順に昇順に整列されている必要がある。 ［例］垂直照合（15，A2:E10，5，0）は，セル範囲の左端列をセルA2，A3，…，A10と探す。このとき，セルA6で15を最初に見つけたとすると，左端列Aから数えて5列目の列E中で，セルA6と同じ行にあるセルE6の値を返す。
水平照合（式，セル範囲，行の位置，検索の指定）	セル範囲の上端行を左から右に走査し，検索の指定によって指定される条件を満たすセルが現れる最初の列を探す。その列に対して，セル範囲の上端行から行を1，2，…と数え，セル範囲に含まれる行の位置で指定した行にあるセルの値を返す。 ・検索の指定が0の場合の条件：式の値と一致する値を検索する。 ・検索の指定が1の場合の条件：式の値以下の最大値を検索する。このとき，上端行は左から順に昇順に整列されている必要がある。 ［例］水平照合（15，A2:G6，5，1）は，セル範囲の上端行をセルA2，B2，…，G2と探す。このとき，15以下の最大値をセルD2で最初に見つけたとすると，上端行2から数えて5行目の行6中で，セルD2と同じ列にあるセルD6の値を返す。

注1）引数として渡したセル範囲の中で，数値以外の値は処理の対象としない。
　2）引数として渡すことができる式の個数は，1以上である。

索引

英数字

あ行

か行

さ行

た行

な行

は行

ま行

や行

ら行

わ行

過去問題の解答一覧と答案用紙

令和6年度　過去問題　解答一覧

問1	エ	問36	ア	問71	イ
問2	イ	問37	エ	問72	ウ
問3	ウ	問38	イ	問73	エ
問4	イ	問39	エ	問74	エ
問5	イ	問40	ア	問75	エ
問6	エ	問41	イ	問76	ウ
問7	イ	問42	イ	問77	ウ
問8	ウ	問43	イ	問78	ア
問9	ア	問44	ア	問79	エ
問10	イ	問45	エ	問80	ア
問11	イ	問46	エ	問81	エ
問12	ア	問47	ウ	問82	イ
問13	エ	問48	イ	問83	エ
問14	ア	問49	ア	問84	エ
問15	ウ	問50	エ	問85	エ
問16	イ	問51	エ	問86	ウ
問17	エ	問52	ア	問87	エ
問18	ウ	問53	ウ	問88	ア
問19	ウ	問54	ウ	問89	ウ
問20	イ	問55	ウ	問90	ア
問21	ウ	問56	イ	問91	エ
問22	ウ	問57	ウ	問92	ウ
問23	ア	問58	エ	問93	イ
問24	ウ	問59	イ	問94	ア
問25	ア	問60	イ	問95	イ
問26	ア	問61	ア	問96	ウ
問27	イ	問62	エ	問97	イ
問28	ア	問63	ア	問98	イ
問29	イ	問64	イ	問99	ウ
問30	エ	問65	ウ	問100	イ
問31	エ	問66	エ		
問32	イ	問67	ウ		
問33	エ	問68	ウ		
問34	エ	問69	イ		
問35	エ	問70	ウ		

模擬問題　解答一覧

問1	エ	問36	イ	問71	ア
問2	エ	問37	ア	問72	ア
問3	エ	問38	エ	問73	エ
問4	ア	問39	イ	問74	ウ
問5	イ	問40	イ	問75	ア
問6	エ	問41	エ	問76	ウ
問7	ウ	問42	ウ	問77	ア
問8	エ	問43	ウ	問78	イ
問9	ア	問44	イ	問79	ア
問10	エ	問45	ウ	問80	ウ
問11	イ	問46	エ	問81	ウ
問12	エ	問47	ウ	問82	エ
問13	イ	問48	ウ	問83	ウ
問14	ア	問49	エ	問84	イ
問15	エ	問50	ウ	問85	イ
問16	ア	問51	ウ	問86	エ
問17	エ	問52	ア	問87	エ
問18	ウ	問53	ウ	問88	エ
問19	ア	問54	エ	問89	イ
問20	イ	問55	イ	問90	ア
問21	ウ	問56	ア	問91	エ
問22	エ	問57	エ	問92	ウ
問23	ア	問58	イ	問93	エ
問24	ア	問59	ウ	問94	ウ
問25	エ	問60	イ	問95	イ
問26	ウ	問61	イ	問96	ウ
問27	ウ	問62	エ	問97	ア
問28	ア	問63	エ	問98	イ
問29	エ	問64	イ	問99	イ
問30	エ	問65	ウ	問100	ウ
問31	エ	問66	ア		
問32	エ	問67	エ		
問33	ア	問68	ウ		
問34	ウ	問69	エ		
問35	ウ	問70	ウ		

答案用紙

本試験ではCBT形式であるため記述は行いませんが，試験の雰囲気を掴めるように答案用紙を用意しました。この答案用紙を使って，所定の時間内に解答して，実力を測ってみてください。くり返し使えるように，コピーして利用することをお勧めします。

令和6年度　過去問題

問1		問36		問71	
問2		問37		問72	
問3		問38		問73	
問4		問39		問74	
問5		問40		問75	
問6		問41		問76	
問7		問42		問77	
問8		問43		問78	
問9		問44		問79	
問10		問45		問80	
問11		問46		問81	
問12		問47		問82	
問13		問48		問83	
問14		問49		問84	
問15		問50		問85	
問16		問51		問86	
問17		問52		問87	
問18		問53		問88	
問19		問54		問89	
問20		問55		問90	
問21		問56		問91	
問22		問57		問92	
問23		問58		問93	
問24		問59		問94	
問25		問60		問95	
問26		問61		問96	
問27		問62		問97	
問28		問63		問98	
問29		問64		問99	
問30		問65		問100	
問31		問66			
問32		問67			
問33		問68			
問34		問69			
問35		問70			

模擬問題

問1		問36		問71	
問2		問37		問72	
問3		問38		問73	
問4		問39		問74	
問5		問40		問75	
問6		問41		問76	
問7		問42		問77	
問8		問43		問78	
問9		問44		問79	
問10		問45		問80	
問11		問46		問81	
問12		問47		問82	
問13		問48		問83	
問14		問49		問84	
問15		問50		問85	
問16		問51		問86	
問17		問52		問87	
問18		問53		問88	
問19		問54		問89	
問20		問55		問90	
問21		問56		問91	
問22		問57		問92	
問23		問58		問93	
問24		問59		問94	
問25		問60		問95	
問26		問61		問96	
問27		問62		問97	
問28		問63		問98	
問29		問64		問99	
問30		問65		問100	
問31		問66			
問32		問67			
問33		問68			
問34		問69			
問35		問70			

■商品に関する問い合わせ先

このたびは弊社商品をご購入いただきありがとうございます。本書の内容などに関するお問い合わせは、下記のURLまたは二次元コードにある問い合わせフォームからお送りください。

https://book.impress.co.jp/info/

上記フォームがご利用いただけない場合のメールでの問い合わせ先
info@impress.co.jp

※お問い合わせの際は、書名、ISBN、お名前、お電話番号、メールアドレス に加えて、「該当するページ」と「具体的なご質問内容」「お使いの動作環境」を必ずご明記ください。なお、本書の範囲を超えるご質問にはお答えできないのでご了承ください。

●電話やFAX でのご質問には対応しておりません。また、封書でのお問い合わせは回答までに日数をいただく場合があります。あらかじめご了承ください。
●インプレスブックスの本書情報ページ　https://book.impress.co.jp/books/1124101091では、本書のサポート情報や正誤表・訂正情報などを提供しています。あわせてご確認ください。
●本書の奥付に記載されている初版発行日から3 年が経過した場合、もしくは本書で紹介している製品やサービスについて提供会社によるサポートが終了した場合はご質問にお答えできない場合があります。

■落丁・乱丁本などの問い合わせ先

FAX：03-6837-5023 ／ 電子メール：service@impress.co.jp
※古書店で購入された商品はお取り替えできません。

＜STAFF＞

編集	阿部 香織 畑中 二四	まとめノートデザイン	岡 裕美
校正協力	株式会社トップスタジオ	表紙デザイン	阿部 修（G-Co.Inc.）
DTP制作	今田 博史	表紙・本文イラスト	スマイルワークス（神岡 学）
本文改訂デザイン	十河 さゆり	表紙制作	鈴木 薫
		編集長	玉巻 秀雄

かんたん合格 ITパスポート過去問題集 令和7年度 春期

2024年11月21日　初版発行

著　者　間久保 恭子（まくぼ きょうこ）
発行人　高橋 隆志
編集人　藤井 貴志
発行所　株式会社インプレス
　　〒101-0051　東京都千代田区神田神保町一丁目105番地
　　ホームページ　https://book.impress.co.jp/

印刷所　日経印刷株式会社

ISBN978-4-295-02072-1　C3055

Printed in Japan